DUBBELSPEL

D0809732

Gemeentelijke Bibliotheek
Beveren
Uitleenpost
Verrebroek

Van dezelfde auteur:

Doodsengel
Tot stof vergaan

Tami Hoag

DUBBELSPEL

the house of books

Oorspronkelijke titel
Dark Horse
Uitgave
Bantam Books, New York

Vertaling
Karina Zegers de Beijl
Omslagontwerp
Studio Jan de Boer BNO, Amsterdam
Omslagdia
Stewart Cohen/The Image Bank
Foto auteur
Sigrid Estrada
Opmaak binnenwerk
ZetSpiegel, Best

ISBN 90 443 1046 1
D/2004/8899/57
NUR 332

Dit boek is geïnspireerd op de belevenissen van Tess en Mati.
Mogen er nog vele avonturen volgen, en mogen ze ze overleven om ze na te kunnen vertellen.

Woord van dank

Zoals altijd is er een aantal mensen die ik wil bedanken voor de deskundige adviezen die ik tijdens het schrijven van dit boek van hen mocht ontvangen. Inspecteur Ed Serafin van de Palm Beach County Sheriff's Office, bureau Moordzaken/Roofovervallen. Robert Crais. Eileen Dreyer. Jessie Steiner. Mary Phelps. En met name, Betsy Steiner, een ware vriendin en partner in internationale intrige.

Opmerking van de auteur

Welkom in mijn andere wereld.

Wanneer ik niet achter mijn bureau zit, zit ik op de rug van mijn paard. Ik doe aan dressuurrijden en neem aan wedstrijden deel. Ik kan mijzelf langer ruiter noemen dan schrijver. Paarden zijn al jarenlang mijn bron van vreugde en troost, mijn vorm van mijzelf afreageren, mijn therapie en mijn redding. Ik heb vrijwel alle onderdelen van de paardensport beoefend, van *barrel racing* tot springen. Toen ik dertien was en mijn vriendinnen op kinderen pasten om extra zakgeld te verdienen, kwam mijn vader thuis met jonge paarden die ik moest africhten en aan het zadel moest laten wennen.

Een aantal jaren geleden besloot ik mij in mijn vrije tijd met de dressuur bezig te gaan houden. Bij dressuur gaat het boven alles om de controle, de precisie en de beheersing van de subtiele signalen tussen ruiter en paard. Het uiteindelijke resultaat kan worden omschreven als paardenballet – het paard voert, op aanwijzing van de ruiter, schijnbaar moeiteloze, elegante danspassen uit, waarvoor echter eenzelfde lichamelijke en geestelijke conditie vereist is als voor power-yoga.

In 1999 deed ik voor het eerst aan een dressuurwedstrijd mee. Ik ben wie ik ben, en ik heb de sport niet beetje bij beetje onder de knie gekregen. Ik heb, bij alles wat ik doe, altijd maar één versnelling: volle kracht vooruit. Ik had een prachtig – maar moeilijk – paard met de naam D'Artagnan gekocht van de Olympische ruiter Günter Seidel, en binnen één jaar na mijn eerste dressuurwedstrijd had ik me officieel geclassificeerd als amateurruiter binnen de Amerikaanse Federatie van Dressuursport. Na afloop van mijn eerste seizoen vroeg mijn coach, trainer, mentor en fantastische vriendin Betsy Steiner (die zelf een amazone van wereldformaat is) me om D'Artagnan, samen met enkele andere paarden uit haar stal, voor het winterseizoen naar Florida te brengen.

Elk jaar komen topruiters van de Oostkust, het Midwesten, Canada en Europa naar Wellington in Palm Beach County om daar drie maanden onafgebroken te trainen en deel te nemen aan de vele belangrijke spring- en dressuurwedstrijden. Duizenden paarden en honderden ruiters komen bijeen en vormen een fascinerende wereld, een wereld die zich kenmerkt door de kick van de overwinning, de teleurstelling van de nederlaag en grote hoeveelheden geld. Een wereld die wordt bevolkt door superrijken en heel armen; beroemdheden, blauw bloed en gewone mensen die gedurende het hele jaar elke cent opzij leggen om 'het seizoen te kunnen doen'; filantropen, dilettanten, beroepslui, amateurs, oplichters en criminelen. Paardenliefhebbers en mensen die erop uit zijn om aan die paardenliefhebbers te verdienen. Een wereld die van buiten een en al glamour lijkt, maar die in werkelijkheid heel hard kan zijn. Yin en yang. Positief en negatief.

Op het einde van dat eerste seizoen in Florida barstte ik van de ideeen voor verhalen waarin ik mijn beide werelden met elkaar zou kunnen combineren. Het resultaat is *Dubbelspel*, een klassieke detective die zich afspeelt tegen de achtergrond van internationale springconcoursen. Ik hoop dat u van dit kijkje in de duistere zijde van mijn andere wereld zult genieten.

Als u er, na het lezen van dit boek, van overtuigd bent geraakt dat alles in de paardenwereld verdorven is, laat mij u dan verzekeren dat dat niet zo is. Een aantal van de nobelste, vriendelijkste en gulste mensen die ik ken, behoren tot de paardenwereld. Daar staat echter tegenover dat ik er ook een aantal uiterst verachtelijke, gemene en hatelijke mensen ben tegengekomen. De paardenwereld kan een wereld van uitersten, en van onvoorstelbare avonturen zijn. Er zijn paarden van mij gestolen, en paarden van mij hebben drugs gekregen. Ik ben ooit eens ergens in het buitenland gestrand met een psychopatische paardenhandelaar die mijn thuisreis had geannuleerd. Ik heb me als stalknecht verkleed en ik heb in de buik van een vrachtvliegtuig gezeten met een paard dat niets anders wilde dan mij vermoorden. Maar dat soort avonturen gebeuren niet dagelijks. Bij mijn dagelijkse gang naar de manege vind ik daar vriendschap en collegialiteit, en innerlijke rust.

Mijn eigen paarden komen in dit boek voor, en behoren tot de stal van Sean Avadon. Maar, in antwoord op de onvermijdelijke vraag, ik ben niet Elena (als mijn leven zo spannend was, waarom zou ik dan ooit een boek willen schrijven?). Ik ben het echter wel met haar eens wanneer ze zegt: 'Op de rug van een paard voelde ik me compleet en verbonden met dat vitale plekje diep in mijn centrum... waardoor mijn innerlijke chaos weer in evenwicht kon komen.'

EERSTE BEDRIJF

Scène een

Inzoomen:

Locatie: buiten, ruitercentrum Palm Beach – zonsondergang

Een open, vlak landschap met kale velden en struikgewas dat zich naar het westen toe uitstrekt. Een zandpad dat in noordelijke richting naar het ruitercentrum loopt, en in zuidelijke richting naar enkele bescheiden paardenstoeterijen in de verte. Geen mens te zien. Er is niemand op de velden. Geen mensen, geen paarden. Het is zondagavond: iedereen is thuis.

Erin staat bij het hek van de achteringang. Ze wacht op iemand. Ze is zenuwachtig. Ze denkt dat ze hier staat in verband met een geheime opdracht. Ze denkt dat haar leven vanavond voor altijd zal veranderen.

En dat zal het ook.

Ze kijkt op haar horloge. Ongeduldig. Bang dat hij niet zal komen. Ze merkt niets van de camera die haar filmt. Ze denkt dat ze alleen is.

Ze denkt: misschien komt hij wel niet, misschien heeft ze zich wel in hem vergist. Vanuit zuidelijke richting nadert een roestig wit busje. Ze ziet het naderbij komen. Er ligt een geïrriteerde uitdrukking op haar gezicht. Niemand neemt dit pad op deze tijd van de dag. Het hek van het ruitercentrum is al gesloten voor de nacht.

Het busje stopt. Er springt een gemaskerde overvaller uit.

ERIN
Nee!

Ze begint naar het hek te rennen. Hij grijpt haar van achteren bij haar arm en draait haar met een ruk naar zich toe. Ze schopt hem. Hij stompt haar in het gezicht. Ze wankelt zijwaarts en weet zich tegelijkertijd los te trekken. Ze probeert weer weg te rennen, maar krijgt geen macht over haar benen. De overvaller slaat haar van achteren neer en gaat, met zijn knie op haar rug, boven op haar zitten. Hij haalt een injectienaald uit de zak van zijn jack en stoot hem met kracht in haar arm. Ze schreeuwt het uit van pijn en begint te huilen.

Hij trekt haar overeind en duwt haar in het busje. Hij smijt het portier dicht, stapt zelf in het busje, keert en rijdt weg.

Het leven kan van de ene op de andere seconde veranderen.

Fade-out

1

Het leven kan van het ene op het andere moment veranderen.

Dat heb ik altijd geweten. Het is iets waar ik vrijwel vanaf mijn geboorte mee te maken heb. Soms zie ik die momenten aankomen, en kan ik ze, alsof ze een eigen aura hebben die aan hun letterlijke komst voorafgaat, bijna voelen. De adrenaline schiet als raketbrandstof door mijn aderen. Mijn hart gaat als een gek tekeer. Ik ben gereed voor de aanval.

Mijn opdracht was om te blijven staan en te wachten, maar ik weet dat dat niet de juiste beslissing is. Als ik als eerste naar binnen ga, als ik nu naar binnen ga, dan zijn de gebroeders Golam er geweest. Ze denken dat ze me kennen. Ze zullen niets vermoeden. Ik heb drie maanden aan deze zaak gewerkt. Ik weet wat ik doe. Ik weet dat ik gelijk heb. Ik weet dat de gebroeders Golam achterdocht beginnen te koesteren. Ik weet dat ik deze arrestatie wil en dat ik er recht op heb. Ik weet dat inspecteur Sikes alleen maar is gekomen voor de show, om met de eer te gaan strijken zodra de pers er is, en om het publiek te laten denken dat ze bij de volgende sheriffverkiezingen op hem moeten stemmen.

Hij heeft me bij de zijkant van de caravan gezet en gezegd dat ik moest wachten. Weet hij veel. Hij weet niet eens dat de broers bij voorkeur de zijdeur gebruiken. Terwijl Sikes en Ramirez de voorzijde in de gaten houden, zijn de broers bezig om het geld in reistassen te stoppen en bereiden ze zich voor op hun ontsnapping via de zijdeur. Billy Golams met modder bespatte terreinwagen staat drie meter van de deur af geparkeerd. Als ze willen vluchten zullen ze de terreinwagen nemen, en niet de Corvette die bij de voordeur staat. Met de terreinwagen kunnen ze van de weg af.

Sikes verliest kostbare seconden. De broers hebben twee meisjes bij zich in de caravan. Dit kan gemakkelijk een gijzelingssituatie worden. Maar als ik nu naar binnen ga, zolang ze nog niets vermoeden...

Sikes kan de kolere krijgen. Ik ga naar binnen voor de engerds in paniek raken.

Het is mijn zaak. Ik weet wat ik doe.

Ik maak radiocontact. 'Dit slaat nergens op. Ze zullen de terreinwagen nemen. Ik ga naar binnen.'

'Verdomme, Estes –' Sikes.

Ik verbreek het contact en laat de radio naast de caravan in het gras vallen. Het is míjn zaak. Het is míjn arrestatie. Ik weet wat ik doe.

Ik ga naar de zijdeur en klop op de manier waarop al Golams klanten kloppen: twee klopjes, één klopje, twee klopjes. 'Hé, Billy, ik ben het, Elle. Ik heb spul nodig.'

Billy Golam trekt de deur met een ruk open. Zijn ogen staan wild en hij is high van de door hem zelf gebrouwen speed – crystal meth. Hij hijgt. Hij heeft een pistool in zijn hand.

Verdomme.

De voordeur wordt ingetrapt.

Een van de meisjes schreeuwt.

Buddy Golam schreeuwt: 'Smerissen!'

Billy Golam brengt zijn .357 tot vlak voor mijn gezicht. Ik haal voor de laatste keer adem.

En toen deed ik mijn ogen open en voelde ik me misselijk in het besef dat ik nog steeds leefde.

Dit was de manier waarop ik al twee jaar lang elke dag wakker werd. Ik had die herinnering zo vaak herleefd dat het net een film was die keer op keer werd afgedraaid. Hij was elke keer precies hetzelfde. Er veranderde niets aan, nog geen woord, nog geen beeld. Dat stond ik niet toe.

Ik lag in bed en speelde met de gedachte mijn polsen door te snijden. Niet op een abstracte manier. Maar juist uiterst specifiek. Ik bekeek mijn polsen in het zachte licht van de lamp – tenger, de botjes even breekbaar als die van de vleugel van een vogel, dunne huid met blauwe lijnen van de aderen – en bedacht hoe ik het zou doen. Ik keek naar die fijne blauwe lijntjes en beschouwde ze als grenslijnen. Als lijnen die precies aangaven waar gesneden moest worden.

Ik dacht aan de scherpe punt van een uitbeenmes. In gedachten zag ik het licht op het lemmet weerkaatsen. De punt zou vlak langs de ader door de huid snijden, en het bloed zou opwellen uit de gemaakte snee. Rood. Mijn lievelingskleur.

Het beeld maakte me niet bang, en het was vooral dát, dat me bang maakte.

Ik keek op de wekker. Acht over half vijf. Mijn gebruikelijke onrustige viereneenhalf uur slaap zat erop. Proberen om langer te slapen was zinloos.

Trillend over mijn hele lichaam dwong ik mijn benen over de rand van het bed, en stond op terwijl ik een sjaal van donkerblauwe chenille over mijn schouders sloeg. Het materiaal voelde heerlijk zacht, luxueus en warm. Ik was me scherp bewust van de zintuiglijke indrukken. Hoe dichter je de dood in de ogen kijkt, des te bewuster je leeft.

Ik vroeg me af of Hector Ramirez daar, in de fractie van de seconde voor zijn dood, tijd voor had gehad.

Dat was iets dat ik me dagelijks afvroeg.

Ik liet de sjaal vallen en ging de badkamer in.

'Goeiemorgen, Elena. Wat zie je er belazerd uit.'

Te mager. Haar dat verward alle kanten op stond. Ogen die te groot en te donker waren, alsof er binnenin niets was dat naar buiten toe kon uitstralen. Dat was de kern van mijn probleem: gebrek aan inhoud. Mijn gezicht vertoonde – vertoont – een vage asymmetrie als van een porseleinen vaas die gebroken was en vervolgens met de grootste nauwkeurigheid weer in elkaar was gezet. Het was dezelfde vaas als eerst, maar toch was hij anders. Hetzelfde gezicht als dat waarmee ik was geboren, maar toch ook weer niet. Een tikje scheef en vreemd uitdrukkingsloos.

Vroeger was ik beeldschoon.

Ik pakte een kam van de wastafel, stootte hem op de grond en pakte in plaats ervan een borstel. Begin onderaan, en werk dan langzaam naar boven. Net als het kammen van een paardenstaart. Borstel de knopen er beetje bij beetje uit. Maar ik had al genoeg gekregen van mijn spiegelbeeld. Boosheid en wrok borrelden omhoog en ik begon de borstel met zulke harde en wilde rukken door mijn haren te trekken dat het niet lang duurde voor de borstel in de massa knopen vast kwam te zitten.

Gedurende pakweg vijfenveertig seconden probeerde ik de borstel te bevrijden. Ik rukte en trok eraan, trok aan het haar boven de knoop, en maakte me niet druk om het feit dat ik hele plukken haar met wortel en al uittrok. Ik vloekte hardop, mepte driftig naar mijn spiegelbeeld en sloeg het glas en het zeepbakje van de wastafel, die op de tegelvloer uiteenspatten. Toen rukte ik een la van het kastje open en haalde er een schaar uit.

Woedend, bevend en hijgend knipte ik flinke plukken haar weg om de borstel te bevrijden, waarna ik hem, met een grote hoeveelheid zwart haar eromheen gewikkeld, op de grond liet vallen. Het drukkende gevoel op mijn borst werd minder. Een gevoel van verdoving maakte zich beetje bij beetje van mij meester. Even later was ik gekalmeerd.

Zonder enige emotie begon ik de rest van mijn lange haar eraf te knippen. In nog geen tien minuten had ik een kort jongenskoppie. Het resultaat was onregelmatig met recht omhoog staande pieken. Ik had erger gezien in *Vogue*.

Ik veegde de rommel – het afgeknipte haar en de scherven – op, gooide het in de afvalemmer en verliet de badkamer.

Ik had mijn hele leven lang haar gehad.

De ochtend was koel, en er hing een dichte, zware mist. Het rook naar de vochtige geuren van zuidelijk Florida: groene planten en het troebele kanaal dat achter het terrein langs liep; modder en mest en paarden. Ik stond op het terras van het kleine gastenverblijf waar ik woonde en snoof de geuren diep in me op.

Ik was hier als een vluchteling gekomen. Geen werk en geen onderdak – een paria in het door mij gekozen vak. Niemand wilde mij, niemand hield van mij en ik was door iedereen aan mijn lot overgelaten. En dat alles volkomen verdiend. Sinds ik twee jaar tevoren ontslagen was, had ik de grootste tijd in ziekenhuizen doorgebracht waar de artsen hun best hadden gedaan om de schade te repareren die mijn lichaam die dag bij de caravan van de gebroeders Golam had opgelopen. Stukjes bot waren weer aan elkaar gezet, opengereten huid was gehecht, en de linkerkant van mijn gezicht was als een driedimensionale puzzel weer in elkaar gezet. Ten aanzien van mijn psyche waren ze minder succesvol geweest.

Omdat ik iets te doen moest hebben tot het moment waarop ik besloot het uitbeenmes ter hand te nemen, had ik gereageerd op een advertentie in *Sidelines*, een tweewekelijks, plaatselijk blad dat zich op de paardenindustrie richtte: STALKNECHT GEVRAAGD.

Het leven is vreemd. Ik weiger te geloven dat alles is voorbestemd. Wie dat gelooft, moet tegelijkertijd geloven in een uiterst wrede hogere macht als enige verklaring voor zaken als kindermishandeling, verkrachters en aids, en goede mensen die, terwijl ze hun werk doen, worden doodgeschoten. Dat neemt niet weg dat sommige wendingen van het lot me zo af en toe toch wel eens laten twijfelen.

Het telefoonnummer dat bij de advertentie stond was van Sean Avadon. Ik had Sean honderd jaar geleden in mijn paardrijtijd leren kennen – toen ik een verwende, onuitstaanbare Palm Beach-tiener was geweest, en hij een verwende, bizarre erfgenaam van ergens in de twintig die zijn geld uitgaf aan paarden en waanzinnige avonturen met knappe Zweedse en Duitse jongemannen. We waren vrienden geworden, waarbij Sean me altijd voorhield dat ik hem nodig had als surrogaat voor mijn gevoel van humor en besef van mode.

Onze ouders woonden een aantal villa's van elkaar af aan de op Lake Worth uitkijkende zijde van het smalle eiland. Seans vader was een vermogende projectontwikkelaar, de mijne was advocaat van de allerrijkste criminelen in zuidelijk Florida. De huisjesmelker en de gewetenloze raadsman, elk met ondankbare kinderen. Sean en ik konden het, op grond van onze minachting voor onze ouders en onze liefde voor paarden, uitstekend met elkaar vinden. En beiden waren we op onze eigen manier een buitenbeentje.

Dat alles leek zo lang geleden dat het meer had van een bijna vergeten droom. Er was sindsdien dan ook heel wat gebeurd. Ik was weggegaan uit Palm Beach en had dat wereldje de rug toegekeerd. Je zou kunnen zeggen dat ik een ander leven had geleid en was gestorven. En toen had ik op de advertentie gereageerd: STALKNECHT GEVRAAGD.

Ik kreeg het baantje niet. We spraken af voor een borrel bij The Players. Ik was er verschrikkelijk aan toe, maar dat belette me niet het medelijden in zijn ogen te zien. Ik was een schim van het meisje dat Sean twintig jaar eerder had gekend – ik was er zó erg aan toe dat ik niet eens voldoende trots meer bezat om te doen alsof ik geestelijk volkomen in orde zou zijn. Ik denk dat ik me op dat moment op het absolute dieptepunt van mijn depressie bevond. Het was niet ondenkbaar dat ik, als ik die avond zou zijn teruggekeerd naar het flatje dat ik huurde, naar dat uitbeenmes op zoek zou zijn gegaan.

In plaats daarvan ontfermde Sean zich over mij alsof ik een zwerfkat was – een zich herhalend thema in mijn leven. Hij zette me in zijn gastenverblijf en vroeg of ik gedurende het winterseizoen met een paar van zijn paarden wilde werken. Hij beweerde dat hij hulp nodig had. Zijn ex-trainer/ex-minnaar was 'm met zijn stalknecht naar Nederland gesmeerd en nu zat hij ineens verschrikkelijk omhoog. Hij deed het klinken alsof hij me een baan gaf. Wat hij me in werkelijkheid gaf, was uitstel van executie.

Intussen waren er drie maanden verstreken. Ik fantaseerde nog steeds over zelfmoord, en elke avond haalde ik een potje Vicodin uit mijn nachtkastje, kiepte de pillen eruit, bekeek ze en telde ze, en bedacht hoe één pil voldoende zou zijn om de lichamelijke pijn te verzachten die me onafgebroken gezelschap hield sinds 'het incident', zoals mijn advocaat het noemde. (Zo steriel en keurig als dat klonk. Een klein stukje onaangenaamheid dat uit het weefsel van het leven geknipt en afgezonderd kon worden. Wat een contrast met mijn herinneringen.) Eén pil was voldoende om de pijn te verminderen. Dertig zouden er voorgoed een eind aan kunnen maken. Ik had een totale voorraad van driehonderdzestig pillen.

Elke avond bekeek ik die pillen, waarna ik ze weer in het potje terugstopte, en het potje weer in het nachtkastje zette. Ik had er nog nooit één genomen. Het was, elke avond voor het slapengaan, mijn vaste ritueel.

Mijn vaste ritueel voor overdag was, sinds drie maanden, het werken met Seans paarden. Beide rituelen hadden een kalmerende uitwerking op me, maar wel om totaal verschillende redenen. De pillen hielden verband met de dood, en elke avond waarop ik ze niet innam, was een overwinning. De paarden hielden verband met het leven, en elk uur dat ik met ze doorbracht was een uur van uitstel.

Ik was al op zeer jeugdige leeftijd tot de conclusie gekomen dat mijn spiritualiteit iets uiterst persoonlijks was, iets dat ik alleen maar op een heel klein plekje diep binnen in mijn wezen kon vinden. Er zijn mensen die via meditatie of yoga of het gebed contact met dat plekje weten te maken. Ik vind dat plekje wanneer ik op de rug van een paard zit. Mijn eigen vorm van zen: de kunst van het dressuurrijden.

De dressuur is een tak van de ruitersport die in oude tijden op het slagveld is ontstaan. Strijdrossen leerden met de grootste precisie bewegen om hun berijders tijdens de strijd behulpzaam te kunnen zijn – niet alleen om de vijand te kunnen ontwijken, maar ook tijdens de aanval. In de loop der tijden verplaatste deze vorm van paardrijden zich van het slagveld naar de ring, en het dressuurrijden ontwikkelde zich tot een soort van paardenballet.

Op de leek maakt het geheel een sierlijke en moeiteloze indruk. Een geoefend ruiter zit nagenoeg bewegingloos in het zadel, en weet zichzelf als het ware weg te cijferen. In werkelijkheid vereist de sport een zware geestelijke en lichamelijke inspanning van paard en ruiter samen. Het is een complexe en ingewikkelde tak van de paardensport. De ruiter moet volledig zijn ingesteld op elke stap van het paard en op de balans van elke centimeter van het paardenlijf. De geringste verplaatsing van het gewicht van de berijder, de geringste beweging van diens hand, het geringste spannen van een kuitspier zal op het optreden van invloed zijn. De ruiter moet voor tweehonderd procent geconcentreerd zijn. Al het andere is onbelangrijk.

Wanneer ik als tiener het gevoel had dat ik alle controle over de andere aspecten van mijn leven kwijt was, zocht ik mijn toevlucht in het rijden. Later, tijdens mijn werk, was het rijden voor mij de ideale manier om me te ontspannen. Het werd mijn redding toen ik niets anders meer had. Op de rug van een paard voelde ik me héél, compleet en verbonden met dat vitale plekje in het binnenste van mijn wezen waar ik op andere momenten geen toegang toe wist te krijgen, en kon mijn innerlijke chaos weer in evenwicht komen.

D'Artagnan en ik reden in de laatste flarden ochtendmist door het zand van de bak. Ik voelde zijn spieren spannen en ontspannen terwijl zijn hoeven in een perfect ritme de grond raakten. Ik liet de linker teugel iets vieren, leunde naar achteren en spande mijn kuiten om zijn flanken. De energie bewoog zich van zijn achterhand, over zijn rug; hij kromde zijn hals en zijn knie kwam omhoog in de gestileerde, vertraagde draf die *passage* wordt genoemd. Het voelde bijna alsof hij onder me zweefde, alsof hij stuiterde als een enorme, zachte bal. Het was bijna alsof hij, als ik dat ene geheime woord zou kennen en hem dat in zijn oor zou fluisteren, zijn vleugels zou spreiden en zou opvliegen.

We hielden halt in de hoek van de bak die bekendstaat als punt X. Op dat moment was ik mij bewust van een intense vreugde en innerlijke vrede.

Ik liet de teugels op zijn hals vallen en gaf hem een paar klopjes. Hij liet zijn hoofd zakken en begon vooruit te lopen, maar het volgende moment bleef hij weer staan en spitste zijn oren.

Een meisje zat op het witte hek dat langs de weg liep. Ze observeerde me op een manier die iets van verwachting uitstraalde. Hoewel ze me niet was opgevallen, wist ik dat ze daar al een tijdje had zitten wachten. Ik schatte haar een jaar of twaalf. Ze had volkomen steil, lang bruin haar dat met twee speldjes op een keurige manier uit haar gezicht werd gehouden. Ze droeg een klein, rond brilletje waardoor ze een uiterst serieuze indruk maakte. Ik reed naar haar toe met een vagelijk onaangenaam voorgevoel waar ik op dat moment nog geen verklaring voor had.

'Kan ik je ergens mee helpen?' vroeg ik. D'Ar blies naar haar door zijn neusgaten, en stond op het punt er in volle galop vandoor te gaan en de indringster aan haar lot over te laten. Ik had hem niet tegen moeten houden.

'Ik kom voor mevrouw Estes,' zei ze beleefd, alsof ze voor iets zakelijks was gekomen.

'Elena Estes?'

'Ja.'

'En jij bent...?'

'Molly Seabright.'

'Nou, Molly Seabright, mevrouw Estes is op dit moment niet aanwezig.'

'*U* bent mevrouw Estes,' verklaarde ze. 'Ik herken uw paard. Hij heet D'Artagnan, zoals in *De drie musketiers.*' Ze kneep haar ogen halfdicht. 'U heeft uw haar afgeknipt.'

'Ken ik jou?'

'Nee.'

'Hoe ken je mij dan?' vroeg ik, terwijl ik bang begon te worden en ik een vieze, bittere smaak in mijn mond kreeg. Misschien was ze wel familie van Hector Ramirez, en was ze gekomen om te zeggen dat ze me haatte. Misschien was ze wel door een ouder familielid als lokaas gestuurd, en zou die ander weldra uit zijn schuilplaats tevoorschijn springen en op me schieten of me salpeterzuur in mijn gezicht gooien.

'Uit *Sidelines*,' antwoordde ze.

Ik had het gevoel alsof ik midden in een toneelstuk terecht was gekomen. Molly Seabright kreeg medelijden met me en ze klom van het hek. Ze was tenger en droeg een stevige donkerblauwe broek en een klein blauw T-shirt met geborduurde margrietjes langs het halsje. Ze kwam bij D'Artagnans schouder staan en hield het opengeslagen tijdschrift naar me op.

De foto was in kleur. Ik op D'Ar, en we reden door de dunne slierten ochtendnevel. De zon scheen op zijn vacht en deed hem glanzen als een pas geslagen munt. Mijn haar zat in een dikke paardenstaart.

Ik kon me niet herinneren dat iemand die foto van mij had genomen, en ik kon me al helemaal niet herinneren dat iemand mij een interview had afgenomen, hoewel de schrijver van het artikel dingen over mij scheen te weten die ik zélf helemaal niet wist. Het onderschrift luidde: *Privé-detective Elena Estes geniet van een vroege ochtendrit op de rug van D'Artagnan, op Sean Avadons Avadonis Farm in Palm Beach Point Estates.*

'Ik heb een opdracht voor u,' zei Molly Seabright.

Ik reed door naar de stal en riep Irina, de oogverblindende Russische schoonheid die de baan van stalknecht had gekregen. Ze kwam met een nors gezicht naar buiten. Ik stapte uit het zadel en vroeg haar of ze zo goed wilde zijn om D'Artagnan voor mij op stal te zetten. Ze pakte zijn teugel van me aan, zuchtte, trok een smoel en liep verongelijkt, als een mislukt fotomodel, terug naar de stal.

Ik haalde een gehandschoende hand door mijn haar en schrok even toen ik er zo snel doorheen was. Mijn maag begon zich samen te ballen.

'Mijn zus wordt vermist,' zei Molly Seabright. 'Ik ben hier om u te vragen haar voor mij te vinden.'

'Het spijt me. Ik ben geen privé-detective. Dit is een vergissing.'

'Waarom staat er dan in het tijdschrift dat u dat bent?' vroeg ze, terwijl ze me opnieuw streng en afkeurend aankeek. Ze vertrouwde me niet. Het zou mijn eerste leugen niet zijn.

'Dat weet ik niet.'

'Ik heb geld,' zei ze op verdedigende toon. 'Dat ik twaalf ben wil nog niet zeggen dat ik u geen opdracht zou kunnen geven.'

'Je kunt me geen opdracht geven omdat ik geen privé-detective ben.'

'Wat bent u dan wel?' vroeg ze.

Een geestelijk en lichamelijk gebroken wrak en een pathetische, afgedankte politierechercheur. Ik had mijn neus opgehaald voor het bestaan waarbinnen ik was opgegroeid en was doodverklaard door de wereld waar ik voor had gekozen. En wat was ik daardoor?

'Niets,' antwoordde ik, terwijl ik haar het tijdschrift teruggaf. Ze pakte het niet aan.

Ik liep weg naar een sierlijk bankje aan de andere kant van de bak en nam een paar flinke slokken uit de fles met water die ik daar had neergezet.

'Ik heb honderd dollar bij me,' zei het meisje. 'Als aanbetaling. Ik neem aan dat u een dagtarief heeft en dat u eventuele extra kosten apart in rekening brengt. Ik ben ervan overtuigd dat we het wel eens zullen worden.'

Sean verscheen bij de stal. Hij tuurde in de verte en ik zag hem van opzij. Hij stond met een gebogen knie en trok een paar suède handschoenen uit de band van zijn bruine rijbroek. Knap en fit. Een volmaakte reclamefoto voor Ralph Lauren.

Ik liep naar de overkant van de bak en begon boos te worden – boos, met een ondertoon van groeiende paniek.

'Wat heeft dit godverdomme te betekenen?' schreeuwde ik, terwijl ik hem met het tijdschrift op zijn borst sloeg.

Hij deed een stapje naar achteren en keek gekwetst. 'Ik neem aan dat het *Sidelines* is, maar ik kan niet met mijn tepels lezen, dus ik weet het niet zeker. Allemachtig, El, wat heb je met je haar gedaan?'

Ik sloeg hem opnieuw, harder, omdat ik hem pijn wilde doen. Hij griste het tijdschrift uit mijn hand, deed snel nog een stapje naar achteren en keek op de cover. 'Betsy Steiners hengst, Hilltop Giotto. Heb je hem gezien? Om een móórd voor te plegen.'

'Je hebt een verslaggever verteld dat ik privé-detective ben.'

'Ze vroegen me wie je was. En ik moest toch íets zeggen.'

'Nee dat hoefde je niet. Je hoefde helemaal niets te zeggen.'

'Het is *Sidelines* maar. Allemachtig.'

'Het is mijn naam in een tijdschrift dat, verdomme nog aan toe, door duizenden mensen wordt gelezen. Duizenden mensen weten nu waar ze mij kunnen vinden. Waarom schilder je niet gewoon een schietschijf op mijn borst?'

Hij fronste zijn voorhoofd. 'De artikelen over dressuur worden alleen maar gelezen door mensen die iets met dressuur te maken hebben. En dan alleen nog maar om te zien of hun naam bij de uitslagen staat.'

'En intussen zijn er duizenden mensen die denken dat ik privé-detective ben.'

'Wat moest ik ze dan vertellen? De waarheid?' Dat zei hij op een toon, alsof dat de meest smakeloze optie was. En toen realiseerde ik mij dat het dat waarschijnlijk ook wel was.

'Had je niet gewoon "geen commentaar" kunnen zeggen?'

'Dat klinkt niet erg interessant.'

Ik wees op Molly Seabright. 'Dat meisje is hier omdat ze me een opdracht wil geven. Ze denkt dat ik haar kan helpen door haar grote zus voor haar te vinden.'

'Misschien kun je dat ook wel.'

Ik weigerde het meest voor de hand liggende te zeggen – dat ik nog niet eens in staat was mijzelf te vinden.

Sean haalde in een traag en onverschillig gebaar zijn schouders op en gaf me het tijdschrift terug. 'Heb je soms iets beters te doen met je tijd?'

Irina kwam met Oliver aan de teugel de stal uit. De hengst – groot, sierlijk en prachtig – was als een paardenversie van Sean. Sean deed alsof ik er niet meer was en liep naar zijn teakhouten opstapje.

Molly Seabright zat met haar handen op haar schoot gevouwen op het bankje. Ik draaide me om en liep naar de stal in de hoop dat ze weg zou gaan. D'Artagnans hoofdstel hing aan een haak naast de antieke mahoniehouten kast waarin alle schoonmaakartikelen voor leer werden bewaard. Ik pakte een klein, vochtig sponsje van de werkbank, haalde het over een stuk glycerinezeep en begon het hoofdstel schoon te maken terwijl ik probeerde me voor de volle honderd procent op mijn taak te concentreren.

'U bent erg ongemanierd.'

Ik zag haar vanuit mijn ooghoeken. Ze maakte zich zo lang mogelijk – alles bij elkaar niet meer dan hooguit anderhalve meter – en ze hield haar lippen stijf op elkaar geperst.

'Dat klopt. Dat kan ik me veroorloven. Het kan me niets schelen.'

'U wilt me niet helpen.'

'Ik kan je niet helpen. Ik ben niet wat je zoekt. En als je zus vermist wordt, dan zouden je ouders naar de politie moeten gaan.'

'Ik ben naar het kantoor van de sheriff gegaan. Daar wilden ze me ook al niet helpen.'

'Ben *jij* daar naar toe gegaan? Waarom zijn je ouders niet gegaan? Kan het ze niet schelen dat je zus is verdwenen?'

Voor het eerst maakte Molly een wat aarzelende indruk. 'Het is nogal ingewikkeld.'

'Wat kan daar nu voor ingewikkelds aan zijn? Of ze wordt vermist, of niet.'

'Erin woont niet bij ons.'

'Hoe oud is ze?'

'Achttien. Ze kan niet met onze ouders overweg.'

'Dat is normaal.'

'En heus niet omdat ze slechte dingen zou doen,' zei Molly defensief. 'Ze gebruikt geen drugs, en zo. Het is alleen maar omdat ze er een eigen mening op na houdt, en die mening komt niet overeen met die van Bruce...'

'Wie is Bruce?'

'Onze stiefvader. Mam trekt altijd partij voor hem, ook al doet hij nog zo stompzinnig. Erin kon er niet langer tegen, dus ze is het huis uit gegaan.'

'Dus dan is Erin een volwassen jonge vrouw die zelfstandig woont en kan doen waar ze zin in heeft,' zei ik. 'Heeft ze een vriend?'

Molly schudde haar hoofd, maar wendde haar blik af. Ze wist het antwoord niet zeker of ze dacht dat ze verder zou kunnen komen met een leugen.

'Hoe kom je erbij dat ze vermist zou zijn?'

'Ze zou me maandagochtend komen halen. Dat is haar vrije dag. Ze werkt als stalknecht voor de manege van Don Jade. Hij traint springpaarden. Ik had vrij van school. We zouden naar het strand gaan, maar ze is niet gekomen en ze heeft ook niet gebeld. Ik heb haar opgebeld en een antwoord op haar mobieltje ingesproken, en ze heeft me niet teruggebeld.'

'Ze zal het wel druk hebben,' zei ik, terwijl ik de spons over de teugel haalde. 'Stalknechten werken hard.'

Terwijl ik dat zei zag ik Irina op het opstapje zitten zonnen terwijl ze ontspannen een sigaret zat te roken. De mééste stalknechten.

'Ze zou gebeld hebben,' hield Molly vol. 'Ik ben de volgende dag – gisteren – zelf naar de stallen gegaan, en een man die daar was vertelde me dat Erin daar niet meer werkt.'

Stalknechten nemen ontslag. Stalknechten worden ontslagen. Stalknechten besluiten van de ene op de andere dag dat ze bloemist willen worden, om de volgende dag te besluiten dat ze toch liever chirurg willen zijn. Daar staat tegenover dat er aardig wat trainers zijn die bekendstaan als slavendrijvers en als temperamentvolle prima donna's die zich met even groot gemak van stalknechten ontdoen als van wegwerpscheermesjes. Ik weet van een trainer die van een stalknecht eiste dat ze 's nachts bij een psychotische hengst in de box sliep, voor wie het paard veel belangrijker was dan de mens. Ik ken trainers die in één week tijd vijf stalknechten hebben ontslagen.

Erin Seabright was, zo te horen, koppig en twistziek, en misschien was ze ook wel dol op de jongens. Ze was achttien en voor het eerst van haar leven vrij en onafhankelijk... En ik had er geen idee van waarom ik dat dacht. Uit gewoonte, misschien. Eens een smeris... Maar ik was al twee jaar lang geen smeris meer, en ik zou nooit meer smeris zijn.

'Zo te horen leidt Erin haar eigen leven. Misschien heeft ze op het moment gewoon wel even geen tijd voor haar kleine zusje.'

Er gleed een schaduw over Molly Seabrights gezicht. 'Ik heb u al gezegd dat Erin niet zo is. Ze zou nooit zomaar weggaan.'

'Ze is anders wel zomaar het huis uit gegaan.'

'Maar ze is niet bij *mij* weggegaan. Dat zou ze nooit doen.'

Eindelijk klonk ze als een kind, in plaats van als een boekhouder van negenenveertig. Een onzeker, angstig klein meisje. Dat bij me was gekomen omdat ze hulp nodig had.

'Mensen veranderen. Mensen worden volwassen,' zei ik bot, terwijl ik het hoofdstel van de haak pakte. 'Misschien is het nu jouw beurt wel.'

Mijn woorden troffen doel als rake kogels. De tranen sprongen in de ogen achter de Harry Potter-brillenglazen. Ik stond mijzelf niet toe om me schuldig te voelen of om medelijden te hebben. Ik wilde geen opdracht en ik wilde geen klant. Ik wilde geen mensen in mijn leven die iets van mij verwachtten.

'Ik had verwacht dat u anders zou zijn,' zei ze.

'Hoezo?'

Ze keek naar het tijdschrift dat naast de schoonmaakartikelen op de plank lag – D'Artagnan en ik die als in een droom over de bladzijde zweefden. Maar ze zei niets. Als ze een verklaring voor haar vermoeden had, dan wilde ze die niet met me delen.

'Ik ben geen held, Molly. Het spijt me dat je die indruk van me had. Ik weet zeker dat als je ouders zich geen zorgen maken om je zus, en als de politie zich geen zorgen maakt om je zus, dat er dan niets is om je zorgen over te maken. Je hebt me niet nodig, en je kunt rustig van me aannemen dat je het heel naar zou vinden als dat wel zo zou zijn.'

Ze keek me niet aan. Ze bleef even staan terwijl ze probeerde om haar emoties weer onder controle te krijgen. Toen haalde ze een rood portemonneetje uit het buiktasje dat ze om haar middel droeg. Ze haalde er een briefje van tien dollar uit en legde het op het tijdschrift.

'Dank u voor uw tijd,' zei ze beleefd, waarna ze zich omdraaide en wegliep.

Ik ging haar niet achterna. Ik probeerde ook niet haar haar geld terug te geven. Ik keek haar na en realiseerde me dat ze veel volwassener was dan ik.

Irina verscheen in mijn blikveld en leunde tegen de deur alsof ze niet op eigen benen kon staan. 'Zal ik Feliki voor je opzadelen?'

Erin Seabright had waarschijnlijk ontslag genomen en was vermoedelijk met een leuke, knappe jongen naar de Keys gegaan om van haar vrijheid te genieten. Dat wilde Molly niet geloven omdat dat betekende dat ze haar kijk op haar grote zus, de zus die ze aanbad, zou moeten wijzigen. Molly zou hetzelfde moeten leren als iedereen: er waren altijd mensen van wie je hield en die je vertrouwde, maar die je uiteindelijk teleurstelden.

Irina slaakte een dramatische zucht.

'Ja,' zei ik, 'zadel Feliki maar op.'

Ze begon naar de box van de merrie te lopen, en toen stelde ik de vraag waarop ik veel beter geen antwoord had kunnen krijgen.

'Irina, weet jij iets van een springtrainer die Don Jade heet?'

'Ja,' zei ze achteloos, en zelfs zonder me aan te kijken. 'Hij is een moordenaar.'

2

De paardenwereld wordt bevolkt door twee soorten mensen: de echte paardenliefhebbers, en diegenen die de paarden en de paardenliefhebbers exploiteren. Yin en Yang. Voor elk positief ding in de wereld is er een negatief ding om de boel in evenwicht te houden. Ikzelf heb altijd het gevoel gehad dat er veel meer negatiefs dan positiefs is – dat er juist voldoende positieve dingen zijn om ervoor te zorgen dat we het hoofd boven water kunnen houden versus in een zee van wanhoop kopje onder te gaan. Maar dat is *mijn* idee.

Enkelen van de geweldigste mensen die ik ken hebben iets met de paardenwereld te maken of te maken gehad. Mensen met een groot hart die zichzelf en hun persoonlijk welzijn zouden opofferen voor de dieren die van hen afhankelijk zijn. Mensen die zich aan hun woord houden. Mensen met integriteit. En enkelen van de walgelijkste, meest onuitstaanbare en geestelijk gestoorde mensen die ik ken hebben iets met de paardenwereld te maken of te maken gehad. Mensen die liegen, bedriegen, stelen en desnoods hun eigen moeder nog voor een paar centen zouden verkopen als ze dachten dat ze daarmee iets zouden kunnen bereiken. Mensen die je glimlachend aankijken, je met één hand een schouderklopje geven, om je tegelijkertijd met hun andere hand een mes in je rug te steken.

Op grond van wat Irina me verteld had, behoorde Don Jade tot die tweede categorie.

Zondagochtend – de dag voordat Erin Seabright niet was gekomen om haar zusje te halen voor een dagje naar het strand – was een van de paarden die door Don Jade werden getraind, dood in zijn box aangetroffen. Het dier zou door elektrocutie om het leven zijn gekomen en het zou een ongeluk zijn geweest.

Ik ging on line om zoveel mogelijk informatie over Jade te verzamelen. Ik las de artikelen die op horsesdaily.com, en op een aantal andere ruitersites over hem waren verschenen. Maar wanneer ik het volledige verhaal wilde, moest ik bij iemand anders zijn.

Terwijl Don Jade tot mijn tweede categorie mensen behoorde, behoorde dokter Dean Soren tot de eerste. Ik kende dokter Dean al zolang als ik mij kon herinneren. Wát er ook binnen de paardenwereld gebeurde, dokter Dean wist er alles vanaf. Nadat hij, in het jaar nul, zijn carrière als veearts op de renbaan was begonnen, was hij uiteindelijk met dressuur- en springpaarden gaan werken. Iedereen in het paardenwereldje kende en respecteerde dokter Dean.

Een aantal jaren geleden had hij zijn praktijk gesloten, en tegenwoordig bracht hij zijn dagen door in het café dat het kloppende hart was van zijn grote rijschool in de buurt van Pierson. De vrouw die de scepter over het café zwaaide nam de telefoon op. Ik vertelde haar wie ik was, vroeg naar dokter Dean en hoorde haar vervolgens luid zijn naam roepen.

Dokter Dean riep terug: 'Wat wil ze?'

'Zeg hem maar dat ik hem graag een paar vragen wil stellen.'

De vrouw riep wat ik had gezegd.

'Dan kan ze verdomme hier komen en me die vragen persoonlijk stellen,' riep hij terug. 'Of vindt ze zichzelf soms te belangrijk om een oude man een bezoekje te komen brengen?'

Typisch dokter Dean. De woorden *charmant* en *vriendelijk* kwamen niet in zijn woordenboek voor, maar hij was een van de beste mensen die ik ooit had gekend. Wat hij aan warmte miste werd ruimschoots gecompenseerd door integriteit en eerlijkheid.

Ik wilde hem niet opzoeken. Don Jade interesseerde me alleen maar vanwege dat wat Irina over hem had gezegd. Ik was nieuwsgierig, maar dat was alles. Nieuwsgierigheid alleen was voor mij niet voldoende om contact met mensen te willen hebben. Ik had geen enkele behoefte om mijn schuilplaats te verlaten, en al helemaal niet nu mijn foto in *Sidelines* had gestaan.

Ik ijsbeerde door het huis en kauwde op dat wat over was van mijn nagels.

Dean Soren had me het grootste gedeelte van mijn leven gekend. Toen ik twaalf was mocht ik hem in het winterseizoen één dag per week bij zijn werk assisteren. Mijn moeder en ik waren voor het seizoen naar een huis op de Polo Club verhuisd, en ik had een privé-leraar zodat ik elke dag kon trainen zonder dat mijn trainingsschema onder verplichte schooltijden te lijden zou hebben. Elke maandag – de dag waarop ruiters vrij zijn – kocht ik mijn leraar om en ging ik naar dokter Dean om zijn instrumentenbakje vast te houden en gebruikte verbandmiddelen op te ruimen. Mijn eigen vader had nog nooit zoveel tijd met mij doorgebracht. Ik had me nog nooit zo belangrijk gevoeld.

De herinneringen aan die winter troffen me nu op een extra gevoelig plekje. Ik kon me niet herinneren wanneer ik me voor het laatst belangrijk had gevoeld. Ik kon me amper de laatste keer herinneren waarop ik dat gewild had. Maar wat ik me wel nog heel duidelijk herinnerde, was dat ik naast dokter Dean had gezeten terwijl we in zijn enorme, tot rijdende dierenartspraktijk omgebouwde Lincoln Town Car visites hadden afgelegd.

Misschien was het wel die herinnering die me ertoe bracht mijn autosleutels te pakken en te gaan.

Het stuk grond waar dokter Dean de eigenaar van was, werd bevolkt door spring- en jachtvolk in de ene grote stal, en door dressuurvolk in de andere grote stal. Het kantoor, dokter Deans persoonlijke stallen en het café, bevonden zich in een gebouw tussen de twee grote stallen in.

Het café was een simpel openluchtgeheel met een bar in Polynesische stijl. Dokter Dean hield hof aan de tafel in het midden. Hij zat op een met de hand gemaakte houten stoel – een oude vorst op zijn troon – en dronk iets met een papieren parapluutje erin.

Met een licht gevoel in mijn hoofd liep ik naar hem toe. Aan de ene kant was ik bang om hem te zien – of liever, dat hij *míj* zou zien – en aan de andere kant vreesde ik dat er van alle kanten mensen naar me toe zouden komen om me aan te gapen en te vragen of ik echt privé-detective was. Maar behalve Dean Soren en de vrouw achter de bar, was er niemand in het café. Er kwam niemand vanuit de stallen naar mij toe gerend om mij aan te staren.

Dokter Dean kwam van zijn stoel en keek me met die doordringende ogen van hem aan alsof het laserstralen waren. Hij was een lange, kaarsrechte man met een volle dos wit haar en een lang, doorgroefd gezicht. Hij moest tachtig zijn, maar hij maakte nog steeds een vitale en krachtige indruk.

'Wat is er verdomme met jou aan de hand?' zei hij, bij wijze van begroeting. 'Doe je chemotherapie? Heb je daarom van dat vreemde haar?'

'Ja, net wat je zegt, dokter Dean, fijn om je weer eens te zien,' zei ik, terwijl ik zijn hand schudde.

Hij keek naar de vrouw achter de bar. 'Marion! Maak een cheeseburger voor dit kind. Ze ziet er niet uit!'

Marion vertrok geen spier en ging aan het werk.

'Waar rij je tegenwoordig?' vroeg dokter Dean.

Ik ging zitten – een goedkope klapstoel die te laag leek en me het gevoel gaf alsof ik een kind was. Of misschien was dat alleen maar de uitwerking die dokter Dean op me had. 'Ik train een paar paarden van Sean.'

'Je lijkt me nog te slap om een pony te kunnen trainen.'

'Ik ben fit genoeg.'

'Nee, dat ben je niet,' verklaarde hij. 'Wie heeft Sean tegenwoordig als dierenarts?'

'Paul Geller.'

'Die man is een idioot.'

'Hij is niet met jou te vergelijken, dokter Dean,' zei ik diplomatiek.

'Hij heeft tegen Margo Whitaker gezegd dat haar merrie "geluidstherapie" nodig heeft. Het arme dier staat nu twee uur per dag met een koptelefoon op naar natuurgeluiden te luisteren.'

'Dan heeft Margo tenminste iets te doen.'

'Wat het paard nodig heeft, is dat Margo niet voortdurend om haar heen loopt te draaien. Dát heeft dat dier nodig,' gromde hij. Hij nam een slok van zijn parapludrankje en keek me aan.

'Ik heb je al veel te lang niet meer gezien, Elena,' zei hij. 'Fijn dat je terug bent. Je hebt paarden om je heen nodig. Om je te aarden. Met paarden weet je altijd precies waar je aan toe bent. Het leven is beter te begrijpen.'

'Ja,' zei ik, zenuwachtig onder zijn scherpe blik en bang dat hij het over mijn carrière zou willen hebben, en over wat er gebeurd was. Maar hij ging er niet op door. In plaats daarvan ondervroeg hij me over Seans paarden, en we haalden herinneringen op aan paarden die Sean en ik in het verleden hadden bereden. Marion bracht mijn cheeseburger die ik braaf opat.

Toen mijn bord leeg was zei hij: 'Toen je belde zei je dat je me iets wilde vragen.'

'Weet jij iets van Don Jade?' vroeg ik, zonder er omheen te draaien.

Hij kneep zijn ogen halfdicht. 'Waarom ben je in hem geïnteresseerd?'

Een kennis van een kennis heeft een probleempje met hem, en ik vond het niet echt prettig klinken.'

Hij bewoog zijn zware witte wenkbrauwen op en neer. Zijn blik dwaalde af naar de stal met springvolk. Op het veld ernaast leidde een aantal ruiters hun paarden over bontgekleurde hindernissen. Vanaf deze afstand zagen ze er even sierlijk en gewichtloos uit als door een wei dartelende herten. De atletische eigenschappen van een dier zijn een zuiver en simpel iets. Maar de sport die we met paarden bedrijven wordt onnodig ingewikkeld gemaakt door menselijke emoties, behoeften en hebzucht, waardoor de zuiverheid en eenvoud daarbinnen een zeldzaam goed zijn geworden.

‘Nou,’ zei hij, ‘Don is altijd goed voor een mooi plaatje met wat rafelige kantjes.’

‘Wat wil je daar precies mee zeggen?’

‘Laten we een eindje gaan lopen,’ stelde hij voor.

Ik vermoedde dat hij wilde voorkomen dat iemand ons zou kunnen horen. Ik volgde hem naar de achterzijde van het café, en naar een aantal kleine, omheinde weiden waarvan er drie door paarden werden bezet.

‘Mijn patiënten,’ vertelde dokter Dean. ‘Twee mysterieuze verlammingen en eentje met een aantal ernstige maagzweren.’

Hij leunde tegen het hek en keek naar de paarden die hij waarschijnlijk van het slachthuis had gered. Het zou me niet verbazen als hij ergens nog meer van dit soort gevallen had staan.

‘Ze geven ons zoveel als ze maar kunnen,’ zei hij. ‘Ze doen hun best om te begrijpen wat wij van ze vragen – wat wij van ze éisen. Het enige dat ze daarvoor terugverlangen, is dat we behoorlijk voor ze zorgen en een beetje aardig tegen ze zijn. Stel je voor dat mensen zo waren.’

‘Stel je voor,’ herhaalde ik, maar ik kon het me niet voorstellen. Ik was twaalf jaar lang smeris geweest. Door de aard van het werk en de mensen en de dingen die ik had meegemaakt, was er van mijn vroegere idealisme niets meer over. Het verhaal dat Dean Soren me over Don Jade vertelde was alleen maar een bevestiging van mijn geringe opinie over het menselijk ras.

In de afgelopen twintig jaar was Jades naam tweemaal in verband gebracht met pogingen tot het oplichten van verzekeringsmaatschappijen. Het idee was simpel. Je vermoordt een duur wedstrijdpaard dat niet aan de verwachtingen had voldaan, waarna je de eigenaar een claim laat indienen met de bewering dat het dier door natuurlijke omstandigheden om het leven is gekomen, en vervolgens strijk je een bedrag van zes cijfers op.

Het was een oude truc die in de jaren tachtig de aandacht van de nationale media had getrokken, nadat een groepje prominenten uit de springwereld ontmaskerd was. Een aantal van hen was voor paar jaar de gevangenis in gedraaid, en onder hen bevonden zich ook een internationaal befaamde trainer en een eigenaar, die een enorm, met mobiele telefoons verdiend, vermogen had geërfd. Rijk zijn betekende nog niet automatisch dat je niet hebzuchtig zou zijn.

Jade had zich op dat moment in de schaduw van het schandaal bevonden. Hij was als assistent-trainer werkzaam geweest bij een van de maneges waar paarden door onbekende oorzaak om het leven waren gekomen. Hij was nog nooit ergens rechtstreeks van beschuldigd. Na bekendwording van het schandaal was Jade bij die bewuste manege vertrokken, en had hij een aantal jaren in Frankrijk gewerkt en in Europa aan wedstrijden deelgenomen.

Toen na enige tijd de opschudding rond de paardenmoorden gekalmeerd was, was Jade naar Amerika teruggekomen en had hij een aantal rijke klanten gevonden die als hoeksteen voor zijn eigen bedrijf hadden gefungeerd.

Het leek ondenkbaar dat iemand met een dergelijke reputatie als Jade in de paardenwereld aan de bak kan blijven, maar er zijn altijd weer nieuwe eigenaren die niets weten van de geschiedenis van hun trainer, en er zijn ook altijd mensen die niet geloven wat ze horen. En verder zijn er altijd mensen die het niet kan schelen, terwijl er ook altijd mensen zijn die bereid zijn om de andere kant op te kijken wanneer ze er zelf rijker of beroemder op kunnen worden. En dus trok Don Jades stal klanten aan van wie het merendeel hem royaal betaalde om hun paarden in Florida aan het *Winter Equestrian Festival* deel te laten nemen.

Op het einde van de jaren negentig, was het springpaard Titan daar één van.

Titan was een springtalent met een onvoorspelbaar karakter. Het paard had zijn eigenaar flink geld gekost en leek zijn eigen pogingen om de kost te verdienen voortdurend zelf te saboteren. Hij kreeg de reputatie van lichtelijk gestoorde rakker. Ondanks het feit dat zijn talent niet ontkend kon worden, daalde zijn marktwaarde snel. Ondertussen had zijn eigenaar, Warren Calvin – een effectenhandelaar op Wall Street – een vermogen op de aandelenmarkt verloren. En toen was Titan op zekere dag opeens dood geweest, en had Calvin een claim van $250.000 bij zijn verzekeringsbedrijf ingediend.

De officiële versie die door Jade en zijn hoofdstalknecht werd gegeven, was dat Titan in de loop van de nacht ergens van was geschrokken, dat hij in zijn box totaal van streek was geraakt en zijn voorbeen had gebroken, en vervolgens als gevolg van shock en bloedverlies was gestorven. Intussen was er een ex-werknemer van Jade die dat anders zag. Volgens hem was Titans dood géén ongeluk geweest, maar had Jade de hengst laten stikken, waardoor hij in paniek was geraakt en als gevolg dáárvan zijn voorbeen had gebroken.

Het was geen fraai verhaal. De verzekeringsmaatschappij wilde onmiddellijk een necropsie laten uitvoeren, en de officier van justitie van New York gelastte een onderzoek naar Warren Calvin. Calvin trok zijn claim in, en het onderzoek werd gestaakt. Geen fraude, geen misdaad. De necropsie werd nooit uitgevoerd. Warren Calvin trok zich terug uit de paardenbusiness.

Don Jade wist ondanks de geruchten en de speculatie het hoofd boven water te houden, en zette zijn zaakjes voort. Hij had een handig alibi voor de nacht in kwestie: een meisje dat Allison heette, dat voor hem werkte en beweerde dat ze op het moment van Titans overlijden met hem in bed had gelegen. Jade gaf de verhouding toe, hetgeen hem zijn huwelijk kostte, maar voor het overige ging hij gewoon verder met het trainen van paarden. De oude klanten die hem geloofden bleven hem trouw, terwijl degenen die aan hem twijfelden hun paarden elders onderbrachten. En het duurde niet lang voor hij weer nieuwe klanten kreeg die van niets wisten.

Mijn zoekpoging op het internet had me brokstukjes van deze geschiedenis opgeleverd, terwijl ook Irina me er het een en ander over had verteld. Ik wist dat Irina's mening over Jade gebaseerd was op de verhalen die ze van andere stalknechten had gehoord en dat die informatie, hoewel er een kern van waarheid in moest zitten, naar alle waarschijnlijkheid zwaar gekleurd was door haat en afgunst. De paardenbusiness is een incestueuze business. Binnen de verschillende onderdelen (springen, dressuur, enzovoort) kent iedereen iedereen en heeft de ene helft de andere helft letterlijk of figuurlijk genaaid. Er is sprake van een overvloed aan wrok en jaloezie. En roddels kunnen uiterst vals zijn.

Maar ik wist dat het verhaal, als het uit Dean Sorens mond kwam, waar moest zijn.

'Het is treurig dat zo'n man als hij in de business blijft,' zei ik.

Dokter Dean hield zijn hoofd schuin en haalde zijn schouders op. 'De mensen geloven wat ze willen. Don is een charmante vent en hij weet hoe hij het onderste uit een springpaard moet halen. Je kunt zeggen wat je wilt, Elena, maar in deze business gaat het uiteindelijk maar om één ding, en dat is succes.'

'Seans stalknecht heeft me verteld dat Jade afgelopen weekend een paard heeft verloren,' zei ik.

'Stellar.' Dokter Dean knikte. Zijn maagpatiënt was naar onze hoek van de wei gekomen en stak haar neus verlegen uit naar haar redder in de hoop op een krabbel onder haar kin. 'Het verhaal gaat dat hij het snoer van een ventilator dat in zijn box hing heeft doorgebeten, en dat hij zichzelf geëlektrocuteerd heeft.'

De merrie deed nog een stapje dichter naar ons toe en stak haar hoofd over het hek. Ik legde mijn hand op haar hals en kroelde haar afwezig terwijl ik mijn aandacht op Dean Soren hield gericht. 'En wat denk jij?'

Heel teder, alsof hij een kind aanraakte, legde hij zijn oude hand op het hoofd van de merrie.

'Ik denk dat die oude Stellar meer moed had dan talent.'

'Denk je dat Jade hem vermoord heeft?'

'Het maakt niet uit wat ik denk,' zei hij. 'Het enige waar het om gaat is wat bewezen kan worden.' Hij keek me aan met die ogen die zoveel van mij hadden gezien, en dat nog steeds deden. 'Hoe denkt die kennis van een kennis van je erover?'

'Geen idee,' zei ik, met een misselijk gevoel in mijn maag. 'Ze wordt vermist.'

Maandagochtend had Don Jades stalknecht, Erin Seabright, haar zusje zullen afhalen om samen met haar naar het strand te gaan. Ze was niet verschenen en had sindsdien geen contact meer met haar familie gehad.

Ik ijsbeerde door de kamers van het gastenverblijf en knaagde op het afgekloven restje van mijn duimnagel. Het kantoor van de sheriff had niets van de zorgen van een meisje van twaalf willen weten. Ik kon me niet voorstellen dat ze iets van Don Jade afwisten, of dat ze in hem geïnteresseerd waren. Erin Seabrights ouders wisten waarschijnlijk ook niets van Jade, want anders zou Molly niet de enige van het gezin zijn geweest die uit was op hulp.

Het briefje van tien dollar dat het meisje me had gegeven lag naast mijn laptop op het kleine bureau. In het dubbelgevouwen biljet zat Molly's zelfgemaakte visitekaartje: haar naam, adres en een gestreepte kat op een postlabel; het label zat op een rechthoekje van blauw etalagekarton geplakt. Onder aan het kaartje had ze netjes haar telefoonnummer geschreven.

Don Jade had met iemand van zijn personeel in bed gelegen toen, vijf jaar eerder, de hengst Titan was overleden. Ik vroeg me af of dat een gewoonte van hem was, met stalknechten naar bed gaan. Hij zou niet de eerste trainer zijn die er een dergelijke hobby op nahield. Ik dacht aan de manier waarop Molly had weggekeken toen ik haar had gevraagd of haar zus een vriend had.

Ik was bang en van streek. Ik wilde dat ik nooit naar dokter Dean was gegaan. Ik wilde dat ik al die dingen over Don Jade nooit te weten was gekomen. Ik had al problemen genoeg, en ik zat echt niet op de ellende van Molly Seabright en haar familie te wachten. Ik werd geacht mijn eigen leven weer op orde te krijgen. Ik zat met zielenvraagstukken die beantwoord moesten worden en ik moest mijzelf zien te vinden – of me neerleggen bij het feit dat er niets te vinden wás.

Als ik mijzelf al niet kon vinden, hoe zou ik dan iemand anders moeten vinden? Het was een zwart gat waar ik niet in wilde vallen. Mijn liefde voor paarden zou mijn redding moeten zijn. Ik wilde niets te maken hebben met mensen als Don Jade, mensen die paarden elektrocuteerden, zoals met Stellar was gebeurd, of die ze lieten stikken door, zoals ze met Warren Calvins Titan hadden gedaan, pingpongballen in hun neusgaten te stoppen.

Zo deden ze dat, paarden laten stikken, door pingpongballen in hun neusgaten te drukken. Mijn hart balde zich samen bij de verschrikkelijke gedachte aan een paard dat in paniek raakt en zichzelf, in een wanhopige poging aan zijn lot te ontsnappen, tegen de wanden van zijn box werpt. Ik zag de van doodsangst wegdraaiende ogen en hoorde het dier kermen en steunen terwijl het met zijn volle gewicht hard tegen de wand op liep. Ik hoorde het paard trappelen en schoppen, en vervolgens het verschrikkelijke geluid van een voorbeen dat breekt. De nachtmerrie leek zo echt – de geluiden weergalmden door mijn hoofd. Ik voelde me misselijk en stond te trillen op mijn benen, terwijl mijn keel dichtgesnoerd voelde en ik me moest beheersen om niet te kokhalzen.

Ik liep naar buiten, het kleine terras op. Het zweet droop van me af en ik beefde over mijn hele lichaam. Ik was bang dat ik zou moeten overgeven. Ik vroeg me af wat het over me zei dat ik, in al die tijd dat ik bij de recherche had gezeten, niet één keer misselijk was geworden van alles wat de mensen elkaar kunnen aandoen, maar dat het idee van dierenmishandeling me zo verschrikkelijk aangreep.

Het was een frisse, koele avond, en het duurde niet zo heel lang voor die ondraaglijke beelden in mijn hoofd vervaagd waren.

Sean had bezoek. Ik zag ze in de eetkamer zitten praten en lachen. Het licht van de kroonluchter viel door de grote, openslaande ramen naar buiten en werd weerkaatst in het donkere water van het zwembad. Ik was ook voor het eten uitgenodigd geweest, maar had ronduit geweigerd omdat ik nog steeds woedend was over die foto in de *Sidelines*. Het zou me niets verbazen als hij zijn bezoek op dat moment vertelde over de privé-detective die in zijn gastenverblijf logeerde. Gemene rotzak, om mij te gebruiken om je vriendjes uit Palm Beach mee aan het lachen te maken. Hij stond er geen moment bij stil dat hij met mijn leven speelde.

En dan vergeet ik voor het gemak maar even dat hij mijn leven in eerste instantie gered had.

Ik wilde er niet aan herinnerd worden. Ik wilde niet denken aan Molly Seabright of haar zus. Dit huis werd geacht mijn toevluchtsoord te zijn, maar het voelde alsof er van alle kanten onzichtbare handen naar me werden uitgestoken die aan mij en aan mijn kleren trokken en me overal knepen. Ik probeerde ze te ontvluchten door over het vochtige gras naar de stal te lopen.

Seans stal was ontworpen door dezelfde architect als die welke het grote huis en het gastenverblijf had ontworpen. Langs de zijkanten liepen door moorse bogen overkoepelde gangen. Het dak had groene pannen en het plafond was van teak. De lampen die boven het middenpad hingen, waren afkomstig uit een uit de art deco-periode stammend hotel in Miami. De meeste mensen wonen in huizen die aanzienlijk minder hebben gekost dan deze stal.

Het was een heerlijke ruimte, een plek waar ik 's avonds vaak naar toe ging om rustig te worden. Er zijn maar weinig dingen waar ik zo kalm van word als van het geluid van paarden die zich te goed doen aan hun avondportie hooi. Hun leven is zo simpel. Ze weten dat ze veilig zijn. Hun dag zit erop en ze gaan er zonder meer vanuit dat de zon de volgende dag weer op zal komen.

Ze vertrouwen met heel hun wezen op hun verzorgers. Ze zijn uitermate kwetsbaar.

Oliver liet zijn hooi voor wat het was en stak zijn hoofd over het deurtje van zijn box om zijn neus tegen mijn wang te drukken. Hij pakte de kraag van mijn oude spijkerhemd tussen zijn tanden en leek om zijn ondeugende gedrag te glimlachen. Ik omhelsde zijn enorme hoofd en snoof zijn geur diep in me op. Toen ik een stapje naar achteren deed en mijn kraag lostrok, keek hij me aan met de onschuldige ogen van een klein kind.

Als ik daar lichamelijk toe in staat was geweest – wat ik niet ben – zou ik misschien wel hebben gehuild.

Ik liep terug naar het gastenverblijf en keek, in het voorbijgaan, opnieuw Seans eetkamer in. Zo te zien amuseerde iedereen zich kostelijk – lachende en glimlachende gezichten rond de door het gouden licht overgoten tafel. Ik vroeg me af wat ik zou zien als ik langs het huis van Molly Seabright zou lopen. Haar moeder en stiefvader die over haar hoofd heen zaten te praten en zich zorgen maakten over de details van hun dagelijks leven; Molly die zich door haar scherpe intelligentie en de bezorgdheid om haar zus in een aparte wereld bevond en zich afvroeg wie ze verder nog om hulp zou kunnen vragen.

Toen ik mijn huisje binnenging zag ik aan het lampje van de telefoon dat ik een boodschap had. Ik drukte op het knopje en zette me schrap voor Molly's stem, maar voelde me in zekere zin teleurgesteld toen het mijn advocaat bleek te zijn die vroeg of ik hem een dezer dagen terug wilde bellen. De zak. Sinds mijn ontslag bij de politie waren we al bezig om te proberen een arbeidsongeschiktheidsuitkering voor mij te krijgen. (Ik had het geld niet nodig, maar ik had er recht op omdat ik tijdens het werk gewond was geraakt. Het maakte niet uit dat het mijn eigen schuld was geweest, of dat mijn letsel niets voorstelde in vergelijking met hoe het Hector Ramirez was vergaan.) Wat kon hij na al die tijd nog voor vragen hebben? Waarom had hij me nodig?

Hoe kwam iemand erbij te denken dat hij of zij mij nodig zou kunnen hebben?

Ik ging naar mijn slaapkamer, ging op de rand van het bed zitten en trok het laatje van het nachtkastje open. Ik haalde er het bruine plastic potje met de Vicodin uit en liet de pillen op het bovenblad vallen. Ik staarde ernaar, en telde ze één voor één, elke pil even aanrakend. Wat pathetisch dat zo'n ritueel als dit me kon kalmeren, dat het idee van een overdosis – of de gedachte dat ik ze die avond zou slikken – mij een rustig gevoel kon bezorgen.

Lieve god, wie, die ook maar een greintje verstand had, kon denken dat hij mij nodig kon hebben?

Ik walgde van mijzelf, stopte de pillen terug in het potje en stopte het potje weer terug in de la. Ik kon het niet uitstaan van mijzelf dat ik niet was wat ik altijd van mijzelf had gedacht dat ik was: sterk. Maar gedurende lange tijd had ik abusievelijk gemeend dat verwend hetzelfde was als sterk, dat uitdagend hetzelfde was als onafhankelijk, en dat roekeloos hetzelfde was als moedig.

Het leven valt niet mee wanneer je er ergens in de dertig achter moet komen dat het bewonderenswaardige beeld dat je van jezelf had gehad, in feite niets anders was dan een leugen uit eigenbelang.

Ik had een volkomen verkeerd beeld van mijzelf en ik wist niet wat ik moest doen om daar vanaf te komen, en hoe het juiste beeld eruit zou moeten zien. Ik geloofde ook niet dat ik de kracht of de wilskracht had om daar aan te werken. Me schuilhouden in mijn eigen privé-hel was gemakkelijk omdat het niets van mij vereiste.

Het was me volkomen duidelijk hoe pathetisch dat was. En ik had me gedurende de afgelopen twee jaar meer dan eens afgevraagd of het niet beter was om dood te zijn, dan pathetisch. Tot dusver was mijn antwoord op die vraag ontkennend geweest. Zolang je leefde had je in ieder geval nog de kans om er iets aan te doen.

Speelde Erin Seabright op dat moment ergens met dezelfde gedachte? Of was het voor haar al te laat? Of verkeerde ze in die situatie waarin ze liever dood was, maar dat de dood geen optie was?

Ik had lange tijd bij de politie gezeten. Ik was mijn carrière begonnen in Palm Beach, waar ik als wijkagent door buurten had gepatrouilleerd waar het criminele circuit de meest voor de hand liggende loopbaan was, en je op klaarlichte dag op straat drugs kon kopen. Daarna had ik een tijdje bij de zedenpolitie gezeten waar ik van nabij kennismaakte met zaken als prostitutie en pornografie. En ten slotte had ik jarenlang bij de narcoticabrigade van het kantoor van de sheriff gewerkt.

Mijn hoofd zal vol beelden van al die afschuwelijke dingen die je konden overkomen wanneer je je als jonge vrouw op het verkeerde moment op de verkeerde plek bevond. Zuid-Florida beschikte over heel wat plaatsen waar je je van lijken kon ontdoen, en waar je onzuivere geheimen kon bewaren. Wellington was een oase van beschaving, maar het land dat achter de bewaakte omheining lag, was meer als een land waar de tijd niet bestond. Moeras en bossen. Een vijandig open landschap met laag struikgewas, en suikerrietvelden. Zandpaden en landarbeiders en illegale drugsfabriekjes in stacaravans die al twintig jaar eerder gesloopt hadden moeten worden. Kanalen en riolen vol smerig zwart water, en alligators die geen onderscheid maakten tussen het ene soort vlees of het andere.

Bevond Erin Seabright zich ergens in dat gebied en hoopte ze op iemand die haar zou komen redden? Wachtte ze op mij? De hemel zij haar genadig. Ik wilde er niet heen.

Ik ging naar de badkamer, waste mijn handen en maakte mijn gezicht nat. Ik probeerde het plichtgevoel van me af te wassen. Ik voelde het water alleen maar op de rechterkant van mijn gezicht. De zenuwen van de linkerkant van mijn gezicht waren beschadigd waardoor ik er bijna niets voelde en die kant van mijn gezicht ook haast niet kon bewegen. De plastisch chirurgen hadden me een aanvaardbare, neutrale gezichtsuitdrukking gegeven, en ze hadden hun werk zó goed gedaan dat het op het eerste gezicht alleen maar leek alsof ik geen emoties had.

Het kalme, nietszeggende gezicht keek me vanuit de spiegel aan. Nog iets dat me eraan herinnerde dat niets aan mij heel of normaal was. En *ík* zou Erin Seabright moeten redden?

Ik beukte met mijn vuisten op de spiegel – eenmaal, tweemaal en nog eens – en wou dat mijn beeld voor mijn ogen uiteen zou spatten zoals het dat twee jaar eerder in mijzelf had gedaan. Een ander deel van mij verlangde naar de scherpe snee van pijn, de zuivering gesymboliseerd door bloedverlies. Ik wilde bloeden om te weten dat ik bestond. Ik wilde verdwijnen om aan de pijn te kunnen ontsnappen. Binnen in mij woedde een strijd van twee tegengestelde machten, die bezit namen van mijn longen en zich omhoogworstelden naar mijn brein.

Ik ging naar de keuken en keek naar het messenblok op het aanrecht, en naar mijn autosleutels die ernaast lagen.

Het leven kan van de ene op de andere seconde veranderen, in een honderdste millimeter van de ruimte. Met of zonder instemming. Dat dat waar was, wist ik intussen al uit ervaring. In het diepst van mijn hart moet ik me daar op dat moment, die avond, van bewust zijn geweest. Ik geef er de voorkeur aan te geloven dat ik de sleutels had gepakt en het huis uit was gegaan om aan mijn eigen zelfkwelling te ontsnappen. Dat idee stelde me in staat te geloven dat ik egoïstisch was.

In werkelijkheid was de keuze die ik die avond had gemaakt helemáál geen veilige keuze. In werkelijkheid koos ik ervoor een stap vooruit te doen. Ik had mijzelf wijsgemaakt dat ik de voorkeur gaf aan het leven boven de hel.

En ik was bang dat ik, voor het allemaal achter de rug was, zou overleven en daar spijt van zou hebben – of dat mijn poging tot overleven vergeefs zou blijken te zijn.

3

Het Palm Beach Polo Equestrian Center lijkt op een kleine, soevereine staat, compleet met koninklijke familie en wachters bij de hekken. Bij de hekken van de hoofdingang. De hekken aan de achterkant stonden overdag open en waren vanaf Seans huis in vijf minuten te bereiken. Mensen uit de buurt kwamen op competitiedagen vaak te paard naar het centrum en bespaarden zich op die manier de kosten van het stallen – negentig dollar per weekend voor een canvas box in een circustent met negenennegentig andere paarden. Een bewaker die zijn avondronde maakte, sloot het hek af wanneer hij er langskwam. Hij was nog niet geweest.

Ik reed door het hek. De gele parkeerpas, die ik voor het geval dát uit Seans Mercedes had gegapt, hing aan mijn achteruitkijkspiegel. Ik vond een plekje in een rij voertuigen die geparkeerd stonden langs een hek tegenover de achterste veertig grote staltenten die op het perceel waren opgezet.

Ik reed in een zeegroene BMW 318i met open dak, die ik op een veiling van de sheriff had gekocht. Wanneer het heel hard regende lekte het dak wel eens een beetje, maar hij had een interessant extraatje waarmee hij niet uit de fabriek in Beieren was gekomen: een klein, met schuimrubber gevoerd metalen opbergvakje in het paneel van het portier van de bestuurder – juist groot genoeg om er een flinke zak met cocaïne, of een pistool in te kunnen verstoppen. De negen millimeter Glock die ik daarin bewaarde stak nu, terwijl ik uitstapte en wegliep, in de tailleband van mijn spijkerbroek, en werd door de panden van mijn blouse aan het oog onttrokken.

Op wedstrijddagen heerst in dit soort centra een even waanzinnige drukte als in de straten van Calcutta. Golfkarretjes en kleine brommers racen heen en weer tussen de stallen en de verschillende arena's, waarbij ze hun best doen om niet in aanvaring te komen met de honden, de grote trucks met opleggers, de zware machines, de Jaguars en Porsches, de mensen te paard en kinderen op de rug van pony's, en de stalknechten die de hun toevertrouwde paarden, met hun manen in de meest volmaakte vlechten en op hun rug de dekens in de kleuren van de stal waar ze toe behoren, aan de teugel meevoeren. De tenten zien eruit als een vluchtelingenkamp met, aan de voorkant, verplaatsbare toiletten, en mensen die bij de kranen langs de kant van het pad emmers staan te vullen, terwijl illegalen kruiwagens vol mest uitstorten in de daarvoor aangewezen stortplaatsen die eenmaal per dag door speciale vrachtwagens worden geleegd. Elk beschikbaar plekje grond wordt gebruikt voor het werken met paarden – waarbij de trainers hun leerlingen instructies, aanmoedigingen of scheldwoorden toeroepen. Om de paar minuten wordt er iets omgeroepen door het luidsprekersysteem dat over het hele terrein te horen is.

Na zonsondergang is het er een totaal andere wereld. Stil. Nagenoeg verlaten. De paden zijn leeg. Mensen van de beveiliging maken zo nu en dan een ronde langs de stallen. Een stalknecht of een trainer kan langskomen om voor het slapengaan nog even bij zijn dieren te gaan kijken, of om een ziek dier te behandelen. Sommige stallen hebben een eigen bewaker die in hun weelderig ingerichte tuigkamer de wacht houdt. Een kinderoppas voor paardenvlees dat miljoenen waard is.

Onder de dekmantel van de nacht kunnen heel wat slechte dingen gebeuren. Rivalen kunnen vijanden worden. Jaloezie kan omslaan in wraak. Ik ken een vrouw die altijd een particuliere bewaker met haar paarden meezond nadat een van haar topspringers de nacht voor een belangrijk springevenement waarbij vijftigduizend dollar aan prijzengeld te verdienen was, LSD toegediend had gekregen.

Toen ik nog bij de narcoticabrigade zat had ik hier, in dit centrum, een aantal opmerkelijke arrestaties verricht. Elke vorm van drugs – voor mens of dier, bedoeld als medicijn of bestemd voor de recreatie – was hier te krijgen, als je maar wist aan wíe, en hóe je het moest vragen. Omdat ik ooit eens deel had uitgemaakt van deze wereld, kon ik me er ongezien in bewegen. Ik was er lang genoeg tussenuit geweest om niet herkend te worden. Dat nam niet weg dat ik er de weg wist en met de mensen mee kon praten. En nu maar hopen dat Seans geintje in *Sidelines* me niet mijn anonimiteit had gekost.

Ik liet het achterste gedeelte van het terrein, dat eufemistisch 'De Weiden' werd genoemd, achter me. Dit was het tentengetto waar de dressuurpaarden werden geplaatst die niet voor het hele seizoen, maar slechts voor een paar wedstrijden kwamen. Vanaf die tenten helemaal achteraan, is het twintig minuten lopen naar de arena's. In één hoek stonden graafmachines geparkeerd en ik zag dat er een groot aantal bomen was gerooid – het centrum werd alwéér uitgebreid.

In een van de tenten brandde licht. De melodieuze lach van een vrouw weerklonk door de nacht. Het zachte grinniken van een man vormde de tweede stem. Ik zag het stel staan: aan het einde van het middenpad van tent negentien. Een aangelegd bloemperk voor de hoek van de tent vormde de omlijsting van een verlicht bord met daarop een enkel gouden woord in een jagersgroen veld: JADE.

Ik liep door. Nu ik Jades tent gevonden had, wist ik even niet wat ik verder zou moeten doen. Zo ver had ik niet vooruitgedacht. Toen ik achter aan tent achttien was gekomen, draaide ik me om en liep terug naar negentien. Ik liep langs de tent tot ik de stemmen weer hoorde.

'Hoor je iets?' vroeg de man. Hij had een accent. Mogelijk Nederlands, mogelijk Vlaams.

Ik hield op met ademhalen.

'Haar darmen,' zei de vrouw. 'Ze is helemaal fit, maar toch zullen we de dierenarts er even naar laten kijken. We willen na Stellar niet de indruk wekken dat we niet goed voor de paarden zouden zorgen.'

De man lachte zonder vreugde. 'De mensen hebben daar al een oordeel over. Ze geloven wat ze willen geloven.'

'Het ergste, dus,' zei de vrouw. 'Jane Lennox heeft vandaag gebeld. Ze denkt erover een andere trainer voor Park Lane te nemen. Ik heb haar op andere gedachten kunnen brengen.'

'Daar twijfel ik niet aan. Je kunt heel overtuigend zijn, Paris.'

'Dit is Amerika. Je bent onschuldig tot je schuld bewezen is.'

'En als je rijk of mooi of charmant bent, ben je altijd onschuldig.'

'Don is mooi en charmant, maar toch denkt iedereen dat hij schuldig is.'

'Zoals O.J. schuldig was? Hij speelt golf en naait blanke vrouwen.'

'Waar slaat dát nu weer op?'

'Het is waar. En Jade heeft een stal vol paarden. Amerikanen...' Minachting.

'Ik ben ook Amerikaanse, V.' Haar stem heeft een scherp kantje. 'Wou je soms zeggen dat ik stom ben?'

'Paris...' Zalvend en berouwvol.

'Stomme Amerikanen kopen jouw paarden en geven je een goed belegde boterham. Je zou wat meer respect voor ze moeten hebben. Of bewijst dat alleen maar hoe stom we zijn?'

'Paris...' Nog slijmeriger en berouwvoller. 'Wees niet boos op me. Ik wil niet dat je boos op me bent.'

'Dat weet ik.'

Een Jack Russell-terriër kwam snuffelend om de hoek van de tent gelopen, bleef staan, keek me strak aan, tilde zijn achterpoot op en plaste tegen een hooibaal terwijl hij zich afvroeg of hij mij nu wel of niet moest verraden. Hij zette zijn poot neer en begon vervolgens als een gek te keffen. Ik bleef staan waar ik stond.

De vrouw riep: 'Milo! Milo, kom hier!'

Milo dacht er niet over. Met elke blaf wipte hij als een opwindbaar speelgoedhondje op en neer.

De vrouw kwam om de hoek van de tent heen en trok een verbaasd gezicht toen ze mij zag. Ze was blond en knap en droeg een donkere rijbroek en een groen poloshirt met, rond haar hals, meerdere gouden kettingen. Ze schonk me een tandpastaglimlach van duizend watt die niet meer was dan een beweging van haar kaakspieren.

'Neem me niet kwalijk. Hij denkt dat hij een rottweiler is,' zei ze, terwijl ze de Russell optilde. 'Kan ik iets voor je doen?'

'Ik weet niet. Ik zoek iemand, en ze hebben me gezegd dat ze voor Don Jade werkt. Erin Seabright?'

'Erin? Wat wil je van haar?'

'Het is een beetje pijnlijk,' zei ik. 'Ik heb me laten vertellen dat ze op zoek is naar ander werk, en ik heb een vriend die een nieuwe stalknecht kan gebruiken. Je weet toch hoe het gaat tijdens het seizoen.'

'En of ik dat weet!' Ze slaakte een overdreven dramatische zucht en rolde met haar grote, bruine ogen. Een actrice. 'Wij zitten ook om een nieuwe stalknecht te springen. Het spijt me dat ik je dit moet zeggen, maar Erin is opgestapt.'

'Echt? Wanneer?'

'Zondag. Ze heeft ons zomaar, van het ene op het andere moment, in de steek gelaten. Ik geloof dat ze naar Ocala is, waar ze iets beters had gevonden. Don heeft nog geprobeerd haar op andere gedachten te brengen, maar hij zei dat haar besluit vaststond. Dat vond ik jammer. Ik mocht Erin, maar je weet hoe onbetrouwbaar die meisjes kunnen zijn.'

'Hm, nou, daar kijk ik van op. Ik had juist begrepen dat ze graag in de buurt van Wellington wilde blijven. Heeft ze misschien een adres achtergelaten? Een adres waar jullie haar cheque naar toe kunnen sturen?'

'Don heeft haar voor haar vertrek betaald. Ik ben Dons assistent-trainer, tussen twee haakjes. Paris Montgomery.' Ze hield de hond stevig onder haar arm geklemd, en gaf me een hand. Ze gaf een goede hand. 'En jij bent...?'

'Elle Stevens.' Een naam die ik in mijn vorige leven als schuilnaam had gebruikt. Hij rolde zonder enige aarzeling van mijn lippen. 'Dus dan is ze zondag vertrokken. Was dat vóór of ná dat Stellar was overleden?'

Haar gezicht verstrakte. 'Waarom vraag je dat?'

'Nou... een ontevreden werkneemster verdwijnt en ineens gaat er een paard dood –'

'Stella heeft een elektrisch snoer doorgekauwd. Het was een ongeluk.'

Ik haalde mijn schouders op. 'Ach, ik vroeg het zomaar. Je weet hoe de mensen praten.'

'De mensen weten er geen barst vanaf.'

'Is er een probleem?'

De man kwam in beeld. Midden vijftig, lang en elegant met zilvergrijze slapen en een dikke dos donker haar. Hij had een streng, aristocratisch gezicht en droeg een geperste bruine broek, een roze shirt van Lacoste en een zwart zijden sjaaltje rond zijn hals.

'Helemaal niet,' zei ik. 'Ik ben alleen maar naar iemand op zoek.'

'Erin,' zei Paris Montgomery tegen hem.

'Erin?'

'Erin. Mijn stalknecht. Die ons heeft laten zitten.'

Hij trok een zuur gezicht. 'Dat meisje? Die deugt toch nergens voor. Wat wil je van haar?'

'Dat maakt nu niet meer uit,' zei ik. 'Ze is weg.'

'Hoe heet die vriend van je?' vroeg Paris. 'Voor het geval ik iemand mocht weten.'

'Sean Avadon. Van de Avadonis Farm.'

De kille ogen van de man begonnen te stralen. 'Hij heeft een aantal heel aardige paarden.'

'Ja, dat heeft hij.'

'Werk je voor hem?' vroeg hij.

Ik nam aan dat ik er, met mijn schots en scheef afgeknipte haar, oude spijkerbroek en werklaarzen, inderdaad uitzag als simpel werkvolk. 'Hij is een oude vriend. Ik huur een paard van hem totdat ik heb gevonden wat ik zoek.'

Toen glimlachte hij als een kat die een muis in de hoek had gedreven. Zijn tanden waren schitterend wit. 'Daar kan ik je mee helpen.'

Een paardendealer. Het derde oudste beroep ter wereld. Voorlopers van verkopers van tweedehandsauto's over de hele wereld.

Paris Montgomery rolde met haar ogen. Aan het eind van de tent stopte een terreinwagen. 'Daar is dokter Ritter. Ik moet gaan.'

Ze schonk me nog zo'n stralende glimlach en gaf me opnieuw een hand. 'Leuk je ontmoet te hebben, Elle,' zei ze, alsof dat onaangename moment waarop Stellars naam was gevallen nooit had plaatsgevonden. 'Succes met je zoekpogingen.'

'Dank je.'

Ze zette de Russell neer en volgde het blaffende beest de hoek om terwijl de dierenarts haar riep.

De man stak zijn hand naar me uit. 'Tomas Van Zandt.'

'Elle Stevens.'

'Hoe maak je het.'

Hij bleef mijn hand net even iets te lang vasthouden.

'Ik moest maar weer eens gaan,' zei ik, terwijl ik een stapje naar achteren deed. 'Het begint een beetje laat te worden, en deze zoekpoging levert toch niets op.'

'Ik rij je wel even terug naar je auto,' bood hij aan. 'Het is voor beeldschone vrouwen geen goed idee om hier alleen in het donker rond te lopen. Je weet maar nooit wie je tegenkomt.'

'Nou, daarvan heb ik een aardig idee, maar bedankt voor de goede zorgen. Vrouwen zouden ook niet in de auto moeten stappen met iemand die ze nog maar net kennen,' zei ik.

Hij lachte en legde zijn hand op zijn hart. 'Ik ben een heer, Elle. Ongevaarlijk. Zonder boze bedoelingen. Het enige dat ik van je wil is een glimlach.'

'Als je kon, zou je me een paard verkopen. Dat kost meer dan een glimlach.'

'Maar ik handel alleen in de allerbeste paarden,' zei hij. 'Ik zal het ideale paard voor je vinden, en voor een goede prijs. Je vriend Avadon houdt van goede paarden. Misschien zou je ons aan elkaar kunnen voorstellen.'

Paardenhandelaren. Ik rolde met mijn ogen en schonk hem een halve glimlach. 'Misschien zou ik het toch wel fijn vinden als je me terugbracht naar mijn auto.'

Met een voldaan gezicht ging hij me voor naar een zwarte Mercedes, en hij deed het portier voor me open.

'Je moet wel heel wat tevreden klanten hebben als je het je kunt veroorloven om voor het seizoen zo'n auto als deze te huren,' merkte ik op.

Van Zandt glimlachte als een kat die de muis én de kanarie verorberd had. 'Ik heb zúlke tevreden klanten, dat een van hen me deze auto voor de winter te leen heeft gegeven.'

'Hemeltjelief. Als mijn ex me zo'n plezier had gedaan, misschien dat hij nu dan geen ex zou zijn geweest.'

Van Zandt lachte. 'Waar staat je auto, Elle?'

'Achteraan, bij het hek.'

We reden het pad af naar 'De Weiden'. 'Ken je dat meisje, Erin?' vroeg ik. 'Werkte ze niet goed?'

Hij tuitte zijn lippen alsof hij iets vies had geroken. 'Haar houding stond me niet aan. Grote bek. Ze flirtte met de klanten. Amerikaanse meisjes zijn geen goede stalknechten. Ze zijn verwend en lui.'

'Ik ben een Amerikaans meisje.'

Dat negeerde hij. 'Neem een goed Pools meisje. Die zijn sterk en goedkoop.'

'Kun je die in de supermarkt krijgen? Ik heb momenteel een Russische. Ze denkt dat ze een tsarina is.'

'Russen zijn verwaand.'

'En wat zijn Nederlanders?'

Hij zette de Mercedes op de plek die ik hem aanwees, naast mijn Beemer.

'Ik ben Belg,' corrigeerde hij mij. 'Belgen zijn charmant en weten hoe ze met vrouwen moeten omgaan.'

'Gladjakkers, als je het mij vraagt,' zei ik. 'Ik denk dat vrouwen voor hen op hun hoede moeten zijn.'

Van Zandt grinnikte. 'Je laat je niet gemakkelijk versieren, Elle Stevens.'

'Er is meer voor nodig dan een glimlach en een accent om iets van mij gedaan te krijgen. Ik hou van mannen die zich voor me uitsloven.'

'Een uitdaging!' riep hij uit, opgetogen bij het vooruitzicht.

Ik stapte uit voordat hij om de auto heen had kunnen lopen om mijn portier te openen, en viste mijn sleutels uit mijn kontzak. De rug van mijn hand streek over de kolf van het pistool in mijn tailleband.

'Bedankt voor de lift,' zei ik.

'Ik moet jou bedanken, Elle Stevens. Dankzij jou was dit geen saaie avond.'

'Laat mevrouw Montgomery je maar niet horen.'

'Ach, zij is zo somber. Ze heeft het over niets anders dan die dode hengst.'

'Nou, ik zou ook somber zijn als ik zo'n dure hengst had verloren.'

'Het was haar geld niet.'

'Misschien hield ze wel van het paard.'

Hij haalde zijn schouders op. 'Er is altijd wel weer een ander.'

'En het zou me niets verbazen als je die voor een prijs aan de treurende eigenaar zou willen leveren.'

'Natuurlijk. Waarom niet? Dat is business – voor mij en voor haar.'

'Sentimentele dwaas die je bent.'

In het felle licht van beveiligingsverlichting zag ik Van Zandts kaakspieren werken. 'Ik zit al dertig jaar in dit vak, Elle Stevens,' zei hij, en ik bespeurde een ongeduldig ondertoontje in zijn stem. 'Ik ben geen harteloos monster, maar voor beroepslui is het zo dat paarden komen en paarden gaan. Het is jammer dat die hengst dood is, maar voor beroepslui is een sentimentele dwaas niet meer dan dat: een dwaas. Als mens kun je niet stil blijven staan bij de dood. En als paardenbezitter ook niet. De verzekering betaalt voor het dode paard, en van dat geld koopt de bezitter weer een nieuwe.'

'Dat jij hem maar al te graag zult leveren.'

'Natuurlijk. Ik weet al een paard in België: prachtige röntgenfoto's en twee keer zo'n goede springer.'

'En voor slechts één punt acht miljoen kan een gelukkige Amerikaan hem kopen, waarna Don Jade hem kan berijden.'

'Goede paarden kosten geld, en het zijn de goede paarden die winnen.'

'En de rest kan 's nachts elektrische snoeren doorkauwen en zichzelf elektrocuteren?' vroeg ik. 'Kijk uit tegen wie je dat zegt, Van Zandt. Een verzekeringsinspecteur zou je kunnen horen en er het verkeerde van denken.'

Ik had verwacht dat hij daar onverschillig op zou reageren, maar ik zag hem verstijven.

'Ik heb nooit gezegd dat iemand het paard vermoord zou hebben,' zei hij zacht. Ik had hem boos gemaakt. Ik werd niet geacht hersens in mijn hoofd te hebben. Ik werd geacht de zoveelste Amerikaanse met te veel geld en te weinig verstand te zijn, die met open armen op hem stond te wachten en samen met hem naar Europa zou willen afreizen om paarden te kopen.

'Nee, maar Jade heeft die reputatie, niet?'

Van Zandt deed een stapje naar mij toe. Mijn rug drukte tegen het frame van het dak van mijn auto. Ik moest mijn hoofd optillen om hem aan te kunnen kijken. Er was geen mens te bekennen. Buiten het hek was niets anders dan een grote, onbebouwde vlakte. Ik bracht mijn hand naar mijn rug en voelde mijn pistool.

'Ben jij soms die inspecteur van de verzekering, Elle Stevens?' vroeg hij.

'Ik?' Ik schoot in de lach. 'God, nee. Ik werk niet.' Ik zei het woord op het minachtende toontje dat mijn moeder gebruikt zou hebben. 'Het is alleen maar een spannende roddel, anders niet. Don Jade, Gevaarlijk en Mysterieus. Je weet toch hoe we hier in Palm Beach zijn – dol op een sappig schandaal. Mijn grootste probleem op dit moment is het vinden van een nieuw goed paard. Wat zich hier in dit springwereldje afspeelt, is voor mij niets anders dan heerlijk roddelmateriaal.'

Hij kwam tot de conclusie dat ik voldoende egocentrisch was, en ontspande zich. Hij gaf me zijn kaartje en gooide het opnieuw over de charmante boeg. 'Bel me, Elle Stevens. Ik zal je paard voor je vinden.'

Ik probeerde te glimlachen in de wetenschap dat slechts één kant van mijn mond omhoog zou komen. 'Misschien hou ik je daar wel aan, Van Zandt.'

'Noem me maar V.,' zei hij, op een vreemd intiem toontje. 'V. voor Verschrikkelijk Goede Paarden. V. voor Victorie in de ring.'

V. voor vals.

'Nu zijn we vrienden,' verklaarde hij. Hij boog zich naar me toe en gaf me een zoen op mijn rechterwang, op mijn linkerwang en opnieuw op mijn rechterwang. Zijn lippen waren koud en droog.

'Drie keer,' zei hij, weer een en al gladjakker. 'Zoals ze in Nederland doen.'

'Dat zal ik onthouden. Nogmaals bedankt voor de lift.'

Ik stapte in mijn auto en reed weg. De achteringang was gesloten. Ik keerde en reed het pad af – langs tent negentien. Van Zandt volgde me naar de hoofdingang. In de vier grote permanente stallen rechts brandde volop licht. Een bewaker stond in het kleine huisje tussen de in- en uitrit van de hoofdingang, en reggaemuziek schalde uit de radio op de plank. Ik zwaaide naar hem. Hij stak zijn hand op en liet me zonder vragen doorrijden, want zijn aandacht werd getrokken door de grote vrachtwagen die paarden kwam afleveren. Ik had wel twintig gestolen zadels in de kofferbak kunnen hebben. Of een lijk. Ik kon wel weet ik veel zijn. En weet ik veel hebben gedaan. Een verontrustende gedachte om mee naar huis te rijden.

Op Pierson Boulevard sloeg ik rechtsaf. Van Zandt ook. Ik observeerde hem via de achteruitkijkspiegel en vroeg me af of hij me niet had geloofd toen ik zei dat ik niet voor de verzekering werkte. Ik vroeg me af hoe hij zou reageren als hij de foto in *Sidelines* zou zien en een simpel optelsommetje zou maken.

Maar mensen zijn grappig in dat opzicht, en ze laten zich gemakkelijker iets wijsmaken dan je wel zou willen geloven. Ik leek niet op de vrouw op de foto. Mijn haar was kort. Ik had hem niet de naam genoemd van de vrouw op de foto. De enige echte connectie was Sean. Dat nam evenwel niet weg dat het woord *privé-detective* alarmbelletjes zou laten rinkelen. Ik kon niet anders dan hopen dat Sean gelijk had: dat de dressuurartikelen alleen maar door dressuurmensen werden gelezen.

Ik sloeg rechtsaf, de South Shore op. Van Zandt ging naar links.

Ik deed mijn koplampen uit, maakte een U-bocht en volgde hem op een afstand langs het polostadion. Hij reed de parkeerplaats van The Players Club op. Mensen uitnodigen voor een dure maaltijd hoorde bij het werk van een goede paardenhandelaar. Je wist het maar nooit – een nieuwe beste vriend of vriendin die je in zo'n tent aan de bar ontmoette, zou wel eens een rijke klant kunnen zijn.

Van Zandt zou een leuke winst maken op de verkoop van een Belgisch springpaard aan Stellars eigenaar, die op zijn beurt een vermogen zou incasseren voor een paard zonder toekomst. En Don Jade – die Stellar getraind had en wedstrijden met hem had gereden, en die zijn opvolger zou trainen en berijden – stond midden tussen de beide partijen in en ving van beide kanten. Het was niet ondenkbaar dat ze op dat moment met z'n drieën in Players waren en een dronk uitbrachten op Stellars vroegtijdig verscheiden.

Niemand had meer iets van Erin Seabright vernomen sinds de avond waarop Stellar was gestorven.

Ik speelde even met de gedachte om ook naar de club te gaan, maar besloot het niet te doen. Ik was nog niet zo ver. Ik gaf gas, keerde en ging naar huis.

Ik stond op het punt privé-detective te worden.

4

Ik vraag me af waarom ik nog steeds leef.

Billy Golam had dat pistool recht op mijn gezicht gericht. In talloze nachtmerries heb ik langs de loop van die .357 gekeken en ademgehaald voor wat in principe mijn laatste ademhaling geweest had moeten zijn. Maar Golam had zich omgedraaid en hij had de andere kant op geschoten.

Was het feit dat ik nog leefde mijn straf, of was het slechts een beproeving? Of was het de bedoeling dat ik er, om voor mijn roekeloosheid te boeten, zelf een eind aan maakte? Of had ik alleen maar ontzettend geboft en weigerde ik dat te geloven?

Half vier 's ochtends.

Ik lag in bed en staarde naar de ronddraaiende bladen van de plafondventilator. Het gastenverblijf was ingericht door een uit Palm Beach afkomstige binnenhuisarchitect die het optrekje had aangezien voor een paleis op een Caribische plantage. Ik vond het één groot cliché, maar ik was nog nooit door iemand betaald om verfkleuren en kussenslopen uit te zoeken.

Om vier uur ging ik naar buiten en voerde de paarden. Om vijf uur had ik me gedoucht. Ik had me al zo lang niet meer onder de mensen begeven, en het had me al zó lang niet meer kunnen schelen hoe er over mij werd gedacht, dat ik me niet meer kon herinneren hoe je zoiets deed. Ik raakte het idee maar niet kwijt dat ik op het eerste gezicht zou worden afgewezen, en als het niet op het eerste gezicht was, dan zou het wel op grond van mijn reputatie zijn.

Wat een vreemde vorm van verwaandheid om aan te nemen dat de hele wereld wist wie ik was; dat de hele wereld wist wat ik had gedaan en wat er gebeurd was waardoor ik mijn baan was kwijtgeraakt. Gedurende een paar journaaluitzendingen was mijn verhaal nieuws geweest. Een nieuwsflard. Iets om de zendtijd tot het weerbericht mee te vullen.

In werkelijkheid was het waarschijnlijk zo dat niemand die niet rechtstreeks met het gebeurde te maken had gehad, niemand die niet deel uitmaakte van dat politiewereldje, de geschiedenis ook maar enige aandacht had geschonken. De trieste waarheid is dat mensen zich zelden iets aantrekken van de rampen die anderen overkomen, en dat ze hooguit denken: 'Blij dat ik het niet was.'

Ik stond in mijn ondergoed voor de spiegel. Ik smeerde wat gel in mijn haar en probeerde het zo te kammen dat het leek alsof het opzettelijk zo was geknipt. Ik vroeg me af of ik me op moest maken. Ik had geen make-up meer gebruikt sinds de operaties die mijn gezicht hadden hersteld. Mijn plastisch chirurg had me het kaartje gegeven van een vrouw die gespecialiseerd was in postchirurgische make-up. De Posttraumatische Avon-verkoopster. Ik had het kaartje weggegooid.

Ik kleedde me aan, probeerde minstens tien verschillende dingen, en koos ten slotte voor een mouwloze zijden blouse in de kleur van pas gestort beton, en een bruine broek die zó om mijn middel slobberde dat ik veiligheidsspelden moest gebruiken om ervoor te zorgen dat hij niet van mijn heupen zakte.

Vroeger volgde ik de mode op de voet.

Ik verdeed wat tijd op het internet, kauwde op mijn nagels en maakte een paar aantekeningen.

Ik kon niets interessants over Tomas Van Zandt vinden. Zijn naam kwam zelfs niet eens voor op zijn eigen website: worldhorsesales.com. De site die op zijn visitekaartje stond toonde foto's van paarden die door Van Zandts bemiddeling waren verkocht. De site gaf telefoonnummers van zijn kantoor in Brussel, een nummer voor Europese transacties, en twee van Amerikaanse agenten, van wie Don Jade er één was.

In de *Chronicle of the Horse* en *Horses Daily* vond ik een aantal artikelen over Paris Montgomery. Ik las een verslag over haar prestaties in de ring, en over hoe ze heel bescheiden was begonnen op ongezadelde pony's in de Pine Barrens van New Jersey. Volgens het artikel had ze zich opgewerkt van stalknecht tot werkstudent en assistent-trainer, en had ze het dankzij haar ijver en talent weten te maken. En charme. En het feit dat ze net zo goed fotomodel had kunnen zijn.

Ze werkte al drie jaar als Don Jades assistente, en was zo verschrikkelijk dankbaar voor de kansen die hij haar had gegeven, bla, bla, bla. Er waren maar zo weinig mensen die zich realiseerden wat voor een fantastisch mens hij wel niet was. Hij had de pech gehad dat sommige van de zakelijke contacten door wie hij was benaderd niet helemaal zuiver waren, maar zou op grond daarvan niet veroordeeld mogen worden, enzovoort, enzovoort. Jade werd aangehaald met de uitspraak dat Paris

Montgomery een glanzende toekomst tegemoet ging en dat ze voldoende ambitie en talent had om te bereiken wat ze wilde.

De ene foto bij het artikel was van Montgomery op het moment dat ze op de rug van een paard dat Park Lane heette over een hindernis sprong, en de andere was een close-up van haar stralende glimlach.

Die glimlach irriteerde me. Hij was te stralend en te moeiteloos. De charme maakte een onoprechte indruk. Maar aan de andere kant, ik had haar nog maar net tien minuten gezien. Misschien mocht ik haar wel niet omdat ik niet kon glimlachen en niet charmant was.

Ik zette de laptop uit en ging naar buiten. In het oosten begon het aarzelend licht te worden toen ik via de openslaande terrasdeuren van de eetkamer Seans huis binnenging. Hij lag alleen in bed te snurken. Ik ging naast hem zitten en aaide hem over zijn wang. Zijn ogen gingen langzaam open en ik zag een heleboel rode adertjes. Hij wreef zijn gezicht.

'Ik hoopte dat het Tom Cruise was,' zei hij met schorre stem.

'Het spijt me dat ik je teleur moet stellen. Als je bezoek krijgt van een paardenhandelaar die Van Zandt heet, dan heet ik Elle Stevens en ben jij op zoek naar een stalknecht.'

'Wat?' Hij ging rechtop zitten en schudde de spinnenwebben uit zijn hoofd. 'Van Zandt? Tomas Van Zandt?'

'Ken je hem?'

'Ik heb van hem gehoord. Hij is de op een na grootste oplichter in Europa. Waarom zou hij hier komen?'

'Omdat hij denkt dat je misschien wel een paar paarden van hem wilt kopen.'

'En hoe komt hij daarbij?'

'Omdat ik hem die indruk heb gegeven.'

'Get!'

'Kijk niet zo beledigd,' zei ik. 'Op die manier lijken de rimpels bij je mondhoeken veel dieper dan ze zijn.'

'Kreng.'

Hij trok een pruillip, maar beheerste zich toen en begon zijn gezicht in opwaartse bewegingen te masseren. De tien-secondenfacelift. 'Je weet dat ik al lang een Europese agent heb. Dat ik alleen maar met Toine werk.'

'Ja. De laatste eerlijke paardenhandelaar.'

'De enige in de hele geschiedenis, voor zover ik weet.'

'Laat Van Zandt nu maar denken dat hij je bij Toine weg kan krijgen. Wedden dat hij daar een orgasme van krijgt? Als hij komt, doe dan alsjeblieft geïnteresseerd. Je hebt wat goed te maken.'

'Zóveel ook weer niet.'

'O nee?' vroeg ik. 'Het is jouw schuld dat ik nu een klant en een baan heb die ik niet wil.'

'Achteraf zul je me dankbaar zijn.'

'Achteraf zal ik precies bepalen hoe zoet mijn wraak zal zijn.' Ik boog me over hem heen en gaf hem nog een klopje op zijn stoppelige wang. 'Veel plezier met Van Zandt.'

Hij kreunde.

'O, en tussen twee haakjes,' zei ik, terwijl ik op de drempel bleef staan, 'hij denkt dat ik een domme amazone uit Palm Beach ben en dat ik D'Artagnan van je huur.'

'Moet ik dat allemaal onthouden?'

Ik haalde mijn schouders op. 'Heb je soms iets beters te doen?'

Ik wilde net weer doorlopen toen hij nog iets zei.

'El...'

Ik legde mijn hand op de deur en draaide me naar hem om. Hij keek me aan met een ongewoon ernstig gezicht en een warme blik in zijn ogen. Hij wilde iets liefs zeggen. Ik wilde dat hij zou doen alsof dit een doodnormale dag was. We leken precies van de ander te weten wat hij dacht. Ik hield mijn adem in. De rechterkant van zijn mond kwam in een toegeeflijk glimlachje omhoog.

'Je ziet er leuk uit,' zei hij.

Ik zwaaide naar hem en ging weg.

Molly Seabright woonde in een eengezinshuis aan de rand van een wijk die Binks Forest heet. Duur. De achtertuin aan het water. Een witte Lexus op de oprit. Er brandde licht in huis. De hardwerkende betere kringen die zich klaarmaken voor de dag. Ik parkeerde verderop in de straat en wachtte.

Om half zeven begonnen de kinderen uit de buurt naar buiten te komen. Ze liepen langs mijn auto naar de halte van de schoolbus op de hoek. Molly kwam naar buiten met een schooltas op wieltjes. Ze trok de tas achter zich aan en zag eruit als een minibestuurslid van een groot bedrijf dat op weg was naar het vliegveld. Ik stapte uit en ging met mijn armen over elkaar geslagen tegen de auto aan staan. Ze zag me toen ze vijf meter van me af was.

'Ik heb me bedacht,' zei ik, toen ze voor me bleef staan. 'Ik wil je helpen je zus te vinden.'

Ze glimlachte niet. Ze sprong ook geen gat in de lucht. Ze keek met grote ogen naar me op en vroeg: 'Waarom?'

'Omdat ik niet onder de indruk ben van de mensen met wie je zus omging.'

'Denk je dat haar iets ergs is overkomen?'

'We weten dat haar íets is overkomen,' zei ik. 'Ze was hier, en nu is ze dat niet meer. Of het iets ergs is, dat valt te bezien.'

Molly knikte en was kennelijk blij dat ik niet geprobeerd had haar onterecht gerust te stellen. De meeste volwassenen behandelen kinderen alsof ze stom zijn, en dat alleen omdat ze nog niet zoveel jaar geleefd hebben als zij. Molly Seabright was niet stom. Ze was slim en ze was moedig. Ik weigerde haar als een klein kind te behandelen. Ik had zelfs besloten om niet tegen haar te liegen als het niet echt nodig was.

'Maar als je geen privé-detective bent, wat heb ik dan aan je?' wilde ze weten.

Ik haalde mijn schouders op. 'Zo moeilijk kan het niet zijn. Een paar vragen stellen, een paar mensen bellen. Daar hoef je geen hersenchirurg voor te zijn.'

Ze dacht over mijn antwoord na. Of misschien dacht ze na of ze hetgeen ze wilde zeggen wél zou kunnen zeggen, of dat ze beter haar mond kon houden. 'Je was rechercheur bij de politie.'

Als ze me plotseling een dreun met een hamer gegeven zou hebben, zou ik niet verbaasder zijn geweest. Ik, die haar niet als klein kind wilde behandelen. Het was geen moment bij me opgekomen dat Molly Seabright naar huis zou gaan en haar eigen speurwerk on line zou verrichten. Ineens voelde ik me naakt en ontmaskerd op de manier waarvan ik mijzelf eerder had weten te overtuigen dat de kans daarop nihil zou zijn. Overdonderd door een kind van twaalf.

Ik keek weg. 'Is dat jouw bus?'

Er was een schoolbus bij de halte gestopt en de kinderen die er stonden stapten in.

'Ik loop wel,' zei ze zuinig. 'Ik heb een artikel over je gevonden in het computerarchief van de *Post.*'

'Eéntje maar? Ik ben beledigd.'

'Meer dan één.'

'Goed, dus mijn grote geheim is je bekend. Ik was rechercheur bij Palm Beach County. En dat ben ik nu niet meer.'

Ze begreep dat ze het daar maar beter bij kon laten. Wijzer dan de meeste mensen die ik ken en die drie keer zo oud zijn als zij.

'We moeten het over je vergoedingen hebben,' zei juffrouw Business.

'Ik neem de honderd die je me hebt aangeboden, en dan zien we wel hoe het loopt.'

'Ik waardeer het dat je me niet als een klein kind behandelt.'

'Ik heb zojuist gezegd dat ik honderd dollar accepteer van een kind, en daar ben ik op zich niet trots op.'

'Nee,' zei ze, me door de vergrotende glazen van haar Harry Potter-brilletje aankijkend met die te serieuze ogen van haar. 'Ik ben juist blij dat je dat hebt gedaan.' Ze bood me haar hand. 'Dank je dat je bereid bent voor mij te werken.'

'Jezus. Je geeft me bijna het gevoel dat we een contract zouden moeten tekenen,' zei ik, terwijl ik haar de hand schudde.

'Dat zouden we in principe ook moeten, maar ik vertrouw je.'

'Waarom vertrouw je me?'

Ik had het gevoel dat ze wel een antwoord op die vraag had, maar dat ze van mening was dat ik het toch nooit zou begrijpen en dat ze het daarom maar beter niet kon zeggen. Ik begon me af te vragen of ze niet van een andere planeet was.

'Daarom,' zei ze. Een kinderlijke reactie op mensen die niet echt opletten. Ik liet het erbij.

'Ik heb informatie van je nodig. Een foto van Erin, haar adres, type auto en kenteken, dat soort dingen.'

Terwijl ik dat vroeg, bukte ze zich, ritste een vak van haar schooltas open en haalde er een bruine envelop uit die ze aan me gaf. 'Daar kun je alles in vinden.'

'Natuurlijk.' Ik begreep niet waarom ik verbaasd was. 'En toen je bij de sheriff was, met wie heb je daar gesproken?'

'Rechercheur Landry. Ken je hem?'

'Ik heb van hem gehoord.'

'Hij was onbeschoft en behandelde me als een dom klein kind.'

'Dat heb ik ook gedaan.'

'Jij hebt me niet behandeld als een dom klein kind.'

Er kwam een zwarte Jaguar uit de garage van de Seabrights gereden. Achter het stuur zat een man in pak. Bruce Seabright, nam ik aan. Hij keek weg toen hij ons zag en reed de straat uit.

'Is je moeder thuis?' vroeg ik. 'Ik moet met haar praten.'

Daar was ze niet blij mee. Ze keek alsof ze zich ineens misselijk voelde. 'Ze gaat om negen uur naar haar werk. Ze is makelaar.'

'Ik zal echt met haar moeten spreken, Molly. En ook met je stiefvader. Ik zal jou erbuiten laten. Ik zeg wel dat ik voor de verzekering werk.'

Ze knikte, maar haar gezichtsuitdrukking bleef grimmig.

'En nu moet je echt naar school. Ik wil niet worden opgepakt wegens medeplichtigheid aan crimineel gedrag van een minderjarige.'

'Nee,' zei ze, terwijl ze terug begon ze lopen naar haar huis. Ze liep met hoog opgeheven hoofd en trok haar koffertje achter zich aan. Veel volwassenen konden nog heel wat van haar leren.

Krystal Seabright was aan de telefoon toen Molly en ik het huis binnenkwamen. Ze stond over een tafeltje in de hal gebogen en tuurde in een krullerige rococospiegel terwijl ze met de lange nagel van haar pink een valse wimper probeerde vast te plakken en ondertussen enthousiast vertelde over een werkelijk fantástisch huis in Sag Harbor Court. Ze leek helemaal niet op Molly. Molly kennende, had ik een keurige advocate verwacht, of een arts, of een kernfysica. Aan de andere kant wist ik uit eigen ervaring dat ouders en kinderen niet altijd bij elkaar passen.

Krystal was een blondine die haar haren in haar leven wat ál te vaak had gebleekt. Haar haren waren dan ook bijna wit en zagen er even broos en breekbaar uit als een suikerspin. Ze had zich net even te zwaar opgemaakt. Haar roze mantelpakje zat net iets te strak, en de naaldhakken van haar sandalen waren ook net iets te hoog. Ze observeerde ons vanuit haar ooghoeken.

'... en zodra ik op kantoor ben, Joan, kan ik je alle gegevens faxen. Maar je moet het echt zien. Dit soort huizen vind je tijdens het seizoen niet gauw op de markt. Je boft dat het net is vrijgekomen.'

Ze wendde zich af van de spiegel en keek met een 'wat nu weer-gezicht' naar mij, en vervolgens naar Molly. Ondertussen zette ze haar gesprek met de onzichtbare Joan gewoon voort. Ze maakte een afspraak voor elf uur, en schreef dat in een slordige agenda. Toen maakte ze eindelijk een eind aan het gesprek.

'Molly? Wat is er?' vroeg ze, waarbij ze naar mij keek, en niet naar haar dochter.

'Dit is mevrouw Estes,' zei Molly. 'Ze is detective.'

Krystal keek me aan alsof ik een marsmannetje was. 'Een wat?'

'Ze wil met je over Erin praten.'

Krystal werd op slag knalrood van woede. 'O, godallemachtig, Molly! Hoe heb je dat nu weer kunnen doen? Ben je soms niet goed snik?'

De pijn in Molly's ogen was zo acuut dat zelfs ik het kon voelen.

'Ik heb je toch gezegd dat er iets is gebeurd,' hield Molly vol.

'Ik kan gewoon niet geloven dat je zulk soort dingen doet!' schreeuwde Krystal. Haar frustratie ten aanzien van haar dochter was kennelijk niets nieuws. 'Gelukkig is Bruce niet thuis.'

'Mevrouw Seabright,' zei ik, 'ik ben bezig met het onderzoek van een zaak die zich op het ruitercentrum heeft afgespeeld en waar uw dochter Erin mogelijk bij betrokken is. Als het kan, zou ik u graag even onder vier ogen willen spreken.'

Ze keek me aan. Ze was nog steeds boos en haar ogen stonden wild. 'Er valt niets te bespreken. We weten niets van de dingen die zich daar afspelen.'

'Maar mam –' begon Molly, die vurig hoopte dat haar moeder blijk zou geven van haar liefde voor Erin.

Haar moeder keek haar verbitterd en vernietigend aan. 'Als jij deze vrouw het een of andere bespottelijke verhaal hebt verteld, berg je dan maar, jongedame. Je doet niets anders dan problemen veroorzaken. De enige aan wie je denkt, dat ben je zelf.'

Er verschenen twee rode vlekken op Molly's gewoonlijk intens bleke wangen. Ik was bang dat ze zou moeten huilen. 'Ik maak me zorgen om Erin,' zei ze met een klein stemmetje.

'Erin is wel de laatste om wie iemand zich zorgen hoeft te maken,' zei Krystal. 'Ga naar school. Duvel op. Ik ben op dit moment verschríkkelijk kwaad op je... En als je te laat op school komt dan kun je de hele middag nablijven. Je hoeft me niet te bellen.'

Het liefste had ik Krystal Seabright bij haar gebleekte haren gegrepen en er net zolang aan getrokken tot ik er een afgebroken pluk van in mijn hand hield.

Molly draaide zich om en ging naar buiten. Ze liet de voordeur wagenwijd open. Ik keek haar na, zoals ze met haar koffertje achter zich aan de stoep afliep, en mijn hart balde zich samen.

'En u kunt ook vertrekken,' zei Krystral Seabright tegen mij. 'Of ik bel de politie.'

Ik draaide me weer naar haar om en zei even niets omdat ik een paar seconden nodig had om mijn woede onder controle te krijgen. Ik werd herinnerd aan het feit dat ik een waardeloze wijkagent was geweest omdat ik nu eenmaal niet diplomatiek genoeg was om bij huiselijke conflicten te kunnen ingrijpen. Ik ben altijd van mening geweest dat er nu eenmaal mensen zijn die gewoon een draai om hun oren verdienen. En Molly's moeder was daar één van.

Krystal stond te trillen als een chihuahua, en kennelijk had ze zo haar eigen zelfbeheersingsproblemen.

'Mevrouw Seabright, ik weet niet of het wat uitmaakt. Maar Molly heeft hier niets mee te maken,' loog ik.

'O? Heeft ze dan niet geprobeerd u wijs te maken dat haar zus is verdwenen en dat we de politie moeten bellen, én de FBI, én *America's Most Wanted?*'

'Ik weet dat Erin sinds zondagmiddag niet meer is gezien. Maakt u zich daar geen zorgen om?'

'Wilt u daarmee soms suggereren dat ik niet om mijn kinderen zou geven?' Alweer die beledigde houding, een teken van geringe eigenwaarde.

'Ik suggereer helemaal niets.'

'Erin is volwassen. Ze beschouwt zichzelf als een volwassene. Ze wilde het huis uit en zelf de kost verdienen.'

'Dus dan weet u niet dat ze gewerkt heeft voor een man die betrokken is geweest bij oplichting van verzekeringsmaatschappijen?'

Ze keek me verbaasd aan. 'Erin werkt bij een paardentrainer. Dat heeft Molly me verteld.'

'U hebt zelf niet met Erin gesproken?'

'Toen ze het huis uit ging heeft ze heel duidelijk gezegd dat ze niets meer met me te maken wilde hebben. Ze vond het maar saai om in een mooi huis te wonen en een behoorlijk leven te leiden. En dat na alles wat ik voor haar en haar zusje heb gedaan...'

Ze liep terug naar het tafeltje in de hal, bekeek zichzelf in de spiegel en stak haar hand in haar oranje Kate Spade-tas. Haar hand kwam uit de tas met een sigaret en een lange, dunne aansteker, en ze liep ermee naar de openstaande voordeur.

'Ik heb zo hard gewerkt, en me zoveel opofferingen getroost...' zei ze, meer tegen zichzelf dan tegen mij, alsof ze troost putte uit het feit dat zichzelf afschilderde als de heldin van het verhaal. Ze stak de sigaret op en blies de rook naar buiten. 'Ze heeft me vanaf de dag waarop ze verwekt is niets anders dan problemen bezorgd.'

'Woont Erins vader in de buurt? Is er een kans dat ze naar hem toe is gegaan?'

Krystal schoot in de lach, maar het was een lach zonder humor. Ze keek me niet aan. 'Nee, dat is totaal onwaarschijnlijk.'

'Waar is haar vader?'

'Geen idee. Ik heb al vijftien jaar niets van hem gehoord.'

'Weet u wie Erins vriendinnen zijn?'

'Wat wilt u van haar?' vroeg ze. 'Wat heeft ze nu weer gedaan?'

'Niets, voor zover ik weet. Ik hoopte dat ze me een paar dingen zou kunnen vertellen. Ik wil haar alleen maar een paar vragen stellen over de man voor wie ze werkt. Heeft Erin in het verleden problemen gehad?'

Ze leunde half naar buiten, nam een lange trek van haar sigaret, inhaleerde diep en blies de rook uit naar een hibiscusstruik. 'Mijn gezin gaat u niets aan.'

'Heeft ze weleens drugs gebruikt?'

Ze keek me met een ruk aan. 'O, gaat het dáár om? Gaat ze om met drugsgebruikers? God, dat ontbreekt er nog maar aan.'

'Ik maak me zorgen om waar ze naar toe kan zijn gegaan,' zei ik. 'Erin is verdwenen kort nadat er een heel duur paard is gestorven.'

'Denkt u dat ze een paard heeft vermoord?'

Ik dacht dat mijn hoofd zou barsten. Krystal leek zich om iedereen zorgen te maken, behalve om haar dochter. 'Ik wil haar alleen maar een paar vragen stellen over haar baas. Heeft u er enig idee van waar ze naartoe kan zijn gegaan?'

Ze stapte naar buiten, tikte haar as af in de pot van een plant en hupte weer naar binnen. 'Voor verantwoordelijkheid moet je niet bij Erin zijn. Ze denkt dat volwassen zijn betekent dat je kunt doen waar je zin in hebt. Ze zal wel met de een of andere jongen naar South Beach zijn gegaan.'

'Heeft ze een vriend?'

Ze trok een bedenkelijk gezicht en sloeg haar blik neer naar de tegelvloer. En toen keek ze naar rechts. Ze loog. 'Hoe moet ik dat weten? Mij vertelt ze niets.'

'Molly zegt dat ze geprobeerd heeft om Erin te bellen, maar ze neemt ook niet op.'

'Molly.' Ze nam nog een trekje en probeerde de rook opnieuw naar buiten toe uit te blazen. 'Molly is twaalf. Molly vindt alles geweldig wat Erin doet. Molly leest te veel detectives en kijkt te veel naar A&E. Welk kind kijkt er nu naar A&E? *Law and Order, Investigative Reports.* Toen ík twaalf was, keek ik naar herhalingen van de *Brady Bunch.*'

'Ik geloof dat Molly zich terecht zorgen maakt, mevrouw Seabright. Ik raad u aan om naar het kantoor van de sheriff te gaan en haar als vermist op te geven.'

Krystal Seabright keek me ontzet aan. Niet vanwege de mogelijkheid dat haar dochter het slachtoffer van een misdrijf zou kunnen zijn, maar vanwege het idee dat iemand uit Binks Forest naar de politie zou moeten gaan. Wat zouden de buren er wel niet van zeggen? Misschien kwamen ze er dan wel achter dat ze wel heel chic deed, maar dat in werkelijkheid helemaal niet was.

'Erin wordt niet vermist,' hield ze vol. 'Ze is gewoon... weggegaan, dat is alles.'

Boven kwam een jongen uit een van de kamers, en denderde de trap af. Ik schatte hem een jaar of zeventien, achttien, en hij zag eruit alsof hij een kater had. Zijn grauwe gezicht stond somber, en zijn donkere haar met gebleekte puntjes stond alle kanten op. Zijn T-shirt zag eruit alsof hij erin had geslapen, of erger. Omdat hij niet op Krystal en haar dochters leek, vermoedde ik dat hij bij Bruce Seabright hoorde, en ik vroeg me af waarom Molly me niets over hem had verteld.

Krystal vloekte zacht en gooide haar sigaret zo onopvallend mogelijk naar buiten. De jongen keek hem na, en keek toen weer naar haar. Betrapt.

'Chad? Wat doe jij nog thuis?' vroeg ze. Haar stem had een totaal andere klank. Zenuwachtig. Kruiperig. 'Voel je je niet lekker, lieverd? Ik dacht dat je al naar school was.'

'Ik ben ziek,' zei hij.

'O. O. Eh... zal ik een toastje voor je maken?' vroeg ze opgewekt. 'Ik moet naar kantoor, maar ik kan nog wel even een toastje voor je maken.'

'Nee, dank je.'

'Je bent ook wel heel erg laat thuisgekomen,' zei Krystal liefjes. 'Je hebt waarschijnlijk alleen maar te kort geslapen.'

'Mogelijk.' Chad keek me aan en sloop weg.

Krystal keek me nijdig aan, en toen zei ze zacht: 'We hebben u niet nodig. Gaat u nu maar weg. Erin komt wel weer boven water zodra ze iets nodig heeft.'

'Wat is er met Erin?' vroeg Chad. Hij was de gang weer op gekomen en had een twee-literfles cola in zijn hand. Ontbijt voor kampioenen.

Krystal Seabright sloot haar ogen en pufte. 'Niets. Alleen maar – Niets. Ga maar weer naar bed, schat.'

'Ik moet een paar dingen van haar weten over de man voor wie ze werkt,' zei ik tegen de jongen. 'Weet jij toevallig waar ik haar kan vinden?'

Hij haalde zijn schouders op en krabde zijn borst. 'Het spijt me, maar ik heb haar niet gezien.'

Terwijl hij dat zei, kwam de grote zwarte Jag de oprit weer opgereden. Krystal maakte een ontzette indruk. Chad verdween de gang af. De man van wie ik aannam dat het Bruce Seabright was, stapte uit de auto en liep met doelbewuste stap naar de open voordeur. Hij was klein en dik, en zijn dunner wordende haar was met gel naar achteren gekamd. Zijn gezicht stond strak.

'Lieverd, ben je iets vergeten?' vroeg Krystal op dezelfde toon als ze tegenover Chad had gebruikt. De overgedienstige onderdaan.

'Het dossier van Fairfields. Ik heb vanochtend een belangrijke deal over een kavel daar, en ik had het dossier niet bij me. Ik weet dat ik het op de eettafel had klaargelegd. Je moet het ergens anders hebben neergelegd.'

'Nee, dat kan ik me niet herinneren. Ik –'

'Hoe vaak moet ik je dat nog zeggen, Krystal? Kom niet aan mijn zakelijke dossiers.' Zijn stem had een neerbuigende klank die nét niet beledigend klonk, maar dat op de een of andere manier wel was.

'Het – het spijt me, schat,' stamelde ze. 'Ik zal het wel even voor je zoeken.'

Bruce Seabright nam me lichtelijk achterdochtig op, alsof hij vermoedde dat ik een vergunning had om voor een goed doel te mogen collecteren. 'Het spijt me als ik stoor,' zei hij beleefd. 'Maar ik moet naar een heel belangrijke bespreking.'

'Dat had ik al begrepen. Elena Estes,' zei ik, mijn hand uitstekend.

'Elena heeft een flat in Sag Harbor op het oog,' haastte Krystal zich te zeggen. Ze keek me wanhopig aan en het was duidelijk dat ze hoopte dat ik mee zou willen spelen.

'Waarom zou je haar daar iets willen laten zien, schat?' vroeg hij. 'De waarde van het onroerend goed in die buurt zal alleen nóg maar verder teruglopen. Laat haar liever iets in Palm Groves zien. Stuur haar maar naar kantoor. Dan kan Kathy haar de maquette laten zien.'

'Ja, je hebt gelijk,' mompelde Krystal, terwijl ze deed alsof ze zich niet bewust was van de kritiek en kleinering, en het feit dat hij haar een deal afhandig probeerde te maken. 'Ik ga dat dossier even voor je zoeken.'

'Ik kijk zelf wel, schat. Ik wil niet dat er iets uit valt.'

Iets op de stoep trok Seabrights aandacht. Hij bukte zich en raapte de sigarettenpeuk op die Krystal naar buiten had gegooid. Hij hield hem tussen duim en wijsvinger en keek mij aan.

'Het spijt me, maar in mijn huis mag niet worden gerookt.'

'Neemt u me niet kwalijk,' zei ik, de peuk van hem aan pakkend. 'Een smerige gewoonte.'

'Inderdaad.'

Hij liep het huis in om zijn dossier te zoeken. Krystal wreef haar voorhoofd en keek omlaag naar haar wat te opzichtige sandalen en knipperde met haar ogen alsof ze haar best deed haar tranen de baas te blijven.

'Gaat u nu maar weg, alstublieft,' fluisterde ze.

Ik stopte de peuk in de bloempot en ging. Wat kon ik verder nog zeggen tegen een vrouw die zó onder de duim van haar dominante echtgenoot zat, dat ze liever haar eigen kind wilde verraden dan hem ergeren?

Voor de zoveelste keer in mijn leven stelde ik vast dat mensen onvoorstelbaar waren, en zelden op een positieve manier.

5

Hoewel we over het algemeen maar al te gauw klaarstaan met een oordeel over iemand anders leven, weten we daar in feite niets van af. Van de buitenkant, en vanaf een afstand, was het heel gemakkelijk om te denken dat Krystal Seabright het volkomen voor elkaar had. Kast van een huis, grote auto, een goede baan in de makelaardij, een echtgenoot die projectontwikkelaar was. Het kon niet ontkend worden dat het er op papier allemaal geweldig uitzag. Bovendien zat er een Assepoester-aspect aan het verhaal: de ongehuwde moeder van twee kinderen die maar net had kunnen rondkomen, die nu een luxeleventje leidde.

Hetzelfde kon worden gezegd van schijnbaar rijke eigenaren van de vierduizend paarden die zich in het ruitercentrum bevonden. Champagne en kaviaar waren voor hen even normaal als een dagelijkse boterham met kaas. Meerdere villa's met personeel, en in elke garage – met plaats voor vijf auto's – minstens één Rolls Royce.

De waarheid was wel anders. Je had de persoonlijke kwesties gekleurd door bedrog en intrige, door onzekerheden en ontrouw. Je had mensen die met vrijwel geen cent op zak naar Florida kwamen, en die het hele jaar elke cent opzij hadden gelegd om samen met twee andere ruiters een simpel en goedkoop flatje te kunnen huren, om een paar lessen van een beroemde trainer te kunnen nemen en om, met hun middelmatig presterende paard, in de anonimiteit aan amateurwedstrijden deel te kunnen nemen, en dat alles alleen maar uit liefde voor de sport. Je had tweederangs beroepsrijders met tweede hypotheken op stoeterijen ergens in de rimboe, die, in de hoop op één of twee klanten, zoveel mogelijk rondhingen in de nabijheid van de grote stallen. En je had dealers als Van Zandt: hyena's op zoek naar gemakkelijke en beïnvloedbare prooi. Het paardenwereldje lijkt allemaal heel weelderig en luxueus, maar als je het bovenste gouden laagje eraf krabt, kom je echt van alles tegen.

Het leek me een goed idee om meteen maar zoveel mogelijk tijd in de buurt van Jades tent door te brengen, voordat iemand die iets met hem te maken had met een exemplaar van *Sidelines* naar de wc zou gaan en met mijn geheim naar buiten zou komen. Ik had lang genoeg als rechercheur in burger gewerkt om te weten dat de kans daarop uiterst gering was, maar het was en bleef een risico. De mensen zien wat ze willen zien, en het komt zelden voor dat ze ergens iets meer achter zoeken. Dat neemt niet weg dat je als agent die voorgeeft iemand anders te zijn, voortdurend bang bent om ontdekt te worden. De ontmaskering is iets waar je altijd rekening mee moet houden, en het gebeurt meestal op het allerslechtste moment.

Mijn strategie als infiltrant was altijd om in zo kort mogelijke tijd zoveel mogelijk informatie te verzamelen – om zo snel mogelijk een idee van de situatie te kunnen krijgen. Overdonder het doelwit, lok het dichtbij, verkoop het een fatale dreun en klaar is Kees. Mijn superieuren op het kantoor van de sheriff hadden nooit zo van mijn methode gehouden, want de werkwijze had meer gemeen met die van oplichters dan van de zichzelf respecterende politie. Daar stond tegenover dat ze nooit bezwaar hadden gemaakt tegen het resultaat.

Seans parkeervergunning hing nog steeds aan mijn achteruitkijkspiegel toen ik langs de bewaker bij de hoofdingang naar binnen reed. Op het terrein heerste de gebruikelijke drukte. Overal waren paarden, mensen, auto's en golfwagentjes. Er was een wedstrijd gaande die tot zondag zou duren. Paarden en pony's zouden in zes wedstrijdpistes over hindernissen springen. De chaos was in mijn voordeel, want de kans dat ik de aandacht zou trekken was gering.

Ik zette de auto op het tweede parkeerterrein, liep langs de vaste stallen en de dierenkliniek, passeerde de kramen en stalletjes en bevond mijzelf op de ruiterversie van Fifth Avenue, die bestond uit een rij van tot mobiele winkels omgebouwde caravans waarin alles te krijgen was, variërend van ruiterartikelen tot dure merkkleding: juweliers, kleermakers, antiekhandelaren, winkels die gespecialiseerd waren in het borduren van monogrammen, en koffiebars waar cappuccino werd verkocht. Ik ging een paar van die zaakjes binnen om de attributen aan te schaffen die ik voor mijn rol nodig had. Het image is alles.

Ik kocht een breedgerande, met zwart lint afgezette strohoed, en zette hem op. Ik moest de eerste man die een vrouw met een hoed serieus nam, nog tegenkomen. Ik kocht aan aantal zijden blouses en lange wikkelrokken gemaakt van de prachtigste sari's. Ik zorgde ervoor dat de verkoopsters uiterst royaal waren met het vloeipapier en dat de draagtassen eruitzagen alsof ze propvol nieuwe kleding zaten. Ik kocht een paar onpraktische sandalen en trendy armbanden, die ik omdeed. Toen ik van mezelf vond dat ik er frivool genoeg uitzag, ging ik op zoek naar Don Jade.

Ik ging zijn stal binnen, maar noch Jade noch Paris Montgomery viel ook maar ergens te bekennen. Een ondervoede Guatemalaan was bezig om met gebogen hoofd een box uit te mesten, waarbij hij probeerde om zo min mogelijk op te vallen voor het geval er iemand van de immigratiedienst binnen zou komen. De voorzijde van een van de boxen was verwijderd waardoor er een ruimte was ontstaan waar de paarden gekamd en geborsteld konden worden. In die open box was een dik meisje in een veel te klein topje met een stuurs gezicht bezig een appelschimmel te borstelen. Het meisje had de onaangename, half samengeknepen ogen van iemand die iedereen behalve zichzelf de schuld geeft van alles wat ze in het leven tekortkomt. Ik zag hoe ze me met een zuur smoel van terzijde opnam.

Ik hief mijn hoofd op en keek haar aan van onder de rand van mijn bespottelijke hoed. 'Ik ben op zoek naar Paris. Weet je waar ze is?'

'Ze is met Park Lane gaan trainen.'

'Is Don bij haar?' Don, mijn ouwe makker.

'Ja.' Zoek het maar uit.

'En jij bent...?'

Ik zag dat het haar verbaasde dat ik de moeite nam naar haar naam te vragen, maar het volgende moment was ze meteen achterdochtig, en nóg een tel later besloot ze de kans te grijpen. 'Jill Morone. Ik ben meneer Jades eerste stalknecht.'

Zo te zien was ze meneer Jades énige stalknecht, en te oordelen naar de lusteloze manier waarop ze de borstel over het paard haalde, was het nog maar de vraag of ze die titel wel verdiende.

'O, echt? Dan moet je Erin Seabright kennen.'

De reacties van het meisje waren zo traag dat het bijna leek alsof haar brein in een andere tijdzone opereerde. Ik zag hoe elk van haar gedachten zich traag door haar hoofd bewoog terwijl ze een antwoord op mijn vraag probeerde te verzinnen. Ze haalde de borstel over de schouder van het paard. Het paard spitste zijn oren, keek haar aan en rolde met zijn ogen.

'Erin werkt hier niet meer.'

'Dat weet ik. Dat heeft Paris me al verteld. Weet jij waar ze naar toe is gegaan? Een kennis van me wilde haar in dienst nemen.'

Jil haalde haar schouders op en keek weg. 'Ik weet niet. Paris zegt dat ze naar Ocala is gegaan.'

'Ik neem aan dat jullie geen vriendinnen waren. Ik bedoel, zo te zien kende je haar niet zo goed.'

'Ik weet dat ze geen al te beste stalknecht was.' De pot verwijt de ketel.

'En ik begrijp dat jij dat wel bent?' vroeg ik. 'Heb jíj behoefte aan een andere baan?'

Ze keek me voldaan aan, net alsof ze een ondeugend geheimpje had. 'O, nee. Meneer Jade behandelt mij héél erg goed.'

Het zou me niets verbazen als meneer Jade amper wist hoe ze heette – tenzij ze zijn laatste alibi was, hetgeen ik betwijfelde. Mannen van het slag van Don Jade gaven de voorkeur aan knappe en nuttige meisjes. Jill Morone was noch het een, noch het ander.

'Nou, dan bof je,' zei ik. 'Ik hoop dat je na die kwestie met Stellar niet op straat komt te staan.'

'Daar kon ik niets aan doen.'

'Een paard dat zomaar doodgaat. Verdachte omstandigheden. Eigenaren die zenuwachtig worden, en beginnen om andere trainers te bellen... voor je het weet is een stal failliet.'

'Het was een ongeluk.'

Ik haalde mijn schouders op. 'Was je erbij?'

'Nee, maar ik heb hem wel gevonden,' bekende ze met een vreemde fonkeling van trots in haar kleine kraaloogjes. De toevallige beroemdheid. Haar kans om gedurende anderhalve week in de negatieve aandacht te staan. 'Hij lag roerloos, en met zijn benen gestrekt in zijn box,' vertelde ze. 'En hij had zijn ogen open. Ik dacht dat hij alleen maar lui was, dus ik gaf hem een klap op zijn kont om hem op te laten staan. Maar toen bleek dat hij dood was.'

'God, wat verschrikkelijk.' Ik keek de rij van Jades boxen af – een twaalftal of meer – en op de tralies van elke deur zat, aan de buitenkant, een ventilator bevestigd. 'Het verbaast me dat jullie die ventilatoren niet hebben weggehaald, na wat er gebeurd is.'

Opnieuw haalde ze haar schouders op, waarna ze de borstel nog een aantal keren over de schimmel haalde. 'Het is erg warm. Wat moeten we anders?'

Het paarde wachtte tot ze een stap naar achteren deed, waarna hij haar een zwiep gaf met zijn staart. Ze sloeg hem met de roskam tegen zijn ribben.

'Ik zou niet graag degene zijn die per ongeluk dat snoer in Stellars box had laten hangen,' zei ik. 'Die stalknecht komt van zijn leven niet meer aan de bak. Daar zou ik wel voor zorgen, als het aan mij lag.'

Er verscheen een valse blik in de kleine ogen. 'Ik zorgde niet voor hem. Hij was Erins verantwoordelijkheid. Dat bedoel ik nou, toen ik zei dat ze geen al te beste stalknecht was. Als ik meneer Jade was geweest, zou ik haar vermoord hebben.'

Misschien had hij dat ook wel, dacht ik, terwijl ik de tent uit liep.

Verderop, in een trainingsbak, zag ik Paris Montgomery een aantal hindernissen nemen. Ze had haar blonde haren in een gouden paardenstaart, en een zonnebril beschermde haar ogen tegen de felle zon. Poëzie in beweging. Don Jade stond haar vanaf de kant met een camcorder te filmen, terwijl een lange, magere man met rood haar en een rood gezicht tegen hem tekeerging en woedende gebaren maakte. Ik ging, een eindje van de mannen af, langs de omheining staan en deed alsof ik geïnteresseerd was in de paarden.

'Als de labuitslagen ook maar íets verdachts opleveren, Jade, zul je terecht moeten staan,' zei de man met het rode gezicht luid. Of het kon hem niet schelen dat anderen hem konden horen, of hij wilde júist dat iedereen hem hoorde. 'Dit is niet alleen maar een kwestie of General Fidelity uitkeert of niet. Je hebt al veel te lang mazzel gehad met dit soort affaires. Het is hoog tijd dat iemand er eens een punt achter zet.'

Jade zei geen woord – hij reageerde niet woedend en hij reageerde niet defensief. Hij hield zelfs niet eens op met filmen. Hij was een gedrongen man met de gespierde onderarmen van een beroepsruiter. Zijn profiel zou niet hebben misstaan op een Romeinse munt. Hij had net zo goed vijfendertig kunnen zijn als vijftig, en dat zouden ze waarschijnlijk nog steeds van hem zeggen wanneer hij zeventig was.

Hij keek naar zijn assistente die Park Lane over een aantal hindernissen leidde, en fronste toen het paard met de enkels van zijn voorbenen de bovenste balk van een hindernis raakte waardoor de balk op de grond viel. Toen Paris langs de omheining kwam, keek hij naar haar op en riep hij haar toe wat ze moest doen om ervoor te zorgen dat het paard zich nog beter op de sprong kon voorbereiden.

De andere man leek niet te kunnen geloven dat zijn dreigementen totaal geen reactie bij Jade hadden opgeroepen. 'Je bent me er eentje, Don. Je wilt het zelfs niet eens ontkennen?'

Jade keurde hem nog steeds geen blik waardig. 'Waarom zou ik, Michael? Ik zou niet ook nog eens de schuld van jouw hartaanval willen krijgen.'

'Zelfingenomen schoft. Je denkt echt dat je overal ongestraft vanaf kunt komen, hè?'

'Wie zal het zeggen, Michael,' zei Jade doodkalm. 'Je zult de waarheid nooit kennen omdat je dat niet wilt. Je wilt niet dat ik onschuldig ben. Je vindt het veel te fijn om me te kunnen haten.'

'En ik ben lang niet de enige.'

'Ik weet het. Ik ben weer eens een nationale hobby. Maar dat verandert niets aan het feit dat ik onschuldig ben.'

Hij wreef zijn roodverbrande nek, keek op zijn horloge en zuchtte. 'Zo is het wel genoeg voor haar, Paris,' riep hij, terwijl hij de camera uitzette.

'Ik zal dokter Ames straks bellen,' zei de andere man, 'en als ik er achter kom dat je connecties hebt met dat lab –'

'Als Ames je iets over Stellar vertelt, dan zorg ik ervoor dat zijn vergunning wordt ingetrokken,' zei Jade kalm. 'Niet dat er iets te vertellen zou zijn.'

'O, ik weet zeker dat er een verhaal aan vastzit. Bij jou zit altijd overal een verhaal aan vast. Met wie lag je deze keer in bed?'

'Die vraag zal ik beantwoorden als dat nodig mocht zijn, maar jóu gaat het niets aan, Michael.'

'Het gaat me wel degelijk iets aan.'

'Je bent geobsedeerd,' zei Jade. Paris kwam aanrijden met Park Lane, en Jade draaide zich om naar de stal. 'Als je evenveel energie in je werk zou stoppen als je in je haat voor mij doet, misschien dat je dan nog eens iets behoorlijks zou kunnen presteren. En als je me nu wilt excuseren, Michael, ik moet aan het werk.'

Michaels gezicht was een vertrokken, sproetig masker van verbittering. 'Niet voor lang meer, als het aan mij ligt.'

Jade liep naar de stal en deed alsof hij die opmerking niet gehoord had. Zijn tegenstander keek hem teleurgesteld na terwijl hij zichtbaar buiten adem was. Toen draaide hij zich met een ruk om en liep met nijdige stappen de andere kant op.

'Nou, dát was venijnig,' zei ik. Tomas Van Zandt stond nog geen drie meter van me af. Hij had, net als ik, gedaan alsof hij naar de paarden in de ring stond te kijken terwijl hij ondertussen onopvallend naar beide mannen had staan luisteren. Hij wierp me een afwijzende blik toe en begon weg te lopen.

'Ik dacht dat Belgische mannen zo charmant waren.'

Hij bleef met een ruk staan, keek me nog eens aan en ik zag dat het hem langzaam maar zeker begon te dagen wie ik was. 'Elle! Wat zie jíj er anders uit!'

'Kleren maken de man, zoals ze zeggen.'

'Niet dat jij dit soort kleren nodig hebt om te bewijzen dat je klasse hebt,' zei hij, terwijl hij zijn blik over de hoed en de rest van mijn kleren liet gaan.

Ik knikte, maar ging verder niet op zijn opmerking in. In plaats daarvan wees ik op de man die zo tegen Jade tekeer was gegaan. 'Wie was dat?'

'Michael Berne. Een grote huilebalk.'

'Is hij soms eigenaar, of zo?'

'Hij is een rivaal.'

'Ach... Wat een theatrale mensen allemaal, die springlui,' zei ik. 'Dat ben ik, waar ik vandaan kom, niet gewend.'

'Misschien zou ik je dan een springpaard moeten verkopen,' suggereerde Van Zandt, terwijl hij naar mijn draagtassen keek en probeerde te schatten hoeveel ik waard was.

'Ik weet niet of ik daar al aan toe ben. Zo te zien is dit een keihard wereldje. En daarbij, ik ken geen enkele trainer.'

Hij trok mijn arm onder de zijne door. De galante heer. 'Kom maar mee, dan stel ik je voor aan Jade.'

'O, geweldig,' zei ik, terwijl ik hem tersluiks aankeek. 'Ik kan een paard kopen en meteen, in één moeite door, het verzekeringsgeld incasseren.'

Alsof er een knop werd omgedraaid, veranderde de uitdrukking op Van Zandts gezicht van beleefd naar woedend; zijn grijze ogen waren even koud als de Noordzee en zijn blik was griezelig hard. 'Zeg niet van die stomme dingen,' snauwde hij.

Ik deed een stapje opzij. 'Het was maar een grapje.'

'Bij jou is alles een grapje,' zei hij vol walging.

'En als je daar niet tegen kunt, Van Zandt,' zei ik, 'dan kun je de pot op.'

Ik observeerde hem terwijl hij zijn best deed zijn charmante gezicht weer voor de dag te halen. Zijn stemming was zó snel omgeslagen dat ik amper kon geloven dat hij er geen whiplash aan over had gehouden.

Hij haalde zijn hand over zijn mond en maakte een ongeduldig gebaar.

'Best. Goed. Het is een grapje. Ha, ha,' zei hij, en hij was nog steeds boos. Hij begon naar de tent te lopen. 'Laat maar zitten. Kom mee.'

Ik bleef staan waar ik stond. 'Nee. Niet voordat je je excuses hebt aangeboden.'

'Wat?' hij keek me ongelovig aan. 'Doe niet zo idioot.'

'Ga zo door, Van Zandt. Ik ben stom en idioot, en wat verder nog?'

Zijn gezichtsspieren trilden. Hij wilde me uitschelden voor teef of kreng of erger. Ik zag het in zijn ogen.

'Bied je excuses aan.'

'Je had dat grapje niet moeten maken,' zei hij. 'Kom mee.'

'En jij zou je moeten verontschuldigen,' herhaalde ik, gefascineerd. Hij leek niet in staat dat te doen, en kon niet bevatten dat ik erop bleef staan.

'Je bent wel heel erg koppig.'

Ik lachte hardop. 'Je noemt míj koppig?'

'Ja. Kom.'

'Ik ben geen paard dat je heen en weer kunt bevelen,' zei ik. 'Je kunt je verontschuldigingen aanbieden, of ik ga naar een ander.'

Ik wachtte en rekende op een explosie, hoewel ik niet wist wat ik dán zou moeten doen. Van Zandt keek me aan, keek weg, en toen hij me weer aankeek, glimlachte hij alsof er niets aan de hand was.

'Je bent een tijgerin, Elle! Daar hou ik wel van. Je bent een meisje met pit.' Hij knikte en maakte ineens een intens voldane indruk. 'Dat is fijn.'

'Ach, ik ben echt blij dat ik ermee door kan.'

Hij grinnikte bij zichzelf en haakte mijn arm weer onder de zijne door. 'Kom nu maar mee, dan stel ik je voor aan Jade. Hij zal je mogen.'

'En denk je dat ik hem ook zal mogen?'

Hij gaf geen antwoord. Het kon hem niet schelen wie of wat ik wel of niet mocht. Hij was overdonderd door het feit dat ik hem had uitgedaagd, en ik wist zeker dat zoiets hem niet vaak overkwam. Ik nam aan dat de meeste van zijn Amerikaanse klanten rijke vrouwen waren wier echtgenoten of vrienden geen belangstelling voor paarden hadden. Vrouwen die hem op een voetstuk plaatsten omdat hij uit Europa kwam en aandacht aan hen schonk. Onzekere vrouwen die zich gemakkelijk lieten charmeren en manipuleren, die snel onder de indruk kwamen van een beetje kennis, Europese chic en een opgeblazen ego met een accent.

In de loop der jaren had ik dat fenomeen regelmatig van zeer nabij geobserveerd. Vrouwen snakken naar aandacht en goedkeuring, en hebben daar heel wat dwaas gedrag voor over, met inbegrip van het betalen van enorme bedragen. Dat waren de klanten aan wie gewetenloze handelaren bergen geld verdienden. Dat waren de klanten die handelaren als Van Zandt ertoe brachten hen, achter hun rug, gniffelend uit te maken voor 'stomme Amerikanen'.

Net toen wij de tent binnen wilden gaan, kwam Park Lane, gevolgd door Jill de stalknecht, naar buiten. Van Zandt snauwde tegen het meisje en riep dat ze uit moest kijken waar ze liep, en toen het paard haar wegtrok, mompelde hij er zachtjes achteraan: 'Stomme trut.'

'D.J., waarom neem je toch geen meisjes met hersens in hun hoofd?' vroeg hij luid.

Jade stond bij het open deurtje van een box die was ingericht als luxueuze tuigkamer. De wanden waren behangen met een groene stof, waar de tijdens de afgelopen wedstrijden gewonnen rozetten op waren geprikt. Hij zette het blikje suikervrije cola aan zijn lippen en nam langzaam een slok. 'Is dat een soort raadsel?'

Het duurde even voor Van Zandt begreep wat hij bedoelde, maar toen lachte hij. 'Ja – het is een strikvraag.'

'Neem me niet kwalijk,' zei ik beleefd, 'maar zie ik er soms uit alsof ik hier met een penis zou staan?'

'Nee,' zei Paris Montgomery, terwijl ze uit de tuigkamer kwam. 'Met een stelletje lullen.'

Van Zandt maakte een grommend geluid in zijn keel, maar deed alsof hij zich niet gekwetst voelde. 'Paris, jij en dat rappe tongetje van je!'

Ze schonk hem haar stralende glimlach. 'Dat moet ik nu van alle mannen horen!'

Wat een humor. Jade had er helemaal geen aandacht aan geschonken. Hij stond naar mij te kijken. Ik keek terug en stak mijn hand uit. 'Elle Stevens.'

'Don Jade. Ben je bevriend met die man?' Hij knikte naar Van Zandt.

'Kijk me er alsjeblieft niet op aan. Het was een toevallige ontmoeting.'

Jades rechtermondhoek kwam naar boven. 'Nou, je hoeft maar íets aan het toeval over te laten, en Tomas is er als de kippen bij.'

Van Zandt keek gekwetst. 'Als je wacht tot de kansen op je deur komen kloppen, kun je lang wachten. Dan kun je ze maar beter meteen beleefd binnen vragen.

'En deze jongedame,' ging hij verder terwijl hij op mij wees, 'kwam je je stalknecht afhandig maken.'

Jade keek verbaasd van de een naar de ander.

'De knappe van het stel. Het blondje,' zei Van Zandt.

'Erin,' zei Paris.

'Het meisje dat is weggegaan,' zei Jade. Hij stond me nog steeds aan te kijken.

'Ja,' zei ik. 'Het schijnt dat iemand me voor is geweest.'

Hij reageerde helemaal niet. Hij keek niet weg en liet ook niet blijken dat hij het jammer vond dat Erin weg was. Niets.

'Ja,' zei Paris lollig, 'Elle en ik gaan een steungroep starten voor mensen zonder stalknecht.'

'Waarom had je specifiek Erin willen hebben?' vroeg Jade. 'Zoveel ervaring had ze niet.'

'Ze werkte heel behoorlijk, Don,' zei Paris, het voor het vermiste meisje opnemend. 'Ik zou haar zó weer terugnemen.'

'Een kennis van een kennis hoorde dat het meisje op zoek was naar een andere baan,' zei ik tegen Jade. 'Nu het seizoen is begonnen, kunnen we niet al te kieskeurig zijn, wel?'

'Daar heb je gelijk in. Heb jij paarden, Elle?'

'Nee, hoewel Z. hier daar iets aan probeert te veranderen.'
'V.,' corrigeerde Van Zandt me.
'Ik vind Z. beter bij je passen,' zei ik. 'Ik noem je Z.'
Hij lachte. 'Hou haar maar in de gaten, Jade. Ze is een tijgerin!'
Jade stond nog steeds naar me te kijken. Hij keek dwars door de stomme hoed en de chique kleren heen. Hij was niet iemand die zich gemakkelijk liet misleiden. Ik realiseerde me dat ik ook aldoor naar hem was blijven kijken. De man had een waanzinnig charisma. Ik kon die aantrekkingskracht van hem bijna voelen. Ik vroeg me af of hij er controle over uit kon oefenen, of hij het aan en af kon zetten, en sterk en minder sterk. Het zou me niets verbazen. Don Jade had het niet zomaar zo ver geschopt.
Ik vroeg me af of ik partij voor hem was.
Voor ik die vraag had kunnen beantwoorden, kwam er een ander, meer acuut gevaar de stal binnen geparadeerd.
'Godallemachtig! Welke sadist heeft het in zijn hoofd gehaald om mij op dit onchristelijke uur les te willen geven?'
Stellars eigenaar: Monte Hughes III, alias Trey voor zijn vrienden en aanhang. Palm Beach-playboy. Een verdorven en zedeloze dronkaard. Mijn eerste grote liefde toen ik jong en opstandig was, en nog dacht dat verdorven en zedeloze dronken playboys romantisch en opwindend waren.
Ik twijfelde er niet aan dat zijn ogen achter zijn zonnebril rood en bloeddoorlopen waren. Zijn kapsel à la Don Johnson uit *Miami Vice* was zilvergrijs en verwaaid.
'Hoe laat is het eigenlijk?' vroeg hij met een scheve grijns. 'En welke dag is het vandaag?'
Hij had iets geslikt of gesnoven, of hij was dronken, of alletwee. Dat was hij altijd geweest. Zijn bloed moest, na al die jaren van onmatig gebruik, een permanente alcoholspiegel hebben. Trey Hughes: de vrolijke zuiplap, het lollige middelpunt van elke feest.
Hij kwam op ons af en ik maakte mezelf zo klein en onopvallend mogelijk . De kans dat hij me zou herkennen was uiterst gering. Ik was een jong ding geweest toen hij me, twintig jaar geleden, voor het laatst had gezien, en het was niet ondenkbaar dat zijn geheugen ook niet meer optimaal functioneerde. Ik kon ook niet zeggen dat hij me ooit echt had gekend, hoewel hij bij meerdere gelegenheden met me had geflirt. Ik weet nog dat ik indertijd reuze van mezelf onder de indruk was, en dat ik blind was voor het feit dat Trey Hughes flirtte met elk knap jong ding dat zijn pad kruiste.
'Paris, lieverd, waarom doen ze mij dit aan?' Hij boog zich naar haar toe en kuste haar op de wang.
'Het is een samenzwering, Trey.'

Hij lachte. Zijn stem was hees en warm van te veel whisky en te veel sigaretten. 'Ja, vroeger dacht ik alleen maar dat ik paranoïde was, maar toen bleek dat iedereen het echt op me had voorzien.'

Hij was in rijtenue: lichtbruine rijbroek, overhemd en das. Zijn tas met zijn jasje hing over zijn schouder. Voor mij zag hij er precies zo uit als hij twintig jaar eerder had gedaan: aantrekkelijk, vijftig en onzeker. Natuurlijk was hij toen wel dertig geweest. Te veel uren in de zon hadden er niet alleen voor gezorgd dat hij bruin was, maar ook dat zijn gezicht diepe lijnen en rimpels vertoonde, en hij was vroeg grijs – een familietrek. Indertijd had ik hem chic en werelds gevonden, en nu vond ik hem alleen nog maar zielig.

Hij boog zich voorover en keek me aan onder de rand van mijn hoed. 'Ik wist wel dat daar iemand onder moest zitten. Ik ben Trey Hughes.'

'Elle Stevens.'

'Ken ik jou?'

'Nee, ik geloof van niet.'

'Godzijdank. Ik heb altijd gezegd dat ik geen knappe gezichten zou vergeten, maar ik was even bang dat ik de eerste tekenen van alzheimer begon te vertonen.'

'Trey, je brein is té doordrenkt van alcohol om ook maar enige ziekte te kunnen krijgen,' zei Jade op droge toon.

Hughes keurde hem nauwelijks een blik waardig. 'Dat zeg ik nu al járen tegen iedereen die het maar horen wil: ik drink uit medische overwegingen,' zei hij. 'Misschien dat het eindelijk de moeite waard zal blijken te zijn.

'Let maar niet op mij, schat,' zei hij tegen mij. 'Dat doe ik ook nooit.' Hij fronste zijn wenkbrauwen. 'Weet je heel zeker dat...'

'Ik ben een nieuw gezicht,' zei ik, en ik moest bijna lachen om mijn eigen grapje. 'Ben je wel eens in Cleveland geweest?'

'God, nee! Wat zou ik daar moeten zoeken?'

'Wat verschrikkelijk, dat van Stellar.'

'O ja, nou...' Hij wist niet goed wat hij moest zeggen en wuifde mijn woorden weg. 'Dat soort dingen gebeuren nu eenmaal, niet, Donnie?' De vraag had een onmiskenbaar ondertoontje. Hij keek Jade nog steeds niet aan.

Jade haalde zijn schouders op. 'Pech. Dat hoort bij de paardenbusiness.'

C'est la vie. C'est la mort.

Dat is het leven. Dat is de dood.

Ik was onder de indruk van het feit dat hij totaal geen verdriet toonde.

'God zegene General Fidelity,' zei Hughes, terwijl hij een denkbeeldig glas hief. 'Vooropgesteld dat ze uitkeren.'

Opnieuw bespeurde ik diezelfde ondertoon in zijn stem, maar Jade leek er doof voor te zijn.

'Als je dat Belgische paard koopt,' zei Van Zandt, 'zal het niet lang duren voor je Stellar vergeten bent.'

Hughes lachte. 'Is het nog niet genoeg dat ik je mijn Mercedes heb gegeven? Wil je mijn geld nu ook nog voor me uitgeven, en dat zelfs nog vóór ik het in mijn zak heb?'

'Dat lijkt me het beste, mijn vriend, en dat zeg ik alleen maar omdat ik je ken.'

'Die nieuwe manege kost me al mijn geld,' zei Hughes. 'Casa de Bodemloze Put.'

'Wat heb je aan een mooie, hypermoderne manege zonder paarden erin?' wilde Van Zandt weten.

'Laat meneer Jade hier maar langskomen met een vrachtwagen vol klanten waar ik dan de hypotheek van kan aflossen, en een nieuwe speedboot van kan kopen,' zei Hughes. 'Iets in de orde van grootte van half Wellington.'

Dat was waar. Heel wat inwoners van Wellington betaalden hun jaarlijkse hypotheekaflossing van de exorbitant hoge huren die ze verlangden voor de drie à vier maanden dat de wintergasten in de stad waren.

'Trey, vooruit, in het zadel,' beval Jade. 'Ik wil je nuchter hebben voor de les.'

'Jezus, D.J., zonder drank kan ik niet functioneren, laat staan dat ik op een paard zou kunnen zitten.' Hij keek zoekend om zich heen. 'Erin, schatteboutje,' riep hij. 'Wees lief en breng me mijn nobele ros.'

'Erin werkt hier niet meer, Trey. Of was je dat vergeten?' vroeg Paris, terwijl ze zijn tas van hem aannam en hem zijn cap gaf.

'O, ja. Je hebt haar gedumpt.'

'Ze is weggegaan.'

'Ha.' Hij keek naar een onduidelijk punt voor zich en glimlachte bij zichzelf. 'Het voelt alsof ik haar zojuist nog heb gezien.' Hij keek om zich heen om te zien of de kust vrij was, waarna hij er luid fluisterend tegen Paris aan toe voegde: 'Lieverd, je had veel beter die vette koe kunnen dumpen.'

Paris rolde met haar ogen. 'Vooruit, Trey, op je paard.'

Ze riep in het Spaans naar de Guatemalaan dat hij de appelschimmel moest brengen, en het gezelschap begon het middenpad vrij te maken. Jade stond nog steeds op dezelfde plaats naar me te kijken.

'Ik ben blij dat ik kennis met je heb gemaakt, Elle. Ik hoop dat we je hier nog eens zullen zien – ongeacht of V. je een paard verkoopt of niet.'

'Dat denk ik wel. Ik ben geïntrigeerd.'

'Zoals een mot door een vlam?' vroeg hij.

'Zoiets.'

Hij gaf me een hand, en opnieuw was het alsof ik even onder stroom kwam te staan. Ik keek het groepje na dat wegliep naar het trainingsveld. Van Zandt liep naast de appelschimmel en vertelde Hughes in een niet aflatende woordenstroom over een Belgisch springpaard. Hughes luisterde vanuit het zadel met één oor naar wat hij zei. Paris keek achterom, om te zien waar Jade zo lang bleef.

Ik begon terug te lopen naar mijn auto, en wou dat ik tijd had om naar huis te gaan en een douche te nemen om het sfeertje van hier van me af te wassen. Jades aanhangers kenmerkten zich door een bepaalde gladheid en glibberigheid waar eigenlijk een speciaal luchtje aan zou moeten zitten, net zoals ik van mening ben dat slangen ook zouden moeten ruiken. Ik wilde niets met ze te maken hebben, maar intussen had de situatie zich in beweging gezet. Het vertrouwde gevoel van spanning, angst en opwinding gonsde alweer door mijn aderen, maar ik kon op dit moment nog niet zeggen of ik er echt blij mee was.

Ik heb lange tijd langs de zijlijn gestaan. Ik heb van dag tot dag geleefd, en daarbij nooit geweten of ik op een gegeven moment zou besluiten dat ik een dag te lang had geleefd. Ik wist niet of mijn hoofd deze klus wel aan zou kunnen. Het enige dat ik wist, was dat het leven van Erin Seabright van mij en mijn reacties afhankelijk zou kunnen zijn.

Vooropgesteld dát ze nog leefde.

Je hebt haar gedumpt, had Trey Hughes gezegd. Op zich een heel onschuldige opmerking. Hij kon er van alles mee hebben bedoeld. En het was gezegd door iemand die niet eens wist welke dag het was. Toch hadden zijn woorden me een huivering bezorgd.

Ik wist niet of ik op mijn intuïtie zou kunnen vertrouwen, want ik had er al zo lang geen gebruik meer van gemaakt. En moet je kijken wat er de laatste keer dat ik erop vertrouwd had, was gebeurd, dacht ik. Mijn intuïtie, mijn beslissing en de gevolgen. Allemaal missers.

Deze keer zou de schade echter niet door míjn optreden worden veroorzaakt. Dit keer lag de oorzaak bij een gebrek aan handelen. Het gebrek aan handelen van Erin Seabrights moeder en van het kantoor van de sheriff.

Iemand zou iets moeten doen. Deze mensen die Erin Seabright had gekend en voor wie ze had gewerkt, reageerden veel te laconiek op het thema van de dood.

6

Het adres dat Molly me van haar zus had gegeven was een garage voor drie auto's die het een of andere ondernemende type tot woonruimte had omgebouwd. De garage bevond zich feitelijk op slechts enkele kilometers van het huis van de Seabrights in Binks Forest, maar je waande je er in een totaal andere wereld.

Landelijk Loxahatchee, waar de zijstraten onverhard zijn en de afwateringskanalen nooit worden doorgespoeld; waar niemand zich ooit aan enig bouwvoorschrift had gehouden. Een vreemde mix van vervallen en verwaarloosde huizen, nieuwe eengezinswoningen en kleine boerderijen met paarden. Een buurt waar je langs de weg op bomen getimmerde borden kon zien waarop teksten stonden als: 'Verdien $$$ Met Thuiswerk', 'Puppy's te koop', 'Tuinman Biedt Zich Aan'.

Het terrein rond het huis waar Erin had gewoond was overwoekerd met hoge pijnbomen en onverzorgde, gestutte palmbomen. Het eigenlijke huis was een, in de jaren zeventig, in pseudo-Spaanse stijl gebouwde ranch. Het witte pleisterwerk zag grijs van de schimmel. De tuin bestond uit vuil zand en geel, naar zonlicht snakkend gras. Een ongewassen, oude bruine Honda stond langs de kant van de oprit, en zat onder de vlekken van opgedroogde hars. De auto zag eruit alsof hij al lange tijd nergens naartoe was geweest.

Ik liep naar de voordeur en belde aan in de hoop dat er midden op de dag niemand thuis zou zijn. Als ik had kunnen kiezen, zou ik mijzelf veel liever rechtstreeks in de verbouwde garage hebben binnengelaten. Ik had voor één dag al meer dan genoeg mensen gezien. Ik sloeg een mug van mijn arm, wachtte, en belde nog eens aan.

Ik hoorde een stem als een roestig scharnier die riep: 'Ik ben achter!'

Kleine bruine gekko's schoten vlak voor mijn voeten van het pad tussen de struiken terwijl ik om de garage heen liep. Aan de achterkant van het huis bevond zich het spreekwoordelijke zwembad. De fijnmazige kooi die gebouwd was om het terras vrij van insecten te houden, hing in flarden en zag eruit alsof de horren door een grote klauw waren gescheurd. De deur had kapotte scharnieren en stond wijdopen.

De vrouw die in de deuropening stond had de leeftijd waarop iemand haar in een bikini zou willen zien al ruimschoots achter zich gelaten, maar toch had ze er eentje aan. Slappe, uitgezakte huid hing van haar gekromde lijf als een verzameling half leeggelopen, leren ballonnen.

'Waar kan ik je mee helpen, schat?' vroeg ze. Ze had een New Yorks accent en droeg een grote Jackie-O-zonnebril. Ik schatte haar tegen de zeventig, waarvan het leek alsof ze achtenzestig jaar daarvan in de zon had gelegen. Haar huid was even bruin en gevlekt als de huid van de hagedissen die in haar tuin leefden. Ze rookte een sigaret en ze had twee enorme rode katten aan de lijn. Ik was even te overdonderd van haar aanblik om iets te kunnen zeggen.

'Ik zoek mijn nichtje,' zei ik ten slotte. 'Erin Seabright. Die woont hier toch?'

Ze knikte, liet haar peuk vallen en maakte hem uit met de neus van haar duiklaars van turkooiskleurig neopreen. 'Erin. De knappe van het stel. Ik heb haar al een paar dagen niet gezien, lieverd.'

'Nee? Haar familie ook niet. We begonnen ons een beetje zorgen te maken.'

De vrouw tuitte haar lippen en wuifde mijn bezorgdheid weg. 'Ach wat! Ze is er waarschijnlijk met haar vriendje vandoor.'

'Haar vriendje? We wisten niet dat ze een vriendje had.'

'Nou, dáár hoor ik van op,' zei ze sarcastisch. 'Een puber die haar familie niets vertelt. Maar ik dacht eigenlijk dat het uit was tussen hen. Ik heb ze laatst ontzettende ruzie horen maken.'

'Wanneer was dat precies?'

'Vorige week. Ik weet niet. Donderdag of vrijdag.' Ze haalde haar schouders op. 'Ik ben gepensioneerd. De dagen hebben geen betekenis meer voor me. Ik weet nog wel dat, toen ik de volgende ochtend langs haar auto kwam om mijn schatjes uit te laten, iemand een diepe kras op de zijkant had gemaakt. Ik heb een hek om het tuig buiten de deur te houden, als mijn zoon nu maar eens langs zou komen om het te repareren. Het kan hem geen barst schelen of ik verkracht en vermoord word. Hij denkt dat hij zal erven.'

Ze grinnikte en keek omlaag naar haar katten als om haar grapje met hen te delen. Een van de katten lag met gestrekte achterpoten op zijn rug in het zand. De andere dook met zijn oren naar achteren op haar voeten.

'Hé, Cecil! Niet in mammies tenen bijten!' riep ze. 'Daar heb ik de vorige keer een infectie aan overgehouden, en het is een wonder dat ik dat overleefd heb.'

Ze gaf de kat een tik, en de kat mepte terug, waarna hij zich zo ver als de riem toeliet uit de voeten maakte en ging zitten blazen. Hij woog minstens twaalf kilo.

'Zou ik misschien even een kijkje in haar flat mogen nemen?' vroeg ik beleefd. 'Misschien dat ik er een idee van kan krijgen waar ze naar toe is. Haar moeder is ziek van de zorgen.'

Ze haalde haar schouders op. 'Ja, hoor, dat is best. Je bent familie.'

De hospita van wie elk mens droomt. Het Vierde Gebod. Wat is het Vierde Gebod?'

Ze bond de riemen van de katten aan de deurknop van de kapotte hordeur, graaide in het heuptasje dat ze om haar middel droeg en haalde er een sleutelbos, een sigaret en een knalroze Bic-aansteker uit. Ze stak de sigaret op terwijl we naar de voorzijde van de garage liepen, waarvan de oorspronkelijke garagedeuren vervangen waren door een voorgevel van multiplex waar twee deuren en twee ramen in zaten.

'Toen ik het gastenverblijf liet maken, heb ik er twee appartementen met één badkamer in laten bouwen,' vertrouwde de vrouw me toe. 'Op die manier kun je er meer huur voor krijgen. Semi-privé. Ik vang er zeven vijftig per maand per appartement voor.'

Zevenhonderdvijftig dollar per maand om in een garage te mogen wonen en je badkamer met een vreemde te mogen delen.

'O, tussen twee haakjes, ik ben Eva,' zei ze, terwijl ze haar zonnebril boven op haar hoofd zette. 'Eva Rosen.'

'Ellen Stuart.'

'Je ziet er niet uit als familie,' zei Eva. We gingen naar binnen en ze nam me onderzoekend op.

'Ik ben aangetrouwd.'

Het appartement was een enkele kamer met versleten zeil op de vloer en een monsterlijke verzameling tweedehands meubels. In de hoek was een simpel keukentje: een klein aanrecht vol vuile afwas dat krioelde van de mieren, twee gaspitten, een magnetron en een klein koelkastje. Het bed was onopgemaakt.

Verder was er niets dat erop wees dat deze ruimte door iemand bewoond werd. Ik zag geen kleren, geen schoenen en geen spoor van wat voor soort persoonlijke voorwerpen dan ook.

'Zo te zien is ze verhuisd,' zei ik. 'Heeft u niet gezien dat ze haar spullen in haar auto pakte?'

Eva stond met open mond, en met haar sigaret aan haar onderlip geplakt, midden in de kamer en keek stomverbaasd om zich heen. 'Nee!

Niemand heeft me iets gezegd van dat ze weg zou gaan. En ze laat me ook nog met de vuile afwas zitten! Je geeft de mensen een keurig flatje, en dit krijg je ervoor terug!'

'Heeft u in de afgelopen dagen nog iemand anders zien komen en gaan?'

'Nee. Alleen die andere maar. Die dikke.'

'Jill Morone?'

'Dat is me een vals nummer. Heb je die gemene kraaloogjes van haar gezien? Ik heb mijn schatjes nog nooit bij haar durven achterlaten.'

'Woont zij in het andere appartement?'

'Daar komen ze niet zomaar vanaf,' mompelde Eva. 'Ze hebben voor het hele seizoen gehuurd. Ze moeten betalen.'

'Wie betaalt de huur?'

'De cheques zijn van Jade Farms. Die aardige jonge vrouw, Paris, komt ze altijd persoonlijk brengen. Zij is echt heel erg aardig. Ik kan me gewoon niet voorstellen dat zij zoiets zou laten gebeuren.'

Ze liep, boze geluiden makend, naar het aanrecht en draaide de kraan open. De leidingen maakten protesterende geluiden, en het water dat ten slotte spattend uit de kraan kwam, was bruin. 'Hoe komen ze erbij te denken dat ze, als ze midden in de nacht verhuizen, niet zouden hoeven betalen? Mijn zoon die nergens voor deugt, is tenminste nog érgens goed voor. Hij is premiejager en hij kent een heleboel mensen.'

Ik volgde Eva toen ze een deur opendeed en, via de gezamenlijke badkamer, Jill Morones helft van de garage binnenging. De vloer van de badkamer lag vol met natte handdoeken, en de wanden van de douche waren oranje en zwart van roest en schimmel.

'Die is er nog,' mompelde Eva. 'Het smerige varken. Moet je de rotzooi toch zien.'

De ruimte zag eruit alsof hij door iemand doorzocht was, maar ik nam aan dat dat Jills manier van huishouden was. Overal lagen kleren en tijdschriften. Op de lage tafel stond een asbak propvol peuken. Ik zag een exemplaar van *Sidelines* met mijn foto erin op de vloer liggen, en schopte hem onopvallend onder de bank.

'Ik zou nog geen hónd zo laten leven,' mompelde Eva Rosen, terwijl ze Jills boel doorzocht. 'Hoe komt ze aan al die spullen? Kleren van Bloomingdale. De prijskaartjes zitten er nog aan. Ik wed dat ze steelt. Daar is ze echt het type voor.'

Ik sprak haar niet tegen. Ik doorzocht de berg sieraden op de toilettafel van het meisje, en vroeg me af of er misschien dingen bij waren die oorspronkelijk in de andere helft van de garage thuis hadden gehoord. Bij wijze van terugbetaling voor de vuile afwas.

'Was u de afgelopen zondag thuis, mevrouw Rosen?'

'Zeg maar Eva. Ja, ik was de hele dag thuis.'

'Zondagavond ook?'

'Op zondagavond ga ik altijd met mijn vriend Sid naar A-1 Thai. Ik heb de kip met kerrie gegeten. Ontzettend pikant! Ik heb er dagenlang brandend maagzuur aan overgehouden.'

'Hoe laat was u thuis?'

'Dat gaat je niets aan.'

'Toe, Eva, het zou weleens heel belangrijk kunnen zijn. Erin wordt vermist.'

Ze deed even alsof ze niet wilde meewerken, maar toen hield ze haar hoofd schuin en haalde haar schouders op. 'Sid is een speciale vriend, als je snapt wat ik bedoel. Ik was pas maandag weer thuis. Tegen de middag, geloof ik.'

En daarmee had Erin ruimschoots de tijd gehad om haar spullen te pakken, of had iemand dat voor haar kunnen doen.

'Ik weet zeker dat ze er met een jongen vandoor is,' zei Eva. Haar sigaret was op en ze drukte hem uit in de overvolle asbak. 'Ik wil niks kwaads zeggen van die familie van jullie, maar ze zag er wel naar uit, met die strakke broeken en haar blote buik.'

Dat zegt een vrouw van zeventig in een bikini.

'Wat kun je me over die vriend van haar vertellen?' vroeg ik. 'Weet je ook wat voor auto hij heeft?'

'Ik heb zevenenzestig jaar lang in Queens gewoond. Wat zou ik van auto's moeten weten?'

Ik probeerde kalm te blijven. Nog een van mijn tekortkomingen als agent: gebrek aan tact ten opzichte van het publiek in het algemeen. 'Kleur? Groot of klein? Iets dat ik aan de politie zou kunnen doorgeven?'

'Ik denk zwart. Of donkerblauw. Ik heb hem maar één keer gezien, en toen was het donker.'

'En de jongen? Hoe ziet hij eruit?'

'Vanwaar dit verhoor, opeens?' vroeg ze, op quasi-verontwaardigde toon. 'Is dit een opname voor *Law and Order*? Ben jij soms de officier? En is het wachten op Sam Waterston die elk moment uit de kast kan komen?'

'Ik maak me alleen maar zorgen om mijn nichtje, en ik ben bang dat haar iets is overkomen. Ze heeft niemand verteld dat ze ging verhuizen. Haar ouders weten niets van die vriend van haar. Hoe kunnen we er zeker van zijn dat ze uit vrije wil met hem is meegegaan?'

Daar dacht Eva over na. Ik zag haar ogen even oplichten in het besef dat dit wel eens een spannend drama zou kunnen zijn, maar toen wuifde ze mijn woorden weg en zette ze een onverschillig gezicht. 'Ik heb niet echt goed gekeken. Ik hoorde ze ruziemaken, en toen heb ik door de luiken gekeken. Het enige dat ik van hem heb gezien, is de achterkant van zijn hoofd.'

'Kun je me dan vertellen of hij lang was of niet? Of hij ouder was, of jong?'

Ze haalde haar schouders op. 'Gemiddeld. Hij stond met zijn rug naar mij toe.'

'Heb je die man voor wie Erin werkt weleens ontmoet?' vroeg ik.

'Welke man? Ik dacht dat ze voor Paris werkte.'

'Don Jade. In de vijftig, slank en opvallend knap.'

'Hem ken ik niet. De enige die ik ken is Paris. Ze is heel aardig. Ze vraagt altijd hoe het met mijn schatjes is. Ik neem aan dat ze niet weet dat Erin is weggelopen, want anders was ze wel bij me gekomen om het te vertellen.'

'Daar twijfel ik niet aan,' zei ik. 'Is je dan helemaal niets opgevallen aan die vriend? Echt helemaal niets?'

Eva Rosen schudde haar hoofd. 'Het spijt me, schat. Ik zou je graag hebben geholpen. Ik ben ook een moeder, weet je. Heb jij ook kinderen?' vroeg ze, met een achterdochtige blik op mijn kapsel.

'Nee.'

'Eerst maken ze je gek van de zorgen, en dan komt de teleurstelling. Het is een beproeving.'

'Heb je Erin haar vriend bij de voornaam horen noemen?' vroeg ik.

Ze dacht na. 'Misschien. Ja, ik geloof dat ik haar die avond zijn naam heb horen zeggen. Ja. Het was zo'n soort naam als uit een soap. Brad? Tad?'

'Chad?'

'Ja, precies!'

Chad Seabright.

Verboden liefde. Ik vroeg me af of die situatie iets te maken had met het feit dat Erin uit huis was gegaan. Ik kon me niet voorstellen dat Bruce Seabright het goed zou vinden dat zijn zoon een relatie met zijn stiefdochter had, ook al waren ze dan helemaal geen bloedverwanten van elkaar. En als Bruce het niet goedvond, dan vond Krystal het ook niet goed.

Ik vroeg me af waarom Molly me niets verteld had over Erin en Chad, en waarom ze me gewoon helemaal niets over Chad had verteld. Misschien dacht ze wel dat ik het er ook niet mee eens zou zijn. Als dat zo was, had ze een te hoge dunk van mij. De hele zaak kon me niet genoeg schelen om een mening over het zedelijk gedrag van haar zus te hebben. Mijn enige interesse voor Erins liefdesleven was dat het iets met haar verdwijning te maken zou kunnen hebben.

Ik besloot opnieuw naar het huis van de Seabrights te gaan. De zieke Chad stond op de oprit zijn zwarte Toyota pick-up te wassen. Een typisch Amerikaanse jongen in een kakibroek en een wit T-shirt. Onder het afspuiten van zijn wieldoppen, keek hij me door zijn spiegelende Oakley- zonnebril aan.

'Mooi karretje,' zei ik, terwijl ik de oprit op liep. 'Eva Rosen had me er al over verteld.'

'Wie is Eva Rosen?'

'Erins hospita. Er is niets dat dat ouwe mens ontgaat.'

Chad ging rechtop staan – hij was de slang en zijn wieldoppen vergeten. 'Het spijt me,' zei hij beleefd, 'ik heb uw naam niet verstaan.'

'Elena Estes. En ik ben op zoek naar je stiefzus.'

'Dat heb ik u vanochtend al gezegd, mevrouw Estes. Ik weet niet waar ze is.'

'Dat is vreemd, want ik hoor van Eva dat je een paar dagen geleden nog bij haar huis was. En ze schijnt een aantal reuze interessante dingen van jullie te weten,' zei ik. 'Van jou en Erin.'

Hij haalde zijn schouders op en schudde zijn hoofd, en voegde er toen ook nog een jongensachtige grijns aan toe waarmee de Matt Damonlook compleet was. 'Het spijt me, maar ik weet niet waar u het over heeft.'

'Kom, kom, Chad,' zei ik. 'Ik ben heus niet van gisteren. Het kan mij niet schelen dat jij en Erin iets hebben samen. Een jongen die zijn stiefzusje neukt laat mij echt ijskoud, hoor.'

Hij trok een bedenkelijk gezicht.

'Dat is de reden waarom Erin het huis uit is gegaan, niet?' vroeg ik. 'Je vader vond het maar niets dat jullie dat pal onder zijn neus deden.'

'Er is niets tussen Erin en mij,' hield hij vol.

'Eva zegt dat jullie laatst een verschrikkelijke ruzie hadden. Op de oprit. Wat was er gebeurd, Chad? Moest Erin je niet meer? Eens raden, nu mammie en stiefpappie niet meer in de buurt waren, was je ineens niet zo interessant meer voor haar.'

Hij keek weg en probeerde te bedenken hoe hij hier op in moest gaan. Moest hij de waarheid erkennen, moest hij boos en verontwaardigd zijn, moest hij blijven ontkennen, moest hij kalm blijven? Hij had aanvankelijk voor de laatste optie gekozen, maar mijn botte manier van ondervragen begon hem te irriteren.

'Ik weet niet precies wie u bent,' zei hij, terwijl hij nog steeds zijn best deed om kalm te blijven, 'maar ik weet niet waar u die onzin vandaan haalt.'

Ik vond een droog plekje op de voorbumper van de auto, leunde er met mijn rug tegenaan en sloeg mijn armen over elkaar. 'Voor wie heeft ze je gedumpt, Chad? Een oudere man? Haar baas, misschien?'

'Ik weet niet met wie Erin omgaat,' zei hij kortaf, 'en het kan me niet schelen.'

Hij kiepte de emmer met sop om op de oprit en liep met de lege emmer de garage in. Ik volgde hem.

'Goed. Misschien zit ik er helemaal naast. Misschien ging jullie ruzie wel over iets anders,' zei ik. 'Te oordelen naar die kater die je vanochtend had, ben je niet vies van een feestje. Van wat ik tot dusver van Erin heb gehoord, houdt zij ook niet van braaf stilzitten. En ineens zit ze midden in die paardenwereld waar drugsdealers en -gebruikers geen uitzondering zijn. Misschien hadden jullie dáár wel ruzie over, op Eva Rosens oprit. Misschien ging jullie ruzie wel over drugs.'

Chad zette de emmer met geweld op een plank waar meerdere voor auto's bestemde producten keurig op een rijtje stonden. 'U gaat te ver, mevrouw.'

'Hadden jullie een deal en wilde zij daar vanaf? Ben je daarom later teruggekomen en heb je die enorme kras op haar auto gemaakt?'

'Wie ben je eigenlijk?' vroeg hij, zijn manieren vergetend. 'Wat doe je hier en wat wil je van me? Heb je een huiszoekingsbevel?'

Ik stond te dicht bij hem. Hij wilde achteruitdeinzen. 'Ik heb geen huiszoekingsbevel nodig, Chad,' zei ik zacht, waarbij ik hem strak en doordringend aankeek. 'Zo'n soort smeris ben ik niet.'

Hij wist niet precies wat hij daarvan moest denken, maar het maakte hem wel zenuwachtig. Hij zette zijn handen in zijn zij, schuifelde wat met zijn voeten, sloeg zijn armen over elkaar en keek naar buiten, naar de straat.

'Waar is Erin?' vroeg ik.

'Dat zei ik al. Ik weet niet waar ze is en ik heb haar niet gezien.'

'Sinds wanneer? Sinds vrijdag? Sinds de avond waarop jullie die ruzie hadden? Sinds de avond waarop je haar auto hebt beschadigd?'

'Daar weet ik niets vanaf. Ik denk dat je dat beter kunt vragen aan die vette trut met wie ze werkt,' zei hij. 'Dikke Jill. Die griet is echt hartstikke geschift. Vraag háár maar waar Erin is. Het zou me niets verbazen als ze haar vermoord had, en haar vervolgens heeft opgegeten.'

'Waarvan ken jij Jill Morone?' vroeg ik. 'Hoe kun jij iets van Erins collega's weten als je Erin niet hebt gezien of gesproken?'

Hij werd stil en keek weer naar buiten.

Hebbes. Het deed me goed om te weten dat ik het nog steeds kon.

'Waar hebben jullie die vrijdagavond ruzie over gehad, Chad?' vroeg ik opnieuw, waarna ik geduldig wachtte tot hij besloten had wat hij daarop wilde antwoorden.

'Ik heb het uitgemaakt,' zei hij, terwijl hij zich weer omdraaide naar de planken aan de muur. Hij pakte een witte handdoek van een stapel keurig opgevouwen witte handdoeken. 'Ik heb geen behoefte aan problemen.'

'Dat moet ik geloven? Als jij het hebt uitgemaakt, is er geen enkele reden waarom je later terug zou komen om die kras op haar auto te maken. Dat zou je alleen maar hebben gedaan als zíj het had uitgemaakt.'

'Ik héb die kras niet op haar auto gemaakt!'

'Ik geloof je niet.'

'Nou, daar kan ik niets aan doen.'

'Ik kan me niet voorstellen dat jij het uitgemaakt zou hebben, Chad. Erin mocht dan, doordat ze het huis uit is gegaan, van Krystal en Bruce af zijn, maar jij kon nog steeds, namens je vader, controle op haar blijven uitoefenen door je relatie met haar voort te zetten.'

'Je weet niets van mijn vader.'

'O, nee?' Ik keek de garage rond waarin alles een vast plaatsje had. 'Jouw vader is een verschrikkelijke neuroot. Hij is de enige die het voor het zeggen heeft. Zijn wil is wet. Hij is de enige die er een mening op na mag houden. Alle anderen in huis zijn er alleen maar om hem op zijn wenken te bedienen en om hem in zijn gevoel van superioriteit te sterken. Zit ik er erg ver naast?'

Chad maakte een verongelijkt geluid, liep terug naar zijn auto en probeerde met de handdoek de vlekken weg te poetsen die het opgedroogde water op de lak had achtergelaten.

'Als je die vlekken er niet af krijgt, dan kun je erop rekenen dat je vader daar niet blij mee zal zijn, of vergis ik mij?' zei ik, terwijl ik hem om de auto heen volgde. 'Vlekken op de auto, dat gaat niet. Wat moeten de buren daar wel niet van denken? En stel je voor dat ze er achter zouden komen dat jij en Erin een relatie hebben. Wat een schande, dat je het met je stiefzusje doet. Je zou het bijna incest kunnen noemen. Daarmee heb je je vader écht op een gevoelige plek geraakt, niet, Chad?'

'Ik begin hier echt schoon genoeg van te krijgen.'

Ik vertelde hem natuurlijk niet dat dat de bedoeling was. Ik volgde hem om de motorkap heen naar de andere kant van de auto. 'Vertel me wat ik weten wil, en je bent zó van me af.'

'Er valt niets te vertellen. Ik weet niet waar Erin is, en het kan me geen reet schelen.'

'Ik wed dat het je wel een reet zal kunnen schelen wanneer je een smeris achter je aan krijgt. Omdat Erins verdwijning mogelijk met drugs te maken heeft. Ik weet uit ervaring dat ze bij de narcoticabrigade dol zijn op kinderen met geld en connecties. En stel je voor hoe je vader zal reageren wanneer ze hem aan de tand voelen over jouw betrokkenheid. Daar zit je je natuurlijk alvast op te verheugen –'

Hij draaide zich naar mij toe en hief zijn handen op alsof ik hem onder schot hield. 'Goed dan! Goed. Jezus, wat een mens,' zei hij hoofdschuddend.

Ik wachtte.

'Goed dan,' herhaalde hij met een zucht. 'Erin en ik hadden een relatie. Ik dacht dat het iets te betekenen had, maar dat deed het niet voor haar. Ze heeft het uitgemaakt. En dat is alles. Het heeft niets te maken met drugs of wat dan ook. Dat is het hele verhaal. Ze heeft me gewoon gedumpt.'

Hij haalde zijn schouders op en liet zijn armen slap omlaag vallen alsof zijn bekentenis hem al zijn energie had gekost. Het mannelijke ego is, op welke leeftijd dan ook, een broos en breekbaar ding.

'Heeft ze je ook gezegd waaróm ze het uitmaakte?' vroeg ik zacht. 'Dat zou ik je niet vragen,' vervolgde ik, toen ik zag dat hij weer opgewonden begon te raken, 'als er niet iets gebeurd was in de stal waar Erin werkte, en niemand me kan zeggen waar ze is.'

'Heeft ze iets misdaan?'

'Dat weet ik niet.'

Daar dacht hij even over na. 'Ze zei dat er iemand anders was. Ze had het over een man. Alsof ik een kind van twaalf was, of zo.' Hij trok een vies gezicht en schudde zijn hoofd.

'Heeft ze ook gezegd wie?'

'Ik heb er niet naar gevraagd. Ik bedoel, waarom zou ik me daar druk om maken? Ik weet dat ze haar baas erg leuk vond, maar hij is een jaar of vijftig...'

'Heeft ze je verteld dat ze ergens naar toe zou gaan? Heeft ze iets gezegd over dat ze een andere baan had gevonden, en dat ze ging verhuizen?'

Hij schudde zijn hoofd.

'Heeft ze nooit gezegd dat ze van plan was om naar Ocala te gaan?'

'Ocala? Wat zou ze in Ocala moeten doen?'

'Volgens haar baas heeft ze ontslag genomen omdat ze ander werk in Ocala had gevonden.'

'Dat hoor ik voor het eerst,' zei hij. 'Nee, dat zou ze nooit doen. Dat slaat nergens op.'

'Bedankt voor de informatie.' Ik haalde een kaartje uit mijn zak, waar ik mijn telefoonnummer op had geschreven. 'Mocht je iets van haar horen, zou je dit nummer dan willen bellen en een boodschap willen inspreken?'

Chad pakte het kaartje aan en keek ernaar.

Ik ging terug naar mijn auto aan het begin van de oprit van het huis van de Seabrights, stapte in en bleef een poosje zitten. Ik keek om me heen. Het was een prettige, stille, dure en fraai aangelegde buurt waar golfers in hun achtertuin konden oefenen. De Amerikaanse droom.

Ik dacht aan de Seabrights. Ze hadden meer dan voldoende geld en waren succesvol. Bruce was een neuroot. Hij was kritisch, twistziek en wrokkig. De Amerikaanse droom in een lachspiegel.

Ik parkeerde in de straat voor de school – de moeders en ik. Ik voelde me helemaal niet op mijn plaats. Even later kwamen de kinderen naar buiten, en begaven zich naar de gereedstaande bussen en de wachtende auto's.

Krystal Seabright was nergens te bekennen, maar dat had ik ook niet verwacht. Het was mij volkomen duidelijk dat Molly gewoon een kind was dat toevallig onder hetzelfde dak woonde als Krystal. Molly was geworden wie ze was omdat ze geluk had gehad, of omdat ze had weten te overleven, of omdat ze regelmatig naar A&E keek. Ze was naar alle waarschijnlijkheid getuige geweest van de drama's, de rebellie en de opvoedkundige problemen in Erins leven, waarop ze zich bewust op de tegenovergestelde manier had ontwikkeld om schouderklopjes te kunnen incasseren.

Grappig, dacht ik. Molly Seabright is waarschijnlijk precies wat mijn jonge zusje geweest zou zijn, als ik een jonger zusje had gehad. Mijn ouders hadden mij geadopteerd, en daarmee hadden ze het welletjes gevonden. Ze hadden hun handen vol gehad aan mij. Ik was onhandelbaar. Het kind dat van mijn fouten geleerd zou hebben, had weleens helemaal hun ideale kind kunnen zijn.

Toen ik Molly naar buiten zag komen, stapte ik uit. Ze zag me niet meteen. Ze liep met hangend hoofd en trok haar kleine zwarte koffertje achter zich aan. Hoewel ze te midden van een hele groep kinderen liep, was ze diep in gedachten en leek het alsof ze alleen was. Ik riep haar toen ze van het schoolterrein af, de stoep op liep. Toen ze me zag, klaarde haar gezicht op en keek ze me met gematigd optimisme aan.

REYNAERT VERTREKT OP PELGRIMSTOCHT

vers 2744–2758 *uit het Comburgse Handschrift*

"Ic ga morghin te Rome waert,
Gaet na den wille mijn."
Die coninc sprac : "Ghi dinct mi zijn
Bevaen in arde goeden dinghen.
God jonne hu dat ghijt moet vulbringhen,
Reynaert, alse hu ende mi
Ende ons allen nutte zi."
Doe dese tale was ghedaen,
Doe ghinc Nobel die coninc staen
Up eene hoghe stage van steene,
Daer hi up plach te stane alleene
Als hi sat in zijn hof te dinghe.
Die dieren saten teenen ringhe
Al omme ende omme in dat gras,
Na dien dat elc gheboren was.

8

Ken je deze spreuken nog:

De kat kreeg de bel aangebonden
(of was het de beer?).
Hij vertrok met lood in de schoenen.
De vos naait hem een oor aan
(of verliest hij er één?).

Illustraties: © Ilse Praet

V. u.: gemeente Beveren, Marc Van de Vijver, burgemeester, Stationsstraat 2, 9120 Beveren

de Bib
Gravenplein 3
9120 Beveren
03 750 10 50
www.beveren.be/bibliotheek

GEMEENTE BEVEREN

Met steun van de Vlaamse overheid

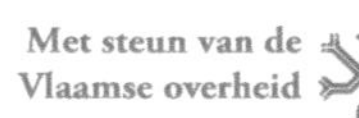

'Heeft u haar nu al gevonden?' vroeg ze.

'Nee, nog niet. Ik heb alleen nog maar met een aantal mensen gesproken en vragen gesteld. Het kan zijn dat ze naar Ocala is gegaan,' zei ik.

Molly schudde haar hoofd. 'Ze zou nooit verhuisd zijn zonder mij dat te vertellen, zonder me te bellen.'

'Vertelt Erin je altijd alles?' vroeg ik, terwijl ik het autoportier voor haar openhield. Ik keek om me heen om te zien of er iemand was die me aanzag voor ontvoerder. Er was geen mens die op me lette.

'Ja.'

Ik liep om de auto heen, stapte in en startte de motor. 'Heeft ze je ook verteld dat zij en Chad een verhouding hadden?'

Ze keek weg en ze leek ineen te krimpen.

'Waarom heb je me dat niet verteld, van Chad?'

'Ik weet niet,' mompelde ze. 'Ik geef er de voorkeur aan Chad te negeren.'

Of het feit dat Erin van oudere zus veranderd was in een seksueel wezen, dacht ik, terwijl ik terugreed naar de doodlopende straat waarin Molly woonde. Erin was haar idool en beschermengel geweest. Als Erin haar in de steek liet, dan was Molly helemaal alleen in het land van de gestoorde Seabrights.

'Chad was vrijdagavond bij Erin, in haar appartement,' zei ik. 'Ze hebben ruziegemaakt. Weet jij daar iets vanaf?'

Molly haalde haar schouders op. 'Misschien hebben ze het wel uitgemaakt.'

'Hoe kom je daar zo bij? Had Erin een oogje op iemand anders?'

'Ze was verliefd op haar baas, maar hij was te oud voor haar.'

'Dat ligt er maar aan.' Van wat ik tot dusver over Erin te weten was gekomen, zou het me helemaal niets verbazen als ze het had voorzien op een man die oud genoeg was om haar vader te kunnen zijn. En Jade zou daar, te oordelen naar eerdere avontuurtjes die hij heeft gehad, geen enkel bezwaar tegen hebben gehad.

'Was er verder nog iemand voor wie ze belangstelling had?'

'Dat weet ik niet,' antwoordde Molly geïrriteerd. 'Erin hield van flirten. Ik lette er niet op. Ik wilde er niets van weten.'

'Molly, dit is heel belangrijk,' zei ik, terwijl ik de auto vlak bij de hoek langs de stoep zette. 'Wanneer ik je dingen over Erin vraag, of over andere dingen of mensen, dan moet je me een zo eerlijk mogelijk antwoord geven. Ik kan begrijpen dat er details zijn die je niet aanstaan, maar die moet je me ook vertellen. Heb je dat begrepen?'

Ze fronste haar voorhoofd, maar knikte.

'Je moet me vertrouwen,' zei ik, en ineens sloeg de angst me om het hart.

Molly keek me aan op die kalme, veel te ouwelijke manier van haar en zei: 'Ik heb u toch al gezegd dat ik dat doe.'

Deze keer vroeg ik haar niet waarom.

7

Ik sta naast de caravan van de gebroeders Golam. Mijn opdracht was om te blijven staan en te wachten, maar ik weet dat dat niet de juiste beslissing is. Als ik als eerste naar binnen ga, als ik nu naar binnen ga, dan zijn de broers er geweest. Ze denken dat ze me kennen. Ik heb drie maanden aan deze zaak gewerkt. Ik weet wat ik doe. Ik weet dat ik gelijk heb. Ik weet dat de gebroeders Golam achterdocht beginnen te koesteren. Ik weet dat ik deze arrestatie wil en dat ik er recht op heb. Ik weet dat inspecteur Sikes alleen maar is gekomen voor de show, om met de eer te gaan strijken zodra de pers er is, en om het publiek te laten denken dat ze bij de volgende sheriffverkiezingen op hem moeten stemmen.

Hij heeft me bij de zijkant van de caravan gezet en gezegd dat ik moest wachten. Weet hij veel. Hij weet niet eens dat de broers bij voorkeur de zijdeur gebruiken. Terwijl Sikes en Ramirez de voorzijde in de gaten houden, zijn de broers bezig om het geld in reistassen te stoppen en bereiden ze zich voor op hun ontsnapping via de zijdeur. Billy Golams met modder bespatte terreinwagen staat drie meter van de deur af geparkeerd. Als ze willen vluchten zullen ze de terreinwagen nemen, en niet de Corvette die bij de voordeur staat. Met de terreinwagen kunnen ze van de weg af.

Sikes verliest kostbare seconden. De broers hebben twee meisjes bij zich in de caravan. Dit kan gemakkelijk een gijzelingssituatie worden. Maar als ik nu naar binnen ga... Ze denken dat ze me kennen.

Ik maak radiocontact. 'Dit slaat nergens op. Ze zullen de terreinwagen nemen. Ik ga naar binnen.'

'Verdomme, Estes –' Sikes.

Ik verbreek het contact en laat de radio naast de caravan in het gras vallen. Het is mijn zaak. Het is mijn arrestatie. Ik weet wat ik doe.

Ik trek mijn wapen en hou het achter mijn rug. Ik ga naar de zijdeur en klop op de manier waarop al Golams klanten kloppen: twee klopjes, één klopje, twee klopjes. 'Hé, Billy, ik ben het, Elle. Ik heb spul nodig.'

Billy Golam trekt de deur met een ruk open. Zijn ogen staan wild en hij is high van de door hem zelf gebrouwen speed – crystal meth. Hij hijgt. Hij heeft een pistool in zijn hand.

Verdomme.

De voordeur wordt ingetrapt.

Een van de meisjes schreeuwt.

Buddy Golam schreeuwt: 'Smerissen!'

Billy Golam brengt zijn .357 tot vlak voor mijn gezicht. Ik haal voor de laatste keer adem.

Hij draait zich met een ruk om en schiet. De knal is oorverdovend. De kogel treft Hector Ramirez in het gezicht en komt er aan de achterkant van zijn hoofd weer uit, terwijl Sikes, die achter hem staat, een douche van bloed en hersens over zich heen krijgt.

Langzaam maar zeker vervagen de beelden uit mijn gedachten, en concentreer ik me op het gebouw voor mij, dat jarenlang mijn basis is geweest, het Palm Beach County Criminal Justice Complex.

Het gebouw met bijgebouwen bevindt zich in een grote parkachtige tuin aan de Gun Club Road in de buurt van Lake Lytal Park. Het complex biedt onderdak aan het kantoor van de sheriff, de lijkschouwer, het lijkenhuis, de rechtbank en de gevangenis. Eén enkele halte voor wetsovertreders en hun slachtoffers.

Ik stond op de parkeerplaats en keek naar het gebouw waarin het kantoor van de sheriff was ondergebracht, en voelde me misselijk. Ik was daar al heel lang niet meer binnen geweest. Aan de ene kant had ik het idee dat, wanneer ik daar naar binnen zou gaan, iedereen me op slag zou herkennen en dat ze me allemaal verschrikkelijk haatten. Mijn verstand zei me dat dat niet waar was. Hooguit de helft zou me herkennen en haten.

De klok kroop langzaam maar zeker naar het tijdstip van de wisseling van de dienst. Als ik James Landry nu niet te pakken kreeg, zou ik tot de volgende dag moeten wachten. Ik wilde hem Erin Seabrights naam zo grondig in zijn geheugen prenten dat het een mentale doorn was waar hij zich de hele nacht aan zou schaven.

Met knikkende knieën liep ik naar de dubbele deuren. Gevangenen in grijze uniformen werkten in de tuin onder toezicht van een zwarte bewaker in een donkere broek, een zwart T-shirt met opschrift, en met een soldatenpet op zijn hoofd. Hij stond geintjes te maken met twee agenten die op de stoep stonden te roken. Niemand van het groepje was in mij geïnteresseerd.

Ik ging naar binnen en liep naar de balie. Niemand riep mijn naam of vloog me aan. Misschien kwam het wel door mijn kapsel.

De receptioniste achter het kogelvrije glas was een jonge vrouw met een rond gezicht, lange, paars gelakte nagels en tientallen, met elkaar vervlochten kleine vlechtjes.

'Ik wil rechercheur Landry spreken,' zei ik.

'Waarover gaat het, mevrouw?'

'Over iemand die vermist wordt.'

'Uw naam?'

'Elena Estes.'

Geen enkel teken van herkenning. Geen kreet van intense verontwaardiging. Ik kende haar niet, zij kende mij niet. Ze pakte de telefoon, belde Landry en zei dat ik plaats kon nemen. Ik ging met mijn armen over elkaar voor de deur van de trap staan, en haalde amper adem. Het leek een eeuwigheid te duren voor de zware, grijze deur ten slotte openging.

'Mevrouw Estes?'

Landry hield de deur open bij wijze van uitnodiging.

Hij was een compact gebouwde, atletisch uitziende man, van ergens midden veertig die een zekere netheid uitstraalde. Het was bijna vier uur en zijn overhemd zag er nog steeds gestreken uit. Zijn haar was zo kort dat het bijna militair gemillimeterd leek, en het zwart was rijkelijk voorzien van grijs. Zijn doordringende en ietwat neerbuigende blik deed me denken aan die van een adelaar. Of misschien was dat alleen maar vanwege mijn eigen paranoia.

Ik had een aantal rechercheurs van de afdeling Roofovervallen/Moordzaken gekend, maar Landry was een nieuw gezicht voor mij. Op grond van het soort werk dat ze doen, hadden de rechercheurs van de narcoticabrigade nauwelijks contact met collega's van andere afdelingen, afgezien dan van die keren waarop ze, wegens gepleegde moorden, met elkaar te maken kregen.

We liepen, zonder een woord te zeggen, de trap op naar de eerste verdieping. Er zat niemand achter de ruit van het gangetje dat toegang gaf tot de afdeling Roofovervallen/Moordzaken. Landry stak zijn kaartsleutel in de gleuf en liet ons binnen.

Tegen elkaar aan geschoven stalen bureaus vormden eilandjes in de grote ruimte. De meeste bureaus waren onbezet. Ik herkende niemand. Er werd van meerdere kanten met achterdochtige, nietszeggende, kille ogen naar mij gekeken. Deze oogopslag is typisch voor de politie. Het is een blik die altijd, op elke afdeling en op elke plaats ter wereld, hetzelfde is. De blik van mensen die niemand vertrouwen en iedereen ergens van verdenken. Ik had geen idee van wat ze dachten. Het enige dat ik wist, was dat sommigen net even te lang naar me keken.

Landry wees me op de stoel naast zijn bureau, en ik nam plaats. Hij ging achter zijn bureau zitten, en terwijl hij dat deed streek hij zijn das glad en bleef hij me aankijken. Hij zette zijn computer aan en zette een leesbrilletje op.

'Ik ben rechercheur Landry,' zei hij, typend. 'Ik schrijf alles op wat u zegt. Ik heb begrepen dat u een vermissing komt opgeven?'

'Dat is al gebeurd. Het gaat om Erin Seabright. Haar zusje is een paar dagen geleden bij u geweest. Molly Seabright. Ze heeft me verteld dat u onbeschoft tegen haar was, dat u haar neerbuigend behandelde en dat u absoluut niet behulpzaam was.'

Het zoveelste hoofdstuk uit *Elena Estes' Handboek voor het Maken van Vrienden en Beïnvloeden van Mensen.*

Landry zette zijn bril af en keek me opnieuw doordringend aan. 'Dat kind? Ze is twaalf.'

'Verandert dat iets aan het feit dat haar zus wordt vermist?'

'We nemen geen informatie aan van kinderen. Ik heb de moeder opgebeld. Ze wilde geen aangifte doen. Ze beweert dat haar dochter helemaal niet wordt vermist.'

'Misschien heeft ze het meisje wel vermoord,' zei ik. 'En u wilt niet naar haar op zoek gaan omdat haar moordenaar geen aangifte wil doen?'

Hij trok zijn wenkbrauwen op. 'Hebt u reden om aan te nemen dat de moeder haar heeft vermoord?'

'Nee, helemaal niet. Ik zeg alleen maar dat u geen rekening hebt gehouden met die mogelijkheid, en dat u dat kind zomaar hebt weggestuurd.'

'Aha, dus u bent gekomen om een potje ruzie met mij te maken?' vroeg hij ongelovig. 'Hebt u ze niet allemaal op een rijtje, of zo? Wat hebt u met die mensen te maken? Bent u familie?'

'Nee. Ik ben een vriendin van Molly.'

'Het meisje van twaalf.'

'Ze heeft me om hulp gevraagd. En ik denk dat ze gegronde redenen heeft om aan te nemen dat haar zus wordt vermist.'

'En die zijn?'

'Het feit dat ze inderdaad wordt vermist. Niemand heeft haar sinds zondag gezien.'

Ik vertelde hem over Don Jade en over Stellar. Landry was boos op mij. Zijn ongeduld straalde van hem af. Het stoorde hem dat iemand zijn werk voor hem had gedaan, ook al vond hij nog steeds niet dat er werk van hem werd verwacht. Smerissen kunnen in dat opzicht ontzettend territoriaal zijn.

'En omdat er een paard dood is, denkt u dat dat meisje iets is overkomen.' Hij zei het alsof hij nog nooit zoiets bespottelijks had gehoord.

'Mensen worden zelfs om hun schoenen vermoord,' zei ik. 'Er worden mensen vermoord omdat ze de verkeerde straat zijn ingelopen. Dit dode paard is op zich al een kwart miljoen dollar verzekeringsgeld waard, en met de verkoop van zijn vervanger aan zijn eigenaar is een commissie van een overeenkomstig bedrag gemoeid. Ik kan me heel goed voorstellen dat iemand, wanneer het om dergelijke bedragen gaat, bereid zou zijn een medemens uit de weg te ruimen. U niet?'

'En de trainer zegt dat het meisje ontslag heeft genomen en naar Ocala is gegaan.'

'De trainer van wie het niet ondenkbaar is dat hij het paard heeft vermoord, en die een leuke duit aan de volgende deal zal overhouden.'

'Weet u zeker dat ze niet naar Ocala is gegaan?' vroeg Landry.

'Nee, maar het is niet waarschijnlijk.'

'Bent u in haar appartement geweest? Leek het of daar was gevochten?'

'Ik ben naar haar flat geweest, en daar is niets.'

'Niets. Alsof ze verhuisd zou zijn?' suggereerde hij.

'Misschien. Maar dat kunnen we niet met zekerheid zeggen zolang er niet naar haar is gezocht. U zou met Ocala kunnen bellen.'

'Of u zou erheen kunnen gaan om haar daar te zoeken.'

'Of u zou kunnen bellen met het politiebureau of het kantoor van de sheriff daar – ik weet niet wat ze daar hebben.'

'Om wat tegen ze te zeggen? Dat er een kans is dat dit meisje daar naartoe is gegaan en een baantje heeft aangenomen? Ze is achttien. Ze kan doen waar ze zin in heeft.'

'U zou ze kunnen vragen om uit te kijken naar haar auto.'

'Hoezo? Is haar auto gestolen?'

Ik stond op. Ik was nijdiger dan hij, en was blij dat hij dat niet aan mijn gezicht kon zien. 'Oké, Landry. Het kan je geen barst schelen dat dit meisje is verdwenen, het zal je een zorg zijn of ze dood is, en een miljoenenfraude laat je totaal onverschillig. Ik vraag me af waar ik belasting voor betaal.'

'Een verzekeringsfraude is pas fraude wanneer de verzekeraar dat zegt. En het meisje wordt niet vermist als ze achttien is en uit vrije wil naar elders is verhuisd – tenzij de familie haar als vermist opgeeft.'

'Dat heeft haar familie gedaan. Haar zusje is haar vermissing komen melden. Afgezien daarvan zeg je dat, als ze geen contact met haar familie heeft en haar iets is overkomen, zij zelf de enige is die haar vermissing kan komen melden. Dat is absurd. Door jou kan dat kind de hemel weet wát overkomen, en dat alleen maar omdat haar moeder een egoïstisch leeghoofd is die alleen maar blij is dat ze van haar af is.

'En ik kan je ook geen ongelijk geven,' vervolgde ik op sarcastische toon. 'Zeg zelf, het zou je wel eens een uurtje of twee kunnen kosten om een paar telefoontjes te plegen, wat achtergrondinformatie te verzamelen en een paar vragen te stellen, terwijl je het al zo verschrikkelijk druk hebt met zakkenrollers en tasjesdieven.'

Landry was ook gaan staan en hij begon rood aan te lopen. Iedereen op de afdeling zat naar ons te kijken. Vanuit mijn ooghoeken zag ik dat de inspecteur uit zijn kamer was gekomen om onze ruzie te kunnen volgen. Achter in de ruimte ging een telefoon, maar niemand nam op.

'Wil je mij soms vertellen hoe ik mijn werk moet doen, Estes?'

'Ik heb jouw werk gedaan, Landry. En ik weet dat het niet moeilijk is.'

'O ja? Nou, maar op dit moment werk je hier niet. En waarom niet?'

De telefoon hield op met rinkelen. De ruimte was zo stil dat je er een speld had kunnen horen vallen.

Meerdere juiste antwoorden op die vraag flitsten door mijn hoofd. Ik hield ze voor me. Er was maar één antwoord dat belangrijk was voor de mensen op de afdeling, en voor mij. Ik werkte hier niet meer omdat er door mijn schuld iemand van ons – iemand van hén – was doodgeschoten. En daar kon niets tegenop.

Ik knikte. 'Goed. Je hebt gewonnen,' zei ik zacht. 'De hoofdprijs Rotopmerking van de Dag is voor Landry. Ik ging er al vanuit dat je een vreselijke zak zou zijn, en dat blijkt dus ook zo te zijn. Maar Erin Seabright wordt vermist, en daar zal iemand iets aan moeten doen. Als ik die iemand moet zijn, mij best. En als dat meisje straks ergens dood wordt gevonden omdat ik haar niet snel genoeg kon vinden en jij dat wel gekund zou hebben, dan is dat wel jouw schuld, Landry.'

'Is er een probleem?' vroeg de inspecteur, terwijl hij naar ons toe kwam. 'O, ja,' zei hij, terwijl hij voor me ging staan. 'Ik zie het al. Allemachtig, Estes, je hebt wel lef zeg, om hier binnen te durven komen.'

'Neem me niet kwalijk. Ik wist niet dat je je tegenwoordig alleen nog maar op uitnodiging met misdaadbestrijding bezig kon houden. Ik denk dat de mijne in de post is kwijtgeraakt.'

De weg naar de deur leek steeds langer te worden, in plaats van korter. Mijn benen voelden als zuilen water. Mijn handen beefden. Ik verliet de ruimte, liep de gang af en haastte me de dames-wc binnen, waar ik me over de toiletpot heen boog en overgaf.

Ik bleef een poosje met gesloten ogen en met mijn hoofd in mijn handen tegen de muur van het hokje geleund zitten. Ik had het heet, ik zweette en ik had moeite met ademhalen. Ik was uitgeput. Maar ik leefde nog – letterlijk en figuurlijk. Ik had de leeuw in zijn eigen hol getrotseerd en het overleefd. Ik zou trots op mezelf moeten zijn.

Ik duwde mezelf overeind, waste mijn gezicht en spoelde mijn mond met water uit de kraan. Ik probeerde me op mijn bescheiden overwinning te concentreren. James Landry zou Erin vanavond niet zo gemakkelijk kunnen vergeten, al was het maar omdat ik hem had uitgedaagd. Als deze confrontatie resulteerde in één telefoontje dat een spoor opleverde, zou het alle inspanning, en wat het me emotioneel had gekost, waard zijn geweest.

Op weg naar mijn auto vroeg ik me vagelijk af of ik weer een doel in mijn leven begon te krijgen. Ik had het zó lang zonder gedaan, dat ik het niet zeker wist.

Ik stapte in de BMW en wachtte. Net toen ik tot de conclusie begon te komen dat Landry weg moest zijn gegaan terwijl ik kotsend over de wc had gehangen, kwam hij naar buiten. Hij had een zonnebril opgezet en hield een jack over zijn arm geslagen. Ik zag hem in een zilverkleurige Pontiac Grand Am stappen, en van de parkeerplaats wegrijden. Ik volgde hem met twee auto's tussen ons in, omdat ik wilde weten met wie ik te maken had. Ging hij rechtstreeks naar huis, naar zijn vrouw en kindertjes? Zou ik het feit dat hij zelf kinderen had tegen hem kunnen gebruiken? Hij had geen ring om gehad.

Hij reed regelrecht naar een door de politie gefrequenteerde bar aan de Military Trail. Teleurstellend voorspelbaar. Ik volgde hem niet naar binnen in de wetenschap dat mij daar naar alle waarschijnlijkheid een openlijk vijandige ontvangst zou wachten. Dit was de tent waar de manschappen stoom af bliezen, en klaagden over hun superieuren, over burgers en over hun ex-echtgenotes. Landry zou er over mij klagen. Het kon me niet schelen hoe James Landry over mij dacht... zo lang hij, door aan míj te denken, ook aan Erin Seabright dacht.

8

Anders dan ik, hield Sean ervan om zijn keurige, in Palm Beach gevestigde familie in verlegenheid te brengen door zo nu en dan te verschijnen op de liefdadigheidsbals waar het leven van de society in Palm Beach in het winterseizoen om draait. Die bals zijn overdadige, uiterst luxueuze aangelegenheden waarvan de organisatie vrijwel evenveel kost als de opbrengst van het voor het goede doel bestemde bedrag. De nettosom die uiteindelijk bij de uitverkoren stichting terechtkomt is gezien de hoeveelheid geld die er met de organisatie gemoeid is, dan ook vaak schokkend laag, maar een mens moet er tenslotte ook een feestelijke avond voor terugkrijgen. Je moet er maar van houden – de haute couture, de door beroemde juweliers ontworpen sieraden, de allernieuwste ingrepen op het gebied van de plastische chirurgie, de ijdelheid en de psychologische spelletjes van de bespottelijk rijken. Hoewel ik in dat wereldje was opgegroeid, heb ik er nooit het geduld voor kunnen opbrengen.

Ik vond Sean in zijn kast – die groter is dan een gemiddelde slaapkamer – waar hij, in zijn smoking van Armani bezig was zijn vlinderdasje te strikken.

'Wat is de ziekte du jour?' vroeg ik.

'Het begint met een P.'

'Prikkelbaarheid?'

'Parkinson. Daar lopen de beroemdheden momenteel mee weg. Het trekt natuurlijk wel een publiek dat enigszins jonger is dan dat wat komt feestvieren voor de meer traditionele aandoeningen.' Hij trok zijn smokingjasje aan en bewonderde zichzelf in de driedelige spiegel.

Ik leunde tegen het marmeren blad van de tafel in het midden, en observeerde hem terwijl hij zich mooi maakte. 'Als ze zo doorgaan zal het niet lang meer duren voor ze geen nieuwe ziektes meer kunnen verzinnen.'

'Ik heb mijn moeder gedreigd dat ik een bal voor genitale herpes ga organiseren,' zei Sean.

'De hemel weet dat de helft van de inwoners van Palm Beach daar zijn voordeel mee zou kunnen doen.'

'Terwijl de andere helft het alsnog in de after-party-party's kan opdoen. Zin om mee te gaan?'

'Om herpes op te doen?'

'Om mee te gaan naar het bal, Assepoester. Ik weet zeker dat je ouders ook van de partij zullen zijn. Een dubbel schandaal betekent twee keer zo veel plezier.'

De gedachte aan een ontmoeting met mijn ouders trok me nog minder aan dan het bezoek aan het kantoor van de sheriff had gedaan. Mijn confrontatie met Landry zou tenminste nog positieve gevolgen kunnen hebben.

Mijn moeder was me, toen ik in het ziekenhuis lag, een paar keer komen bezoeken. De moederplicht van een vrouw die absoluut geen idee had van wat het betekende om moeder te zijn. Ze had een kind geadopteerd om redenen die niets te maken hadden met liefde voor kinderen. Ik was niet meer dan een accessoire voor haar geweest – zoals een handtas of een schoothondje.

Als een schoothondje uit het asiel, haastte mijn vader zich om, telkens wanneer ik niet deed wat er van mij verwacht werd – en dat was vaak – mijn afkomst in twijfel te trekken. Hij had me altijd beschouwd als een indringer in zijn bestaan. Ik deed hem voortdurend beseffen dat hij zelf niet in staat was kinderen te verwekken. Het feit dat ik hem zijn gebrek aan liefde kwalijk nam, had mijn opstandigheid er alleen nog maar groter op gemaakt.

Ik had al ruim tien jaar niet meer met mijn vader gesproken. Hij had me onterfd toen ik van school was gegaan om een ordinaire politieagent te worden. Dat had hij opgevat als een belediging. Als een klap in het gezicht. En dat was het ook geweest. Het was een kans geweest om een relatie te kunnen beëindigen die op zich onbreekbaar had moeten zijn. En zowel hij als ik had die kans met beide handen aangegrepen.

'Jee, dat spijt me echt heel erg. Ik ben er niet op gekleed.'

Sean keek kritisch naar mijn oude spijkerbroek en zwarte coltrui. 'Wat is er gebeurd met onze modepop van vanochtend?'

'Die is zo ongeveer de hele dag bezig geweest om mensen op stang te jagen.'

'Is dat positief of niet?'

'Dat hangt ervan af. Als je maar genoeg puisten probeert uit te knijpen, is er altijd wel eentje bij die explodeert.'

'Hoe prozaïsch.'

'Is Van Zandt nog langs geweest?'

Hij rolde met zijn ogen. 'Lieverd, waarom denk je dat ik achter zo'n hoog hek woon? En áls hij langs is geweest, dan heb ik daar niets van vernomen.'

'Hij zal het wel te druk hebben met het vleien van Trey Hughes in de hoop dat hij voor meerdere miljoenen paarden bij hem koopt.'

'Die zal hij hard nodig hebben. Heb je die stallen gezien die hij aan het bouwen is? De Taj Mahal van Wellington.'

'Ik heb er iets van gehoord.'

'Vijftig boxen met kroonlijsten, stel je voor! Vier flatjes voor de stalknechten erboven. Overdekte piste. Enorme springweide.'

'Waar?'

'Tien hectare eersteklas bouwgrond in die nieuwe wijk naast Grand Prix Village, Fairfields.'

Ik schrok. 'Fairfields?'

'Inderdaad,' zei hij, terwijl hij de manchetten van zijn overhemd een halve centimeter uit de mouwen van zijn jasje trok en opnieuw in de spiegel keek. 'Het wordt een monsterlijk en absurd groot geheel, en iedereen aan de Oostkust zal jaloers zijn op zijn trainer. Ik moet gaan, schat.'

'Wacht even. Zo'n manege moet een gigantisch vermogen kosten.'

'En nog meer dan dat, ja.'

'Kan Trey zich dat wel veroorloven van zijn maandelijkse toelage?'

'Daarvan betaalt hij het niet. Zijn moeder heeft hem het volledige Hughes-vermogen nagelaten.'

'Is Sallie Hughes gestorven?'

'Verleden jaar. In haar eigen huis van de trap gevallen en aan een schedelbasisfractuur overleden. Je zou toch echt wat meer interesse moeten opbrengen voor de buurtroddels, schat,' zei hij, waarna hij me een zoen op de wang gaf en ging.

Fairfields. Bruce Seabright was die ochtend op weg gegaan om een deal in Fairfields te bezegelen.

Ik hou niet van toevalligheden, en ik vertrouw ze niet. Ik ben ervan overtuigd dat toeval niet toevallig is. Ik heb ooit eens een lezing bijgewoond van een bekende new-age-goeroe die ervan overtuigd is dat het leven uiteindelijk niets anders is dan energie. Alles wat we doen, al onze gedachten en emoties, kunnen worden herleid tot niets anders dan zuivere energie. Ons leven is een vorm of uiting van energie, en we zijn voortdurend bezig om op wat voor manier dan ook contact te zoeken met de energie van andere mensen in onze beperkte wereld. Energie trekt energie aan. Een intentie of een voornemen wordt een energiestructuur, en het toeval bestaat niet.

Op die momenten waarop ik vurig in die theorie geloof, realiseer ik mij dat niets in het leven toevallig kan zijn. En het moment daarop kom ik tot de conclusie dat het veel beter voor mij zou zijn om helemaal nergens in te geloven.

Ik dacht aan de mensen met wie Erin Seabright in haar leven te maken had, en het beeld dat dat opleverde was bepaald niet positief. Haar moeder leek niet te hebben geweten voor wie Erin werkte, en het kostte me niet al te veel moeite om te geloven dat dat waar was. Het kon Krystal echt niet schelen waar haar dochter werkte, zo lang zíj er maar geen last van had. Waarschijnlijk dacht ze helemaal niet aan Erin als haar dochter. Maar hoe stond het met Bruce Seabright? Kende hij Trey Hughes? En als hij Hughes kende, kende hij Jade dan ook? En als hij één van die twee, of beide mannen kende, hoe paste Erin dan in dat plaatje?

Stel dat Bruce zich zó stoorde aan het feit dat Erin en Chad een relatie hadden, dat hij Erin niet langer in huis wilde hebben. Als hij Hughes kende – en hij via Hughes in contact was gekomen met Jade – dan zou hij om die reden een baan bij Jade voor haar geregeld kunnen hebben. Belangrijker echter was de vraag of het Bruce Seabright iets kon schelen hoe het Erin verging nadat ze het huis uit was gegaan. En als hem dat inderdaad iets kon schelen, dan was de volgende vraag of zijn interesse positief, of negatief was. Stel dat hij voorgoed van haar af wilde zijn?

Dat waren de vragen waar ik me die avond mee bezighield. Ik ijsbeerde door de kleine ruimte van het gastenverblijf en kauwde op wat er over was van mijn nagels. Zachte, kalme jazz klonk uit de luidsprekers op de achtergrond – een stemmige soundtrack bij de scènes die me door het hoofd speelden. Op een gegeven moment pakte ik de telefoon en draaide het nummer van Erins mobiel. Ik kreeg een bandje aan de lijn dat me vertelde dat haar mailbox vol was. Als ze alleen maar naar Ocala was gegaan, had ze dan intussen niet al lang tijd gehad om haar boodschappen af te luisteren? En waarom had ze Molly nog niet gebeld?

Ik voelde er niets voor om naar Ocala te gaan. Daarmee zou ik een hele dag kwijt zijn, en mijn gevoel zei me dat Erin daar toch niet was. Wat ik wel zou doen, was de volgende ochtend een privé-detective daar bellen, hem alles vertellen wat ik wist en hem vragen of hij een paar dingen voor me na wilde gaan. Als Erin wél op het wedstrijdterrein van Ocala werkte, dan zou ik dat in één, of hooguit twee dagen weten. Ik zou de privé-detective zeggen dat hij haar vanaf het wedstrijdkantoor moest laten omroepen met de boodschap dat er een belangrijk telefoongesprek voor haar was. Als er iemand op die oproep reageerde, kon hij gemakkelijk nagaan of die persoon al dan niet Erin Seabright was. Een doodsimpel plan. Landry zou vanuit zijn positie een plaatselijke collega hetzelfde hebben kunnen laten doen.

Zak. Ik hoopte dat hij niet kon slapen.

Het was ver na middernacht. Ik was klaarwakker. Ik had al jaren niet meer behoorlijk geslapen – enerzijds vanwege mijn geestelijke toestand, en anderzijds vanwege de lichte chronische pijn die ik aan het ongeluk had overgehouden. Ik stond niet stil bij de eventuele gevolgen die dat slaapgebrek voor mijn lichamelijke of geestelijke toestand zouden kunnen hebben. Het kon me niet schelen. Ik was eraan gewend geraakt. En vanavond hoefde ik tenminste niet te denken aan de fouten die ik had gemaakt en aan hoe ik voor die fouten zou moeten boeten.

Ik pakte mijn jack en ging het huis uit. Het was een koele nacht als gevolg van het onweer dat over de Everglades naar Wellington trok. In het westen zag ik de bliksems achter de wolken.

Ik nam de Pierson Boulevard, passeerde de achteringang van de Equestrian Club, de extravagante stallen van Grand Prix Village, sloeg rechtsaf en vond de stenen toegangspoort van Fairfields. Een groot bord gaf een overzicht van de nieuwe urbanisatie die was onderverdeeld in acht bouwkavels die in grootte varieerden van vijf tot tien hectare. Op drie van de kavels was een sticker met 'Verkocht' geplakt. De wijk beloofde paardenbezitters alle mogelijke luxueuze faciliteiten, en belangstellenden konden bellen naar het nummer van Gryphon Development, Inc., de projectontwikkelaar.

De stenen zuilen waren gebouwd, evenals een huisje voor de portier, maar de ijzeren hekken moesten nog worden geplaatst. Ik volgde de kronkelende weg over het terrein, en het licht van mijn koplampen scheen over onkruid en laag struikgewas. Op twee van de terreinen waar met de bouw was gestart, brandde wit bewakingslicht. Zelfs in het holst van de nacht kon ik zó zien welk van de twee kavels het eigendom van Trey Hughes was.

De cascobouw van de grote manege was klaar. Het silhouet leek op dat van een groot warenhuis. Een enorme, twee verdiepingen hoge rechthoek die parallel aan de weg was gebouwd. Het stond op ongeveer dertig meter van het hekwerk waarmee de bouwplaats omheind was. De ingang van het hek was dicht, en was afgesloten met een hangslot.

Ik reed het terrein op, ging voor het hek staan en probeerde zoveel mogelijk te zien. In het licht van de koplampen ontwaarde ik een graafmachine, omgewerkte grond en afgeronde hopen aarde. Achter het gebouw en bij de achterzijde van het terrein kon ik nog net iets ontwaren van wat de caravan van de bouwopzichter moest zijn. En vóór de manege stond een groot bord met de naam van het bouwbedrijf dat verklaarde trots te zijn op het feit dat ze de Lucky Dog Farm mochten bouwen.

Ik probeerde een grove schatting te maken van wat deze grap zou kunnen kosten. Een bouwkavel van tien hectare zo dicht bij het wedstrijdterrein was een vermogen waard. De manege die Trey Hughes aan het bouwen was, kostte zeker twee, zo niet drie miljoen dollar voor de bouw alléén. En dat was alleen nog maar voor het onderdak voor paarden. In Fairfields zouden, evenmin als in Grand Prix Village, geen dure villa's worden gebouwd. De eigenaren van de maneges woonden duur op de Polo Club of op het eiland of op beide. Het familiebezit van de Hughes was een aan zee gelegen landgoed aan Blossom Way, op een steenworp afstand van de exclusieve Palm Beach Bath en Tennis Club. In de tijd dat ik Trey kende, had hij een grote villa op de Polo Club gehad. En nu, dank zij het feit dat Sallie Hughes een misstap op de trap had gemaakt, bezat hij alles.

Lucky Dog of bofkont, inderdaad. In één enkele val was Trey af geweest van de vrouw die hij de Dominatriarch had genoemd, en had hij een enorm vermogen opgestreken. Die gedachte kronkelde als een slang in het duister door mijn achterhoofd.

Na mijn gesprekje met Sean was ik on line gegaan om naar artikelen over Sallie Hughes' dood te zoeken, maar ik had alleen haar overlijdensbericht maar kunnen vinden. Niets over een eventueel onderzoek naar de oorzaak van haar dood.

Aan de andere kant was het ook logisch dat daar geen artikelen over waren verschenen. Hoe onbetamelijk om dat soort dingen in de krant te laten verschijnen, zou mijn moeder hebben gezegd. De krant die op het eiland verscheen, was er alleen maar voor het societynieuws en de aankondigingen. Niet voor obscene zaken als dood en politieonderzoek. De krant die mijn moeder las was gedrukt op glanzend papier met inkt die niet afgaf op de handen van de lezer. Een in tweeërlei opzicht schone krant.

De *Post* – die in West Palm Beach (waar de gewone mensen wonen) werd gedrukt – meldde dat Sallie Hughes op de leeftijd van tweeëntachtig in haar eigen huis was overleden.

Hoe het ook gebeurd was, Trey Hughes was nu een vette gouden gans. Er waren vast wel een paar mensen die bereid waren hem een plezier te doen, zoals het uit de weg ruimen van een springpaard met meer karakter dan talent. Het maakte niet uit hoeveel geld Trey al had. Een extra kwart miljoen was altijd welkom.

Het zou me niets verbazen als de lijst van behulpzame lieden werd aangevoerd door Don Jade. Dit was iets waar elke trainer van moest dromen: in zo'n manege als deze te mogen werken, waardoor zijn geloofwaardigheid onmiddellijk zou toenemen en hij nog meer rijke klanten zou aantrekken.

Ik dacht na over de spanning die ik die ochtend tussen de beide mannen had bespeurd. Trey Hughes kon het zich nu veroorloven om elke willekeurige trainer aan te trekken. Ik vroeg me af waarom hij met Don Jade in zee was gegaan – een man wiens reputatie eerder op schandalen dan op succes was gebaseerd. Een man die erom bekendstond dat hij duistere dingen deed en daar ongestraft vanaf kwam...

Maar hoe Jade het ook voor elkaar had gekregen, hij zat gebeiteld. En dat betekende dat er een heleboel verbitterde mensen moesten zijn die verschrikkelijk jaloers op hem waren.

De eerste naam die mij te binnen schoot, was die van Michael Berne. Ik had de naam meteen herkend toen Van Zandt hem die ochtend had genoemd. Bernes naam kwam voor in het artikel over Stellars dood dat in het on line-blad *Horses Daily* had gestaan. Vóórdat Stellar bij Jade was gekomen, was hij door Berne getraind, en Berne had tijdens wedstrijden slechts matige successen met hem weten te behalen. En toen had Jade het paard in handen gekregen. Het paard, de eigenaar, én de Taj Mahal van Wellington. Geen wonder dat Berne nijdig was. Hij was met het opstappen van Stellar naar Jade niet alléén maar een maandelijkse cheque kwijt geweest, maar vooral een gouden toekomst.

Van Zandt had Berne Jades rivaal genoemd, maar hij was veel meer dan dat. Hij was Jades vijand.

En een vijand kon een belangrijke bron van informatie zijn.

Ik reed terug naar het ruitercentrum, omdat ik er rustig rond wilde neuzen zonder dat ik er bang voor zou hoeven zijn dat ik door iemand van Jades mensen zou worden gezien. Ik wilde kijken waar Bernes stal was. Als ik achter een telefoonnummer van zijn stal zou kunnen komen, zou ik ergens met hem kunnen afspreken waar we niet door Jades maatjes betrapt zouden kunnen worden.

De bewaker kwam met een verveeld en ontevreden gezicht uit zijn huisje.

'Het is erg laat,' zei hij met een zwaar accent.

Ik slaakte een zucht. 'Moet je mij vertellen. We hebben een paard met een koliek, en ik heb het korte strootje getrokken.'

Hij keek me aan alsof hij het vermoeden had dat ik hem zojuist zwaar beledigd had.

'Een ziek paard,' legde ik uit. 'En ik moet vannacht de wacht houden, net als jij.'

'O, ja.' Hij knikte. 'Ik begrijp het. Wat naar voor u. Veel succes daarmee, mevrouw.'

'Dank je.'

Hij vroeg me niet hoe ik heette of tot welke stal dat zogenaamd zieke paard behoorde. Ik had een parkeerkaart en een geloofwaardig verhaal. Dat was voldoende.

Ik parkeerde achteraan op De Weiden om te voorkomen dat iemand mijn auto zou zien. Met mijn zaklantaarn in de hand en mijn pistool achter in de tailleband van mijn spijkerbroek, ging ik op zoek naar Michael Bernes naam en hoopte ik dat ik geen stalknechten of bewakers tegen zou komen.

Het onweer was in aantocht. De wind was opgestoken en deed de tenten opbollen en flapperen, en de paarden waren onrustig. Ik hield het schijnsel van mijn zaklantaarn op de grond gericht en las de namen van de verschillende stallen met de bijbehorende noodnummers, en hoewel ik mijn best deed om zo onopvallend mogelijk te werk te gaan, was er toch nog een aantal paarden die van me schrokken en die zenuwachtig en met wegdraaiende ogen in hun kleine boxen rondjes begonnen te draaien. Andere paarden begonnen zachtjes te hinniken in de hoop op iets lekkers.

Ik deed de zaklantaarn uit toen ik het pad overstak dat De Weiden van de volgende groep tenten scheidde. Als ik geluk had, bevond Bernes stal zich relatief dicht in de buurt van die van Jade. Ze waren elkaar bij het trainingsveld vlak bij Jades stal tegen het lijf gelopen. Misschien dat Berne hetzelfde trainingsveld gebruikte. Als ik pech had, was Berne expres naar Jade op zoek gegaan om ruzie met hem te maken, en zou ik het hele terrein af moeten zoeken voor ik had gevonden wat ik zocht.

Een harde, vanuit het westen komende windvlaag deed de bomen buigen. De donder rolde boven mijn hoofd. Ik dook tent tweeëntwintig in en begon de namen te lezen.

Toen ik ongeveer een vierde deel van de eerste rij gehad had, bleef ik staan en luisterde. Dezelfde geluiden als in de andere tenten: bewegende paarden, zacht gehinnik en het schoppen tegen de buizen van de boxen. Alleen dat deze geluiden niet afkomstig waren van de paarden in mijn onmiddellijke omgeving. De onrust was een aantal rijen verder. Het zachte piepen en kraken van een deurtje van een box dat openzwaaide. Het geschuifel van hoeven door een dikke laag stro. Een paard dat luid hinnikte. Het paard in de box naast me haastte zich naar zijn deur en hinnikte terug.

Ik scheen met mijn zaklantaarn omhoog naar een vos met opgeheven hoofd en gespitste oren. Hij keek met zijn witomrande ogen langs me heen, en langs het paard aan de overkant van de gang. Het paard hinnikte opnieuw en draaide zich om. Een ander paard verderop deed hetzelfde.

Ik deed de zaklantaarn uit, nam hem zodanig in mijn hand dat ik hem als een knuppel zou kunnen gebruiken, en sloop het gangpad af naar de achterkant van de tent. De zaklantaarn had een gewicht van anderhalve kilo. Tijdens mijn tijd bij de politie had ik mijzelf er ooit eens mee verdedigd tegen een motorrijder van honderdtwintig kilo die had gesnoven. Hij was met een hersenschudding in het ziekenhuis beland.

Omdat ik alleen maar wilde kijken en geen confrontatie aan wilde gaan, vond ik het niet nodig om mijn wapen te trekken. De Glock was mijn allerlaatste redmiddel.

De wind loeide en het dak van de tent bolde op als een ballon die op het punt stond de lucht in te gaan. De dikke touwen die de tent op zijn plaats hielden, kreunden en kraakten. Ik sloop, dicht tegen de achterwand aan, langs de achterste boxen. Het veld achter de tent, dat een stuk lager lag, was gedurende de afgelopen zomer geschoond en afgebrand om plaats te kunnen bieden aan nog meer tenten. Het zag eruit als een maanlandschap en het rook naar as.

Net toen ik de volgende gang in wilde lopen, hoorde ik het piepen van scharnieren, gevolgd door een hard, specifiek geluid dat pas tot me doordrong toen het al te laat was.

Als een uit het hiernamaals afkomstige schim zag ik een enorm, spookachtig grijs paard over het gangpad op me af stormen. Hij was bijna bij me voor ik kon reageren, en ik deinsde achteruit. Ik probeerde zo snel mogelijk te zijn om niet door hem onder de voet te worden gelopen, maar ik bleef met mijn rechterenkel achter een tentharing haken, waardoor ik met een luide plof onderuitging. Ik probeerde mijn hoofd te beschermen en mijzelf zo klein mogelijk te maken, terwijl ik me met elke vezel van mijn lichaam schrap zette voor de keiharde trap van ijzeren hoeven en het voortgestuwde gewicht van een vijfhonderd kilo zwaar paard dat boven op me zou landen. Maar de schimmel sprong over me heen, de helling af naar het open veld. Ik krabbelde overeind tot ik op m'n knieën zat, en zag tot mijn ontzetting hoe het paard de helling af viel en door zijn voorbenen zakte terwijl zijn achterbenen nog door renden. Hij slaakte een hoge kreet van de schrik, schopte met zijn benen tot hij weer grond onder de hoeven had, kwam overeind en ging er in de nacht vandoor.

Ik trok mijzelf overeind en wilde de tent weer binnengaan toen er nóg een paard naar buiten kwam gegaloppeerd. Een donker met een bles dat de schimmel hinnikend achternaging. Ik dook opzij en hij denderde langs me heen.

Een klap op zijn bil.

Dat was het geluid dat ik voorheen had gehoord: iemand die met de vlakke hand op de achterflank van een paard had geslagen.

Ik rende de tent weer in. De hel was losgebroken. Andere paarden schopten tegen de wanden van hun boxen en krijsten. De eenvoudige, van buizen en canvas gemaakte boxen bewogen rammelend heen en weer. De wanden van de tent fladderden en wapperden in de harde wind. Ik schreeuwde in de hoop dat de indringer er, uit angst om betrapt te worden, vandoor zou gaan.

Een derde paard galoppeerde uit een open box, zag mij, snoof, vloog langs me heen en wierp me tegen de deur van de box achter mij. Op hetzelfde moment werd dat deurtje met kracht opengeduwd waardoor ik naar voren werd geslingerd en hard op mijn knieën landde.

Ik krabbelde zo snel mogelijk naar het deurtje aan de overkant van het gangpad om mijzelf eraan overeind te trekken. Het paard kwam bokkend en loeiend uit de box achter mij en begon naar me te schoppen. Ik voelde de lucht langs mijn oor suizen toen de hoef zijn doel op een haar na miste.

Voor ik de kans had gekregen om me om te draaien, kreeg ik iets zwarts en stinkends over mijn hoofd en bovenlichaam en werd ik met kracht naar voren, tegen een box geduwd. Ik probeerde de deken van me af te trekken, maar kon mijn armen niet omhoogkrijgen. Ik snakte naar lucht. Ik snakte naar het beetje licht dat er was. Ik wilde vrij zijn om mijn belager te lijf te kunnen gaan, maar kon niet voorkomen dat ik naar achteren en naar links en rechts heen en weer werd geslagen.

Ik werd duizelig, wankelde op mijn benen en zakte op één knie. Het volgende moment sloeg iemand me met iets hards zo hard op mijn rug dat ik sterretjes zag.

Bij de derde klap viel ik voorover en bleef roerloos liggen. Mijn adem kwam als een heet raspen uit het bovenste gedeelte van mijn longen. Het enige dat ik kon horen was het dreunen in mijn hoofd, en ik vroeg me af of ik weer ver genoeg bij mijn positieven zou zijn voor het volgende paard over me heen zou rennen en me onder zijn hoeven zou verpletteren. Ik probeerde overeind te komen, maar kreeg het niet voor elkaar. Mijn lichaam weigerde de boodschappen van mijn hersenen te gehoorzamen. Mijn rug deed verschrikkelijke pijn en ik moest hoesten maar kon geen lucht krijgen.

Er verstreken een paar seconden. Ik werd niet verpletterd. Ik werd niet doorboord door de tanden van een hooivork. Ik nam aan dat mijn aanvaller er vandoor was gegaan, en mij op het verkeerde moment op de verkeerde plek had achtergelaten. Er waren paarden ontsnapt. Als iemand deze stal binnen zou komen en mij zou vinden...

Ik probeerde opnieuw kracht te verzamelen en het lukte me de paardendeken van mijn hoofd te trekken. Ik hapte naar lucht en probeerde de misselijkheid de baas te blijven terwijl ik me aan de staldeur vastgreep en mezelf overeind trok. Ik was zo duizelig dat ik nog net de tent uit kon wankelen voor ik weer in elkaar zakte.

De zaklantaarn lag op de grond waar hij terecht was gekomen toen ik door het eerste paard was geraakt, en wierp een gele lichtbundel in het duister. Ik raapte hem op, pakte een scheerlijn vast en trok mezelf overeind.

Paarden renden rond het opgeschoonde terrein. Een ander groepje galoppeerde tussen deze tent en die van de buren. Het was nog harder gaan waaien en het begon te regenen. In de verte hoorde ik iemand roepen. Het was tijd om te gaan.

Ik stapte net ver genoeg de tent binnen om de lichtbundel op de voorzijde van een open box te kunnen laten schijnen.

In noodgeval contact opnemen met Michael Berne, telefoon...

'Blijf staan. Laat die zaklantaarn vallen.'

De stem kwam van achter mijn rug en ging vergezeld van een lichtbundel die over mijn schouders viel. Ik bleef mijn zaklantaarn vasthouden maar spreidde mijn armen.

'Ik hoorde lawaai,' zei ik, terwijl ik me half omdraaide. 'Er was hier iemand binnen die de boxen openmaakte.'

'Ja hoor,' reageerde hij sarcastisch. 'Drie keer raden wie. Laat die zaklantaarn vallen.'

'Ik was het niet,' zei ik, terwijl ik me nog een stukje verder omdraaide. 'Ik heb juist geprobeerd ze tegen te houden, en ik heb de blauwe plekken om dat te bewijzen.'

'Ik ga het niet nóg eens zeggen, juffie. Laat vallen, die zaklantaarn.'

'Ik wil zien wie u bent. Hoe kan ik er zeker van zijn dat u niet degene bent die de paarden heeft losgelaten?'

'Ik ben van de beveiliging.'

Dat vond ik geen geruststelling. De beveiliging van het wedstrijdterrein was in handen van een particulier bedrijf dat de gunstigste offerte had geleverd. Het personeel was waarschijnlijk even betrouwbaar en goed opgeleid als dat wat met messen en schietwapens gewapende gekken aan boord van vliegtuigen liet stappen. Het zou me niets verbazen als de helft van hen veroordeelde misdadigers waren. En zolang ik met mijn rug naar hem toe stond, wist ik niet eens of hij wel een uniform droeg.

'Ik wil je zien.'

Ik hoorde hem ongeduldig zuchten. Voor hij nee kon zeggen, draaide ik me om en scheen hem recht in het gezicht met het licht van mijn zaklantaarn.

Het tweede dat me aan hem opviel waren zijn kleren. Het eerste dat ik zag was zijn revolver.

'Hoort dat bij het uniform?' vroeg ik.

'Het hoort bij *mijn* uniform.' Hij gebaarde ermee. 'Geen verdere vragen. Doe die zaklantaarn uit en geef hem aan mij. Kom mee.'

Ik gehoorzaamde hem, en was maar al te bereid hem naar buiten te volgen waar andere mensen moesten zijn. Ik overwoog even in hoeverre een vluchtpoging zinvol zou zijn, maar zag daar vrijwel onmiddellijk weer vanaf. Ik wilde niet dat er naar mij gezocht zou worden, en al helemaal niet als dat zou kunnen betekenen dat mijn signalement op de voorpagina van de krant zou komen. En evenmin had ik behoefte aan een kogel in mijn rug. En gehoorzamen had bovendien het voordeel dat ik nieuwe feiten te weten zou kunnen komen.

Buiten hoorde ik mensen roepen en paarden hinniken. Ik hoorde hoefgetrappel op het pad. De bewaker bracht me naar een golfkarretje dat naast tent negentien – Jades stal – geparkeerd stond.

Ik vroeg me af hoelang dat wagentje daar al stond. Ik vroeg me af hoe gemakkelijk het zou zijn om zo'n man als deze om te kopen om een paar boxen open te zetten. Iemand die een mager salaris verdiende met 's nachts paarden te bewaken die meer waard waren dan de gemiddelde mens in zijn hele leven verdiende, zou weleens een heel persoonlijke opvatting van goed en kwaad kunnen hebben.

Ik stapte in het wagentje. De zitting was nat en glad van de regen. De bewaker hield zijn revolver in zijn linkerhand terwijl hij het wagentje startte en keerde. Ik ging verzitten en draaide me half naar hem toe, waarbij ik mijn hand onopvallend naar de Glock bracht die nog steeds veilig, onder mijn jack en coltrui, achter in de tailleband van mijn spijkerbroek stak.

'Waar gaan we naar toe?'

Hij gaf geen antwoord. Door de walkietalkie aan zijn broekriem hoorden we andere bewakers die melding maakten van de uitgebroken paarden. Hij vond het niet nodig om te melden dat hij mij in de kraag had gevat. Dat beviel me niet. We reden het pad af naar het centrum van het wedstrijdterrein dat, om twee uur 's nachts, wel een spookstadje leek.

'Ik wil je baas spreken,' verklaarde ik op autoritaire toon. 'En iemand zal rechercheur James Landry van het kantoor van de sheriff moeten bellen.'

Daar keek hij van op.

'Hoezo?'

Nu gaf ik geen antwoord. Laat hem daar maar over nadenken. We passeerden andere bewakers, en andere mensen die zich door de regen haastten om deel te nemen aan de jacht op een zestal volbloeden dat uitzinnig van vreugde van de vrijheid genoot.

We reden door het labyrint van tenten en langs een rij verlaten winkels. De regen kwam met vlagen omlaag. We reden verder en verder van elke eventuele vorm van hulp. Mijn hart schakelde naar een hogere versnelling. De adrenaline in mijn bloed had de uitwerking van een drug, en het vooruitzicht op gevaar was duizelingwekkend en opwindend. Ik keek naar de bewaker en vroeg me af wat hij zou denken als hij dat wist. De meeste mensen zouden het nogal verontrustend vinden.

Hij parkeerde het karretje naast een van de grote stacaravans waarin de verschillende kantoren van het terreinbeheer waren ondergebracht, en zette de motor uit. We liepen het metalen trapje op en de bewaker duwde me voor zich uit naar binnen. Naast een metalen bureau stond een zwaargebouwde man te luisteren naar het lawaai dat uit een forse walkietalkie schalde. Hij had de hals van een kikker: een zak vlees die breder was dan zijn hoofd, en die slap over de boord van zijn overhemd hing. Ook hij droeg het blauwe bewakersuniform, alleen had hij een paar extra speldjes op zijn borst. Onderscheidingen voor verdienstelijk zitwerk en al dan niet officieel vereist delegeren, vermoedde ik. Hij keek me onvriendelijk aan terwijl ik voor hem stond en de regen van me af op de vloer droop.

'Zij heeft het gedaan,' zei de bewaker. 'Ik heb haar betrapt toen ze bezig was de deuren van de boxen te openen.'

Ik keek hem strak aan en zei op veelbetekenende toon: 'Is dat de enige verrassing, of kunnen we er nog meer van je verwachten?'

Hij had zijn revolver weggestopt. Ik zag hem worstelen met het besef dat hij het verpest had door mij dat wapen te tonen. Ik had iets dat ik tegen hem zou kunnen gebruiken. Als bewaker werd hij niet geacht gewapend te zijn. En het zou me ook niets verbazen als hij geen vergunning had. Als dat inderdaad het geval was en ik hem bij de politie zou aangeven, was de kans groot dat hij op zijn minst zijn baan kwijt zou raken. Ik zag aan zijn gezicht dat hij zich al die dingen op dat moment realiseerde.

Als hij echt intelligent was, dan zou hij geen bewaker met nachtdienst in een neppolitie-uniform zijn geweest.

'Je hebt me betrapt toen ik met een zaklantaarn in een stal stond,' zei ik. 'Ik wilde alleen maar helpen. Net als jij.'

'Heb je iets tegen Michael Berne?' vroeg de kikker. Hij had een zwaar zuidelijk accent.

'Ik heb Michael Berne nog nooit persoonlijk ontmoet, maar toevallig heb ik hem vanochtend gezien toen hij luidkeels ruzie met Don Jade stond te maken. Misschien zou je er beter aan doen om uit te zoeken waar meneer Jade op dit moment is.'

De baas keek me strak aan. 'Berne is gewaarschuwd en hij komt eraan,' zei hij. 'Met de politie. Gaat u zitten, mevrouw...?'

Ik gaf geen antwoord en ging niet zitten, hoewel mijn rug verschrikkelijk pijn deed van de dreunen die ik te incasseren had gekregen.

'Vergeet niet tegen die politielui te zeggen dat ze de hele stal als plaats delict moeten behandelen,' zei ik. 'Afgezien van het feit dat de dader die paarden heeft vrijgelaten, heeft hij ook nog geprobeerd om mij in elkaar te slaan toen ik hem weg probeerde te jagen. Er moet een hooivork of een bezem – iets met een lange steel – te vinden zijn met zijn vingerafdrukken erop. Ik wil een officiële aanklacht indienen, en ik wil naar de Eerste Hulp om me te laten onderzoeken. Wat voor regels worden hier eigenlijk gehanteerd als mens en dier hier niet veilig zijn?'

Kikker keek me aan alsof hij nog nooit iemand van mijn soort was tegengekomen. 'Wie bent u?'

'Ik zeg u niet hoe ik heet.'

'Ik heb uw naam nodig, mevrouw, om rapport op te maken.'

'Dat heeft u een probleem, want ik zeg het u niet,' zei ik. 'Ik hoef u helemaal niets te vertellen. U hebt geen enkele officiële bevoegdheid en op grond daarvan hebt u geen enkel recht om mij naar mijn naam te vragen.'

'De politie is onderweg,' zei hij bij wijze van dreigement.

'Dat is best. Ik heb er geen enkel bezwaar tegen om met hen mee te gaan, hoewel ze geen enkele aanleiding hebben om mij te arresteren. Voor zover ik weet is het geen misdrijf om in een stal op de gang te staan.'

'Bud zegt dat u die paarden hebt losgelaten.'

'Volgens mij moet u Bud nog maar eens vragen wát hij precies heeft gezien.'

Hij keek naar Bud. 'Liet ze die paarden eruit, of niet?'

Bud had het zichtbaar benauwd. Hij was niet in staat om de leugen te vertellen die hij wilde vertellen om zijn baan niet op het spel te zetten of om bij zijn baas in een goed blaadje te komen. 'Ze stond in die stal.'

'En jij ook,' merkte ik op. 'Hoe kunnen we er zeker van zijn dat jíj die paarden er niet uit hebt gelaten?'

'Dat is belachelijk,' vond de kikker. 'Waarom zou hij zoiets doen?'

'Daar kan ik alleen maar naar gissen. Geld. Boosaardigheid. Gestoordheid.'

'Misschien gelden diezelfde motieven wel voor u.'

'Niet op dit moment.'

'Hebt u hier paarden staan, mevrouw...?'

'Ik heb u verder niets meer te zeggen,' verklaarde ik. 'Mag ik uw telefoon even gebruiken om mijn advocaat te bellen?'

Hij keek me aan en kneep zijn ogen half dicht. 'Nee!'

Ik nam plaats op een eenvoudige stoel naast het bureau. Kikkers radio kraakte, en de poortwachter meldde dat de assistenten van de sheriff bij het hek stonden. Dat was boffen. Ik voelde er weinig voor om Michael Berne onder deze omstandigheden tegen te komen. Kikker zei de poortwachter dat hij de auto door moest sturen naar het kantoor van de bewaking.

'Het laten ontsnappen van paarden is een ernstig misdrijf,' zei hij tegen mij. 'Daarvoor kunt u in de gevangenis komen.'

'Nee, ik niet, want ik heb die paarden niet laten ontsnappen. En de dader kan hooguit kattenkwaad ten laste worden gelegd, en dat is op zijn ergst een zware overtreding waar hij een boete voor kan krijgen en misschien nog een vorm van taakstraf. Het is echt niets in vergelijking met, ik noem maar wat, het zonder vergunning onzichtbaar dragen van een wapen,' zei ik, met een blik op de nijdig kijkende Bud.

'Ik dacht dat u zei dat u verder niets meer te zeggen had,' zei hij.

Ik streek mijn natte haren naar achteren met mijn handen, en stond op toen ik voor de caravan een autoportier hoorde slaan. De agent kwam binnen met het gezicht van iemand die lekker had liggen slapen toen de oproep was binnengekomen.

'Wat is er aan de hand? Heeft iemand een paar paarden vrijgelaten? Zij?'

'Ze was in de buurt,' zei Kikker. 'Misschien dat ze ons wat meer over de misdaad kan vertellen.'

De agent keek me onverschillig aan. 'Kunt u dat, mevrouw?'

'Ik praat alleen maar met rechercheur Landry,' zei ik.

'Uw naam, mevrouw?'

Ik liep langs hem heen naar de deur, en las in het voorbijgaan zijn naam op het schildje op zijn borst. 'Laten we het daar in de auto maar over hebben, agent Saunders. We gaan.'

Hij keek Kikker aan die zijn hoofd schudde en zei: 'Ik wens je sterkte met haar, jongen. Ze is me er eentje.'

9

'En hiervoor heb je me uit bed gehaald?' Landry keek met een vies gezicht van agent Saunders naar mij.

'Ze wil met niemand anders praten,' zei Saunders.

We liepen de gang af naar de teamkamer. 'Bofkont die ik ben,' mompelde Landry. 'Ik snap werkelijk niet wat we hier doen. Je had dit al een halfuur geleden in het veld kunnen afhandelen, verdomme.'

'Ik ben aangevallen en mishandeld,' zei ik. 'En daarmee heb ik recht op iemand van de recherche.'

'In dat geval neem je gewoon degene die dienst heeft. Dat hoef ik jou niet te vertellen.'

'Maar ik ben al bij je geweest voor deze zaak. Je werkt er al aan.'

'Nee, want er is geen zaak. Wat je me gisteren bent komen vertellen is geen zaak.'

We passeerden de receptie, en Landry legde zijn schildje en zijn wapen in het laatje voor de agent die aan de andere kant achter het kogelvrije glas zat. Saunders volgde zijn voorbeeld. Ik haalde de Glock uit mijn broekband, en legde hem, samen met mijn autosleutels, in het laatje. Landry keek me verbaasd aan.

Ik haalde mijn schouders op. 'Ik heb een vergunning.'

Hij wendde zich tot Saunders. 'Stomme idioot die je bent! Ze had je in de auto dwars door je lege hoofd kunnen schieten.'

'Kom, kom, Landry,' kirde ik, terwijl ik langs hem heen glipte toen de agent achter het loket de deur voor ons openzoemde, 'zo'n type ben ik echt niet.'

'We hebben je verder niet nodig, Saunders,' snauwde hij. 'Je bent even nutteloos als een slappe lul.'

We lieten de treurig kijkende Saunders achter bij de receptie. Landry liep langs me heen, en ik zag zijn kaakspieren werken. We liepen langs zijn bureau naar een van de verhoorkamers. Hij duwde de deur open.

'Hier.'

Ik stapte naar binnen en ging voorzichtig zitten. De pijn in mijn rug was zodanig dat ik onmogelijk diep kon ademhalen. Ik vroeg me af of ik misschien beter even naar de Eerste Hulp zou kunnen gaan.

Landry smeet de deur achter ons dicht. 'Wat denk je wel niet, verdomme.'

'Dat is een nogal vage vraag, maar ik zal je een aantal van mijn gedachten die ik relevant acht, vertellen,' zei ik. 'Ik was naar het centrum gegaan om te kijken of ik iets zou kunnen vinden in verband met Erin Seabrights verdwijning.'

'Maar je bevond je niet in de stal waar zij werkte, of wel? De trainer voor wie zij werkte heet Jade. Dus wat deed je dan in die andere stal?'

'Michael Berne is een vijand van Don Jade. Vanochtend stond ik erbij toen Berne Jade bedreigde.'

'Bedreigde? Hoe?'

'"Als ik kan bewijzen dat jij dat paard hebt vermoord, dan maak ik je kapot." Op die manier.'

'Dus dan gaat Jade ongezien Bernes stal binnen en laat zijn paarden ontsnappen. Erg, hoor.'

'Ja, dat is erg voor iemand die voor zijn brood afhankelijk is van de gezondheid van die paarden. Het is erg voor een trainer die aan een eigenaar moet uitleggen hoe het komt dat zijn paard van een kwart miljoen dollar of van een half miljoen dollar zijn been heeft gebroken toen hij midden in de nacht buiten los rondliep.'

Landry slaakte een zucht en draaide zijn hoofd in een vreemde hoek alsof hij een stijve nekwervel los probeerde te maken. 'En daarvoor haal je mij uit bed?'

'Nee. Dat heb ik alleen maar voor de lol gedaan.'

'Estes, je bent een onuitstaanbare etter. Maar dat heb je vast al vaker gehoord.'

'O, ja, en nog veel erger. Ik lig er niet van wakker. Ik heb zelf ook niet echt zo'n hoge dunk van mijn persoontje,' zei ik. 'Je zult me wel ad rem vinden, en dat geeft niet. Het kan me niet schelen wat je van me denkt. Ik wil alleen maar dat je je bewust bent van het feit dat er erge dingen aan de hand zijn die allemaal iets met Don Jade te maken lijken te hebben. Don Jade is de man voor wie Erin Seabright werkte. Erin Seabright wordt vermist. Zie je daar misschien een verband?'

Hij schudde zijn hoofd. 'En dan hoor ik dat je betrapt bent in de stal van die andere man. Hoe kan ik er zeker van zijn dat je die paarden niet alleen maar hebt losgelaten om de aandacht te trekken? Je wilt dat Jade nader onder de loep wordt genomen, dus je bedenkt een leuk drama om –'

'Ja hoor, natuurlijk. En dan ga ik mijzelf ook nog eens met de steel van een hooivork te lijf. Ik mag dan lenig zijn, maar zó lenig ben ik nu ook weer niet.'

'Je loopt anders gewoon rond. Zo te zien viel die aframmeling best mee.'

Ik trok mijn jasje uit en stond op. 'Vooruit dan maar. Normaal gesproken doe ik dit soort dingen niet tijdens een eerste verhoor, maar als je belooft dat je me geen slet zult noemen...'

Ik ging met mijn rug naar hem toe staan en trok mijn trui op tot aan mijn nek. 'Als die blauwe plekken er zelfs maar half zo erg uitzien als ze voelen –'

'Jezus.'

Hij zei dat woordje heel zacht, zonder boosheid, zonder kracht, net alsof hem de wind uit de zeilen was genomen. Ik wist dat het waarschijnlijk niet zozeer te maken had met de aframmeling die ik voorheen had opgelopen, als wel met de lapjesdeken van huidtransplantaties waar ik sinds twee jaar mee liep.

Daar was het me niet om te doen geweest. Absoluut niet. Ik was intussen al aan die littekens gewend geraakt. Ze hoorden bij me. Ik had er niet mee te koop gelopen omdat ik me zo min mogelijk aan de buitenwereld vertoonde. Ik stond er niet bij stil. Ik keek er niet naar. In zeker opzicht was de lichamelijke schade die ik had opgelopen niet belangrijk voor me, omdat ik mijzelf niet meer belangrijk vond.

Maar opeens was mijn beschadigde lichaam wel belangrijk. Ik voelde me in emotioneel opzicht naakt. Kwetsbaar.

Ik bleef met mijn rug naar Landry toe staan terwijl ik mijn trui weer naar beneden trok en mijn jasje van de stoel pakte.

'Laat maar zitten,' zei ik. Ik schaamde me en was nijdig op mezelf. 'Ik ga naar huis.'

'Wil je een aanklacht indienen?'

'Tegen wie?' vroeg ik, terwijl ik me naar hem omdraaide. 'Tegen de klootzak naar wie je toch niet op zoek zult gaan, laat staan dat je hem zult ondervragen, omdat die paardentypes en hun wereldje je niet interesseren? Tenzij je natuurlijk opeens met een lijk wordt geconfronteerd.'

Daar had hij niets op te zeggen.

Mijn mondhoek kwam omhoog in wat doorging voor een bitter glimlachje. 'Stel je voor, je bent nog menselijk genoeg om je beschaamd te kunnen voelen. Dat pleit voor je, Landry.'

Ik liep langs hem heen naar de deur. 'Zullen we erom wedden dat Saunders op de parkeerplaats een dutje zit te doen? Tot kijk, Landry. Ik bel je wel zodra ik dat lijk gevonden heb.'

'Estes. Wacht.' Hij meed mijn blik toen ik me omdraaide en hem aankeek. 'Je moet naar de Eerste Hulp. Ik breng je wel. Misschien heb je wel een rib gebroken, of zo.'

'Er zijn me wel ergere dingen overkomen.'

'Jezus, wat ben jij koppig.'

'Ik wil je medelijden niet,' zei ik. 'En je medeleven kun je me ook besparen. Ik wil niet dat je me aardig vindt of dat je je zorgen maakt om wat me overkomt. Het enige dat ik van je wil, is dat je je werk doet. Maar kennelijk is dat te veel gevraagd.

Ik kom er zelf wel uit. Ik ken de weg.'

Hij volgde me terug naar de receptie. Geen van beiden zeiden we iets toen we onze wapens weer in bezit namen. Terwijl we de gang af liepen en de trap af gingen, deed ik alsof hij volledig lucht voor me was.

'Ik ben goed in mijn werk,' zei hij, toen we bijna bij de ingang waren.

'O, echt? En wat doe je voor werk? Heb je een bijbaantje als beroepslul?'

'God, jij bent me er eentje, zeg.'

'Ik ben wat ik behoor te zijn.'

'Nee, dat ben je niet,' zei hij. 'Je bent onbeschoft en je bent een kreng, en op de een of andere manier denk je daardoor dat je beter bent dan wij.'

De regen kwam nog steeds met bakken uit de hemel. Hij leek wit op de plaatsen waar hij voor de lichten op de parkeerplaats langs viel. Saunders en zijn patrouillewagen waren verdwenen.

'Geweldig,' zei ik. 'Kennelijk zal ik die lift van je dan toch moeten aannemen.'

Landry keek me van terzijde aan en zette de kraag van zijn jack op. 'Krijg de kolere. Je belt maar een taxi.'

Ik keek hem na tot hij in zijn auto was gestapt, en bleef in de regen staan totdat hij van de parkeerplaats was gereden. Toen ging ik weer naar binnen om op te bellen.

Ik kon niet zeggen dat ik er niet om had gevraagd.

Toen de taxi na geruime tijd wachten kwam, had de chauffeur duidelijk behoefte aan een praatje. Hij wilde weten wat ik midden in de nacht bij het kantoor van de sheriff deed, en waarom ik een taxi nodig had om naar huis te komen. Ik vertelde hem dat mijn vriend in verband met een gepleegde moord werd gezocht. Daarna stelde hij geen vragen meer.

Ik maakte het me achter in de taxi zo gemakkelijk mogelijk, en vroeg me gedurende de rest van de rit af hoe Erin Seabright de nacht doorbracht.

TWEEDE BEDRIJF

Scène een

Inzoomen:

Locatie: binnen, in een oude stacaravan

Nacht. Een enkel wit peertje in een lamp zonder kap. Geen gordijnen voor de smerige raampjes. Een oud, roestig, ijzeren bed. Bevuilde matras zonder lakens.

Erin zit angstig in elkaar gedoken tegen het hoofdeinde op het bed. Ze is naakt. Ze is met één pols aan het bed geketend. Haar haren zitten door de war. Ze heeft mascaravlekken onder haar ogen. Haar gespleten onderlip is bloederig.

Ze is zich scherp bewust van de camera en de regisseur van de scène. Ze probeert zichzelf zoveel mogelijk te bedekken. Ze huilt stilletjes voor zich heen en probeert haar gezicht te verbergen.

REGISSEUR

Kijk in de camera, kreng. Zeg wat je moet zeggen.

Ze duikt nog wat verder in elkaar en schudt haar hoofd.

REGISSEUR
Zeg op! Moet ik je soms dwingen?

Ze schudt haar hoofd en kijkt in de camera.

ERIN
Help me.

Fade-out

10

Landry kon niet in slaap komen, en dat was Estes' schuld. Om te beginnen was het haar schuld dat hij midden in de nacht uit bed was gebeld. En het was haar schuld dat hij nu, nu hij weer thuis was, de slaap niet meer kon vatten. Telkens wanneer hij zijn ogen sloot, zag hij haar rug met die doolhof van littekens op al die plaatsen waar nieuwe huid aan oude huid was gehecht. De blauwe plekken die net kwamen opzetten als gevolg van die aframmeling die ze in het ruitercentrum had gekregen, stelden niets voor in vergelijking met de bewijzen van wat haar eerder was overkomen.

Wat haar eerder was overkomen. Hij dacht aan Estes en wat hij van haar wist. Ze waren elkaar nooit tegengekomen. De narcoticabrigade hield er een eigen, specifieke werkwijze op na. Naar zijn idee werkten ze veel te veel als infiltranten, vond hij. Dat maakte hen kribbig en onvoorspelbaar. Een mening die gebaseerd was op het incident dat het einde van haar carrière, en het einde van het leven van Hector Ramirez had betekend. Wat hij van dat incident wist, was wat iedereen ervan wist: Estes had voorbarig gehandeld, had het bevel van hogerhand genegeerd om de arrestatie op háár naam te kunnen schrijven, en toen was de hel losgebarsten.

Toen hij het verhaal had gehoord, had hij gemeend dat Estes, met het kwijtraken van haar baan, had gekregen wat ze verdiend had. Hij wist dat ze gewond was geraakt, dat ze in het ziekenhuis had gelegen en dat ze om een uitkering procedeerde – hetgeen hij, gezien de omstandigheden, nogal ver vond gaan – maar het had niets met hem te maken en ze kon hem geen barst schelen. Ze betekende problemen. Dat had hij meteen al vermoed, maar nu wist hij het zeker.

Opdringerig kreng. Hoe durfde ze hem te vertellen hoe hij zijn werk moest doen.

Hij vroeg zich af wat haar in dat ruitercentrum was overkomen, en of het echt iets te maken had met dat meisje dat volgens haar vermist werd...

Als dat meisje vermist werd, waarom was haar vermissing dan alleen maar gemeld door dat meisje van twaalf? Waarom niet door haar ouders? Of door haar baas?

Haar ouders, die mogelijk van haar af wilden zijn.

Haar baas die mogelijk een grote oplichter was, en die mogelijk degene was die Estes met een bezemsteel te lijf was gegaan.

Hij had haar rug gezien – een lapjesdeken van stukjes strak over haar botten gespannen huid.

Om half zes stond hij op, trok een joggingshort aan, rekte zijn spieren, deed honderd sit-ups en honderd push-ups, en begon aan zijn werkdag. Voor de tweede keer.

Ik sta naast de caravan van de gebroeders Golam. Mijn opdracht was om te blijven staan en te wachten, maar ik weet dat dat niet de juiste beslissing is. Als ik als eerste naar binnen ga, als ik nu naar binnen ga, dan zijn de broers er geweest. Ze denken dat ze me kennen. Ik heb drie maanden aan deze zaak gewerkt. Ik weet wat ik doe. Ik weet dat ik gelijk heb. Ik weet dat de gebroeders Golam achterdocht beginnen te koesteren. Ik weet dat ik deze arrestatie wil en dat ik er recht op heb. Ik weet dat inspecteur Sikes alleen maar is gekomen voor de show, om met de eer te gaan strijken zodra de pers er is, en om het publiek te laten denken dat ze bij de volgende sheriffverkiezingen op hem moeten stemmen.

Hij heeft me bij de zijkant van de caravan gezet en gezegd dat ik moest wachten. Weet hij veel. Hij weet niet eens dat de broers bij voorkeur de zijdeur gebruiken. Terwijl Sikes en Ramirez de voorzijde in de gaten houden, zijn de broers bezig om het geld in reistassen te stoppen en bereiden ze zich voor op hun ontsnapping via de zijdeur. Billy Golams met modder bespatte terreinwagen staat drie meter van de deur af geparkeerd. Als ze willen vluchten zullen ze de terreinwagen nemen, en niet de Corvette die bij de voordeur staat. Met de terreinwagen kunnen ze van de weg af.

Sikes verliest kostbare seconden. De broers hebben twee meisjes bij zich in de caravan. Dit kan gemakkelijk een gijzelingssituatie worden. Maar als ik nu naar binnen ga... Ze denken dat ze me kennen.

Ik maak radiocontact. 'Dit slaat nergens op. Ze zullen de terreinwagen nemen. Ik ga naar binnen.'

'Verdomme, Estes –' Sikes.

Ik verbreek het contact en laat de radio naast de caravan in het gras vallen. Het is mijn *zaak. Het is* mijn *arrestatie. Ik weet wat ik doe.*

Ik trek mijn wapen en hou het achter mijn rug. Ik ga naar de zijdeur en klop op de manier waarop al Golams klanten kloppen: twee klopjes, één klopje, twee klopjes. 'Hé, Billy, ik ben het, Elle. Ik heb spul nodig.'

Billy Golam trekt de deur met een ruk open. Zijn ogen staan wild en hij is high van de door hem zelf gebrouwen speed – crystal meth. Hij hijgt. Hij heeft een pistool in zijn hand.

Verdomme.

De voordeur wordt ingetrapt.

Een van de meisjes schreeuwt.

Buddy Golam schreeuwt: 'Smerissen!'

Billy Golam brengt zijn .357 tot vlak voor mijn gezicht. Ik haal voor de laatste keer adem.

Hij draait zich met een ruk om en schiet. De knal is oorverdovend. De kogel treft Hector Ramirez in het gezicht en komt er aan de achterkant van zijn hoofd weer uit, terwijl Sikes, die achter hem staat, een douche van bloed en hersens over zich heen krijgt.

Ik duik omlaag naar mijn wapen, terwijl Billy de deur uit komt gevlogen en me van het trapje duwt.

Hij rent naar de terreinwagen terwijl ik overeind probeer te krabbelen.

Ik hoor de motor starten.

'Billy!' schreeuw ik, en ik ren naar de auto.

'Klote! Klote! Klote!' Hij schreeuwt en de pezen in zijn nek zijn strakgespannen. Hij schakelt in de achteruit en geeft gas.

Ik duik naar het zijportier, grijp me vast aan de buitenspiegel en het open raampje, en zet mijn voeten op de treeplank. Ik denk niet na bij wat ik doe. Ik dóe gewoon.

Ik schreeuw. Hij schreeuwt.

Hij brengt zijn pistool omhoog en richt de loop op mijn gezicht.

Ik geef een dreun op zijn wapen, en geef hem een dreun in zijn gezicht.

Hij geeft een ruk aan het stuur terwijl hij vol gas achteruitrijdt. Mijn ene voet glijdt van de treeplank. Hij schakelt vooruit en het grind spat op van onder de wielen.

Ik probeer niet te vallen. Ik probeer het stuur vast te grijpen.

De auto rijdt de stoep op. Golam rukt het stuur naar links. Zijn gezicht is een verwrongen masker – zijn ogen zijn wijd opengesperd en zijn ogen schieten wild heen en weer. Ik probeer hem bij zijn strot te grijpen. Hij gooit het portier open terwijl de auto in een slip raakt.

Ik hang in de ruimte.

Ik val.

De weg slaat tegen mijn rug.

Mijn linker jukbeen verbrijzelt als een ei.

De zwarte schaduw van Billy Golams terreinwagen schiet over me heen, en ik sterf.

En ik word wakker.

Half zes 's ochtends. Na twee uur onrustig dutten, en wachten tot een scherpe punt van een gebroken rib één of beide longen zal doorboren, kwam ik heel voorzichtig uit bed en rekte me beetje bij beetje uit.

Ik ging naar de badkamer, ging naakt voor de spiegel staan en bekeek mijn lichaam. Te mager. Rechthoekige littekens op mijn beide dijen waar de huid voor de transplantatie was weggehaald. Diepe groeven in de huid van mijn linkerbeen.

Ik draaide me om en keek over mijn schouder om mijn rug in de spiegel te zien. Ik bekeek wat ik Landry had laten zien, en realiseerde me hoe stom ik was geweest.

Het enige nuttige dat ik ooit van mijn vader had geleerd: laat niemand ooit je zwakke plek zien en maak nooit een kwetsbare indruk.

De blauwe plekken van de afgelopen nacht waren donkerbruine strepen. Ademhalen deed pijn.

Om kwart over zes, nadat ik de paarden had gevoerd, reed ik naar de Eerste Hulp. Op de röntgenopnamen bleek dat er niets was gebroken. Een vermoeid uit zijn ogen kijkende assistent, die nog minder had geslapen dan ik, stelde me vragen, en het was duidelijk dat hij niet geloofde dat ik van de trap was gevallen. Al het verplegend personeel wierp me wantrouwende maar emotieloze blikken toe. Er werd me twee keer gevraagd of ik misschien met de politie wilde praten. Ik bedankte hen. Niemand dwong me, en ik vroeg me af hoeveel mishandelde vrouwen ze zomaar weer weg lieten gaan om terug te keren naar hun eigen, persoonlijke hel.

De assistent braakte een hele reeks medische termen uit, en probeerde met zijn dure opleiding indruk op me te maken.

Ik keek hem onverschillig aan en zei: 'Ik heb gekneusde ribben.'

'Je hebt gekneusde ribben. Ik geef je een recept voor iets tegen de pijn. Ga naar huis en doe het rustig aan. Probeer je achtenveertig uur zo weinig mogelijk te bewegen.'

'O. Best.'

Hij gaf me een recept voor Vicodin. Ik keek ernaar en moest lachen. Terwijl ik het ziekenhuis verliet stopte ik het in de zak van mijn jack. Mijn armen deden het, mijn benen deden het, er staken geen botten uit mijn lijf, en ik bloedde niet. Ik kon lopen, en ik voelde me best. Mijn leven was niet in gevaar, en ik moest mensen spreken en dingen onderzoeken.

De eerste die ik belde was Michael Berne, of liever, zijn assistent – het telefoonnummer dat op de deur van de box had gestaan. Michael had het druk.

'Vraag hem maar of hij het ook te druk heeft om met een potentiële klant te praten,' zei ik. 'Want als dat zo mocht zijn, ga ik naar Don Jade.'

Wonder boven wonder had Michael opeens tijd voor me, en de assistent gaf de telefoon door aan hem.

'Met Michael. Waarmee kan ik u van dienst zijn?'

'Met mij te vertellen wat u over uw vriend, Don Jade, weet,' zei ik zacht. 'Ik ben privé-detective.'

11

Ik kleedde me helemaal in het zwart, kamde mijn haar met een handvol gel naar achteren, zette een zonnebril op en gapte Seans zwarte Mercedes SL. Ik had zó een rol in *The Matrix* kunnen krijgen. Serieus, mysterieus en gespannen. Het was geen vermomming maar een uniform. Niets is zo belangrijk als het image.

Ik had Berne gevraagd om mij te ontmoeten op de parkeerplaats van Denny's in Royal Palm Beach. Dat was vanaf het ruitercentrum een kwartier rijden. Hij had gemopperd over de afstand, maar ik wilde voorkomen dat iemand ons in de buurt van het ruitercentrum samen zou zien.

Berne kwam in een Honda Civic die betere tijden had gekend. Hij stapte uit en keek zenuwachtig om zich heen. Een privé-detective en een geheime afspraak. Geen wonder dat het hem een beetje duizelde. Hij droeg een morsige grijze rijbroek en een rood poloshirt waarvan de kleur vloekte met die van zijn haar.

Ik zoemde het raampje van de Mercedes open. 'Meneer Berne. U bent hier voor mij.'

Hij keek me aarzelend en onzeker aan, en wist duidelijk niet wat hij aan me had. Een agent voor een schaduworganisatie. Misschien had hij Nancy Drew wel verwacht.

'We blijven hier,' zei ik. 'Stapt u in, alstublieft.'

Hij aarzelde als een kind dat door een vreemde een lift kreeg aangeboden. Hij keek opnieuw om zich heen alsof hij verwachtte dat er iets ergs zou gebeuren. Gemaskerde lieden die uit de struiken tevoorschijn zouden springen om hem te ontvoeren.

'Als u mij iets te vertellen hebt, stapt u dan in,' zei ik ongeduldig.

Hij was zó lang dat hij zich zo ongeveer dubbel moest vouwen om in de Mercedes te kunnen. Een groter contrast met Jades elegante en knappe verschijning was haast niet denkbaar. Een uit zijn krachten gegroeide provinciaal. Rood haar en sproeten, en broodmager. Ik had voldoende over Michael Berne gelezen om te weten dat hij in het begin van de jaren negentig met matig succes had meegedaan aan springconcoursen, en dat hij een paard had bereden dat naar de naam Iroquis luisterde. Het belangrijkste dat hij ooit had gedaan was een tournee door Europa met het Amerikaanse Olympische team. Maar toen hadden Iroquis' eigenaars de hengst onder zijn billen vandaan verkocht, en sindsdien had hij geen enkele overwinning meer op zijn naam geschreven.

Toen Trey Hughes tot zijn stal was toegetreden, had Berne in een interview gezegd dat Stellar hem opnieuw in de internationale schijnwerpers zou brengen. Maar toen vertrok Stellar naar de stal van Don Jade, en was Michael Bernes ster opnieuw gedoofd.

'Voor wie werkt u ook alweer, mevrouw Estes?' vroeg hij, terwijl hij zijn blik over het interieur van de dure auto liet gaan.

'Dat heb ik u niet gezegd.'

'Werkt u voor de verzekering? Of voor de politie?'

'Hoeveel politiemensen kent u, meneer Berne, die in een Mercedes rijden?' vroeg ik. Ik schonk hem een allervaagst geamuseerd glimlachje, waarna ik een van Seans Franse sigaretten opstak en de rook tegen de voorruit blies. 'Ik ben privé-detective, met de nadruk op privé. U hoeft nergens bang voor te zijn, meneer Berne. Tenzij u natuurlijk iets misdaan zou hebben.'

'Ik heb niets misdaan,' haastte hij zich te zeggen. 'Op mijn bedrijf valt niets aan te merken, en er wordt dan ook niet over mij gefluisterd dat ik een paard vermoord zou hebben om het geld van de verzekering te incasseren. Dáárvoor moet u bij Don Jade zijn.'

'Denkt u dat hij Stellar vermoord heeft?'

'Dat weet ik zeker.'

Ik observeerde hem vanuit mijn ooghoeken, en toen ik sprak deed ik dat op een effen, zakelijke toon. 'Kunt u dat ook hard maken? Hebt u bewijzen?'

Hij trok een zuur gezicht. 'Daar is Jade veel te slim voor. Hij laat geen sporen na. Neem bijvoorbeeld wat er gisteravond is gebeurd. Geen mens zal hem ooit in verband brengen met het feit dat iemand mijn paarden heeft laten ontsnappen.'

'Waarom zou hij zoiets willen doen?'

'Omdat ik hem heb uitgedaagd. Ik weet wat hij is. Het komt door mensen als Jade dat de paardenwereld een slechte naam heeft gekregen. Oplichterij, zwendelpraktijken, het stelen van klanten en het vermoorden van paarden. De mensen halen hun schouders ervoor op, tótdat ze er zelf het slachtoffer van worden. Iemand zal er iets aan moeten doen.'

'Bent u ooit door Trey Hughes benaderd om iets met Stellar te doen?'

'Nee. Ik werkte met Stellar. Hij ging goed vooruit. Ik dacht dat we een goede kans hadden om deel te kunnen nemen aan de World Cup. En trouwens, ik wil niets met dat soort praktijken te maken hebben.'

'Waarom heeft Hughes het paard bij u weggehaald?'

'Jade heeft hem bij me vandaan gelokt. Dat doet hij voortdurend – klanten stelen.'

'Het had niets te maken met het feit dat u niet won?'

Berne keek me fel aan. 'Daar werkten we aan. Het was slechts een kwestie van tijd.'

'Maar Hughes wilde niet langer wachten?'

'Het zou me niets verbazen als Jade hem had gezegd dat hij het sneller kon doen.'

'Ja, maar ondertussen doet Stellar helemaal niets meer.'

'Wat heeft de autopsie uitgewezen?'

'Necropsie.'

'Wat?'

'Bij paarden noem je dat necropsie.'

Hij hield er niet van om gecorrigeerd te worden. 'Wat heeft het uitgewezen?'

'Ik verkeer niet in de positie om u dat te mogen vertellen, meneer Berne. Hebben er, vóór de dood van het paard, geruchten de ronde gedaan? Ik heb gehoord dat hij niet helemaal gezond was.'

'Hij werd een dagje ouder. Oudere paarden hebben meer onderhoud nodig – gewrichtsinjecties, extra vitamines en mineralen, dat soort dingen. Maar hij kon heel wat hebben. Hij had een groot hart en deed altijd wat er van hem werd gevraagd.'

'Geen geruchten over onzuivere praktijken in Jades stal?' vroeg ik.

'Er gaan altijd geruchten over Jade. Dit is niet de eerste keer dat hij zoiets heeft gedaan, weet u.'

'Jades achtergrond is mij bekend. Wat zijn de meest recente geruchten?'

'Ach, het gebruikelijke. Wat voor drugs hij zijn paarden geeft. Op wiens klanten hij het heeft voorzien. Hoe hij het voor elkaar heeft gekregen om Trey Hughes klem te zetten.'

'Waarom zou iemand zoiets zeggen?'

'Kom zeg,' zei hij, opnieuw defensief. 'Het kan niet anders dan dat hij iets van die man weet. Hoe zou hij anders die enorme manege hebben kunnen krijgen die Hughes aan het bouwen is?'

'Op grond van zijn verdiensten, misschien? Goede daden? Vriendschap?'

Geen van mijn suggesties sprak hem aan.

'U hebt voor Trey Hughes gewerkt,' zei ik. 'Wat zou Jade van hem kunnen weten?'

'O, kies maar uit: zijn drug *du jour*, met wiens echtgenote hij een verhouding heeft –'

'Hoe het komt dat hij opeens zoveel geld heeft geërfd?' opperde ik.

Berne probeerde naar achteren te leunen en mij op te nemen. Zijn gezichtsuitdrukking had veel weg van die van Jill Morone toen ze zich had afgevraagd wat ze precies aan me had. 'Denkt u dat hij zijn moeder heeft vermoord?'

'Ik denk helemaal niets. Ik vraag alleen maar.'

Hij dacht even na, en toen lachte hij. 'Daar is Trey toch veel te laf voor. Hij stotterde altijd wanneer hij over Sallie sprak. Hij deed het voor haar in zijn broek.'

Ik wees hem er niet op dat Trey alleen maar voldoende lef had hoeven hebben om iemand in te huren die bereid was de daad voor hem te plegen. Delegeren moest een koud kunstje zijn voor iemand die zijn leven lang elke verantwoordelijkheid uit de weg was gegaan.

'U heeft in dat opzicht geen geruchten gehoord?' vroeg ik.

'Er worden achter zijn rug grapjes over gemaakt. Niemand kan het zich echt voorstellen. Trey heeft het al moeilijk genoeg met de dag door te komen. Hij kan zijn portefeuille niet eens ordenen, laat staat dat hij een moord zou kunnen beramen en er ongestraft vanaf zou kunnen komen. En bovendien, hij was met iemand samen toen hij gebeld werd met de boodschap dat zijn moeder was overleden.'

'O ja? Met wie?'

Hij wendde zijn blik af. 'Wat doet het er toe.'

'Dat doet er toe als die persoon iets met de moord te maken heeft.'

'Ach nee, dat is helemaal niet het geval.'

'Ik kom er toch wel achter, meneer Berne. Wilt u dat ik er op het ruitercentrum naar informeer? Dat ik oude wonden openrijt en oude koeien uit de sloot haal?'

Berne keek strak naar buiten.

'Zal ik ernaar raden?' vroeg ik. 'Misschien was u het wel. Dat zou een oud verhaal ineens een totaal andere wending geven, niet?'

'Ik ben geen nicht!'

'Dat is in de paardenwereld toch geen enkele schande, of wel?' zei ik op een verveeld toontje. 'Wat ik ervan gezien heb, is hooguit één op de twee mannen hetero. Stel je voor, al die nieuwe vrienden die u zou hebben wanneer u uit de kast zou komen. Of misschien hebt u dat al gedaan. Ik zou op zoek kunnen gaan naar een vroeger vriendje –'

'Het was mijn vrouw.'
Die hij veel liever verried dan een volslagen vreemde te laten denken dat hij seksueel anders georiënteerd zou zijn.
'Uw vrouw was bij Trey Hughes toen zijn moeder is overleden? En was ze bij hem in de bijbelse zin?'
'Ja.'
'Met of zonder uw instemming?' vroeg ik.
Berne werd knalrood. 'Wat is dat voor vraag, verdomme?'
'Als u dacht dat u op het punt stond een klant te verliezen, misschien hadden u en uw vrouw dan wel een plannetje bedacht om hem te kunnen behouden.'
'Dat is om van te kotsen!'
'Er gebeuren wel vreemdere dingen, meneer Berne. Ik wil u niet beledigen, maar ik ken u verder niet. Ik weet bijvoorbeeld niet of u te vertrouwen bent. Ik kan niet hebben dat er in het openbaar over mij en mijn werk wordt gesproken. Ik ben tot de ontdekking gekomen dat mensen eerder geneigd zijn hun mond te houden als ze zelf een geheimpje hebben. Begrijpt u wat ik daarmee wil zeggen, meneer Berne? Of moet ik nog duidelijker zijn?'
Hij keek me stomverbaasd aan. 'Is dit een dreigement?'
'Ik geef er de voorkeur aan te denken dat we elkaar begrijpen voor wat het belang van vertrouwelijkheid betreft. Ik zal uw geheim bewaren als u het mijne bewaart.'
'U werkt niet voor General Fidelity,' dacht hij hardop. 'Want dan zou Phil wel iets hebben gezegd.'
'Phil?'
'Phil Wilshire. De schaderegelaar. Ik ken hem. Hij zou iets over u hebben gezegd.'
'Hij heeft ook over deze zaak met u gesproken?'
'Ik wil dat Jade voor eens en voor altijd ontmaskerd wordt,' zei hij verontwaardigd. 'Hij zou het vak uit moeten. En als ik daar op wat voor manier dan ook aan mee kan helpen, zal ik dat niet nalaten.'
'Op wat voor manier dan ook?' herhaalde ik nadrukkelijk. 'Als ik u was, meneer Berne, zou ik heel goed op mijn woorden letten,' waarschuwde ik. 'U zou heel gemakkelijk de indruk kunnen wekken dat u, omdat u Don Jade haat, Stellar vermoord heeft zodat Jade daarvan beschuldigd wordt en hij zijn klanten kwijtraakt. En zonder klanten kan hij wel sluiten. En kan hij Trey Hughes wel vergeten. En dan legt u het weer bij met Hughes, en wie weet vraagt hij ú dan wel voor die mooie nieuwe manege van hem.'
Berne explodeerde. 'Hebt u mij gevraagd om hier te komen om mij te kunnen beschuldigen?! Ziet u ze soms helemaal vliegen?'

'Hemel, wat bent u een opvliegend type, zeg,' zei ik kalm. 'Misschien zou u daarvoor in therapie moeten gaan. Driftbuien zijn slecht voor de gezondheid.'

Ik zag hoe hij bijna in zijn woede stikte.

'Om antwoord op uw eerdere vraag te geven,' ging ik verder, 'nee, ik ben niet gek. Ik ben bot. Ik moet zeker kunnen zijn van mijn positie, en ik heb geen tijd voor spelletjes. Ik weet wel dat ik op deze manier geen vrienden maak, maar ik krijg wél de antwoorden die ik hebben wil.

'Het kan best zijn dat u zich nergens aan schuldig hebt gemaakt, meneer Berne. Zoals ik al zei, ik ken u niet. Maar de ervaring heeft mij geleerd dat er drie belangrijke motieven zijn die iemand tot het plegen van een misdrijf brengen: geld, seks en/of jaloezie. U scoort in alledrie die rubrieken. Dus ik stel voor om u nu meteen van elke verdenking te zuiveren zodat ik mij verder op Jade kan concentreren. Waar was u toen Stellar stierf?'

'Thuis. In bed. Met mijn vrouw.'

Ik nam het laatste trekje van mijn sigaret en blies de rook met een half glimlachje uit. 'Ze zou haar naam in Alibi moeten veranderen.'

Berne hief zijn handen op. 'De maat is vol. Ik heb hier schoon genoeg van. Ik ben hier gekomen omdat ik een goed mens ben en omdat ik wilde helpen –'

'Stop die viool maar weer weg, Berne. We weten alletwee waarom je bent gekomen. Jij wilt Jades ondergang. Daar heb ik niets op tegen. Ik heb mijn eigen motieven.'

'En die zijn?'

'Het belang van mijn cliënt. Misschien kunnen we alletwee krijgen wat we hebben willen. Hoelang heeft het na de dood van Sallie Hughes geduurd voor Trey zijn paarden naar Jade heeft overgebracht?'

'Twee weken.'

'En wanneer heb je gehoord dat Hughes die grond in Fairfields had gekocht?'

'Een maand later.'

Mijn hoofd voelde alsof het klem zat. Ik was niet geïnteresseerd in de gore details van het leven van Trey Hughes, of dat van Michael Berne, of dat van Don Jade. Het enige dat ik wilde, was Erin Seabright vinden. Mijn pech was dat ze in Pandora's doos woonde.

Ik haalde haar foto uit de binnenzak van mijn jack en gaf hem aan Berne. 'Heb je dit meisje weleens gezien?'

'Nee.'

'Ze heeft tot afgelopen zondag voor Jade gewerkt. Ze was zijn stalknecht.'

Berne trok een gezicht. 'Stalknechten komen en gaan. Ik kan die van mij maar amper bijhouden.'

'Dit meisje is verdwenen. Bekijk de foto nog eens, alsjeblieft. Weet je zeker dat je haar nooit met Jade hebt gezien?'

'Jade heeft altijd vrouwen om zich heen. Ik snap niet wat ze in hem zien.'

'Maar hij heeft een reputatie op dat gebied, is het niet?'

'Hij doet het met zijn personeel, zijn klanten en de klanten van anderen. Geen vernedering is hem te groot.'

'Daar ben ik juist zo bang voor,' zei ik. Ik gaf hem een simpel wit visitekaartje waar alleen maar een nummer op stond. 'Mocht je iets zinnigs te vertellen hebben, dan kun je dit nummer bellen en een bericht inspreken. Je wordt teruggebeld. Ik dank je voor je tijd.'

Landry parkeerde zijn auto tussen de enorme terreinwagens, BMW's en Jaguars, en stapte uit terwijl hij de grond zorgvuldig inspecteerde om te voorkomen dat hij ergens in zou trappen. Hij was opgegroeid in de grote stad. Het enige dat hij van paarden wist, was dat ze heel groot waren en stonken.

Het was een warme, zonnige dag. Hij keek door de glazen van zijn pilotenbril, kneep zijn ogen halfdicht en nam de omgeving in zich op. Het leek wel een vluchtelingenkamp – tenten en dieren, voor zover het oog reikte. Mensen op fietsen en brommers. Langsrijdende auto's die wolken stof deden opwaaien.

Hij zag het bord van Jade, ging de tent binnen en vroeg de eerste de beste die hij tegenkwam waar hij meneer Jade kon vinden. Een Zuid-Amerikaan met een hooivork vol mest in zijn hand, knikte in de richting van de zijkant van de tent, en zei: 'Buiten.'

Landy volgde de richting van het knikje. Halverwege Jades tent en die ernaast, stond een man uit een beker van Starbucks te drinken terwijl hij onverschillig stond te luisteren naar wat een knappe blondine tegen hem zei. De blondine maakte de indruk van streek te zijn.

'Meneer Jade?'

Het tweetal draaide zich om en keek hem aan terwijl hij op hen toe ging en hun zijn identificatie toonde.

'Rechercheur Landry, van het kantoor van de sheriff. Ik heb een paar vraagjes voor u.'

'O, god!' riep de blondine lachend uit. 'Ik wist wel dat ze je vroeger of later in de kraag zouden vatten! Had je nu maar nooit dat prijskaartje van die matras getrokken.' Ze projecteerde haar stralende glimlach op Landry. 'Paris Montgomery. Ik ben meneer Jades assistent-trainer.'

Landry glimlachte niet terug. Drie uur slaap leverde niet voldoende energie om aan nepcharme te kunnen verspillen. Hij keek langs de vrouw heen. 'U bent meneer Jade?'

'Waar gaat dit over?' vroeg Jade. Hij liep langs Landry de tent in om te voorkomen dat eventuele voorbijgangers hen zouden zien.

'Weet u wat hier de afgelopen nacht is voorgevallen?' vroeg Landry. 'Een paar tenten verderop is een aantal paarden uit hun boxen gelaten.'

'Ja, die van Michael Berne,' vulde Paris Montgomery aan. 'Natuurlijk weten we dat. Het is verschrikkelijk. De bewaking hier deugt van geen kant. Hebt u er enig idee van wat die paarden waard zijn?'

'Het schijnt dat ze hun gewicht in goud waard zijn,' zei Landry, die dat voor zijn gevoel al vaak genoeg had gehoord. Waarom zou een paard in vredesnaam een miljoen dollar waard moeten zijn als hij niet eens op de renbaan liep?

'Hij heeft het op jou voorzien, Don,' zei ze tegen haar baas. 'Je weet dat Michael aan iedereen die het maar horen wil zal zeggen dat jij het hebt gedaan – of dat je het hebt laten doen.'

'Waarom zegt u dat, mevrouw Montgomery?' vroeg Landry.

'Omdat Michael verbitterd en wraakzuchtig is. Het enige waar hij Don niet de schuld van geeft, is zijn gebrekkige talent.'

Jade keek haar strak aan. 'Zo is het wel genoeg, Paris. Iedereen weet dat Michael jaloers is.'

'Waarop?' vroeg Landry.

'Op Don,' antwoordde de vrouw. 'Don is alles wat Michael niet is, en wanneer Michaels klanten dat zien en bij hem weggaan, geeft hij de schuld daarvan aan Don. Het zou me niets verbazen als hij die paarden zelf heeft vrijgelaten zodat hij Don er de schuld van kon geven.'

Landry bleef Jade aankijken. 'Dat moet toch gaan vervelen op den duur. Hebt u nooit de neiging iets te doen om hem het zwijgen op te leggen?'

Jade bleef zijn gezicht in de plooi houden. Kalm, onaangedaan en beheerst. 'Ik heb al heel lang geleden geleerd om mensen van het slag van Michael te negeren.'

'Je zou hem moeten dreigen dat je hem aanklaagt wegens smaad,' zei Paris. 'Misschien dat hij dán op zou houden.'

'Laster,' corrigeerde Jade haar. 'Laster is gesproken. Smaad is schriftelijk.'

'O, doe toch niet zo hatelijk,' snauwde ze. 'Hij doet wat hij kan om je reputatie te verpesten. En jij doet alsof het je allemaal niet raakt. Dacht je echt dat hij je geen kwaad kon doen? Dacht je echt dat hij niet elke kans aangrijpt om Trey alle mogelijke roddels over jou te vertellen?'

'Ik kan niet voorkomen dat Michael gif spuit, en ik kan niet voorkomen dat er mensen naar hem luisteren,' zei Jade. 'En ik weet zeker dat rechercheur Landry niet hier is gekomen om naar ons geweeklaag te luisteren.'

'En ik ben ook niet hier vanwege de paarden,' zei Landry. 'Ik ben hier omdat er een vrouw is mishandeld toen ze probeerde degene die de paarden vrijliet, tegen te houden.'

Paris Montgomery's bruine ogen werden groot van de schrik. 'Welke vrouw? Stella? Michaels vrouw? Is ze gewond?'

'Ik heb begrepen dat u en meneer Berne gisteren een woordenwisseling hebben gehad,' zei Landry tegen Jade. 'Wilt u zo goed zijn om mij te vertellen waar u vannacht rond twee uur was?'

'Nee, dat wil ik niet,' antwoordde Jade kortaf, terwijl hij naast het paard ging staan dat aan een open box stond vastgemaakt. 'En als u mij nu wilt excuseren, rechercheur, ik moet een paard berijden.'

'Misschien dat u dan liever meegaat naar het bureau om het daar uitvoerig over de kwestie te hebben,' stelde Landry voor. Hij hield er niet van om als een simpele bediende te worden afgescheept.

Jade wierp hem een vernietigende blik toe. Hij kreeg het voor elkaar om, zelfs met een zonnebril op, een hooghartige indruk te maken. 'In dat geval kunt u maar beter contact opnemen met mijn advocaat.'

'Ik stel voor om uw geld en mijn tijd te sparen, meneer Jade. U hoeft me alleen maar te vertellen waar u was, en het is alleen maar een riskante vraag als u híer was.'

'Ik was bij een vriendin. En we waren niet hier.'

'Heeft die vriendin ook een naam?'

'Niet voor u.'

Hij trok de singel aan. Het paard spitste zijn oren.

Landy keek waar hij zich in veiligheid zou kunnen brengen voor het geval het beest ineens wild zou worden, of zo. Hij had een gemene kop, net alsof hij elk moment zou kunnen bijten.

Jade haalde de knoop uit de teugel waarmee het paard stond vastgebonden.

'Ons gesprek is afgelopen,' verklaarde Jade. 'Tenzij u iets heeft dat mij rechtstreeks met het incident in verband brengt, afgezien van een gerucht dat Michael en ik geen vrienden zouden zijn. Maar ik weet dat u dat niet heeft, dus ik ben niet van plan u nogmaals te woord te staan.'

Hij liep met het paard het middenpad af. Landry drukte zich met zijn rug tegen de kant en hield zijn adem in – hetgeen hier op zich ook geen slecht idee was. De stank van mest en paarden en de hemel weet wat nog meer hing als smog in de lucht. Toen het paard zo ver uit zijn buurt was dat hij hem niet meer kon trappen, volgde hij het.

'En u, mevrouw Montgomery?'

De vrouw wisselde een blik met haar baas, waarna ze zich tot Landry wendde. 'Hetzelfde als hij. Ik was met een vriend.'

Ze kwamen buiten, in de zon, en Jade besteeg het paard. 'Paris, breng me mijn jasje en mijn cap.'

'Ik kom eraan.'

Jade wachtte niet op haar, maar keerde het paard en begon het pad af te lopen.

'Was u samen?' vroeg Landry, terwijl hij Montgomery de tent weer in volgde.

'Nee. God, nee!' riep ze uit. 'Ik moet al de hele dag zijn bevelen opvolgen. Ik voel er niets voor om dat ook nog eens 's nachts te moeten doen.'

'Hij is verwaand.'

'Met recht. Het wordt hem niet gemakkelijk gemaakt.'

'Zou dat kunnen zijn omdat hij het niet verdient?'

Hij volgde haar een met groene doeken gedrapeerde box in. Op de vloer lag een oosters tapijt en aan de wanden hingen ingelijste kunstwerken. Ze trok een antieke kast open en haalde er een olijfgroen jasje en een met bruin fluweel beklede cap uit.

'U kent hem niet,' zei ze.

'En u wel. Bij wie denkt u dat hij de afgelopen nacht was?'

Ze lachte en schudde haar hoofd. 'Ik ben niet op de hoogte van Dons privé-leven. Ik hoor voor het eerst dat hij een vriendin heeft.'

Dan was het nog maar de vraag of hij die inderdaad had, dacht Landry. Zo te zien leefden die paardenlui praktisch bij elkaar op schoot. En nog afgezien daarvan, ze waren allemaal rijk of déden alsof ze rijk waren; en het enige waar rijke mensen meer van hielden dan met elkaar neuken, was roddelen.

'Hij is uiterst discreet,' zei Montgomery.

'Daar is het dan waarschijnlijk aan te danken dat hij nog nooit in de gevangenis is beland – aan zijn discretie. Die baas van je heeft al meer dan eens dingen gedaan die niet helemaal door de beugel kunnen.'

'Maar hij is nog nooit ergens voor veroordeeld. En u moet me vergeven, maar nu moet ik echt naar de lesbak, want anders vermoordt hij me nog.' Ze schonk hem haar stralende glimlach. 'En dan krijgt u nóg meer werk.'

Landry volgde haar naar buiten. Ze stapte in een groen golfwagentje met het logo van Jade op de neus, waarna ze het jasje opvouwde en naast zich op de zitting legde. De cap ging in een mandje achter de rugleuning.

'En u, mevrouw Montgomery? Heeft uw mysterieuze partner een naam?'

'Ja, dat heeft hij,' zei ze, quasi-verlegen met haar wimpers knipperend. 'Maar ik verklik ook niets, rechercheur. Ik zou niet graag een slechte naam willen krijgen.'

Ze startte het wagentje en reed weg. Hij zag haar roepen en zwaaien naar mensen die ze passeerde. De populaire tante.

Landry bleef haar een poosje met zijn handen in zijn zij staan nakijken, terwijl hij zich ervan bewust was dat er vanuit de tent een meisje naar hem stond te kijken. Hij zag haar vanuit zijn ooghoeken: dik, onverzorgd en met een strak T-shirt dat strak over vetrollen spande die ze beter verborgen zou kunnen houden.

Landry wilde terug naar de auto en weggaan. Estes had gelijk: het kon hem geen barst schelen wat deze mensen elkaar aandeden. Maar hij moest deze zaak op zich nemen, al was het alleen maar omdat ze hem midden in de nacht naar het bureau had laten komen en er niets van de hele kwestie op papier was gezet. Wát een nachtmerrie. Zijn superieuren zouden het niet accepteren dat Estes geen officiële aanklacht had ingediend en de hele zaak had laten lopen. Hij kon niet anders dan het verder uitzoeken.

Hij zuchtte, draaide zich om en keek het meisje aan.

'Werk je hier?'

Haar kleine kraaloogjes werden groot. Ze zag eruit alsof ze niet wist of ze het in haar broek moest doen of een orgasme moest krijgen. Ze knikte.

Landry ging de tent weer in en haalde zijn aantekenboekje uit zijn heupzak. 'Hoe heet je?'

'Jill Morone. M-O-R-O-N-E. Ik ben de hoofdstalknecht van meneer Jade.'

'Aha. En waar was jij vannacht om twee uur?'

'In bed,' zei ze, met het zelfingenomen glimlachje van iemand die een geheim heeft dat ze niet voor zich kon houden. 'Met meneer Jade.'

12

Het kantoor van Gryphon Development bevond zich in een smaakvol, wit gebouw in Spaanse stijl op Greenview Shores, tegenover de westelijke ingang van de Polo Club. Ik parkeerde op een bezoekersplaats naast de Jaguar van Bruce Seabright.

De etalage van de projectontwikkelaar werd gevuld door een reclameposter van Fairfields, met Bruce Seabrights foto in de rechterbenedenhoek. Hij had het soort glimlach dat zei: ik ben een grote lul, laat me je iets verkopen dat veel te duur is. Kennelijk bestonden er mensen die daar gevoelig voor waren.

Het kantoor was deskundig ingericht om een dure en uitnodigende indruk te maken. Leren banken, mahoniehouten tafels. Aan de muur hingen foto's van vier mannen en drie vrouwen, elk met een geelkoperen bordje eronder waarop stond wat ze in hun beroepsleven gepresteerd hadden. Krystal Seabrights foto was er niet bij.

De receptioniste had veel weg van Krystal Seabright. Te veel gouden juwelen en haarlak. Ik vroeg me af of Bruce en Krystal elkaar op deze manier hadden leren kennen. De baas en zijn secretaresse. Banaal, maar al te vaak waar.

'Elena Estes voor meneer Seabright,' zei ik. 'Ik heb een paar vragen over Fairfields.'

'Prachtige plek,' zei ze, en ze schonk me de glimlach van verkoopster in opleiding. 'Er wordt een aantal spectaculaire maneges gebouwd.'

'Ja, dat weet ik. Ik ben er langs geweest.'

'Die manege van Hughes,' zei ze, met een haast euforisch gezicht, 'is die niet om een moord voor te plegen?'

'Ik vrees van wel.'

Ze zoemde Seabright. Het volgende moment zwaaide de deur achter de receptie open, en Bruce Seabright boog zich naar buiten, terwijl hij zich aan de deurknop bleef vasthouden. Hij droeg een keurig geperst linnen pak met een gestreepte das. Uiterst formeel voor zuidelijk Florida, het land van bonte hawaïshirts en bootschoenen.

'Mevrouw Estes?'

'Ja. Fijn dat u even tijd voor me heeft.'

Ik liep langs hem heen zijn kamer in, en ging aan de andere kant van de ruimte met mijn rug tegen een mahoniehouten dressoir staan.

'Gaat u zitten,' bood hij aan, terwijl hij achter zijn bureau ging zitten. 'Kan ik iets voor u laten brengen? Koffie? Water?'

'Nee, dank u. Ik ben blij dat u tijd voor me heeft zonder dat ik een afspraak heb gemaakt. Ik kan me voorstellen dat u het heel druk moet hebben.'

'Ja, gelukkig kan ik dat beamen.' Hij glimlachte de glimlach van de poster in de etalage. 'We komen handen te kort. Er zijn steeds meer mensen die ons juweel van Wellington ontdekken. Onroerend goed is hier even gevraagd als elders in zuidelijk Florida. En de kavels waarin u geïnteresseerd bent zijn daar een eersteklas voorbeeld van.'

'Ik ben niet hier om iets te kopen, meneer Seabright.'

De glimlach vervaagde tot milde verwarring. Hij had een fijnbesneden, scherp gezicht, als van een muis. 'Dat begrijp ik niet. U zei dat u vragen over Fairfields had.'

'Dat klopt. Ik ben privé-detective, meneer Seabright. Ik ben bezig aan een onderzoek naar een incident op het ruitercentrum waarbij een cliënt van u betrokken is. Trey Hughes.'

Seabright leunde naar achteren en was duidelijk niet blij met de wending die het gesprek had genomen. 'Ik ken Trey Hughes, natuurlijk. Het is geen geheim dat hij grond in Fairfields heeft gekocht. Maar u moet niet van mij verwachten dat ik over mijn cliënten uit de school zal klappen. Dat is in strijd met mijn principes.'

'Het gaat mij niet om persoonlijke informatie. Ik ben vooral geïnteresseerd in de nieuwe wijk. Het moment waarop het land in de verkoop is gekomen. Het moment waarop meneer Hughes zijn kavel heeft gekocht.'

'Dat zijn openbare gegevens,' zei Seabright. 'U kunt naar het kadaster gaan en alles daar opvragen.'

'Ja, dat zou ik kunnen doen, maar ik vraag het aan u.'

De verwarring had plaatsgemaakt voor achterdocht. 'Waar gaat dit over? Welk "incident" bent u aan het onderzoeken?'

'Onlangs is er een heel kostbaar paard van meneer Hughes overleden. We onderzoeken de achtergronden. U weet wel.'

'En wat heeft de kavel met dat paard te maken?'

'Routine-achtergrondinformatie. Verkeerde de eigenaar in financiële moeilijkheden, enzovoort, enzovoort. De kavel die meneer Hughes heeft gekocht heeft veel geld gekost, en de bouw van de manege –'

'Trey Hughes heeft geen geldzorgen,' zei Seabright, alsof hij het idee een persoonlijke belediging vond. 'Iedereen kan u vertellen dat hij het afgelopen jaar een grote erfenis heeft gekregen.'

'Was dat vóór- of nádat hij de kavel heeft gekocht?'

'Wat maakt dat uit?' vroeg hij geïrriteerd. 'Hij had al langer een oogje op de kavel. En hij heeft de grond afgelopen voorjaar gekocht.'

'Na het overlijden van zijn moeder?'

'Die insinuatie bevalt me niet, mevrouw Estes. En ik vind dit een onaangenaam gesprek.' Hij stond op, en het was duidelijk dat hij me eruit wilde gooien.

'Weet u dat uw stiefdochter voor de trainer van meneer Hughes werkte?' vroeg ik.

'Erin? Wat heeft Erin hiermee te maken?'

'Dat zou ik zelf ook weleens willen weten. Maar ze schijnt verdwenen te zijn.'

Seabrights irritatie nam nog verder toe. 'Wat bent u – Voor wie werkt u precies?'

'Dat is vertrouwelijke informatie, meneer Seabright. Ook ik heb mijn principes,' zei ik. 'Heeft u er iets mee te maken gehad dat Erin dat baantje heeft gekregen?'

'Dat gaat u niets aan.'

'Bent u zich ervan bewust dat Erin al een week lang met niemand contact meer heeft gehad?'

'Erin heeft geen nauwe band met ons gezin.'

'O, nee? Ik heb gehoord dat ze anders een uiterst nauwe band met uw zoon had.'

Bruce Seabright werd knalrood en hij stak zijn wijsvinger naar me uit. 'Ik wil het nummer van uw vergunning.'

Ik trok de ene wenkbrauw die ik kon bewegen op, leunde opnieuw tegen het dressoir en sloeg mijn armen over elkaar. 'Waarom windt u zich zo op, meneer Seabright? Ik had verwacht dat een vader zich meer zorgen om zijn dochter zou maken dan om zijn cliënt.'

'Ik ben niet –' Hij bedacht zich en zweeg.

'Haar vader?' vulde ik aan. 'U bent haar vader niet, en daarom hoeft u zich geen zorgen om haar te maken?'

'Ik maak me geen zorgen om haar omdat Erin heel goed op zichzelf kan passen. Ze is volwassen.'

'Ze is achttien.'

'En ze woont niet meer in mijn huis. Ze gaat haar eigen gang.'

'En dat was een probleem, niet? U bent niet te spreken over de dingen die ze doet. Tienermeisjes...' Ik schudde quasi-meelevend mijn hoofd. 'Het leven is een stuk eenvoudiger nu zij niet meer in huis is, hè?'

Hij was zo woedend dat ik meende dat ik zijn lichaam zag trillen. Hij staarde me aan en grifte mijn gezicht in zijn geheugen zodat hij zich dat, wanneer ik straks de deur uit was, voor de geest kon halen en me kon blijven haten.

'Ik wil dat u mijn kantoor verlaat,' zei hij op zachte, dreigende toon. 'En als ik u hier ooit nog eens zie, dan bel ik de politie.'

Ik zette me op mijn dooie gemak af tegen het dressoir. 'En wat had u ze dan willen vertellen, meneer Seabright? Dat ze mij moeten arresteren omdat ik me het lot van uw stiefdochter meer aantrek dan u? Ik weet zeker dat ze dat op zijn minst heel vreemd zullen vinden.'

Seabright rukte de deur open en riep luid naar zijn receptioniste: 'Doris, bel het kantoor van de sheriff.'

Doris staarde hem met grote ogen aan.

'Vraag maar naar rechercheur Landry van Roofovervallen/Moordzaken,' zei ik. 'Noem hem mijn naam, en dan komt hij maar al te graag.'

Seabright kneep zijn ogen halfdicht en probeerde te bepalen of ik blufte.

Ik verliet het kantoor van de projectontwikkelaar zonder mij te haasten, stapte in Seans auto en reed weg – al was het maar voor het geval dat Bruce Seabright tot de conclusie zou komen dat het inderdaad bluf van mij was geweest.

13

'Jezus, El, je lijkt wel zo'n grietje uit zo'n meidenband uit de jaren tachtig.'

Ik had het dak omlaag gedaan voor de rit naar huis, in de hoop dat mijn hoofd er wat van zou opklaren. In plaats daarvan had de zon mijn hersens gesmoord, en had de wind mijn haren omhooggestuwd tot een kapsel uit een modereportage voor een tragisch hip publiek. Ik snakte naar iets te drinken en een dutje in de zon bij het zwembad, maar ik wist dat ik mezelf geen van beide zou gunnen.

Sean boog zich voorover, gaf me een zoen op mijn wang en zei geërgerd: 'Je hebt m'n auto gestolen.'

'Hij paste bij mijn outfit.'

Ik stapte uit de Mercedes en gaf hem de sleutels. Hij droeg zijn rijbroek en laarzen, en een strak zwart T-shirt waarvan hij de mouwen zóver had opgerold dat zijn biceps ter grootte van grapefruits zichtbaar waren.

'Ik wed dat Robert komt om je les te geven,' zei ik.

'Hoe kom je daar zo bij?' vroeg hij geïrriteerd.

'Je strakke shirt en het feit dat je met je spierballen loopt te pronken. Lieverd, je bent zo doorzichtig.'

'Miauw, miauw. Wat zijn we weer kattig vandaag.'

'Dat heb ik wel vaker na in elkaar te zijn geslagen.'

'Je zult er wel om gevraagd hebben. Denk eraan dat je me de volgende keer een uitnodiging stuurt. Het lijkt me enig om er getuige van te kunnen zijn.'

We liepen samen van de stal naar het gastenverblijf. Sean observeerde me vanuit zijn ooghoeken en trok een bezorgd gezicht.

'Gaat het?'

In plaats van meteen met het gebruikelijke nietszeggende antwoord te reageren, nam ik de tijd om over zijn vraag na te denken. Wat een vreemd moment voor een inzicht, dacht ik. Maar ik bleef staan en schonk het besef de nodige aandacht.

'Ja,' zei ik. 'Met mij gaat het goed.'

De zaak – die steeds meer een beproeving, en bij elke nieuwe onthulling gecompliceerder leek te worden – waaraan ik aanvankelijk niet eens had willen beginnen, deed me op de een of andere manier goed. Het was fijn om te merken dat ik mijn oude trucs nog meester was, en het was fijn om nodig te zijn.

'Mooi zo,' zei hij. 'Ga je nu dan maar snel even opknappen en wat anders aantrekken, want je alter ego krijgt bezoek.'

'Wie?'

'Van Zandt.' Hij spuugde de naam uit alsof het iets bitters was met een pit erin. 'En zeg nooit dat ik me geen opofferingen voor je heb getroost.'

'Mijn eigen moeder zou nog niet half zoveel voor me doen als jij.'

'En vergeet dat nooit, schat. Je moeder zou die slijmerd nog niet eens de personeelsingang binnenlaten. Je hebt twintig minuten voor je op moet.'

Ik nam een douche en trok de rode, van een Indiase sari gemaakte, wikkelrok, en de gele linnen blouse aan die ik op het ruitercentrum had gekocht. Een grote hoeveelheid armbanden, sandalen met dikke zolen en een zonnebril met schildpadmontuur, en ik was Elle Stevens, dilettante.

Van Zandt was juist gearriveerd toen ik via de stal de parkeerplaats op liep. Hij was gekleed om indruk te maken, en had zich opgedoft in het uniform van de Palm Beach Patriach: roze overhemd, donkerbruine broek, blauwe blazer en een sjaaltje om zijn hals.

Op het moment waarop hij me zag, kwam hij met uitgestrekte armen naar me toe. Mijn goede vriend die ik al jaren niet meer had gezien.

'Elle!'

'Z.'

Ik doorstond zijn zoenen en hield mijn handen op zijn borst om te voorkomen dat hij me dicht tegen zich aan zou drukken.

'Drie keer,' bracht hij me in herinnering, terwijl hij een stapje naar achteren deed. 'Zoals ze in Nederland doen.'

'Volgens mij is dat alleen maar een excuus voor handtastelijkheden,' zei ik met een halve grijns. 'Heel slim. Van welke andere culturen bedien je je verder nog om, onder het mom van goede manieren, de vrouw in kwestie snel even te kunnen bepotelen?'

Hij schonk me zijn zalvende/beminnelijke glimlach. 'Dat hangt van de vrouw af.'

'En ik maar denken dat je was gekomen om mijn paarden te zien,' zei Sean. 'Ben ik slechts een baard?'

Van Zandt keek hem verbaasd aan. 'Een baard? Je hebt niet eens een baard.'

'Dat is een stijlfiguur, Z.,' legde ik uit. 'Je zult aan Sean moeten wennen. Zijn moeder heeft hem als kind naar toneelkampen gestuurd. Hij kan het niet helpen.'

'Aha. Een acteur!'

'En wie is dat niet?' vroeg Sean onschuldig. 'Ik heb mijn meisje gevraagd om Timo op te zadelen – de ruin waar ik je over vertelde. Ik wil tachtigduizend voor hem hebben. Hij heeft talent, maar ik heb te veel paarden met talent. Dus als je cliënten hebt die iets dergelijks zoeken...'

'Dat is een reële mogelijkheid,' zei Van Zandt. 'Ik heb mijn camera meegenomen. Ik zal een video maken en die opsturen naar een cliënt die een dezer dagen overkomt uit Virginia. En wanneer je zelf behoefte hebt aan iets nieuws, zal ik je met plezier de beste paarden in Europa laten zien. Neem Elle mee, en dan maken we er iets gezelligs van.'

Hij keek me aan en liet zijn blik over mijn rok gaan. 'Je rijdt niet vandaag, Elle?'

'Elle kan belangrijk bezoek niet weerstaan,' zei Sean. 'Evenmin als een glas champagne.'

'Je hebt alle opwinding op het ruitercentrum gemist,' zei Van Zandt, blij dat hij iets te roddelen had. 'Een onbekende dader heeft een aantal paarden laten ontsnappen, en er is iemand in elkaar geslagen. Hoe bestaat het.'

'En jij was erbij?' vroeg ik. 'Midden in de nacht? Wilde de politie niet met je praten?'

'Natuurlijk was ik er niet bij,' reageerde hij ongeduldig. 'Hoe kun je zoiets van me denken?'

Ik haalde mijn schouders op. 'Z., ik heb geen idee van wat ik wel of niet van je moet denken. Het enige dat ik weet, is dat je niet tegen een geintje kunt. Echt hoor, ik ken je nog maar twee dagen, maar die stemmingswisselingen van je zijn reuze lastig,' zei ik, waarbij ik hem duidelijk liet merken dat hij me irriteerde. 'Ik moet er niet aan denken om samen met jou en je vele persoonlijkheden in één auto door Europa te moeten reizen. Nee, dan blijf ik toch echt liever thuis met een hamer op mijn duim slaan.'

Hij legde zijn hand op zijn borst alsof ik hem letterlijk gekwetst had. 'Ik ben een gevoelig mens. Ik wil voor iedereen het beste. Ik hou er niet van om iemand voor de grap ergens van te beschuldigen.'

'Je moet het niet persoonlijk opvatten, Tomas,' zei Sean, toen we bijna bij de stal waren. 'Elle heeft de gewoonte om haar tong, elke avond voor het slapengaan, een paar keer over een slijpsteen te halen.'

'Al was het maar om jou ermee aan mootjes te hakken, lieve.'

Van Zandt trok een pruilmondje en keek me aan. 'Met een scherp tongetje vind je geen man.'

'Een man? Wat moet ik met een man?' vroeg ik. 'Ik heb er ooit eens eentje gehad, maar die heb ik toen vrijwel meteen weer teruggegooid.'

Sean grinnikte. 'Wie wil er nu getrouwd zijn als je als vrijgezel kunt doen waar je zin in hebt?'

'Ex zijn is ideaal,' zei ik. 'De helft van de centen en geen kopzorgen meer.'

Van Zandt zwaaide zijn wijsvinger voor me heen en weer, en probeerde grappig te zijn. 'Mevrouw de tijgerin moet getemd worden. Dan zing je wel een toontje lager.'

'O, in dat geval raad ik je aan om een zweep en een stoel mee te nemen,' suggereerde Sean.

Van Zandt keek me aan alsof hij dat zelf al bedacht had, en nog meer dan dat. Hij glimlachte opnieuw. 'Ik weet als geen ander hoe ik vrouwen moet behandelen.'

Vanuit mijn ooghoeken zag ik Irina aankomen. Een flits van lange, blote benen en grove bergschoenen. Ik zag dat ze iets in haar hand hield. Ze maakte een boze indruk, en ik nam – onterecht – aan dat ze boos was op Sean omdat hij laat was en haar werkrooster door de war had gegooid, of vanwege een van de andere vijftig overtredingen waardoor ze regelmatig een pestbui had. Toen ze ons op anderhalve meter genaderd was, schreeuwde ze iets lelijks in het Russisch, en wierp ze het ding dat ze in haar hand had gehouden.

Van Zandt slaakte een verbaasde kreet, en kon nog net zijn arm optillen om de vlucht van het hoefijzer te breken dat hem anders tegen het hoofd getroffen zou hebben.

Sean sprong geschrokken achteruit. 'Irina!'

De stalknecht vloog Van Zandt aan en begon te krijsen: 'Schoft! Gemene schoft!'

Ik bleef staan en keek verbaasd naar Irina die de man met haar vuisten te lijf ging. Ze was opvallend slank, maar haar gespierde armen getuigden van haar kracht. Van Zandt wankelde afwisselend naar achteren en naar op zij en probeerde haar van zich af te schudden, maar ze bleef zich aan hem vastklampen.

'Dat mens is gek!' riep hij. 'Haal haar van me af! Laat haar ophouden!'

Sean kwam in actie. Met zijn ene hand greep hij haar bij haar blonde paardenstaart, en met zijn andere hand pakte hij haar wild stompende arm vast. 'Irina! Hou op!'

'Klootzak! Vieze, vuile klootzak!' schreeuwde ze, terwijl Sean haar van Van Zandt af trok en haar terug, de stal in sleurde. Ze gaf nog een riedel in het Russisch weg, en spuugde naar de Belg.

'Ze is gek!' riep Van Zandt, terwijl hij het bloed van zijn lip veegde. 'Ze hoort achter slot en grendel!'

'Ik neem aan dat jullie elkaar kennen,' zei ik op droge toon.

'Ik heb haar nog nooit van mijn leven gezien! Geschifte Russische trut!'

Irina probeerde zich uit Seans armen los te trekken terwijl ze met een van intense haat vertrokken gezicht naar de Belg bleef kijken. 'De volgende keer ruk ik je keel eruit en schijt ik in je longen! Voor Sasha!'

Van Zandt deed geschokt een stapje achteruit – zijn keurige haar stond alle kanten op.

'Irina!' riep Sean, ontzet.

'Waarom trekken wij dames ons niet even terug?' stelde ik voor. Ik pakte Irina bij de arm en trok haar mee naar de zitkamer.

Irina gromde en maakte een onbeschoft gebaar in de richting van Van Zandt, maar liet zich meetrekken.

De zitkamer was een vertrek met mahoniehouten lambriseringen, voorzien van een bar en leren stoelen. Irina liep vloekend heen en weer. Ik ging naar de bar, haalde een fles Stoli uit de diepvries en schonk een stevige bodem in een zwaar, kristallen whiskyglas.

'Op jou, m'n kind.' Ik hief het glas in een toast, en gaf het aan haar. Ze dronk het alsof het water was. 'Ik twijfel er niet aan dat hij dat verdiend heeft, maar misschien zou je me ook even willen vertellen wat de aanleiding is.'

Ze tierde en maakte Van Zandt opnieuw voor alles en nog wat uit, waarna ze een diepe zucht slaakte en kalmeerde. Zoals ik het zeg: ze was van het ene op het andere moment rustig. 'Dat is geen aardige man,' zei ze.

'De man die het paardenvoer komt brengen is ook geen aardige man, maar voor hem heb je je nog nooit zo uitgesloofd. Wie is Sasha?'

Ze pakte een sigaret uit een doos op de bar, stak hem op, inhaleerde diep, hief haar hoofd op en blies de rook heel langzaam weer uit. Haar houding deed me sterk aan Greta Garbo denken.

'Sasha Kulak. Een vriendin uit Rusland. Ze is in België voor die klootzak gaan werken omdat hij haar alle mogelijke prachtige dingen had beloofd. Hij zou haar betalen en haar goede paarden laten berijden en ze zouden partners zijn en hij zou ervoor zorgen dat ze een beroemde amazone werd. Smerige leugenaar. Hij wilde haar gewoon hebben. Hij haalde haar naar België en dacht dat ze zijn bezit was. Ze moest hem neuken en dankbaar zijn. Daar paste ze voor. Ze was een beeldschoon meisje. Waarom zou ze het met zo'n oude zak als hij moeten doen?'

'Waarom zou íemand het met hem willen doen?'

'Hij gedroeg zich als een beest tegen haar. Ze moest in een oude caravan zonder verwarming wonen. Ze moest de wc in zijn stal gebruiken, en hij begluurde haar door de gaten in de muren.'

'Waarom is ze niet weggegaan?'

'Ze was achttien en ze was bang. Ze was in een vreemd land waar ze niemand kende en ze was die stomme taal niet meester. Ze was radeloos.'

'Kon ze dan niet naar de politie gaan?'

Irina keek me aan alsof ik achterlijk was.

'Uiteindelijk is ze toen maar met hem naar bed gegaan,' zei ze, schouderophalend op die manier die Amerikanen nooit helemaal na kunnen doen. 'Maar hij bleef zich even beestachtig tegen haar gedragen. Hij gaf haar herpes. Na aan tijdje, toen ze in Polen waren om paarden te kopen, stal ze wat geld en vluchtte.

'Hij belde haar ouders en dreigde hen vanwege het geld. Hij vertelde ze leugens over Sasha. Toen ze thuiskwam heeft haar vader haar meteen het huis uitgegooid.'

'Hij geloofde Van Zandt en zijn eigen dochter niet?'

Ze trok een gezicht. 'Die mannen lijken op elkaar.'

'En wat heeft Sasha toen gedaan?'

'Ze heeft zelfmoord gepleegd.'

'O, god, Irina. Wat vreselijk.'

'Sasha was even broos als een glazen popje.' Ze nam nog een paar trekjes van haar sigaret en dacht na. 'Als een man mij zoiets zou flikken, zou ik geen zelfmoord plegen. Ik zou zijn pik eraf snijden en aan de varkens voeren.'

'Uiterst doeltreffend.'

'En daarna zou ik hem vermoorden.'

'Als je wat meer geluk had gehad met het slingeren van dat hoefijzer daarnet, zou je dat voor elkaar hebben gekregen,' zei ik.

Irina schonk zichzelf nog een stevige bodem Stoli in, en dronk het op. Ik dacht aan Van Zandt en aan de manier waarop hij zijn autoriteit over een jong meisje misbruikt had. De meeste volwassenen zouden het al moeilijk genoeg vinden om met zijn wisselende stemmingen overweg te kunnen, laat staan een kind van achttien. Hij verdiende de straf die Irina voor hem in gedachten had.

'Ik zou niets liever doen dan hem vasthouden terwijl jij hem in zijn kruis trapt,' zei ik, 'maar Sean zal willen dat je je excuses aanbiedt.'

'Dat kan hij vergeten.'

'Je hoeft het niet te menen.'

Daar dacht ze over na. Als ik haar was geweest, zou ik het nog steeds niet doen. Maar ik kon het me niet veroorloven om het contact met Van Zandt te verliezen, en helemaal niet na wat Irina me over hem verteld had. Haar vriendin Sasha was dood. Misschien dat Erin Seabright nog leefde.

'Kom mee,' zei ik, voordat ze van gedachten zou veranderen. 'Hoe eerder je het doet, hoe beter. En dan kun je je vrije dag gebruiken om hem te vermoorden.'

Ik ging haar voor naar buiten. Sean en Van Zandt stonden op het gras bij het opstapblok. Van Zandt had nog steeds een rood hoofd, en hij masseerde zijn arm op de plek waar hij door het hoefijzer was getroffen.

Irina haalde Tito uit de box waar de paarden geborsteld werden en bracht hem naar buiten.

'Sean, ik bied je mijn excuses aan voor mijn uitval,' zei Irina, terwijl ze de teugels aan hem overhandigde. 'Het spijt me dat ik je met mijn gedrag in verlegenheid heb gebracht.' Vervolgens wendde ze zich met een ijzige, minachtende blik tot Van Zandt. 'Het spijt me dat ik je hier, in meneer Avandons huis, heb aangevallen.'

Van Zandt keek haar woedend aan maar zei niets. Het meisje keek mij aan alsof ze wilde zeggen: *Zie je nu, wat voor schoft hij is?* Ze liep weg, beklom de treden van het prieel achter de bak, en ging bevallig zitten.

'De tsarina,' zei ik.

Van Zandt was nog steeds chagrijnig. 'Ik zou de politie moeten bellen.'

'Ja, maar ik denk niet dat je dat zult doen.'

'Ze zou opgesloten moeten worden.'

'Zoals jij haar vriendin had opgesloten?' vroeg ik onschuldig, terwijl ik het liefste een mes tussen zijn ribben had gestoken.

Zijn onderlip trilde en ik was even bang dat hij zou gaan huilen. 'Geloof je de leugens die ze over mij vertelt? Ik heb niets verkeerds gedaan. Ik heb dat meisje een baan gegeven, en onderdak–'

Herpes...

'Ze heeft me bestolen,' ging hij verder. 'Ik heb haar behandeld als een dochter, en ze heeft me bestolen en me in de rug aangevallen door leugens over mij te vertellen!'

Alweer het slachtoffer. De hele wereld was tegen hem. Zijn motieven waren altijd zuiver. Ik zei hem niet dat wanneer een man in Amerika zijn dochter zo behandelde als hij Sasha had gedaan, die man op grond van een seksueel misdrijf veroordeeld zou worden en lange tijd in de gevangenis zou komen.

'Heel ondankbaar,' zei ik.

'Je gelooft haar,' verweet hij mij.

'Andermans zaken interesseren me niet, en jouw seksleven al helemáál niet!'

Hij sloeg zijn armen over elkaar, trok een pruilmondje en keek omlaag naar zijn instappers met kwastjes. Sean zat inmiddels in het zadel en draafde rond de bak om op te warmen.

'Vergeet Irina toch,' zei ik. 'Ze is maar personeel. Wie stoort zich nu aan de mening van een stalknecht? Die behoren zich als gehoorzame kinderen te gedragen: je wilt ze best zien, maar niet horen.'

'Die meisjes zouden hun plaats moeten weten,' mompelde hij dreigend, terwijl hij zijn cameratas openritste en er een videocamera uit haalde. 'Of er met kracht op worden gewezen.'

Het was alsof er een ijzige vinger langs mijn ruggengraat omlaag gleed, en ik huiverde.

Terwijl we langs de kant naar Sean en zijn paard stonden te kijken, wist ik dat we geen van tweeën met onze gedachten bij de kwaliteiten van het paard waren. Van Zandt was in een bijzonder duistere stemming. Ik nam aan dat hij zich zorgen maakte om zijn reputatie, en dat hij bang was dat Irina – en mogelijk ik ook – Sasha's verhaal aan heel Wellington zou vertellen, en dat hij daardoor klanten zou verliezen. Of misschien was hij alleen maar aan het fantaseren over hoe hij Irina met zijn blote handen zou wurgen, en hoe de botjes in haar keel als dorre takjes zouden knappen. Irina zat in het prieel te roken. Haar lange benen hingen over de armleuning van de rotanstoel, en ze bleef Van Zandt onafgebroken strak aankijken.

Mijn gedachten dwaalden af in een andere richting. Ik vroeg me af of Tomas van Zandt van mening was geweest dat Erin Seabright dankbaar op zijn avances had moeten ingaan, of dat hij haar 'op haar plaats had moeten wijzen'. Ik dacht aan mijn gevoel dat Erin Chad de bons had gegeven, en vroeg me af of Van Zandt, of iemand zoals hij, haar beloften had gedaan die hij vervolgens op de meest verschrikkelijke manier geschonden had. En opnieuw vroeg ik me af of al die verschrikkelijke mogelijkheden mogelijk waren gemaakt door Bruce Seabright.

Erin had niet voldaan aan zijn beeld van de ideale dochter, en nu liep ze hem niet langer voor de voeten. Als haar lijk werd gevonden, zou hij zich dan ook maar even schuldig voelen? En als ze nooit werd gevonden, zou hij zich dan ook maar even verantwoordelijk voelen? Of zou hij blij zijn over de manier waarop de klus was geklaard?

Ik dacht aan mijn eigen vader en vroeg me af of hij opgelucht zou zijn geweest als zijn ondankbare dochter gewoon was verdwenen. Waarschijnlijk. Ik had me openlijk en luidkeels verzet tegen alles wat hij was en waar hij voor stond. Ik had hem openlijk uitgedaagd door bij de politie te gaan werken om de mensen op te kunnen sluiten die hij als advocaat verdedigde, en aan wie het te danken was dat mijn ouders in luxe en weelde leefden. Misschien wás ik voor hem wel verdwenen. Ik had hem al jaren niet meer gesproken of gezien. Voor hetzelfde geld dacht hij nooit meer aan mij.

Maar hij had tenminste niet bewust naar mijn ondergang verlangd. Ik had mijn ondergang alleen maar aan mijzelf te danken.

Als Bruce Erin aan Trey Hughes had uitgespeeld, en Hughes haar aan Jade had uitgespeeld, en ze via Jade met Van Zandt in aanraking was gekomen, dan kon je niet zeggen dat ze haar lot ooit in eigen hand had gehad. De ironie van de hele situatie was dat ze het idee had gehad dat ze, met het huis uit te gaan, de baas over haar eigen leven was geworden. Maar hoe langer ze vermist werd, des te groter was de kans dat ze de situatie niet zou overleven.

Tegen de tijd dat Sean klaar was met het showen van Tito, was Seans trainer gearriveerd en liet hij het uitlaten van Van Zandt aan mij over.

'Denk je dat je cliënt uit Virginia interesse zal hebben?' vroeg ik.

'Lorinda Carlton?' Hij haalde op de Europese wijze zijn schouders op. 'Ik zeg haar gewoon dat ze interesse moet hebben, en dan heeft ze dat ook,' zei hij. Het woord van Van Zandt, amen. 'Ze is geen getalenteerde amazone, maar ze heeft een bedrag van honderdduizend dollar om uit te geven. Ik hoef haar er alleen maar van te overtuigen dat dit paard haar lot is, en vanaf dat moment leeft iedereen nog lang en gelukkig.'

Behalve de vrouw die een paard had gekocht dat ze niet aan kon. En dan zou Van Zandt haar overhalen het paard te verkopen, en om weer een ander paard te kopen. Daarmee verdiende hij aan beide partijen geld, en zou de hele cyclus weer van voren af aan beginnen.

'Je zou me je beroepsgeheimen niet moeten verklappen,' zei ik. 'Op die manier stel je me nog teleur.'

'Je bent een heel intelligente vrouw, Elle. Je weet hoe het toegaat in de paardenwereld. Het is een keiharde business. De mensen zijn niet altijd lief en aardig. Maar ik zorg voor mijn cliënten. Ik ben ze trouw en ik verwacht van hen dat ze mij ook trouw zijn. Lorinda vertrouwt me. Ik mag gedurende het seizoen in haar huis wonen. Zie je nu hoe dankbaar mijn vrienden mij zijn?'

'Ja, zo zou je het ook kunnen noemen,' zei ik op droge toon.

En hij zou er geen enkele moeite mee hebben om het vertrouwen van zijn dankbare vrienden te verraden wanneer hij meer geld zou kunnen verdienen aan een lucratieve relatie met Sean Avadon. Dat zei hij zonder ook maar een spier te vertrekken, om er in dezelfde adem aan toe te voegen dat voor hem niets zo belangrijk was als trouw.

'Ben je vanavond vrij, Elle?' vroeg hij. 'Heb je zin om mee uit eten te gaan? Ik neem je mee naar The Players. Dan kunnen we in alle rust praten over het soort paard dat ik voor je wil.'

Ik vond het voorstel weerzinwekkend. Ik was doodmoe en ik had pijn en ik had mijn neus meer dan vol van dit misselijkmakende type en zijn wisselende stemmingen. Ik wilde doen wat Irina had gedaan, hem aanvliegen en hem met mijn vuisten bewerken en hem ondertussen de meest grove scheldwoorden naar het hoofd slingeren. In plaats daarvan zei ik: 'Vanavond niet, Z. Ik heb hoofdpijn.'

Hij maakte meteen weer een gekwetste en boze indruk. 'Ik ben geen monster. Ik ben een integer mens. Ik ben een man met karakter. In dit vak zijn nu eenmaal een heleboel slechte mensen die lelijke roddels verspreiden. Je zou beter moeten weten dan ze te geloven.'

Ik hield een hand op. 'Hou op. Hou alsjeblieft op, wil je? Jezus. Ik ben moe. Mijn hoofd doet pijn. Ik wil de avond doorbrengen in de jacuzzi en ik wil naar niemand hoeven luisteren. Je kunt het je waarschijnlijk niet voorstellen, maar het heeft niets met jou te maken.'

Dat geloofde hij niet, maar hij hield gelukkig wel op met zielig doen. Hij rechtte zijn rug en knikte bij zichzelf. 'Wacht maar af, Elle Stevens. Je zult veel aan me hebben. Ik zal een kampioene van je maken,' zei hij. 'Je zult zien wat voor soort man ik ben.'

Uiteindelijk was die laatste voorspelling van hem de enige die uit zou komen.

14

Jill stond voor de goedkope passpiegel. Ze was opgemaakt, en het enige dat ze aan had waren een zwartkanten beha en een string. Ze draaide van links naar rechts en terug, en probeerde verschillende gezichtsuitdrukkingen uit. Verlegen, ingetogen, sexy. Sexy beviel haar het beste. Het paste bij de beha.

De beha was haar een paar maten te klein en zat veel te strak, maar haar borsten leken er groter door, en dat beschouwde ze als een pluspunt. Net als bij de vrouwen die in de *Hustler* stonden, leek het alsof haar tieten uit de cups barstten. In gedachten zag ze Jade zijn gezicht in het dal tussen haar tieten drukken. Het idee bezorgde haar een tinteling tussen haar benen, en haar blik dwaalde af naar haar string.

Ook de string was te klein – de dunne bandjes sneden in het vet op haar heupen. Schaamhaar keek aan weerszijden onder het driehoekje kant aan de voorzijde uit. Ze draaide zich om en keek naar haar enorme blote, witte billen met putjes. Ze vond die string niet lekker in haar bilnaad zitten, maar daar zou ze maar aan moeten wennen. De string was sexy. Mannen hielden van strings. Ze kon alleen niet uitstaan dat dat kreng van een Erin zo verrekte mager was. Misschien als die string een normale maat had gehad, dat hij dan niet zo rottig zou hebben gezeten.

Nou ja. Het ding had haar geen cent gekost. En ze vond het in zekere zin opwindend dat hij van iemand anders was. Ze had Erins plaats ingenomen – in de stal, in de wereld. Nu Erin er niet meer was, kon Jill de flirtende stalknecht zijn. Kon Jill de slimmerik zijn.

Maar tegen Paris Montgomery zou ze het wel nooit kunnen opnemen.

De teef.

Jill trok een gezicht bij de gedachte aan haar. Het was geen lieflijk gezicht dat haar vanuit de spiegel aankeek.

Ze haatte Paris. Ze haatte haar glimlach, haatte haar grote ogen, haatte haar blonde haren. Ze haatte Paris nog meer dan ze Erin had gehaat. En ze had van haar leven nog nooit iets zozeer gehaat als die twee samen. Samen waren ze als de twee populaire meisjes van de klas geweest, véél te populair om bevriend te kunnen zijn met iemand als Jill, en ze hadden voortdurend samen grapjes gemaakt en haar, Jill, onaardige blikken toegeworpen. Gelukkig hoefde ze díe onzin niet meer te verdragen. Maar Paris was er nog steeds.

Alle mannen sloofden zich uit voor Paris. Ze wist alles van iedereen gedaan te krijgen. Niemand scheen te zien dat dat lieve gedoe van haar gewoon nep was. Iedereen vond haar grappig en lief en aardig. Ze was helemaal niet aardig. Wanneer er niemand keek, was ze bazig en kattig en gemeen. Ze maakte altijd rotopmerkingen over Jill die te veel at en Jill die meer aan lichaamsbeweging moest doen en Jill die zich niet kon kleden.

Jill bekeek zichzelf van top tot teen in de spiegel, en opeens zag ze zichzelf precies zoals Paris Montgomery haar zag. Niet een sexy vrouw in sexy ondergoed, maar een vette kop met kleine varkensoogjes, en een zure mond met omlaag wijzende mondhoeken; ronde bolle armen van het vet; dikke benen met knieën met kuiltjes; een lijf dat ze zo intens haatte dat ze regelmatig fantaseerde over hoe ze er met een mes grote flappen vet af zou snijden. Lelijk en pathetisch in haar gestolen, veel te kleine ondergoed.

De tranen sprongen haar in de ogen en ze kreeg rode vlekken in haar gezicht. Ze kon het niet helpen dat ze vet was. Haar moeder had het laten gebeuren toen ze een kind was. Dus ze kon er nu niets aan doen dat ze de verkeerde dingen at. En het was niet haar schuld dat ze niet aan sport deed. Na afloop van een lange werkdag was ze moe – en dat terwijl dat kreng van een Paris haar voortdurend verweet dat ze niet hard genoeg werkte.

Waarom zou ze zich extra uitsloven voor Paris? Paris moedigde haar op geen enkele manier aan, dus als Paris vond dat ze niet genoeg deed, dan was dat Paris' eigen schuld. En het was ook niet haar schuld dat ze geen mooie kleren had. Ze kreeg niet voldoende betaald om mooie kleren van te kunnen kopen. Ze moest stelen om aan mooie kleren te kunnen komen. En ze had er evenveel recht op als wie dan ook – of meer nog, als je bedacht hoe gemeen de mensen tegen haar waren.

Nou, dacht ze, ze zou Paris Montgomery weleens wat laten zien. Ze groef in de stapel kleren die half op en onder de lakens van haar onopgemaakte bed lagen. Ze zou Paris Montgomery's plaats innemen, precies zoals ze Erins plaats had ingenomen.

Jill wist dat ze, als iemand haar maar een kans zou willen geven, een even goede amazone zou kunnen zijn als Paris. Ze had het alleen altijd met slechte paarden moeten doen. Haar vader had een waardeloze, goedkope Appaloosa voor haar gekocht. Alsof ze dáár ooit iets mee zou kunnen bereiken in de springwereld. Ze had ooit eens een brief aan de broer van haar moeder geschreven om te vragen of hij misschien een echt paard voor haar wilde kopen. Ze zag niet in waarom hij dat niet zou willen doen, want hij was uiteindelijk rijk genoeg. Een bedrag van zeventig- of tachtigduizend dollar betekende niets voor hem. Maar hij had haar zelfs niet eens teruggeschreven. Smerige schoft.

Nou, ze zou hem ook eens wat laten zien. Ze zou iedereéén wel eens wat laten zien. Ze zou rijk zijn en ze zou de beste paarden berijden en aan de Olympische Spelen deelnemen. Ze had een duidelijk plan. Het enige dat ze nodig had was een beetje hulp, en ze wist precies bij wie ze daarvoor moest zijn.

Ze trok een witte stretch doorkijkblouse uit de stapel kleren die Erin had achtergelaten. Jill had alles in beslag genomen. En waarom ook niet? Erin had alles laten liggen, dus in dat geval was het niet eens stelen. Ze wurmde zich in de blouse. Zelfs met de stretch stonden de knoopjes op springen. Ze deed de bovenste drie open, waardoor het dal tussen haar borsten en een deel van de zwarte beha zichtbaar werd. Dat hielp. En het was sexy. Britney Spears kleedde zich net zo. Dat was ook de reden waarom Erin dat soort kleren kocht. Ze liep altijd in heel strakke dingen. En alle mannen, met inbegrip van Don, keken naar haar.

Jill zocht in een andere stapel. Ze viste er een paars stretch minirokje uit dat ze bij Wal-Mart had gestolen. Het was toch afgeprijsd. Zoveel had de zaak door haar niet verloren. Ze stapte erin en rukte en trok net zolang tot het zat zoals ze het hebben wilde. Je kon precies zien waar de veel te strakke tanga zat, maar daar zat ze niet mee. Het was een vorm van reclame.

De grote oorringen en een ketting uit de hoop sieraden die van Erin waren geweest, en de armbanden die ze bij Bloomingdale's had gestolen, en ze was klaar. Ze perste haar voeten in een paar sandalen met dikke zolen, pakte haar tas, en ging weg. Ze zou de wereld weleens laten zien wie ze was, en daar ging ze vanavond mee beginnen.

Landry zat achter zijn bureau en bekeek de ene na de andere pagina die over zijn beeldscherm rolde. Hij kon het niet uitstaan dat hij hier zat. Het was vrijdagavond, en hij had niets beters te doen.

En het was Estes' schuld, dacht hij geërgerd. Dat had hij tot zijn mantra van de dag gemaakt. Ze was als een irritante doorn in zijn huid. Het kwam door haar dat hij nu achter zijn bureau oude krantenartikelen zat door te lezen.

De teamkamer was zo goed als leeg. Een paar jongens van de nachtploeg deden wat administratief werk. Landry's dienst zat er allang op, en zijn vier collega's waren naar huis gegaan – naar hun vriendin of vrouw en kinderen – of zaten in hun vaste kroeg te drinken en te kankeren zoals politieagenten nu eenmaal doen.

Landry zat achter zijn bureau en zocht naar informatie over mensen uit de paardenwereld. Jade had geen strafblad, en zijn assistente ook niet. De stalknecht die het volgens haar bewering met Jade deed, was een paar keer gearresteerd voor winkeldiefstal, en één keer wegens het rijden onder invloed. Hij had bij haar meteen het gevoel gehad dat ze niet helemaal zuiver was, en daar had hij gelijk in gekregen. Hij geloofde niet dat ze die nacht met Jade in bed had gelegen, maar dat nam niet weg dat ze zich gedwongen had gevoeld de man een alibi te verschaffen. Landry kon niet anders dan zich afvragen waarom.

Wist het meisje dat Jade iets te maken had met het vrijlaten van Michael Bernes paarden? Had ze het zelf gedaan, en wilde ze, door Jade een alibi te verschaffen, zichzelf er ook een geven? Misschien had Jade haar er wel toe aangezet. Hij leek te slim om zoiets zelf te doen. Als het meisje betrapt werd, zou hij altijd kunnen zeggen dat hij er niets vanaf had geweten, en dat ze het naar alle waarschijnlijkheid had gedaan om zijn aandacht te trekken.

Michael Berne had er niet aan getwijfeld dat Jade achter het incident had gezeten. Landry had die middag met hem gesproken, en hij had even gedacht dat Berne, toen hij Jade de schuld gaf van alle problemen in zijn leven, in tranen zou uitbarsten of van pure woede zou stikken. Wat had Paris Montgomery ook alweer gezegd? Dat Berne Jade overal de schuld van gaf, behalve van zijn gebrekkige talent. Berne scheen te denken dat Jade de antichrist was, en dat alle boosaardigheid in de paardenwereld op hem was terug te voeren.

Misschien zat hij er wel niet zo heel ver naast.

Estes had Landry, toen ze de eerste keer bij hem was gekomen, over Jades verleden verteld, en over het feit dat paarden vermoord werden om het geld van de verzekering op te strijken. Niemand had ooit kunnen bewijzen dat Jade zich daaraan schuldig had gemaakt, en bij elk incident had hij zich als een glibberige slang onder alle aantijgingen weten uit te wurmen.

Wat wist Erin Seabright van het vermoorden van paarden om de verzekering op te lichten? En waarom, vroeg hij zich af, was ze nergens te vinden om ondervraagd te kunnen worden?

Hij had vanmiddag naar zijn collega's in Ocala gebeld om te vragen of ze Erin daar voor hem wilden zoeken, en alle korpsen in Palm Beach County hadden een opsporingsbevel voor haar auto gekregen. Het zat er dik in dat ze voor een nieuwe baan of een nieuw vriendje naar elders was getogen, maar voor het geval dat niet zo was, kon het geen kwaad om dit soort dingen te controleren.

En als iemand van hem wilde weten waar hij in vredesnaam mee bezig was, dan zou hij gewoon zeggen dat het de schuld van Estes was, dacht hij geërgerd.

Hij nipte van zijn koffie en keek over zijn schouder. De jongens van de nachtploeg waren nog steeds aan het werk. Landry drukte op een paar toetsen en haalde het krantenverslag van de arrestatie van de gebroeders Golam, die twee jaar tevoren had plaatsgevonden, op het scherm. Hij had het eerder die dag al gelezen en wist wat erin stond, en hij wist precies welke alinea hij opnieuw wilde lezen: de alinea waarin werd beschreven hoe Elena Estes van de narcoticabrigade aan het portier van Billy Golams terreinwagen had gehangen, en vervolgens was gevallen en onder de auto was gekomen. Ze was vijftig meter meegesleurd over de Okeechobee Boulevard en lag, op het moment waarop het artikel was geschreven, in kritieke toestand in het ziekenhuis.

Hij vroeg zich af wat ze sinds die dag had doorgemaakt, en hoeveel weken en maanden ze in het ziekenhuis had gelegen. Hij vroeg zich af wat haar had bezeten om op die terreinwagen te springen en om te proberen Billy Golam alsnog te overmeesteren.

De narcoticabrigade. Volgens hem zat er bij al die lui een steekje los.

Inmiddels was er twee jaar verstreken. Hij vroeg zich af wat ze al die tijd had gedaan en waarom ze voor deze zaak uit de schaduw was gekomen. Hij vroeg zich af waarom hun paden zich hadden gekruist.

Hij had absoluut geen behoefte aan de problemen die ze meebracht. Dat nam evenwel niet weg dat hij had gehapt. En dat hij de zaak had aangenomen.

En dat was allemaal Estes' schuld.

Jill rende diep beledigd huilend The Players uit. Dikke tranen rolden, zwarte mascarasporen achterlatend, over haar wangen. Ze haalde haar hand langs haar druipende neus, en streek een haarsliert uit haar ogen.

De portiers deden stilzwijgend een stapje opzij en keken haar verbaasd aan. Ze vroegen niet of ze haar auto voor haar konden halen, want ze hoefden maar naar haar te kijken om te weten dat ze geen auto had die het waard was om door hen geparkeerd te worden. Ze parkeerden uitsluitend auto's voor elegante, slanke en rijke mensen.

'Wat valt er te kijken?' snauwde Jill. Ze wisselden geamuseerde blikken. 'Krijg de kolere, jullie!' schreeuwde ze, terwijl ze huilend de parkeerplaats op rende. Haar rechtervoet gleed van de hoge zool van haar sandaal, en ze verzwikte haar enkel. Ze struikelde, waarbij het met kralen geborduurde handtasje dat ze bij Neiman Marcus had gestolen op de grond viel en de inhoud ervan over de straat vloog.

'Godverdomme!' Ze dook op haar knieën en brak een nagel terwijl ze haar lippenstift en een doosje condooms bij elkaar graaide. 'Kut! Kut!'

Kwijl en tranen en snot dropen van haar gezicht op het asfalt. Jill rolde zichzelf op tot een bal en snikte – een hartverscheurend en lelijk geluid. Zij was lelijk. Haar kleren waren lelijk. Zelfs haar huilen was lelijk. De pijn groeide binnen in haar als een steeds dikker wordende blaar en explodeerde in een nieuwe golf van tranen.

Waarom? Die vraag had ze zich al duizenden keren gesteld. Waarom moest zij de dikke en de lelijke zijn? Niemand vond haar aardig, laat staan dat er iemand van haar hield. Het was niet eerlijk. Waarom zou zij zo hard aan zichzelf moeten werken om te veranderen, terwijl dat soort krengen als Erin en Paris alles hadden?

Ze veegde haar gezicht af aan de mouw van haar witte kanten blouse, raapte haar spullen bij elkaar en krabbelde overeind. Een chic gekleed ouder echtpaar dat bij een Jaguar vandaan kwam gelopen, staarde haar aan alsof ze een monster was. Jill stak haar middelvinger naar hen op. De vrouw slaakte een onthutste kreet en de man sloeg een beschermende arm om haar schouder terwijl hij haar haastig mee naar de ingang trok.

Jill maakte haar auto open en gooide haar tasje en de dingen die eruit waren gevallen op de voorbank. Ze ging zwaar achter het stuur zitten, trok het portier keihard achter zich dicht en barstte opnieuw in snikken uit. Ze beukte met haar vuisten op het stuur, en toen op het zijraampje, en toen per ongeluk op de claxon en ze schrok van het geluid.

Haar fantastische plan. Haar grote verleidingsscène. Wat was ze toch een stakker.

Ze wist dat Jade die avond bij Players zou zijn en ze was er naar binnen gegaan in de veronderstelling dat hij haar iets te drinken zou aanbieden. Ze zou met hem flirten en hem vertellen hoe ze hem had geholpen door hem een alibi te verschaffen. Ze ging er vanuit dat hij onder de indruk zou zijn van de snelle manier waarop ze gereageerd had, en dat hij haar dankbaar was voor haar loyaliteit. En daarna zouden ze dan naar zijn huis zijn gegaan, waar ze urenlang als gekken geneukt zouden hebben. Fase één in haar plan om Paris eruit te werken.

Maar alles was misgelopen omdat ze niet eens de káns had gekregen om haar plan in werking te stellen. De hele verrekte wereld was tegen haar. Jade was er nog niet toen ze naar binnen was gegaan, en de kelner had haar eruit willen gooien. Dat had ze gezien aan de manier waarop hij zijn blik over haar gestalte had laten gaan, alsof hij dacht dat ze de een of andere goedkope hoer was, of zo. Hij had haar niet geloofd toen ze had gezegd dat ze met iemand had afgesproken. En de serveerster en de barkeeper waren dicht bij elkaar gaan staan en hadden grinnikend over haar gefluisterd toen ze aan een tafeltje was gaan zitten en als een idioot suikervrije cola had gedronken omdat ze hadden gezien dat haar identiteitsbewijs vals was en ze haar geen alcohol hadden willen geven. En toen was die engerd van een Van Zandt binnengekomen. Hij was half aangeschoten geweest en was, zonder om haar toestemming te vragen, bij haar aan tafel komen zitten.

Wat een lul. Ze had hem de gemeenste en meest valse dingen over haar horen vertellen, en nu dacht hij dat hij ineens lief en aardig tegen haar kon doen om zich haar onderbroek binnen te werken. Gedurende het eerste kwartier had hij onafgebroken naar haar decolleté zitten staren. En toen ze had gezegd dat ze op iemand anders wachtte, had hij het lef gehad om beledigd te zijn. Alsof ze ooit met zo'n oude zak naar bed zou willen. Dat hij een paar borrels voor haar georganiseerd had was zíjn probleem, niet het hare. Hij moest niet denken dat ze bereid zou zijn om hem daarvoor te pijpen. Als ze die avond al op een pik zou zuigen, zou het zeker de zijne niet zijn.

En toen was Jade eindelijk binnengekomen. En hij had haar met zóveel walging aangekeken, dat ze het liefste als een stuk glas in duizend scherfjes uiteen was gespat. Zijn boze woorden weergalmden in haar oren alsof hij ze tegen haar geschreeuwd had, terwijl hij haar in werkelijkheid heel zachtjes had gevraagd om mee te komen naar de gang.

'Hoe haal je het in je hoofd om je hier zo opgedirkt te vertonen?' vroeg hij streng. 'Je werkt voor mij. Ik word aangekeken op de manier waarop jij je in het openbaar gedraagt.'

'Maar ik wilde alleen maar –'

'Ik wil niet dat de term "ordinaire tippelaarster" met mijn stal in verband wordt gebracht.'

Jill had een gesmoorde kreet geslaakt alsof hij haar had geslagen. Op dat moment was Michael Berne de gang op gekomen. Ze had hem vanuit haar ooghoeken gezien. Hij was doorgelopen naar de telefoon om zogenaamd iemand te bellen, maar had hen ondertussen in de gaten gehouden.

'Ik spreek hier af met cliënten,' ging Jade verder. 'Ik doe hier zaken.'

'Ik w... wilde je alleen maar z... zien,' had ze gestameld, terwijl de tranen haar in de ogen waren gesprongen. 'Ik w... wilde je vertellen d... dat –'

'Ben je niet goed snik? Hoe durf je hier te komen en mijn avond te verpesten?'

'M... maar ik moet je ver... vertellen – Ik... ik weet het van Stellar –'

'Als je me ergens over wilt spreken, dan doen we dat onder werktijd in de stal.'

'M... maar –'

'Is alles in orde?' had Michael Berne gevraagd. De lul met zijn sproetenkop was ongevraagd bij hen komen staan.

'Dit is iets tussen mij en Jill, Michael,' had Jade gezegd.

'De jongedame lijkt me anders nogal van streek.' Maar toen hij haar had aangekeken, had Jill duidelijk kunnen zien dat het hem geen barst interesseerde of ze nu wel of niet van streek was. Hij had haar precies zo aangekeken als alle andere mannen haar die avond hadden aangekeken – alsof ze zichzelf te koop aanbood en ze haar prijzen behoorde te verlagen.

Ze had hem door een waas van tranen aangekeken. 'Bemoei je er niet mee!' had ze geroepen. 'We hebben je hier niet nodig, en elders ook niet!'

Berne had een paar stapjes opzij gedaan. 'Je zou je persoonlijke aangelegenheden toch echt niet hier moeten regelen, hoor, Jade,' zei hij als een tuttige nicht. 'Ik kan dit werkelijk niet professioneel van je vinden.'

Jade had gewacht tot Berne weg was, en toen had hij zich opnieuw, maar nog veel bozer, tot haar gewend. 'Duvel op. Duvel op voordat je me nog meer voor gek zet dan je al hebt gedaan. We zullen het hier morgenochtend over hebben. Dat wil zeggen, als ik je aanblik tenminste nog kan verdragen.'

Hij had net zo goed een mes in haar hart kunnen zetten. De pijn zou er niet minder erg om zijn geweest.

Laat hij de kolere krijgen, dacht Jill nu. Don Jade was haar baas, niet haar vader. Hij had geen enkel recht om haar te zeggen hoe ze zich moest kleden en waar ze wel of niet naar toe mocht gaan. Hij moest niet denken dat hij haar zomaar ongestraft voor ordinaire tippelaarster uit kon maken.

Ze werkte zich kapot voor Don Jade, en hij behandelde haar als oud vuil. Ze had zijn partner willen zijn – in bed en erbuiten. Ze zou alles voor hem hebben gedaan. Maar hij was haar loyaliteit en toewijding niet waard. Als hij verraden werd en in de rug werd aangevallen, dan was dat zijn verdiende loon. Wat hem ook overkwam, hij verdiende het.

Terwijl ze daar zo in haar auto zat, begon ze een idee te krijgen. Ze hoefde die behandeling van hem niet te pikken. Ze hoefde zich niet voor hoer te laten uitmaken. Er waren zat stallen waar ze werk zou kunnen krijgen. Fuck Don Jade.

Ze reed van de parkeerplaats en sloeg linksaf, South Shore op. Ze zette koers naar het ruitercentrum, en sloeg geen acht op de auto die haar vanaf de parkeerplaats volgde.

15

Molly hoorde Bruce en haar moeder ruziemaken. Ze kon de woorden niet verstaan, maar de toon zei genoeg. Ze lag op de vloer van haar kamer, met haar hoofd bij de airconditioning. Haar kamer was recht boven het kantoor van Bruce, waar hij haar moeder of Chad of Erin regelmatig ontbood om hun een fikse uitbrander te geven voor de laatste zonde die ze tegen hem hadden begaan. Molly had al heel vroeg geleerd om ervoor te zorgen dat ze zo goed als onzichtbaar was voor de mannen met wie haar moeder bevriend was. Ze had in dat opzicht geen uitzondering gemaakt voor Bruce, hoewel hij nu in technisch opzicht haar vader was. Ze beschouwde hem niet als haar vader. Ze beschouwde hem als de eigenaar van het huis waar ze toevallig woonde.

De ruzie ging over Erin. De naam van haar zus was het enige woord dat ze in het heftige geschreeuw had kunnen herkennen. Het was duidelijk dat er iets aan de hand was. Haar moeder was al van streek geweest toen Molly van school thuis was gekomen. Ze had zenuwachtig door het huis gelopen, en was om de haverklap de achtertuin in gegaan om de ene sigaret na de andere te roken. Het avondeten was door Domino's bezorgd. Krystal had haar portie nog niet eens voor de helft gegeten. Chad had alles hongerig naar binnen geschrokt, en had vervolgens, vóór Bruce thuis zou komen, gemaakt dat hij wegkwam.

En toen Bruce thuis was gekomen, had Krystal hem onmiddellijk gevraagd of ze hem in zijn kamer zou kunnen spreken.

Molly's buik balde zich samen van de zenuwen. Ze had Erins naam horen vallen, en ze had het woordje 'politie' gehoord. Haar moeder had eerst dringend, en toen boos en hysterisch geklonken, en toen had ze moeten huilen. Bruce klonk alleen maar boos. En afgezien van de stemmen had ze ook nog een mechanisch geluid gehoord, alsof de video werd aangezet, werd uitgezet en werd teruggespoeld. Molly had geen idee van wat het te betekenen had. Misschien had Krystal wel een pornovideo in Chads kamer gevonden. Maar waarom hoorde ze dan steeds Erins naam, en niet die van Chad?

Met wild kloppend hart sloop Molly haar kamer uit, waarna ze op haar tenen naar de trap aan de achterzijde van het huis liep. Het was donker in huis, en de enige kamer waar licht brandde, was de werkkamer van Bruce. Ze sloop met ingehouden adem de gang af. Als iemand de deur van de werkkamer opendeed, zou ze er gloeiend bij zijn. De zitkamer was naast de werkkamer. Als ze daar ongezien naar binnen zou kunnen glippen... Ze verstopte zich in de hoek achter de ficus, en ging met haar rug tegen de muur zitten.

'Nee, de politie wordt niet gebeld, Krystal,' zei Bruce. 'Om te beginnen geloof ik niet dat het echt is. Volgens mij probeert iemand ons alleen maar een streek te leveren en –'

'Maar als het wel echt is?'

'Ze hebben duidelijk gezegd dat we de politie er niet bij mogen halen.'

'O, god, ik kan het gewoonweg niet geloven,' zei Krystal met bevende stem.

'Waarom niet?' zei Bruce. 'Ze is jouw dochter. En ik hoef jou niet te vertellen dat ze altijd al voor problemen heeft gezorgd.'

'Hoe kun je zoiets zeggen?'

'Doodeenvoudig. Omdat het waar is.'

'Je kunt toch zo'n ontzéttend wrede lul zijn. Hoe kún je. Au! Je doet me pijn! Bruce!'

Molly kreeg tranen in de ogen. Ze drukte haar knieën tegen haar borst en sloeg haar armen stijf om haar benen, en probeerde niet te beven.

'Ik heb je gevraagd om geen schuttingwoorden te gebruiken, Krystal. Dames gebruiken geen schuttingtaal.'

Krystal haastte zich haar excuses aan te bieden. 'Het spijt me. Het spijt me. Ik ben van streek. Ik meende het niet.'

'Je bent in de war. Je zult toch echt moeten kalmeren, Krystal. Gebruik je verstand. Op de tape zeggen ze dat we de politie erbuiten moeten houden.'

'Maar wat kunnen we er dan aan doen?'

'Ik vind wel een oplossing.'

'Maar ik denk –'

'Heeft iemand je gevraagd om te denken?'

'Nee.'

'Wie neemt de beslissingen hier in huis, Krystal?'

Krystal haalde haperend adem. 'Degene die daartoe het beste is toegerust.'

'En wie is dat?'

'Jij.'

'Dank je. Dus laat de hele zaak nu maar aan mij over. Neem een pil en ga naar bed. We kunnen er vanavond toch niets meer aan doen.'

'Ja,' zei Krystal zacht. 'Dan ga ik maar.'

Molly wist uit ervaring dat haar moeder meer dan één pil zou nemen, en dat ze ze met wodka zou nemen. Ze zou zich terugtrekken in haar eigen kleine wereldje en doen alsof alles volkomen in orde was. Maar ondertussen voelde Molly zich kotsmisselijk. Alles wat ze had gehoord maakte haar doodsbang. Wat had Erin nu weer gedaan? Als Krystal de politie wilde bellen, dan moest het wel heel iets verschrikkelijks zijn.

'Ik ga een eindje rijden om dit van me af te zetten,' zei Bruce. 'Ik heb een walgelijke dag achter de rug, en nu dít nog.'

Molly hield zich muisstil en hoopte vurig dat geen van beiden om wat voor reden dan ook de zitkamer in zou komen. Ze hoorde de hakken van haar moeder op de tegelvloer van de gang. Krystal ging altijd via de grote trap naar boven, want die was mooi en ze had er altijd van gedroomd om in een mooi huis te wonen. Bruce liep langs de zitkamer naar de keuken. Molly bleef zitten tot ze hem de deur naar de garage door had horen gaan. Ze wachtte tot ze hem de auto had horen starten en tot de garagedeur dicht was, en toen wachtte ze nóg wat langer. Toen ze er helemaal zeker van was dat hij weg was, kwam ze uit haar schuilplaats en ging naar zijn kamer.

Niemand mocht daar binnenkomen als hij er niet was. Hij verwachtte van iedereen dat ze zich aan die regel hielden, hoewel hij zelf regelmatig de kamers van de anderen binnenging. Dit was zijn huis, en hij liet geen gelegenheid voorbijgaan om hun dat te vertellen.

Molly deed de bureaulamp aan en liet haar blik over de boekenkast, de foto's aan de muren – foto's van Bruce waarop hij belangrijke mensen de hand schudde – en de prijzen en onderscheidingen gaan die Bruce had gekregen in verband met zijn werk, en met werk voor de gemeenschap. Alles in de kamer stond en hing precies zoals hij het hebben wilde, en hij zag het onmiddellijk als iets ook maar een centimeter verplaatst was.

Molly keek achterom terwijl ze de afstandsbediening voor de televisie en de video pakte. Ze drukte op 'play' en wachtte, en ze was zó verschrikkelijk zenuwachtig dat ze over haar hele lichaam beefde.

De film begon zonder iets van een titel of rolverdeling vooraf. Een meisje dat op een achterafweggetje bij een hek stond. Erin. Molly keek vol ontzetting naar de bestelbus die aan kwam rijden, en naar de gemaskerde man die eruit sprong, haar beet pakte en haar in het busje duwde.

Uit de luidsprekers klonk een vreemde, metaalachtige stem. 'We hebben jullie dochter. Laat de politie erbuiten –'

Molly huilde echt toen ze op 'Stop' drukte, en vervolgens op 'Eject', en toen ze op een stoel klom om de video uit de recorder te halen. Ze wilde hardop huilen. Ze wilde overgeven. Ze deed geen van tweeën.

Ze hield de video dicht tegen zich aan gedrukt, rende door het huis naar het washok en griste haar jack van de kapstok. Ze wikkelde de video in haar jack en bond het jack om haar middel. Ze beefde zo erg dat ze niet wist of ze wel genoeg kracht had om te doen wat ze moest. Het enige dat ze wist, was dat ze het moest proberen.

Ze deed de garagedeur open, stapte op haar fiets, en reed zo hard als ze kon de donkere straat uit.

16

Ondanks het feit dat elke politieagent in Palm Beach County me haatte, had ik toch nog enkele contacten binnen het vak. Ik belde een FBI-agent die ik kende van het kantoor in West Palm. Armedgian en een andere agent hadden ooit eens met ons samengewerkt in een zaak van heroïnedealers in West Palm Beach, met vertakkingen naar Frankrijk. Armedgian was de schakel geweest tussen onze respectievelijke bureaus, het FBI-contact in Parijs, de Franse autoriteiten en Interpol. De zaak had zes maanden in beslag genomen, en in die tijd was Armedgian niet alleen een contactpersoon geworden, maar ook een vriend – het soort vriend dat ik kon bellen en om informatie kon vragen.

Ik belde hem aan het eind van de middag en stelde me opnieuw aan hem voor. *Je spreekt met Estes. Weet je nog wie ik ben? We hadden die zaak in Parijs...* Natuurlijk, antwoordde hij, hoewel hij heel even geaarzeld had en ik aan zijn stem hoorde dat hij gespannen was.

Ik vroeg hem om bij Interpol te kijken wat hij daar over Van Zandt en World Horse Sale te weten kon komen. Opnieuw een aarzeling. Was ik weer aan het werk? Hij dacht dat ik uit het vak was gestapt na... nou ja, na...

Ik vertelde hem dat ik een kennisje hielp dat met die man zaken had gedaan die niet helemaal zuiver bleken te zijn, en dat ik gehoord had dat hij een oplichter was. Ik wilde alleen maar van hem weten of de man in kwestie een strafblad had. Dat was toch niet te veel gevraagd, of wel?

Armedgian maakte de gebruikelijke bezwaren en zei dat hij bang was dat hij betrapt zou worden. Federale agenten waren als schoolkinderen die vreesden dat ze, wanneer ze zonder toestemming naar de wc zouden gaan, later een aantekening op hun einddiploma zouden krijgen en dat hun hele leven erdoor verpest zou worden. Maar uiteindelijk stemde hij erin toe om het te doen.

Tomas Van Zandt was niet in één dag geworden wat hij was. Het was niet onredelijk om aan te nemen dat hij, als hij een meisje mishandeld had, dat met meerderen had gedaan. Misschien dat een van hen de moed had gehad om hem aan te geven. Maar aan de andere kant had hij Sasha Kulak alleen maar in zijn macht gehad omdat ze een vreemdeling in zijn land was, en ze naar alle waarschijnlijkheid geen verblijfsvergunning had gehad.

Alleen al de gedachte eraan maakte me woedend. Hij was een roofdier die het voorzien had op kwetsbare vrouwen, ongeacht of ze nu voor hem werkten of dat ze zijn cliënten waren. En wat me daaraan écht giftig maakte, was het feit dat kwetsbare vrouwen vaak weigeren in te zien dat mannen als Van Zandt gevaarlijk zijn, of dat ze niet anders kunnen dan lijdzaam slachtoffer te zijn. En een psychopaat als Van Zandt kon zoiets van kilometers afstand ruiken.

Ik pakte zijn visitekaartje op en bekeek het. Het was laat, maar ik kon hem nog steeds op zijn mobiel bellen, mijn excuses aanbieden voor Irina's gedrag, en hem vragen of hij zin had om ergens iets te gaan drinken... Misschien had ik wel mazzel en zou ik op het eind van de avond gedwongen zijn hem uit zelfverdediging te vermoorden.

Net toen ik de telefoon wilde pakken, sloeg er iets met een harde klap tegen mijn voordeur. Mijn hand schoot naar de Glock die ik, om schoon te maken, op tafel had gelegd. In een flits schoten mij alle mogelijke scenario's door het hoofd. Toen werd er gebonsd en hoorde ik een zacht stemmetje.

'Elena! Elena!'

Molly.

Ik trok de deur open en het meisje viel naar binnen alsof ze door een orkaan het huis in werd geblazen. Haar haren waren nat van het zweet. En ze zag lijkbleek.

'Molly, wat is er? Wat is er gebeurd?'

Ik bracht haar naar een stoel en ze zakte erop neer. Ze was zo buiten adem dat ze hijgde.

'Hoe ben je hier gekomen?'

'Op de fiets.'

'God. Het is midden in de nacht. Waarom heb je me niet gewoon gebeld om te zeggen dat je me wilde zien?'

'Dat kon ik niet. Dat durfde ik niet.'

'Heb je iets van Erin gehoord?'

Ze maakte het jack los dat ze om haar middel had geknoopt, zocht in de plooien van de stof en haalde er met bevende handen een video uit die ze aan mij gaf.

Ik liep met de tape naar de videorecorder, spoelde hem terug en drukte op 'play'. Ik bekeek de dramatische beelden zoals ik wist dat Molly dat had gedaan, maar met een angstig voorgevoel waarvan ik wist dat zij dat niet had gehad omdat ze niet zo oud was als ik en niet zoveel had gezien als ik. Ik zag hoe haar zus tegen de grond werd geslagen en in de witte bestelwagen werd geduwd. Toen klonk de stem die mechanisch vervormd was om niet herkenbaar te zijn of om angst in te boezemen of beide. 'We hebben jullie dochter. Laat de politie erbuiten, want anders is ze er geweest. Driehonderdduizend dollar. Aanwijzingen volgen.'

Het beeld kwam tot stilstand. Ik stopte de band, draaide me om en keek naar Molly. Molly de miniatuurvolwassene was verdwenen. Aan mijn tafel zat, klein en kwetsbaar, Molly het kind van twaalf dat vreesde om het lot van haar grote zus. De tranen achter de lenzen van haar Harry Potter-brilletje getuigden van haar angst.

Ze deed heel erg haar best om moedig te zijn terwijl ze op mijn reactie wachtte. Dat vond ik bijna nog beangstigender dan de video.

Ik ging voor haar op mijn hurken zitten en legde mijn handen op de armleuningen van de stoel. 'Hoe ben je hieraan gekomen, Molly?'

'Ik hoorde mam en Bruce ruziemaken om Erin,' zei ze snel. 'Toen ze zijn kamer uit waren gegaan, ben ik er naar binnen geglipt en heb ik de video gevonden.'

'Ze hebben hem gezien.'

Ze knikte.

'Wat hebben ze gedaan?'

De tranen rolden onder haar brilletje uit over haar wangen. 'Niets,' zei ze zó zacht dat ik haar amper kon verstaan.

'Hebben ze de politie niet gebeld?'

'Bruce zei dat hij het wel zou regelen. En toen heeft hij mam naar bed gestuurd.' Ongelovig schudde ze haar hoofd. Ik zag dat ze boos werd, en ze kreeg een kleur. 'En toen is hij een eindje gaan rijden om te kalmeren omdat hij een *slechte dag* had gehad!' riep ze uit, terwijl ze met haar vuistje op tafel sloeg. 'Ik haat hem. Hij doet toch niets, want hij wil niet dat ze terugkomt! En als Erin sterft, dan is het zijn schuld!'

De tranen kwamen in volle ernst, en Molly liet zich tegen me aanvallen en sloeg haar armen om mijn hals.

Ik ben nooit goed geweest in troosten. Misschien omdat ik dat nooit van mijn ouders had geleerd. Of misschien omdat ik mijn eigen, persoonlijke verdriet altijd zó diep in mezelf had weggestopt dat ik er anderen nooit aan had laten komen. Maar Molly's verdriet was zo duidelijk zichtbaar, dat ik niet anders kon dan het met haar delen. Ik nam haar in mijn armen en streelde haar haren.

'Het zal niet van hem afhangen, Molly,' zei ik. 'Je hebt mij, weet je nog?'

Op dat moment was ik echt bang. Dit was niet langer een zaak die ik niet wilde en waarvan het resultaat naar alle waarschijnlijkheid onbelangrijk zou zijn. Het was geen eenvoudige zaak van gewoon een klus oplossen. Ik had een band met het kind in mijn armen. Ik was er op een heel persoonlijke wijze bij betrokken. Ik, die niets anders meer had gewild dan me met mijn ellende verstoppen tot het moment waarop ik voldoende moed had verzameld om eruit te durven stappen.

Ik drukte haar dicht tegen me aan – niet voor haar, maar voor mezelf.

Ik maakte een kopie van de video, waarna we Molly's fiets in mijn achterbak legden en op weg gingen naar Binks Forest. Het was bijna middernacht.

17

Jill ging Jades tuigkamer binnen en deed het lampje aan dat op het antieke bureautje stond. Ze pakte een fles leerolie uit de voorraadkast, schroefde de dop eraf, trok de la met Jades goede rijbroeken open en goot er een hoeveelheid olie overheen. Ze had die broeken in de catalogus gezien en wist dat ze minstens tweehonderd dollar per stuk kostten. Vervolgens trok ze de hangkast open, haalde er zijn twee op maat gemaakte jasjes uit, doordrenkte ze met de olie, en deed hetzelfde met zijn keurig geperste, eveneens op maat gemaakte overhemden.

Op de een of andere manier was dat niet bevredigend genoeg. Ze wilde meer.

Omdat Javier, de Guatemalaan, die middag eerder weg had gemoeten, had zíj de boxen uit moeten mesten. Maar dat was een klus waar Jill niet van hield, dus in plaats van uit te mesten had ze de poep gewoon met een laag vers stro bedekt. Ze grinnikte, liep naar de eerste box en haalde Trey Hughes' appelschimmel eruit. Ze zette hem in de vrije box die van Stellar was geweest, pakte een hooivork, ging ermee naar de box van de appelschimmel, en haalde het stro van de poep en de urine. De stank van ammonia brandde in haar neus, en haar lippen plooiden zich in een boosaardige grijns.

Ze zette de hooivork weg, liep terug naar de tuigkamer, en pakte de stapel kleren op.

Jade zou een beroerte krijgen wanneer hij dit zag. Hij zou weten dat zij het had gedaan, maar hij zou het nooit kunnen bewijzen. Hij moest morgen een wedstrijd rijden, en hij had niets om aan te trekken. Zijn paarden zouden niet op tijd klaar zijn. En Jill zou heerlijk op het strand liggen zonnen, en op zoek gaan naar een lekker stuk.

Ze legde Jades dure kleren op de plekken met poep en urine, en begon er vervolgens op te stampen om ze zo grondig mogelijk te vernielen. Dit zou hem leren om mensen als ondergeschikten te behandelen. Hij moest niet denken dat hij haar zomaar kon vernederen. Vuile lul. Hij zou spijt krijgen van wat hij haar had aangedaan. Ze had zijn bondgenoot kunnen zijn, zijn spionne. Maar in plaats daarvan kon hij de pot op.

'Krijg de kolere, Don Jade. Krijg de kolere, Don Jade,' herhaalde ze, terwijl ze op de kleren danste.

Ze was geen moment bang dat Jade haar op heterdaad zou betrappen. Hij was in die kaktent waar hij indruk probeerde te maken op de een of andere cliënt, of op een vrouw. Het was vanavond in principe Paris' beurt om op het einde van de avond langs te komen om te kijken of alles in orde was, maar Jill wist dat ze dat zo goed als nooit deed.

Het kwam geen moment bij Jill op dat er weleens iemand van een andere stal bij hen langs zou kunnen komen, of dat ze de aandacht van een van de bewakers zou kunnen trekken. Ze werd eigenlijk nooit betrapt bij het doen van dingen die niet mogen. Zoals het maken van die kras op de auto van die trut van een Erin. Iedereen nam aan dat Chad dat had gedaan omdat Chad die avond bij Erin was geweest en ze ruzie hadden gehad. En Jill had ooit eens bij Wal-Mart gewerkt waar ze, pal onder de neus van de manager, van alles en nog wat had gestolen. Die zaak verdiende het om bestolen te worden, als ze zo stom waren om iemand in dienst te nemen die zo achterlijk was als die man was geweest.

'Krijg de kolere, Don Jade. Krijg de kolere, Don Jade,' zong ze, terwijl ze vrolijk verderging met het in de poep en urine vertrappen van zijn kleren.

En toen ging het licht in de stal opeens uit.

Jill hield op met dansen en bleef roerloos staan. Ze kon haar hart voelen slaan. Door het geluid daarvan in haar oren, was ze niet in staat te horen of er iemand aankwam. Toen haar ogen even later aan het duister begonnen te wennen kon ze wel vormen onderscheiden, maar de box was bijna helemaal achter aan in de stal zodat het licht van buiten er amper doordrong.

Ze hoorde hoe een paar paarden zich omdraaiden in hun box. Hier en daar hoorde ze een zacht gehinnik – het klonk zenuwachtig, vond Jill. Ze tastte de wand af op zoek naar de hooivork. Ineens wist ze weer dat ze hem aan de andere kant van de box had neergezet. Ze draaide zich met haar rug naar het deurtje om hem te pakken.

Het gebeurde zo snel dat ze geen kans had om te reageren. Achter haar kwam iemand binnen. Ze hoorde het ritselen van het stro en voelde dat er iemand bij haar in de box was. Voor ze had kunnen gillen, had die ander zijn hand over haar mond geslagen. Haar eigen handen sloten zich wanhopig om de steel van de hooivork, en ze draaide zich om terwijl ze zich los probeerde te worstelen uit de greep van degene die haar vasthield. Ze wist zich te bevrijden, wankelde achteruit en haalde uit met de hooivork die ergens contact mee maakte. Maar ze had de steel te ver bij het uiteinde vast zodat haar uithaal niet veel kracht had, en het ding zwaaide uit haar handen en sloeg met een doffe klap tegen de canvas wand.

Ze probeerde opnieuw te schreeuwen, maar ze kon het niet. Als in een nachtmerrie kwam er geen geluid over haar lippen. En dat was het moment waarop ze wist dat ze zou sterven.

Toch probeerde ze alsnog te ontkomen en naar de uitgang te vluchten. Haar benen voelden loodzwaar. Haar voeten bleven haken in de kleren op de vloer van de box. Als een lasso rond haar enkels trokken de kleren haar voeten onder haar vandaan. Ze viel zwaar voorover, en de lucht werd uit haar longen geslagen. Haar aanvaller dook van achteren boven op haar.

Er was een geluid – een stem – maar ze kon het niet goed horen door het dreunen in haar oren en het gierende geluid dat over haar lippen kwam terwijl ze lucht probeerde te krijgen en probeerde te huilen en te smeken. Ze voelde hoe het minirokje over haar billen omhoog werd getrokken, en voelde een hand tussen haar benen graven en aan de te kleine tanga trekken.

Ze probeerde naar voren toe weg te komen. Op hetzelfde moment voelde ze een enorme druk halverwege haar rug, en toen op haar achterhoofd. Haar hoofd werd omlaag gedrukt. Iemand duwde haar gezicht in de mest die ze eerder die dag weg had moeten halen. Ze kon geen lucht krijgen. Ze probeerde haar hoofd opzij te draaien, probeerde lucht te happen, maar ze kreeg haar mond vol stront; ze probeerde over te geven, en kreeg een verschrikkelijk brandend gevoel in haar borst.

En toen voelde ze helemaal niets meer.

18

Het was stil in de buurt waar de Seabrights woonden – alle prachtige, grote villa's waren donker, en hun bewoners hadden geen weet van de problemen van hun buren. Op de begane grond van het huis van de Seabrights brandde nog licht. Boven was alles donker. Ik vroeg me af of Krystal inderdaad was gaan slapen.

Bruce had haar naar bed gestuurd, had Molly gezegd. Alsof ze een klein kind was. Haar dochter was ontvoerd en haar man stuurde haar naar bed. Hij zou het wel regelen. Ik vroeg me af of Bruce de video, als Krystal hem niet had gezien, gewoon met de reclamepost in de prullenbak zou hebben gegooid.

Molly liet ons via de voordeur binnen en ging mij voor naar het kantoor van Bruce Seabright, de kamer waar ik licht had zien branden. De deur stond open, en ik zag Bruce die mopperend voor de televisiekast stond en naar iets zocht.

'Zoekt u dit?' vroeg ik, de video omhooghoudend.

Hij draaide zich met een ruk om. 'Wat doe jij hier? Hoe ben je mijn huis binnengekomen?'

Zijn woedende blik vond Molly die zich achter mij verstopte. 'Molly? Heb jij dit mens binnengelaten?'

'Elena kan ons helpen –'

'Waarmee?' vroeg hij. Hoewel ik voor hem stond met de video van de ontvoering van zijn dochter in mijn hand, deed hij nog steeds alsof er helemaal niets gebeurd was. 'We hebben haar hulp nergens voor nodig.'

'Denkt u dat u dit wel alleen af kunt?' vroeg ik, terwijl ik de video op zijn bureau gooide.

'Ik denk dat je mijn huis kunt verlaten, want anders bel ik de politie.'

'Dat is een dreigement waar ik ongevoelig voor ben. Dat zou u sinds vanochtend toch moeten weten.'

Hij perste zijn lippen op elkaar en tuitte ze, terwijl hij me met half dichtgeknepen ogen aankeek.

'Elena is rechercheur geweest. Ze heeft op het kantoor van de sheriff gewerkt,' zei Molly, terwijl ze uit mijn schaduw kwam. 'Ze weet alles van de mensen voor wie Erin werkte, en –'

'Molly, ga naar bed,' beval Seabright kortaf. 'Morgen spreek ik je nader, jongedame. Gesprekken afluisteren, zonder toestemming in mijn kamer komen, dit mens mijn huis binnenlaten. Je hebt heel wat op je geweten.'

Molly hield haar hoofd hoog opgeheven en keek haar stiefvader doordringend aan. 'En jij ook,' zei ze, waarna ze zich omdraaide en met de waardigheid van een koningin de kamer uit ging.

Seabright deed de deur achter haar dicht. 'Hoe heeft zij je kunnen bellen?'

'Het mag u onvoorstelbaar lijken, maar de mensen die in *uw* huis wonen, zijn in staat om zelfstandig te handelen en te denken, en ze staan zichzelf toe hun hersens te gebruiken zonder u daarvoor eerst om toestemming te vragen. En nu u dat weet, zult u daar waarschijnlijk zo snel mogelijk iets aan willen doen.'

'Hoe durf je kritiek te hebben op wat ik in mijn eigen huis doe? Je weet helemaal niets van mijn gezin.'

'O, ik weet juist alles van uw gezin, en dat kunt u rustig van me aannemen,' zei ik, en ik verbaasde me over de bittere klank van mijn stem. 'U bent de godheid in persoon en de gewone stervelingen draaien om u heen als de planeten om de zon.'

'Hoe durf je zo'n toon tegen mij aan te slaan?' vroeg hij, terwijl hij dreigend op me af kwam in de hoop dat ik achteruit zou deinzen. Ik bleef staan waar ik stond.

'Ik ben niet de enige die van alles heeft uit te leggen, meneer Seabright. Uw stiefdochter is ontvoerd en Molly is de enige die zich haar lot lijkt aan te trekken. Wat hebt u daar op te zeggen?'

'Ik zeg niets tegen jou. Deze hele geschiedenis gaat je niets aan.'

'Ik heb besloten me ermee te bemoeien. Wanneer, waar en hoe bent u aan deze video gekomen?'

'Ik hoef je vragen niet te beantwoorden.' Hij liep langs me heen alsof ik niet langer voor hem bestond, keerde terug naar de kast en deed de deurtjes voor de televisie dicht.

'Praat u liever met een rechercheur van de sheriff?' vroeg ik.

'Ze hebben gezegd dat we de politie erbuiten moeten laten,' bracht hij mij in herinnering, terwijl hij een boekensteun twee centimeter naar links verplaatste. 'Wil jij de dood van het meisje op je geweten hebben?'

'Nee. U wel?'

'Natuurlijk niet.' Hij legde een stapel boeken recht terwijl zijn ogen alweer op zoek waren naar het volgende voorwerp in zijn koninkrijk dat niet precies op zijn plaats stond. Hij is zenuwachtig, dacht ik.

'Maar als ze gewoon niet meer terug zou komen, dan zou u niet om haar rouwen, wel?' vroeg ik.

'Dat is wel heel erg, wat je daar zegt.'

'Ja, nou...'

Hij hield op met rechtzetten en trok een diepbeledigd gezicht. 'Wat voor mens denk je wel niet dat ik ben?'

'Ik kan me niet voorstellen dat u daar op dit moment echt een antwoord op zou willen hebben. Wanneer hebt u deze video ontvangen, meneer Seabright? Erin is al bijna een hele week verdwenen. Ontvoerders willen doorgaans zo snel mogelijk hun geld hebben. Daar gaat het ze namelijk om. Hoe langer ze het slachtoffer in hun bezit hebben, hoe groter de kans is dat er iets scheefloopt.'

'De video is net binnen,' zei hij, maar hij keek me niet aan toen hij dat zei. Ik durfde er iets om te verwedden dat hij hem al een paar dagen in zijn bezit had.

'En de ontvoerders hebben niet gebeld.'

'Nee.'

'Hoe is hij bezorgd?'

'Per post.'

'Hier, of bij u op kantoor?'

'Hier.'

'Was hij aan u, of aan uw vrouw geadresseerd?'

'Dat – dat weet ik niet meer.'

Aan Krystal. En hij had het haar niet verteld. Het zou me niets verbazen als hij al haar post controleerde, de zak. En toen ze de video uiteindelijk had gezien, had hij haar naar bed gestuurd en was hij een eindje gaan rijden.

'Mag ik de envelop even zien?'

'Die heb ik weggegooid.'

'Dan zit hij in de container. Laten we maar even gaan kijken. Ik wil hem hebben, want misschien zitten er wel vingerafdrukken op. Bovendien kan het poststempel ons belangrijke informatie verschaffen.'

'Hij is weg.'

'Weg, waar? Uw container stond gisterochtend langs de kant van de weg. Als de video vandaag is bezorgd...'

Daar had hij geen antwoord op, de klootzak. Ik slaakte een diepe zucht van walging en probeerde het opnieuw.

'Hebben ze gebeld?'

'Nee.'

'De hemel sta je bij wanneer je liegt, Seabright.' Opnieuw liet ik mijn beleefdheid varen.

Hij werd knalrood. 'Hoe durf je me een leugenaar te noemen?'

'Dat ben je.'

We draaiden ons tegelijkertijd om naar de deur en zagen Krystal op de drempel staan. Ze zag eruit als een oude heroïnehoer. Haar gezicht was vertrokken en bleek. Ze had mascaravlekken onder haar ogen. Haar gebleekte haren stonden recht overeind. Ze droeg een korte, roze peignoir met veren langs de hals en manchetten, en bijpassende hooggehakte muiltjes.

'Je bent een leugenaar,' zei ze, haar man met glazige ogen strak aankijkend.

'En jij bent dronken,' verweet Bruce haar.

'Dat moest haast wel, want anders zou ik zoiets nooit tegen je durven zeggen.'

Ik observeerde Seabright. Hij was zo woedend dat hij ervan beefde. Als ik er niet was geweest, dan weet ik niet wat hij gedaan zou hebben. Maar ja, als ik er niet was geweest, dan zou Krystal nooit de moed hebben opgebracht om iets te zeggen. Ik draaide me naar haar toe en keek naar haar vergrote pupillen en uitgesmeerde lippenstift.

'Mevrouw Seabright, wanneer heeft u de video van uw dochters ontvoering voor het eerst gezien?'

'Ik had de hoes gezien. Mijn naam stond erop. Ik begreep niet waarom Bruce hem niet aan mij had gegeven. Ik dacht dat het iets was dat hij per post had besteld.'

'Krystal...' begon Bruce op waarschuwende toon.

'En welke dag was dat?'

Haar lippen trilden. 'Woensdag.'

Twee dagen geleden.

'Ik wilde je er niet mee van streek maken,' zei Seabright. 'En moet je jezelf toch eens zien. Moet je kijken wat het je heeft gedaan.'

'En vandaag heb ik de video gevonden,' vertelde ze me. 'Mijn dochter is ontvoerd, maar Bruce vond het niet nodig dat ik dat wist.'

'Ik heb je toch gezegd dat ik het zal regelen,' siste hij tegen haar.

Krystal keek me aan met een tragische, pathetische en doodsbange blik. 'Bij ons thuis laten we het nemen van de beslissingen over aan degene die daartoe het beste is toegerust.'

Ik keek Bruce Seabright strak en doordringend aan. Hij zweette. Hij wist dat hij een vrouw als Krystal kon intimideren, maar dat hem dat met mij niet zou lukken.

'Seabright, ik vraag het je voor de allerlaatste keer, en weet dat, voordat je antwoord geeft, het kantoor van de sheriff je gegevens bij het plaatselijke telefoonbedrijf kan verifiëren. Hebben de ontvoerders gebeld?'

Hij zette zijn handen in zijn zij en keek naar het plafond terwijl hij de voor- en nadelen van een ontkenning tegen elkaar afwoog. Hij was niet het type dat het openlijk tegen de politie op zou nemen. Als hij geloofde wat ik had gezegd, en dacht aan wat er zou kunnen gebeuren als het kantoor van de sheriff bij de zaak betrokken raakte... Aan hoe zijn image te lijden zou kunnen krijgen... Ik hield mijn adem in.

'Gisteravond.'

Krystal maakte een vreemd gekweld geluid, en ze liet zich, alsof er op haar was geschoten, slap voorover over de rugleuning van een leren fauteuil vallen.

Seabright zette een hoge borst op en probeerde zijn gedrag te rechtvaardigen. 'Om te beginnen denk ik dat het allemaal nep is. Ik ga er vanuit dat het een stunt is die Erin heeft bedacht om mij te vernederen –'

'Ik heb vandaag al meer dan genoeg mannen over hun achtervolgingstheorieën moeten aanhoren, en ik zit echt niet op die van jou te wachten,' zei ik. 'Ik heb de video gezien. Ik ken het slag mensen voor wie Erin heeft gewerkt. Ik denk toch echt dat haar leven zwaarder weegt dan jouw angst om voor gek te worden gezet. Wie heeft er gebeld? Een man? Een vrouw?'

'De stem klonk als die op de video,' zei hij ongeduldig. 'Verwrongen.'

'Wat zeiden ze?'

Hij wilde geen antwoord geven. Opnieuw tuitte hij zijn lippen, en ik had hem het liefste een mep voor zijn kop gegeven.

'Waarom zou ik jou dat vertellen?' vroeg hij. 'Ik weet niets van je af. Ik weet niet voor wie je werkt. Hoe kan ik er zeker van zijn dat je niet een van hen bent?'

'Verdómme nog aan toe, zég haar wat ze weten wil!' riep Krystal uit. Ze gleed om de fauteuil heen, ging erop zitten en trok haar knieën op in een foetale houding.

'En hoe moet ik weten of jíj er niet bij betrokken bent!' riep ik op mijn beurt. 'Of hoe kan je vrouw zeker weten dat je dat niet bent?'

'Dat is bespottelijk,' snauwde hij.

'*Bespottelijk* is niet het woord dat ik in dit verband zou gebruiken, Seabright. Je hebt je altijd verschrikkelijk aan Erin geërgerd. Misschien heb je een manier gevonden om het probleem uit de weg te ruimen.'

'O, mijn god!' riep Krystal uit, terwijl ze haar handen voor haar mond sloeg.

'Dat is absurd!' riep Seabright.

'Ik kan me niet voorstellen dat ze daar op het kantoor van de sheriff net zo over denken,' zei ik. 'Dus als ik jou was, zou ik maar voor de dag komen met de details.'

Hij slaakte nog een lijdzame zucht – de patriarch die onder druk wordt gezet. 'De stem zei dat het geld in een kartonnen doos gedaan moest worden, en dat die doos moest worden neergezet op een bepaalde plaats in Equestrian Estates-ruitercentrum ergens in Loxahatchee.'

Ik kende het gebied. De Equestrian Estates bevonden zich op twintig minuten rijden van Wellington, en het was een bouwterrein waar nog gebouwd moest worden. Het was een behoorlijk groot terrein met een veld waar een paar keer per jaar evenementen werden gehouden.

'Wanneer?'

'Vandaag. Om vijf uur.'

'En heb je het geld afgeleverd?'

'Nee.'

Krystal snikte. 'Je hebt haar vermoord! Je hebt haar vermoord!'

'O, verdomme nog aan toe, Krystal, hou daarmee op!' snauwde hij. 'Als ze echt ontvoerd is, dan zullen ze haar heus niet vermoorden. Waarvoor zouden ze?'

'Het enige waar het hen om gaat is het geld,' zei ik op kille toon. 'En dat zullen ze proberen te krijgen of ze nu nog leeft of niet. Hebben ze beloofd dat je Erin zou zien op de plaats waar je het geld moest brengen? Hebben ze gezegd dat je haar ergens zou kunnen halen nadat je het geld had afgeleverd?'

'Daar is niets van gezegd.'

Niets kon garanderen dat Erin niet al dood was. Het was niet ondenkbaar dat de ontvoerder haar kort na de ontvoering vermoord had om te voorkomen dat ze later tegen hem zou kunnen getuigen, en om zijn eigen bestaan als ontvoerder er gemakkelijker op te maken. Of misschien was dat van begin af aan wel het plan geweest – om haar te doden – en was die hele geschiedenis met de ontvoering alleen maar bedacht om de moord te camoufleren.

'En hebben ze daarna nog gebeld?'

'Nee.'

'Dat lijkt me sterk. Als ik vanmiddag om vijf uur een doos met driehonderdduizend dollar verwachtte en die was niet gekomen, dan zou ik wel even willen weten waarom niet.'

Hij hief zijn handen op en liep naar een raam waarvan de halfopen Luxaflex de duisternis binnenliet. Ik observeerde hem en vroeg me af hoe gevoelloos hij was. Erg genoeg om zijn stiefdochter bewust over te laten aan een verkrachter? Erg genoeg om haar te laten vermoorden? Misschien.

Het enige waar ik moeite mee had was het idee dat Seabright in een complot met anderen gedwongen zou zijn om een deel van de leiding uit handen te geven waardoor hij zichzelf kwetsbaar zou maken. Maar zijn enige andere optie was om de ontvoering en of moord zelf te organiseren, en dat zag ik hem al helemáál niet doen. Een complot was de minst erge mogelijkheid. En deelname aan een samenzwering kon ook altijd worden ontkend.

Mijn blik viel op Seabrights werkelijk kéurige bureau. Misschien lag er wel ergens een dossier dat ONTVOERING ERIN heette. In plaats daarvan werd mijn aandacht getrokken door de telefoon, een snoerloze Panasonic met een display waarop je het nummer van de opbeller kon zien. Het was dezelfde telefoon als ik in Seans huisje had. Ik liep naar het bureau, ging erachter op de leren bureaustoel zitten en pakte de telefoon. Het schermpje lichtte op.

'Wat doe je daar?' wilde Bruce van me weten, terwijl hij zich vanaf de andere kant van de kamer naar me toe haastte.

Ik drukte op de zoekfunctie van het toestel, en er kwam een nummer in beeld. 'Ik doe mijn voordeel met de wonderen van de moderne techniek. Als de ontvoerder je op deze lijn vanaf een toestel met een vrij nummer heeft gebeld, dan staat dat nummer opgeslagen in het geheugen en kunnen we laten uitzoeken van wie het is. Is dat niet verschrikkelijk slim?'

Ik schreef het nummer op zijn onberispelijke vloeiblok, liet het volgende nummer in beeld komen, en schreef dat ook op. Hij wilde de telefoon uit mijn hand grissen. Ik zag zijn kaakspieren werken.

'Mijn cliënten en zakenrelaties bellen me op dit nummer,' zei hij. 'Ik kan niet toestaan dat je hen lastigvalt.'

'Hoe kun je er zeker van zijn dat niet een van hen de ontvoerder is?' vroeg ik.

'Dat is belachelijk! We hebben het over rijke en respectabele mensen.'

'Misschien zit er wel eentje bij die dat niet is.'

'Ik wil niet dat andere mensen hierbij worden betrokken.'

'Heb je vijanden?' vroeg ik.

'Natuurlijk niet.'

'Heb je nog nooit iemand boos gemaakt? Een projectontwikkelaar in zuidelijk Florida? Dat kan ik me niet voorstellen.'

'Ik heb een uitstekende reputatie.'

'En je bent even sympathiek als dysenterie,' zei ik. 'Ik kan niet geloven dat je geen lijst zou hebben van mensen die het heerlijk zouden vinden om je te zien lijden. En dan denk ik aan je naaste familie.'

Hij haatte me. Dat zag ik aan zijn gemene kleine oogjes. Het besef deed me goed, en het gevoel was wederzijds.

'Dit gaat je je vergunning kosten,' siste hij. 'Ik zal niet nalaten om je bij de betreffende autoriteiten aan te geven.'

'Dan zou ik wel heel stom zijn als ik je het nummer van mijn vergunning gaf, niet?' vroeg ik, terwijl ik nog een telefoonnummer opschreef. De telefoon meldde dat er, sinds het geheugen voor de laatste keer geschoond was, dertien nummers in waren opgeslagen. 'En verder zie ik niet in wat je over mij te klagen zou hebben. Ik weet té veel dat je liever niet in de krant zou willen lezen.'

'Is dat een dreigement?'

'Ik ben altijd weer verbaasd wanneer mensen het nodig vinden om die vraag te stellen,' zei ik. 'Ben je iemand geld schuldig?'

'Nee.'

'Gok je?'

'Nee!'

'Ken je een zekere Tomas Van Zandt?'

'Nee. Wie is dat?'

'Heb jij het voor Erin geregeld dat ze bij Don Jade kon gaan werken?'

Ik schreef het laatste opgeslagen telefoonnummer op en keek hem aan.

'Wat kan dat schelen?' vroeg hij.

'Heb je dat gedaan?'

Hij maakte weer een zenuwachtige indruk. Hij verschoof het pennenbakje op zijn bureau een fractie van een centimeter tot het recht stond.

'Het zou wel heel erg toevallig zijn als Erin zomaar een baantje had gevonden bij de trainer van de cliënt aan wie je een waanzinnig dure kavel hebt verkocht.'

'Waar slaat dit op?' vroeg hij. 'Het kan zijn dat ik heb laten vallen dat ze met paarden wilde werken. Nou en?'

Ik schudde mijn hoofd, scheurde het vel met de nummers van het vloeiblok en stond op. Krystal zat nog steeds, gevangen in haar eigen hel, met glazige ogen voor zich uitkijkend, in elkaar gedoken op de fauteuil. Ik wilde haar vragen of ze vond dat het het waard was – het huis, de kleren, de auto, het geld – maar ze had het waarschijnlijk al zwaar genoeg zonder mijn verwijt dat ze haar eigen kind had verraden. Ik gaf haar een kaartje met mijn telefoonnummer erop en legde er ook een op het bureau.

'Ik ga deze nummers na om te zien wat ze opleveren,' zei ik. 'Bel me meteen zodra je iets van de ontvoerders hoort. Ik doe wat ik kan. Persoonlijk vind ik dat jullie de recherche van het kantoor van de sheriff zouden moeten bellen. Als je dat doet, vraag dan rechtstreeks naar rechercheur James Landry.'

'Maar ze hebben gezegd dat we de politie erbuiten moeten laten,' zei Seabright, die dat bevel maar al te graag gehoorzaamde.

'Landry loopt in burger en rijdt in een gewone auto. Niemand kan aan hem zien of hij wel of niet een jehova's getuige is.'

Seabright trok een pruillip. 'Ik wil niet dat buitenstaanders voor mijn gezin beslissen.'

'Nee? Nou, in tegenstelling tot wat je zelf denkt, ben je níet het beste toegerust om dit soort beslissingen te nemen,' zei ik. 'Hier heb je professionele hulp bij nodig. En als je dat niet wilt accepteren, dan ram ik het door je strot.'

19

Het was midden in de nacht. Kwart voor drie. Bruce Seabright kon niet slapen. Hij probeerde het niet eens. Hij had vannacht geen enkele behoefte om het bed met Krystal te delen, en het maakte niet uit dat ze bewusteloos was. Hij was te opgewonden om te kunnen slapen, of zelfs maar om stil te kunnen zitten. Het afgelopen uur was hij bezig geweest met het schoonmaken en opruimen van zijn bureau. Hij had de meubels geboend om alle vingerafdrukken eraf te halen, had elk voorwerp op zijn bureau afgesopt en de telefoon met lysol ingespoten. Zijn rijk was besmet, bezoedeld.

Krystal was, zonder dat hij dat wist, in zijn kamer geweest en had de post op zijn bureau doorzocht, en dat terwijl hij haar uitdrukkelijk had verboden om dat ooit te doen. De enige die de post in huis behandelde, was hij. En Molly was in zijn kamer geweest en had de video gepakt. Hij had van beiden beter verwacht. De teleurstelling bezorgde hem een bittere smaak in zijn mond. Zijn wereldorde was onderuitgehaald, en nu probeerde dat kreng van een privé-detective ook nog eens de baas over hem te spelen. Dat pikte hij niet. Hij zou uitzoeken voor wie ze werkte, en hij zou ervoor zorgen dat ze nóóit meer een opdracht zou krijgen.

Hij ijsbeerde de kamer op en neer, snoof de geuren van citroenolie en ontsmettingsmiddel diep in zich op en probeerde te kalmeren.

Hij had nooit met Krystal moeten trouwen. Dat was een ernstige vergissing geweest. Hij had geweten dat haar oudste dochter een probleem zou worden waar hij een oplossing voor zou moeten vinden, en daar had hij gelijk in gehad.

Hij deed de televisiekast open, haalde een video van de plank, stopte hem in de recorder en drukte op 'play'.

Erin zat naakt aan het hoofdeinde van een bed geketend, en probeerde zichzelf zoveel mogelijk te bedekken.

'Kijk in de camera, kreng. Zeg wat je moet zeggen.'

Ze schudt haar hoofd en probeert haar gezicht te verbergen.
'Zeg op! Moet ik je soms dwingen?'
Ze kijkt naar de camera.
'Help me.'

Bruce haalde de video eruit en stopte hem in zijn kartonnen hoes. Hij liep naar de kleine, geheime muursafe achter een rij boeken over wetten en voorschriften ten aanzien van onroerend goed, stopte de video erin en sloot hem weg. Niemand anders zou die opnamen te zien krijgen. Dat was zijn beslissing. En niemand was zo goed toegerust om beslissingen te nemen als hij.

20

Ik heb nooit last gehad van de overtuiging dat mensen in principe goed zouden zijn. De ervaring had mij geleerd dat mensen in principe egoistisch, en veelal wreed zijn.

Ik sliep drie uur omdat mijn lijf me geen andere keuze liet. Ik werd wakker omdat mijn brein me geen rust gunde. Ik stond op, voerde de paarden, nam een douche, ging in een T-shirt en slipje achter de computer zitten en ging op het internet op zoek naar wie de eigenaars van de telefoonnummers waren die in het geheugen van Bruce Seabrights telefoon hadden gestaan.

Van de dertien nummers waren er drie met het kengetal van Wellington die niet geregistreerd waren. Vier nummers leverden een naam op. Eén nummer was van Domino's Pizza, en er was twee keer vanaf hetzelfde nummer in Royal Palm Beach gebeld dat evenmin geregistreerd was. Seabright beweerde dat de ontvoerder maar één keer had gebeld, maar ik geloofde hem niet. Hij was niet gegaan om het geld te brengen. Ik kon me niet voorstellen dat hij daarna niet gebeld zou zijn.

Ik belde het nummer van Royal Palm Beach en luisterde naar hoe het overging zonder dat er werd opgenomen. Niemand die me vrolijk begroette met: 'Kidnappers R Us'.

Ik probeerde de niet-geregistreerde nummers en kreeg antwoordapparaten en dienstmeisjes aan de lijn, plus een stel ontzettend nijdige mensen van wie ik me voorstelde dat ze niet zouden aarzelen om Bruce Seabright te bellen om zich over zijn nieuwe assistente te beklagen.

Ik draaide het nummer van het kantoor van de sheriff en werkte de verschillende receptionistes af om achter Landry's voicemail te komen, terwijl ik tegelijkertijd mijn e-mail controleerde om te zien of er al nieuws was van mijn contact bij de FBI ten aanzien van de vraag aan Interpol. Nog niets. Terwijl ik naar Landry's boodschap luisterde en het nummer van zijn pieper noteerde, speelde ik met de gedachte om Armedgian te bellen om hem tot spoed te manen, maar besloot dat toen toch maar niet te doen. Elke informatie uit het buitenland zou alleen maar een bevestiging zijn van wat ik al wist, namelijk, dat Van Zandt een wereldkampioen viespeuk was.

Durfde hij zover te gaan om iemand te ontvoeren? Waarom niet? Met Irina's vriendin, Sasha Kulak, had dat maar een haar gescheeld. Als Erin haar baantje bij Don Jade aan Bruce Seabright te danken had, dan was het waarschijnlijk dat Van Zandt erachter was gekomen dat ze de stiefdochter van de projectontwikkelaar van Fairfields was. Projectontwikkelaars verdienen grof geld, had hij waarschijnlijk gedacht. Waarom zou hij daar niet wat van mogen hebben? Motief: hebzucht. Hij kende het meisje, kende het wedstrijdterrein en wist wanneer er mensen aanwezig waren en wanneer niet. De gelegenheid.

En middelen? Ik wist dat Van Zandt een videocamera had, dus hij had de opnamen kunnen maken. Door het verdraaien van de stem zou zijn accent niet te horen zijn geweest. En de witte bestelbus? Waar was die vandaan gekomen? En als Van Zandt de opnamen had gemaakt, wie was dan die gemaskerde man?

Soort vindt soort. Er liepen op het wedstrijdterrein meer dan voldoende duistere figuren rond die bereid waren om zo ongeveer alles te doen zolang ze er maar voor betaald kregen. Fatsoenlijke mensen zouden dergelijke lieden waarschijnlijk niet weten te vinden, maar Tomas Van Zandt was geen fatsoenlijk mens.

Het enige echt verontrustende aspect van de mogelijkheid dat Van Zandt de ontvoerder was, was zijn mogelijke connectie met Bruce Seabright en het feit dat Seabright geen enkele actie had ondernomen om het losgeld naar de gevraagde plaats te brengen. Maar als Seabright erbij betrokken was, waarom zou de video dan aan Krystal geadresseerd zijn geweest? En waarom zou hij hebben willen voorkomen dat ze hem in handen kreeg? Als het zijn opzet was om zich van Erin te ontdoen, maar de indruk wilde wekken alsof het een uit de hand gelopen ontvoering was, dan zou Seabright zijn rol bevestigd willen hebben. Het sloeg nergens op dat hij de zaak geheim zou willen houden.

Wat zijn motief ook zijn mocht, zijn gebrek aan actie kon niet worden ontkend. Ondanks mijn dreigement durfde ik erom te wedden dat hij er iets mee te maken had.

Ik belde Landry's pieper, en als hij keek wie er gebeld had, zou hij zien dat het telefoontje afkomstig was van Avadonis Farms. Op die manier had ik een grotere kans dat hij terug zou bellen. Als hij *mijn* naam gezien zou hebben, zou hij die onmiddellijk hebben gewist.

In afwachting van het telefoontje dronk ik een kop koffie, ijsbeerde door het huis en dacht na. Erin had van Stellar gehouden en Stellar was dood. Hoe stond het met Jades connecties, en met die connecties ten aanzien van zijn duistere verleden? Dan was er de relatie tussen Erin en Chad Seabright, en het feit dat ze twee dagen voor haar verdwijning ruzie hadden gehad. Ze had het uitgemaakt voor een oudere man, had Chad gezegd. Ze had een oogje op haar baas, had Molly gezegd.

De telefoon ging. Ik nam op.

'U spreekt met rechercheur James Landry. U heeft mijn pieper gebeld.'

'Landry. Estes. Erin Seabright is ontvoerd. Haar ouders hebben een video gekregen, en er is losgeld geëist.'

Het bleef stil aan de andere kant van de lijn terwijl hij de informatie verwerkte.

'Vind je nog steeds dat het geen zaak is?' vroeg ik.

'Wanneer hebben ze het verzoek gekregen?'

'Donderdag. De stiefvader had het geld gisteren moeten afleveren, maar hij is niet gegaan.'

'Wat zeg je?'

'Het is een lang verhaal. Kunnen we elkaar ergens zien? Ik zal je het hele verhaal vertellen, en dan breng ik je naar ze toe.'

'Dat is niet nodig,' zei hij. 'Ik vraag alles wel aan de ouders. Bedankt voor de tip, maar ik wil je er niet bij.'

'Het kan me niet schelen of je me er wel of niet bij wilt,' zei ik op effen toon. 'Maar ik ben er al bij.'

'Je belemmert een officieel onderzoek.'

'Tot dusver is belemmeren jouw specialiteit,' zei ik. 'Als ik er niet was geweest, zou er helemaal geen onderzoek zijn. De stiefvader wil niets doen. Hij vindt het allemaal best en hoopt dat de daders het meisje met een anker om haar middel ergens in een kanaal zullen dumpen. Ik heb een voorsprong van drie dagen en ik sta op goede voet met de mensen voor wie het meisje werkte.'

'Je bent niet meer bij de politie.'

'En ik hoopte al dat je me daaraan zou willen herinneren. Krijg de kolere, Landry.'

'Ik zeg alleen maar, Estes, dat jij niet de dienst uitmaakt. Als je orders wilt uitdelen, dan kun je beter op zoek gaan naar een ondergeschikte. Ik werk niet vóór je, en ik werk niet mét je.'

'Best. Dan vertel ik je ook niet wat ik weet. Tot kijk dan maar, klojo.'

Ik hing op en ging me aankleden.

Er zijn op de wereld maar weinig mensen zo koppig als smerissen. Dat kan ik met de grootste stelligheid zeggen, want ik ben er zelf een.

Ik mocht dan niet langer een schildje dragen, maar dat is ook niet nodig om smeris te zijn. Je bent een smeris omdat het in je bloed zit. Een smeris is een smeris, ongeacht uniform, ongeacht bureau, ongeacht leeftijd.

Ik begreep Landry omdat we onze roeping met elkaar gemeen hadden. Ik mocht hem niet, maar ik begreep hem. Ik vermoedde dat hij me op een bepaalde manier ook kon begrijpen. Hij zou het niet toegeven en hij mocht me niet, maar hij wist hoe ik erover dacht.

Ik trok een bruine broek en een mouwloos zwart T-shirt aan. Net toen ik mijn horloge omdeed, ging de telefoon opnieuw.

'Waar woon je?' vroeg hij.

'Ik wil niet dat je naar mijn huis komt.'

'Waarom niet? Deal je heroïne? Verkoop je gestolen goederen? Waar ben je bang voor?'

Ik wilde mijn heiligdom ongeschonden houden, maar dat vertelde ik hem natuurlijk niet. Vertel een tegenstander nooit vrijwillig wat je zwakke plekken zijn. Mijn tegenzin zei op zich al genoeg. Ik gaf hem mijn adres en kon het niet uitstaan van mezelf dat ik hem die kleine overwinning had gegund.

'Ik ben over een halfuur bij je,' zei hij, en hij hing op.

Drieëntwintig minuten later zoemde ik de poort voor hem open.

'Aardig optrekje,' zei Landry, terwijl hij zijn blik over Seans huis liet gaan.

'Ik logeer hier.' Ik nam hem mee van het parkeerterrein bij de stallen naar het gastenverblijf.

'Het is de moeite waard om mensen te kennen die niet in kartonnen dozen wonen en uit blikjes eten.'

'Is dat jouw vriendenkring?' vroeg ik. 'Je kunt het best wat hogerop proberen. Je woont tenslotte aan de jachthaven.'

Hij keek me achterdochtig aan, en was gekwetst omdat ik zonder zijn toestemming iets van hem afwist. 'Hoe weet je dat?'

'Ik heb je nagetrokken. Verveelde handen en internet...'

Dat beviel hem helemaal niet. Mooi zo. Ik wilde dat hij besefte dat ik slimmer was dan hij.

'Je bloedgroep is AB negatief, en bij de laatste verkiezingen heb je op de Republikeinen gestemd,' zei ik, terwijl ik de voordeur opendeed. 'Wil je koffie?'

'Weet je ook wat ik erin wil?' vroeg hij sarcastisch.

'Zwart met twee klontjes suiker.'

Hij keek me met grote ogen aan.

Ik haalde mijn schouders op. 'Dat was een gokje.'

Hij stond met zijn armen over elkaar geslagen aan de andere kant van het keukeneiland. Hij had een wervingsposter voor de politie kunnen zijn. Gesteven wit overhemd met een fijn bordeauxrood streepje, bloedrode stropdas, de pilotenbril en de militaire houding.

'Je ziet eruit als een fed,' merkte ik op. 'Waarom is dat? Had je liever bij de FBI gezeten?'

'Waarom ben je zo nieuwsgierig naar me?' vroeg hij, geïrriteerd.

'Kennis is macht.'

'Dus dan is dit een soort spelletje voor je?'

'Helemaal niet. Ik wil alleen maar weten met wie ik te maken heb.'

'Meer dan dit kom je toch niet van me te weten,' zei hij. 'Vertel me maar liever over de Seabrights.'

Ik draaide de video voor hem af en vertelde hem wat er de vorige avond bij de Seabrights thuis was gebeurd. Hij vertrok geen spier.

'Vermoed je dat de stiefvader er iets mee te maken heeft?' vroeg hij.

'Zijn gevoelens voor Erin zijn duidelijk, en de manier waarop hij tot nu toe op de zaak heeft gereageerd is op zijn minst vreemd te noemen. Zijn connecties bevallen me niet. Maar als deze ontvoering nep is en hij er iets mee te maken heeft, dan is me niet duidelijk waarom hij zo geheimzinnig met die video heeft gedaan.'

'Vanuit een machtsgevoel, misschien,' zei Landry, terwijl hij de video terugspoelde en opnieuw bekeek. 'Misschien wilde hij wel wachten tot het meisje dood was, om hem daarna aan zijn vrouw te laten zien en haar te vertellen hoe hij haar voor de verschrikkelijke waarheid wilde beschermen en de situatie naar beste weten had aangepakt.'

'O, ja. Alle beslissingen in dat gezin worden overgelaten aan degene die het beste is toegerust om ze te nemen,' mompelde ik.

'Wat?'

'Dat is het familiemotto. Bruce Seabright is een serieuze controlefreak Op het pathologische af. Hij is een egoïst, een tiran en speelt geestelijk wrede spelletjes. Het gezin is iets uit Tennessee Williams.'

'Dat sluit dan prachtig aan.'

'Ja,' was ik het met hem eens. 'Maar het geval wil dat het meisje in een waar wespennest leefde. Ik kan zó nog drie andere verdachten noemen.'

'Doe dat dan.'

Ik vertelde hem over Chad Seabright, en vervolgens vertelde ik hem opnieuw over Don Jade.

'En ik wacht op bericht van Interpol over een eventueel strafblad van Tomas Van Zandt. Hij staat bekend om zijn slechte gedrag ten aanzien van jonge vrouwen, en hij is een serieuze zwendelaar.'

'Enige mensen, dat paardenvolk,' zei Landry.

'De paardenwereld is een microkosmos. Je hebt er goede en kwade mensen, en mooie en lelijke.'

'Mensen met geld, en mensen zonder geld. Zo houden we de gevangenissen vol,' zei Landry. 'Jaloezie, hebzucht en seksuele perversie.'

'Dat houdt de wereld in beweging.'

Landry zuchtte en spoelde de video opnieuw terug. 'En waarom ben jij bij deze puinhoop betrokken, Estes?'

'Dat heb ik je al verteld. Ik help het jonge zusje.'

'Waarom? Waarom is ze bij je gekomen?'

'Dat is een lang verhaal en het is niet echt relevant. Ik ben eraan begonnen, en nu blijf ik eraan werken tot de zaak is opgelost. Heb je daar iets op tegen?'

'Ja, daar heb ik iets op tegen,' zei hij, naar de televisie kijkend. 'Maar ik weet zeker dat je je daar toch niets van aantrekt.'

'Dat heb je goed.'

Hij drukte op de pauzeknop en tuurde naar het scherm. 'Kun jij dat kenteken lezen?'

'Nee, maar ik heb het wel geprobeerd. Op Seabrights versie was het ook niet te lezen. Daar zul je een technisch wonder voor nodig hebben.

Moet je horen, Landry, ik sta al op vertrouwde voet met Jades mensen,' zei ik. 'Ik ben meer dan bereid om met je samen te werken. Je moet wel heel stom zijn om daarvoor te bedanken. Ik twijfel er niet aan dat je een heleboel dingen bent, maar dat je ook stom zou zijn, dat kan ik me niet voorstellen.'

Hij keek me doordringend aan alsof hij onder mijn uiterlijk probeerde te vorsen.

'Ik heb ook huiswerk gemaakt,' zei hij. 'Je bent een non-conformist, Estes. En ik heb me laten vertellen dat je dat altijd al bent geweest. Daar hou ik niet van. Je houdt die Seabright voor een controlefreak. Dat zie ik als een positieve eigenschap. Wanneer ik aan een zaak werk, dan beschouw ik dat als míjn zaak. Punt uit. Ik voel er niets voor om me voortdurend af te moeten vragen wat je nú weer uitspookt. En ik geef je op een briefje dat alle jongens op het bureau daar net zo over denken. Als mijn inspecteur erachter komt dat jij hier iets mee te maken hebt, dan kan ik het wel schudden.'

'Daar kan ik niets aan doen. Ik werk aan deze zaak, en ik blijf aan deze zaak werken. Ik heb gezegd dat ik met je wil samenwerken, maar niet dat ik vóór je zou willen werken. Niemand is de baas over mij, Landry. Als je het op die manier wilt, dan hebben we een probleem. Deze hele zaak heeft maar één doel: zorgen dat we Erin levend terugkrijgen. Als jij denkt dat het een soort van wedstrijdje is, dan kun je je lul in je broek houden. Ik geloof zo dat die van jou verreweg de grootste is van allemaal, maar ik wil hem niet zien. Maar in ieder geval bedankt.

En kunnen we nu dan alsjeblieft terzake komen?' vroeg ik. 'De tijd dringt.'

Landry haalde even adem, en toen wees hij op de deur. 'Wijs me de weg. Ik hoop dat ik hier geen spijt van krijg.'

Dat was ik volkomen met hem eens. 'Zo denk ik er ook over.'

Bruce Seabright was niet blij toen hij me zag. Hij deed zelf open – het zou me niets verbazen als hij iedereen had verboden om dat te doen – en was in een beige broek en een oranje polo gekleed om te gaan golfen. Hij had dezelfde van kwastjes voorziene instappers als Van Zandt. Het was kwart over acht 's ochtends.

'Meneer Seabright, dit is rechercheur Landry van het kantoor van de sheriff,' zei ik beleefd. Landry toonde zijn identificatie. 'Hij heeft me verteld dat hij nog niets van u heeft gehoord.'

'Het is zaterdag,' zei Seabright. 'Ik wist niet vanaf hoe laat ik kon bellen.'

'Dus u had eerst maar even een rondje willen gaan golfen om het daarna te proberen?' vroeg ik.

'Ik hoor van mevrouw Estes dat uw stiefdochter is ontvoerd,' zei Landry.

Seabright keek me fel aan. 'De ontvoerders hebben heel duidelijk gezegd dat de politie erbuiten moest blijven. Ik kan alleen maar hopen dat mevrouw Estes Erin niet in groter gevaar heeft gebracht door met u hier naar toe te komen.'

'Ik denk niet dat dit een groter risico is, dan het negeren van het verzoek om het losgeld te brengen is geweest,' zei ik. 'Mogen we binnen komen?'

Hij deed met tegenzin een stapje naar achteren en deed de deur achter ons dicht om te voorkomen dat de buren iets mee zouden kunnen krijgen.

'Hebt u nog iets van de ontvoerders vernomen?' vroeg Landry, terwijl we Seabright naar zijn kamer volgden. Krystal was nergens te bekennen. Het was doodstil in huis. Ik zag Molly, die boven ineengedoken op de overloop zat en door de spijlen van de trapleuning naar ons keek.

'Nee.'

'Wanneer hebt u voor het laatst van ze gehoord?'

'Donderdagavond.'

'Waarom hebt u het losgeld niet betaald, meneer Seabright?'

Seabright deed de deur van zijn kamer dicht, draaide zich om en wilde achter zijn bureau gaan zitten, maar intussen was Landry al achter de bureaustoel gaan staan en legde zijn handen op de rugleuning.

'Ik weet zeker dat mevrouw Estes u dat al heeft verteld. Ik heb het sterke vermoeden dat dit nep is.'

'U durft het kantoor van de sheriff niet te bellen omdat u bang bent voor wat Erin zou kunnen overkomen, maar aan de andere kant gelooft u niet dat het ernst is en weigert u het losgeld te betalen?' Landry keek hem verbaasd aan. 'Het spijt me, meneer Seabright, maar dat begrijp ik niet helemaal.'

Seabright zette zijn handen in zijn zij en ijsbeerde aan de andere kant van de kamer. 'Ik ben helaas niet vertrouwd met het protocol voor ontvoeringen. Dit is mijn eerste keer.'

'Heeft u het geld?'

'Ik kan eraan komen.'

'Op een zaterdag?'

'Als het moet. De directeur van mijn bank is een vriend van me. Ik doe onvoorstelbaar veel zaken met hem.'

'Mooi,' zei Landry. 'Belt u hem dan maar op, en zegt u hem dat u hem later vandaag om een gunst wilt vragen. U wilt driehonderdduizend dollar in gemerkte biljetten hebben. Hij zal tijd nodig hebben om die bij elkaar te krijgen. En dan zegt u hem dat iemand van het kantoor van de sheriff naar de bank zal komen om hem te helpen.'

Seabright keek geschokt. 'M... maar we g... geven het geld toch niet echt, of wel?'

'Dat zult u wel moeten, als u uw stiefdochter ooit nog levend terug wilt zien,' zei Landry. 'En dat wilt u toch, hè, meneer Seabright?'

Seabright sloot zijn ogen en slaakte een diepe zucht. 'Ja. Natuurlijk.'

'Mooi zo. Ik zal ervoor zorgen dat er binnen een uur mensen hier zijn om uw telefoon af te tappen. Wanneer ze opnieuw bellen, zullen we kunnen nagaan waar ze vandaan bellen. U spreekt af waar het geld naar toe gebracht moet worden. U zegt dat u het geld zult brengen, maar dat Erin er moet zijn en dat u haar wilt kunnen zien, want dat ze het anders wel kunnen vergeten. Ze hebben intussen allang begrepen dat u geen gemakkelijk slachtoffer bent. Als ze haar intussen nog niet vermoord hebben, zullen ze haar meenemen. Wat ze willen is het geld, en niet het meisje.'

'Ik kan gewoon niet geloven dat mij dit moet overkomen,' mompelde Seabright. 'En zult u er ook bij zijn? Als ik het geld afgeef?'

'Ja. Ik heb uw situatie al met mijn superieuren besproken, en mijn inspecteur zal u persoonlijk bellen om de zaak met u door te spreken.'

'En de FBI?' vroeg Seabright. 'Doen die niet ook altijd mee als er iemand ontvoerd is?'

'Niet automatisch. Maar als u wilt kunnen we ze erbij halen.'

'Nee, dat wil ik niet. Dit is al veel te ver uit de hand gelopen. Ze hebben gezegd dat we de politie erbuiten moesten houden, en nu krioelt mijn huis ervan.'

'We zullen heel discreet zijn, meneer Seabright,' zei Landry. 'En ik wil iedereen die hier in huis woont spreken.'

'Mijn vrouw heeft kalmerende middelen geslikt. Afgezien van Krystal, ben ik dat zelf, mijn zoon Chad en Krystals jongste dochter, Molly.'

'Rechercheur Landry is op de hoogte van de seksuele relatie tussen Erin en Chad,' zei ik, en Seabright werd op slag knalrood. 'Hij zal zeker met Chad willen spreken.'

'Mijn zoon heeft hier niets mee te maken.'

'Omdat u dat zegt?' vroeg ik uitdagend. 'Uw zoon had anders een heleboel met Erin te maken. Twee dagen voor haar verdwijning is hij 's avonds bij haar woning gezien, en de getuige heeft ze ruzie horen maken.'

'Dat was allemaal haar schuld,' zei Seabright bitter. 'Erin heeft hem alleen maar tot een relatie verleid om mij te pesten.'

'Acht u het niet mogelijk dat Chad u ook zou willen pesten?'

Seabright kwam op me af, stak zijn hand uit en hield zijn vinger voor mijn gezicht. 'Ik heb mijn buik vol van jou en je beschuldigingen. Het kan me niet schelen voor wie je werkt, maar ik wil je niet langer in mijn huis. Het kantoor van de sheriff is er nu bij betrokken, en ik weet zeker dat ze daar geen behoefte hebben aan een privé-detective. Of wel?' vroeg hij aan Landry.

Seabright keek Landry aan, en Landry keek mij aan met een gezicht dat even ondoorgrondelijk was als het mijne.

'Nou,' zei Landry, 'de assistentie van mevrouw Estes in deze zaak is van groot belang. Als zij er niet geweest was, dan zou ik hier nu niet staan.'

De aardige agent en de onaardige agent. Ik moest er bijna om glimlachen.

'En misschien zou u dát dan ook even aan de inspecteur van rechercheur Landry willen uitleggen,' zei ik tegen Seabright.

Hij kon me wel wurgen. Ik zag het aan zijn ogen.

'Ik weet zeker dat hij dolgraag zal willen weten hoe het komt dat u absoluut niet geïnteresseerd was in de ontvoering van uw stiefdochter,' vervolgde ik, terwijl ik bij hem vandaan liep. 'Weet je, Landry, misschien is het geen slecht idee om de FBI erbij te halen. Ik heb een vriendje op het afdelingsbureau dat ik zou kunnen bellen. De zaak zou uiteindelijk weleens internationale implicaties kunnen hebben als een van de buitenlanders van die paardenlui erbij betrokken is. Of misschien is er wel een cliënt van meneer Seabright bij betrokken die in een andere staat woont. En als Erin naar een andere staat is overgebracht, wordt het automatisch een federale zaak.'

Ik hoefde maar aan Seabrights cliënten te refereren, en hij ging onmiddellijk op tilt.

'Ik hou er niet van om bedreigd te worden,' verklaarde hij.

Ik ging naast hem staan, boog me naar zijn oor en fluisterde: 'Maar daar gaat het mij juist om.'

'U zou zich op uw stiefdochter moeten concentreren, meneer Seabright,' zei Landry. 'Het feit dat u zich beklaagt over mensen die meer om het meisje schijnen te geven dan u, komt uw positie niet bepaald ten goede. Begrijpt u wat ik daarmee wil zeggen?'

'Ik begin het gevoel te krijgen dat ik mijn advocaat zou moeten bellen,' zei Seabright.

'U gaat uw gang maar, als u liever niet met mij praat.'

Daar had hij niets op te zeggen. Hij haalde zijn handen over zijn gezicht en keek naar het plafond.

'Beschouwt u *míj* als een verdachte?' vroeg hij.

'Dit soort onderzoek heeft altijd twee kanten, meneer Seabright. We kijken altijd zowel naar wat er zich binnen als buiten het gezin afspeelt,' antwoordde Landry. 'Ik zou nu graag even met uw zoon willen spreken. Is hij thuis?'

Seabright liep naar een intercompaneeltje op de muur en drukte op een knop. 'Chad, zou je alsjeblieft even naar mijn kamer willen komen?'

Ik stelde me voor hoe het was om ergens anders in dit huis te zijn, en dat Bruce Seabrights stem opeens uit de muur zou schallen. Het enige dat hij, om het beeld helemaal compleet te maken, nog nodig had, was een struik die hij per afstandsbediening kon laten ontvlammen.

'Is Chad weleens in aanraking geweest met de politie, meneer Seabright?' vroeg Landry.

Seabright keek gekwetst. 'Mijn zoon is een uitstekende leerling die al meerdere onderscheidingen heeft gewonnen.'

Er werd beleefd geklopt, waarop Chad Seabright zijn hoofd om het hoekje van de deur stak, en vervolgens met het gezicht van een schuw, hoopvol jong hondje de kamer binnenkwam. Hij was netjes gekleed in een beige broek en een donkerblauwe polo van Tommy Hilfiger, en zag eruit alsof hij zich zo zou kunnen aansluiten bij de Jonge Republikeinen.

'Chad, dit zijn rechercheur Landry en mevrouw Estes,' zei Bruce Seabright. 'Ze willen je een paar dingen vragen over Erin.'

Chad zette grote ogen. 'Wauw. Natuurlijk. Ik heb al met mevrouw Estes gesproken. Ze weet dat ik Erin niet heb gezien. Ik wou dat ik wat meer wist.'

'Jij en Erin hadden een relatie,' zei Landry.

Chad keek beschaamd. 'Dat is allang uit. Ik heb ingezien dat het verkeerd was. Het is eigenlijk vanzelf gekomen, maar Erin is iemand die je maar moeilijk kunt weerstaan.'

'Jullie hebben afgelopen week ruzie gehad. Waarover?'

'Dat was omdat we het uitmaakten.'

'Chad!' riep Bruce Seabright uit. 'Je hebt me maanden geleden al gezegd dat het uit was! Toen Erin het huis uit is gegaan.'

Chad sloeg zijn ogen neer. 'Dat was het ook... voor het overgrote deel. Het spijt me, pap.'

'Chad, waar was je afgelopen zondag tussen vier en zes uur 's middags?' vroeg Landry.

Chad keek om zich heen alsof hij het antwoord op de muur zou kunnen vinden. 'Zondag? Eh... ik was waarschijnlijk –'

'We waren naar de film,' zei Bruce Seabright. 'Weet je nog, Chad? Het was toch zondag dat we naar die nieuwe film van Bruce Willis zijn geweest?'

'Was dat zondag? O ja.' Chad knikte en keek Landry aan. 'In de bioscoop.'

'Welke film was dat?'

'*Hostage*. Een geweldige film. Hebt u hem ook gezien?'

'Ik ga nooit naar de film,' zei Landry.

'Je bent niet toevallig nog in het bezit van het kaartje, hè?' vroeg ik.

Chad grijnsde, en toen lachte hij kort. 'Wie bewaart die dingen? Daar moet je volgens mij wel heel neurotisch voor zijn.'

'In dat geval vraag ik het aan u, meneer Seabright. Ik vind u echt iemand die zijn kaartje bewaart om het te laten plastificeren.'

'Nee, zo ben ik niet.'

'U bent echt iemand die zijn kind aanmoedigt om tegen een rechercheur te liegen,' zei ik.

'Was je op stap met vrienden?' vroeg Landry. 'Is er iemand die kan zeggen dat hij je in de bioscoop heeft gezien?'

'Nee,' zei Bruce. 'We waren met z'n tweeën – vader en zoon.'

'Welke bioscoop?'

'Die grote, aan State Road Seven.'

'Hoe laat begon de film?' vroeg ik.

Ik zag dat Seabright opnieuw op het punt van een woede-uitbarsting stond. 'Het was de middagvoorstelling.' Hij keek Landry fel aan. 'Waarom staan jullie ons hier te verhoren? Als iemand Erin heeft meegenomen, dan zal dat wel iemand van een van die maneges zijn. Lopen er niet alle mogelijk soorten duistere types rond in de paardenwereld? Kunt u niet veel beter met hén praten?'

'Heeft u dat gedaan?' vroeg ik. Hij keek me nietszeggend aan. 'U heeft haar via Trey Hughes aan die baan geholpen. Heeft u met hem gesproken? Heeft u hem gevraagd of hij Erin heeft gezien? Of hij iets weet? Of hij iets heeft gehoord?'

Seabright bewoog zijn mond, maar er kwam niets uit.

'Nadat u de video had gezien en wist dat Erin van het wedstrijdterrein ontvoerd was, heeft u toen niet meteen naar Hughes gebeld, degene die u in dat wereldje kent en die een connectie met haar heeft?'

'Ik – nou – daar zou Trey toch niets van weten,' stamelde hij. 'Erin is maar een stalknecht.'

'Dat is ze voor Hughes, ja. Maar ze is uw stiefdochter.'

Landry's mobiel ging. Hij excuseerde zich en verliet de kamer, mij alleen achterlatend met de Seabrights die elkaar aankeken. Ik vond dat ze alletwee aan hun ballen opgeknoopt moesten worden en met de zweep moesten krijgen, maar dat is zelfs in zuidelijk Florida geen gangbare praktijk.

'Ik heb in mijn leven met heel wat ijskoude rotzakken te maken gehad,' zei ik tegen Bruce. 'Maar jij, Seabright, spant de kroon. Ik ga even de gang op, want ik heb moeite mijn woede onder controle te houden.'

Landry stond bij de voordeur te telefoneren. Hij had zijn wenkbrauwen opgetrokken en sprak op zachte toon. Ik keek naar boven en zag Molly nog steeds op de overloop zitten. Ze maakte een kleine en verloren indruk. Ik kon me voorstellen dat ze zich in dit huis verschrikkelijk eenzaam moest voelen. Aan Krystal had ze niets, en Bruce en zijn nazaat waren de vijand.

Ik wilde naar boven gaan en bij haar gaan zitten. Ik wilde mijn arm om haar schouders slaan en haar zeggen dat ik begreep hoe ze zich voelde. Maar Landry was klaar met zijn gesprek.

Bij het zien van zijn gezicht balde mijn maag zich samen.

'Wat is er?' vroeg ik zacht, terwijl ik me voorbereidde op het ergste. En dat was maar goed ook.

'Er is een dode gevonden in het ruitercentrum. Een meisje.'

21

Niets is zo vernederend voor een zogenaamde cynicus dan zo diep door iets te worden getroffen dat je er geen adem meer door kon halen.

Toen Landry me over de gevonden dode vertelde, voelde ik het bloed uit mijn hoofd wegtrekken. Hij liet me op de gang staan en ging de kamer weer in om het aan Bruce Seabright te vertellen.

Was het Erin? Hoe was ze gestorven? Was ze gestorven omdat ik niet genoeg mijn best voor haar had gedaan? Wat een egoïstische gedachte. Als Erin dood was, dan was dat primair de schuld van de dader, en in de tweede plaats van Bruce Seabright. Voor zover het schuld betrof, stond ik pas helemaal ergens onder aan de lijst. Maar misschien was het Erin wel niet, dacht ik, om toen meteen te bedenken dat het onmogelijk iemand anders zou kunnen zijn.

'Wat is er aan de hand?'

Molly stond opeens naast me. Mijn tong, die doorgaans sneller was dan mijn brein, leek vast te zitten in mijn mond.

'Is er iets met Erin?' vroeg ze met een angstig stemmetje. 'Heeft iemand haar gevonden?'

'Dat weten we niet.' Dat was de waarheid, maar het proefde als een leugen, en zo moest het ook hebben geklonken. Molly deed een stapje bij me vandaan.

'Je moet het me vertellen. Ik moet het weten. Ik ben niet – zo'n stom kind voor wie iedereen alles moet verzwijgen,' zei ze boos.

'Nee, dat ben je niet, Molly,' zei ik. 'Maar ik wil je niet bang maken voor we alle feiten hebben.'

'Die hebben jullie al.'

'Het spijt me.' Ik haalde diep adem om tijd te winnen terwijl ik bedacht hoe ik het haar het beste zou kunnen vertellen. 'Rechercheur Landry heeft net een telefoontje van zijn baas gehad. Er is een dode gevonden op het ruitercentrum.'

Ze sperde haar ogen wijdopen. 'Is het Erin? Is ze dood? Dat komt doordat de politie erbij is gehaald! Op de video zeiden ze dat de politie erbuiten gehouden moest worden!'

'We weten niet wie het is, Molly,' zei ik, terwijl ik mijn handen op haar schouders legde. 'Maar je moet me geloven als ik zeg dat Erin echt niet vermoord is omdat Landry hier is. De ontvoerders kunnen onmogelijk weten wie hij is, en dat hij van het kantoor van de sheriff is.'

'Hoe weet je dat?' vroeg ze. 'Misschien houden ze het huis wel in de gaten. Misschien worden we wel afgeluisterd!'

'Nee, daar hoef je niet bang voor te zijn. Jullie worden niet afgeluisterd. Dat soort dingen gebeurt alleen maar in de film. In het echte leven zijn misdadigers luie en domme mensen. En wie deze dode ook mag zijn, ze is al langer dood dan Landry hier in huis is,' zei ik. 'Ik ga nu naar het ruitercentrum, en ik bel je zodra ik iets weet.'

'Ik ga met je mee,' zei ze koppig.

'Geen sprake van.'

'Maar ze is mijn zus!'

'En ik doe mijn werk. Ik kan je niet meenemen, Molly, en daar heb ik een aantal redenen voor.'

'Maar ik moet iets doen,' wierp ze tegen. 'Erin is in moeilijkheden, en ik wil helpen.'

'Als je wilt helpen, dan kun je opletten om te zien of er iets bezorgd wordt. Als de ontvoerders nog een video sturen, dan moeten we dat meteen weten. Dat is jouw opdracht, goed?'

Ik kon me haar frustratie voorstellen. Zij was degene die actie had ondernomen om Erin te vinden, en nu moest ze hulpeloos thuis blijven zitten.

'Goed dan,' zei ze met een zucht. Ik draaide me om. 'Elena?'

'Ja?'

Ik draaide me weer naar haar toe, en ze keek met grote, angstige ogen naar me op. 'Ik ben bang.'

Ik legde mijn hand op haar hoofd alsof ik haar een soort zegen gaf. Ik wou dat ik dat kon, dat ik een dergelijk vermogen had. 'Ja, dat weet ik. Nog even sterk zijn. We doen wat we kunnen.'

Landry kwam de kamer uit. Bruce Seabright bleef binnen. Ik vroeg me af of hij het nieuws via de intercom aan Krystal vertelde.

'Ik bel je zodra ik iets weet,' zei ik tegen Molly, waarna ik, gevolgd door Landry, het huis uit ging.

'Weet jij waar stal nummer veertig is?' vroeg hij.

'Ja, helemaal achteraan op het terrein. Volg me maar. We nemen de achteringang. Dat is een stuk sneller. Weet je iets naders?'

Hij schudde zijn hoofd. 'Niets bruikbaars. De inspecteur zei dat iemand haar had opgegraven. Ik weet niet wat dat betekent – of het een vers lijk is, of een skelet, of wat dan ook.'

'Daar komen we snel genoeg achter,' zei ik, terwijl ik om de voorzijde van mijn auto liep. Ook dat klonk als een leugen. Elke minuut van onzekerheid voelde als een uur. Vanwege Molly. Ik wilde haar niet hoeven vertellen dat haar zus dood was.

Ik reed van Binks Forest via de Aero Club – een wijk voor mensen die een eigen vliegtuig hadden – naar Palm Beach Point, en nam het onverharde pad dat naar de achteringang van het ruitercentrum voerde. Stal veertig lag vlak bij het hek, in De Weiden.

Zoals elk weekend gedurende het seizoen wemelde het terrein van de ruiters en stalknechten en honden en kinderen; auto's en terreinwagens en golfkarretjes en motorfietsen. Maar de meeste mensen bevonden zich rond een roestige gele graafmachine en een vuilniswagen die naast een van de driekantige mestkuilen voor de tenten stonden geparkeerd. Ik zag een aantal blauwe overhemden. De bewakingsdienst. Een groen-met-witte patrouillewagen stond in de modder langs de kant van het pad geparkeerd.

Ik zette mijn auto op een vrij plaatsje tegenover alle drukte, haalde mijn hoed van de achterbank en stapte uit. Landry bleef op het pad staan en draaide zijn raampje open. Ik boog me naar hem toe en zei: 'Je kent me niet.'

Hij rolde met zijn ogen. 'Als dat zou kunnen.'

Hij reed door en parkeerde naast de patrouillewagen.

Ik liep met wild kloppend hart naar de groep nieuwsgierigen. Ik vroeg een meisje met een paardenstaart en een honkbalpet of ze wist wat er gebeurd was.

Ze keek me opgewonden aan. 'Ze hebben een lijk gevonden.'

'O, god. En weten ze ook wie het is?'

'Iemand heeft gezegd dat het een stalknecht is. Maar ik weet het niet.'

Ik liet haar staan en liep om de menigte heen. De bewakers zeiden tegen de mensen dat ze weg moesten gaan. De bestuurder van de vrachtwagen zat bleek op het opstapje van de cabine. De bestuurder van de graafmachine stond naast zijn voertuig te gebaren terwijl hij in gesprek was met een bewaker, de agent en Landry.

Ik was vooraan gekomen. Ik zag dat de mestkuil half leeg was gegraven. Er stak een arm uit de mesthoop. Een vrouwenarm – paars gelakte nagels, een aantal armbanden die glansden in de zon. De rest van haar lichaam was toegedekt met een paardendeken.

'Mevrouw?' vroeg Landry, terwijl hij naar me toe kwam. 'De bewaker zegt dat u ons misschien kunt helpen. Zou u misschien –'

'O – ik weet het niet. Ik denk het niet,' zei ik, omwille van de toeschouwers die me aankeken en zich afvroegen wie ik was.

Landry pakte me bij de arm en trok me protesterend mee naar de mestkuil. Toen we buiten gehoorafstand van de toeschouwers waren, zei hij: 'De man was de kuil aan het leeghalen toen hij haar vond. Ze lag begraven onder de mest. Dat noem ik nog eens respect voor de doden. Hij zegt dat de kuil sinds donderdag niet meer leeg is gehaald, maar dat hij toen tot op de bodem was schoongemaakt.'

'Als het Erin is, dan wil ik tien minuten alleen met Bruce Seabright en een groot kartelmes.'

'Ik hou hem vast, en jij snijdt zijn hart eruit.'

'Afgesproken.'

Hij trok een vies gezicht bij het ruiken van de mest en urine, boog zich over het lijk en tilde een hoekje van de paardendeken op.

Ik bereidde me op het ergste voor. Het lichaam was wit en stijf. Uitgelopen mascara, blauwe oogschaduw en knalrode lippenstift deden het gezicht een macaber kunstwerk lijken. Op haar wang had ze een blauwe plek ter grootte van een duim. Ze had haar mond halfopen, en er puilden brokjes droge mest uit.

Ik liet mijn ingehouden adem ontsnappen en voelde me tegelijkertijd opgelucht en misselijk. 'Dat is Jill Morone.'

'Ken je haar?'

'Ja. En drie keer raden voor wie ze werkte.'

Landry fronste zijn voorhoofd. 'Don Jade. Ze heeft me gisteren verteld dat ze met hem sliep.'

'Gisteren? Wat deed je hier gisteren?' vroeg ik, het publiek en mijn rol vergetend.

Hij hield zijn blik afgewend. 'Uitzoeken wat er waar was van jouw beweringen.'

'Jeetje. En ik maar denken dat het je niet kon schelen.'

'Het irriteerde me dat je me administratief werk had bezorgd,' zei hij. 'Vooruit, Estes, duvel op. Ga maar weer voor dilettante spelen. Maak jezelf nuttig.'

Ik trok een tragisch gezicht omwille van de omstanders en haastte me terug naar de auto, waar ik Molly Seabright belde om haar te vertellen dat haar zus, voor zover ik wist, niet dood was. En toen zette ik, op zoek naar de moordenaar, koers naar de tent van Don Jade.

22

Jades tent onderging een grondige schoonmaakbeurt. Paris hield de wacht bij de Guatemalaan die kledingstukken uit een box haalde en in een kruiwagen gooide. Ze snauwde afwisselend tegen de stalknecht en tegen iemand anders die ze aan de telefoon had.

'Hoe bedoel je dat kleding niet verzekerd is? Heb je er enig idee van hoeveel die kleren kosten?'

Ik keek naar de stapel vodden in de kruiwagen. Witte en buffelleren rijbroeken; een olijfgroen wollen jasje, dat waarschijnlijk op maat was gemaakt; op maat gemaakte overhemden. Die alles bij elkaar heel wat geld waard waren. En die allemaal onder de mestvlekken zaten.

'Wat is er gebeurd?' vroeg ik.

Paris klapte haar mobiel met een nijdig gebaar dicht en keek me met van woede vonkende ogen aan. 'Die stomme, lelijke, vette griet.'

'Je bedoelt jullie stalknecht?'

'Niet alleen is ze niet komen opdagen, heeft ze de paarden niet verzorgd en heeft ze gisteren, toen Javier niet kon komen, de boxen niet uitgemest, maar bovendien heeft ze dít gedaan.' Ze wees op de hoop verpeste kleren. 'De gemene, jaloerse, valse, kleine –'

'Ze is dood,' zei ik.

Paris zweeg halverwege haar tirade en keek me aan alsof ik er opeens een tweede hoofd bij had gekregen. 'Wat? Waar heb je het over?'

'Wist je dat nog niet? Ze hebben een dode gevonden in de mestkuil bij tent veertig. Het is Jill.'

Ze keek me aan, en toen keek ze om zich heen alsof ze ergens een verborgen camera verwachtte. 'Dat is toch zeker een grapje, hè?'

'Nee. Ik ben via de achteringang gekomen. De politie is erbij. Ze zullen zo wel hier komen. Ze weten dat ze voor Don werkte.'

'O, geweldig,' zei ze, doelend op het ongemak en niet op het meisje. Ik zag hoe ze zichzelf in gedachten tot de orde riep en een gepast bezorgd gezicht trok. 'Dood. Dat is verschrikkelijk. Hoe is het mogelijk. Wat is er gebeurd? Was het een ongeluk?'

'Ik kan me niet voorstellen dat ze zichzelf per ongeluk in de mestkuil heeft begraven,' zei ik. 'Ze moet vermoord zijn. Als ik jou was, zou ik hier maar overal van afblijven. De hemel weet wat de politie ervan zal denken.'

'Nou, ze zullen heus niet denken dat iemand van ons haar vermoord heeft,' zei ze verontwaardigd. 'Ze is de enige stalknecht die we nog hadden.'

Alsof dat de enige reden was om haar niet te vermoorden.

'Waarom denk je dat ze dit heeft gedaan?' vroeg ik, op de kleren wijzend.

'Uit kwaadaardigheid, dat weet ik zeker. Don zegt dat ze gisteravond bij The Players was en dat hij haar een standje had gegeven. O, mijn god,' zei ze, terwijl ze grote ogen zette. 'Je denkt toch niet dat ze hier is vermoord, hè?'

Ik haalde mijn schouders op. 'Waar anders?'

'Ik weet niet. Misschien had ze wel in een andere tent met een jongen afgesproken, of zo.'

'Had ze een vriend?'

Paris trok een gezicht. 'Ze had het altijd over jongens, net alsof ze de dorpsslet was. Ik heb nooit geloofd dat ze iemand had.'

'Nou, zo te zien had ze gisteravond wel iemand,' zei ik. 'Jullie springlui maken toch altijd wat opwindends mee. Moord, kattenkwaad, intrige...'

Javier vroeg haar in het Spaans of hij verder moest gaan met het uitmesten van de box. Paris keek door de tralies naar binnen. Ik ook. De box was een bende van vertrapte mest, schaafkrullen en leerolie.

'Is dat bloed?' vroeg ik, en ik wees op een paar druppels op het blanke houtschaafsel die bloed hadden kunnen zijn. Bloed dat misschien wel van het dode meisje afkomstig was. Of van haar moordenaar. Of van het paard dat gewoonlijk in deze box stond. Alleen een laboratoriumonderzoek zou kunnen uitwijzen van wie het was. Wie wist wat er verder al uit de box was geschept en afgevoerd.

Paris staarde ernaar met grote ogen. 'Ik weet niet. Misschien. Get, dit is wel ontzettend eng allemaal.'

'Waar is Don?'

'Weg om nieuwe kleren te kopen. Hij heeft een wedstrijd vandaag.'

'Daar zou ik maar niet vanuit gaan. Hij is de laatste geweest die Jill gisteravond heeft gezien. Ze is hier gekomen en heeft dit gedaan, en nu is ze dood. Ik vermoed dat de politie hem zal willen spreken.'

Paris liep naar een regisseursstoel waar JADE achterop geborduurd was. 'Elle, dit is gewoon verschrikkelijk,' zei ze, terwijl ze ging zitten alsof ze opeens geen kracht meer had om nog langer te blijven staan. 'Je denkt toch niet dat Don...'

'Het maakt niet uit wat ik denk. Ik ken de man amper. Maar wat denk jij? Zou hij tot zoiets in staat zijn?'

Ze staarde naar een onduidelijk punt halverwege de tent. 'Ik denk van niet. Ik heb hem nog nooit gewelddadig gezien. Hij is altijd verschrikkelijk beheerst...'

'Ik heb gehoord dat hij problemen heeft omdat hij geprobeerd heeft de verzekering op te lichten met het vermoorden van paarden.'

'Dat is nooit bewezen.'

'En Stellar?'

'Dat was een ongeluk.'

'Weet je dat zeker? Wat zei de schaderegelaar ervan?'

Ze liet haar hoofd even op haar handen rusten, waarna ze deze over haar goudblonde haren naar achteren streek. Aan haar rechterhand droeg ze een antieke ring met een smaragd en diamanten die eruitzag alsof hij een vermogen waard was.

'Ze doen wat ze kunnen om niet uit te hoeven keren,' zei ze vol afkeer. 'Omdat Don erbij betrokken is. Ze hebben er niets op tegen om de eigenaren duizenden dollars premie te laten betalen, maar zodra ze moeten betalen, doen ze opeens verschrikkelijk moeilijk.'

'Maar als het een ongeluk was...'

'De schaderegelaar heeft vanochtend gebeld om te vertellen dat er bij de autopsie op Stellar een kalmerend middel in zijn bloed is gevonden. Dat is bespottelijk. Maar zoals ik al zei, ze doen wat ze kunnen om niet uit te hoeven keren. Trey zal woedend zijn als hij het hoort.'

En daar gaat de manege van een miljoen, dacht ik. Ook al had Hughes het paard dood gewild, wat hij zeker niet had gewild, was betrokken raken bij een poging tot oplichting van de verzekering. Hij zou Jade er de schuld van geven en hem ontslaan.

'Was er een reden waarom het paard iets in zijn bloed zou hebben gehad?' vroeg ik.

Paris schudde haar hoofd. 'Nee. We hebben natuurlijk wel van alles in huis. Rompun, acepromazine, banamine – elke manege heeft dat spul bij de hand. Een paard heeft een koliek, en we geven hem banamine. Als een paard lastig is wanneer er aan zijn hoeven gewerkt moet worden, dan geven we hem iets kalmerends. Op zich niets bijzonders. Maar er was geen enkele reden waarom Stellar iets in zijn bloed gehad zou moeten hebben.'

'Denk je dat Jill er misschien iets vanaf wist?' vroeg ik.

'Ik zou niet weten wat. Ze deed haar werk amper behoorlijk. Ze zou zeker nooit midden in de nacht hier zijn geweest toen Stellar is gestorven.'

'Ze was anders de afgelopen nacht wel hier,' merkte ik op.

Paris keek het gangpad af toen Jade de tent binnenkwam. 'Uiteindelijk weet je toch maar nooit wie je werknemers zijn, hè?'

Jade had boodschappentassen in elke hand. Paris sprong op van haar stoel en volgde hem de tuigkamer in om hem het nieuws over Jill te vertellen. Ik deed mijn best om te horen wat ze zei, maar hoorde niet meer dan haar opgewonden toon en zo nu en dan een woord, en Jade die haar zei dat ze moest kalmeren.

Ik keek naar Javier, die nog steeds bij de deur van de box op instructies stond te wachten, en ik vroeg hem in het Spaans of hij dit ook zo'n krankzinnig wereldje vond. Het is zelfs nog erger dan u denkt, señora, zei hij, waarop hij zijn hooivork pakte en naar een box achteraan verdween.

Landry's auto verscheen bij de achterkant van de tent. Hij had moeten wachten tot de eenheid plaats-delict en de patholoog bij de mestkuil waren gearriveerd, en hij had waarschijnlijk extra manschappen laten komen om het terrein uit te kammen op zoek naar iemand die Jill Morone de vorige avond gezien had. Hij kwam met een andere agent in burger de achteringang van de tent in terwijl Michael Berne op hetzelfde moment met een rood hoofd de zij-ingang binnen kwam stuiven.

Berne bleef staan voor de ingang van de tuigkamer, en trok het gordijn met één hand open. 'Je bent er geweest, Jade,' zei hij, luid en opgewonden. 'Ik vertel de politie wat ik gisteravond heb gezien. Je hebt van alles ongestraft kunnen doen, maar je moet niet denken dat je zo gemakkelijk van een moord af zult kunnen komen.'

Hij leek het bijna heerlijk te vinden dat er iemand dood was.

'Wat denk je dat je hebt gezien, Michael?' vroeg Jade geïrriteerd. 'Je hebt me met een werknemer zien praten.'

'Ik heb je ruzie zien maken met dat meisje, en nu is ze dood.'

Landry en de andere rechercheur waren te laat om Bernes laatste woorden te kunnen horen. Landry zwaaide zijn identificatie voor Bernes neus heen en weer.

'Mooi,' zei Berne. 'Ik hoopte al dat ik u zou kunnen spreken.'

'U kunt met rechercheur Weiss spreken,' zei Landry, terwijl hij langs hem heen de tuigkamer in liep. 'Meneer Jade, ik moet u vragen om mee te komen.'

'Arresteert u mij?' vroeg Jade kalm.

'Nee. Zou ik dat moeten?'
'Hij had al tijden geleden gearresteerd moeten zijn,' zei Berne.
Landry negeerde hem. 'Er is een dode gevonden, en we denken dat het meisje voor u werkte. Ik wilde u vragen om mee te komen om het lijk te identificeren, en om een aantal routinevragen te beantwoorden.'
'Vraag hem maar wat hij gisteravond met haar bij The Players deed,' zei Berne.
'Mevrouw Montgomery, we willen ook graag met u spreken,' zei Landry. 'Ik denk dat we beter op het kantoor van de sheriff kunnen praten.'
'Ik werk hier, en ik kan echt niet zomaar weg,' zei Jade.
'Don, in godsnaam, dat meisje is dood,' snauwde Paris. 'Voor hetzelfde geld is ze hier, in onze tent vermoord. Je weet dat ze gisteravond hier was om je kleren te vernielen, en nu –'
'Wat deed ze hier gisteravond?' vroeg Landry.
Jade zei niets. Paris keek alsof ze spijt had van het feit dat ze haar mond voorbij had gepraat, en perste haar lippen op elkaar.
Landry keek haar aan. 'Mevrouw Montgomery?'
'Eh... nou... er is vannacht iemand hier geweest die een aantal spullen heeft vernield. We nemen aan dat het Jill is geweest, want zij kent de combinatie van het slot van de tuigkamer.'
Landry wisselde een blik met Weiss en gaf hem een telepathische boodschap. Weiss liep naar buiten, naar de auto. Om de specialisten plaats-delict te bellen en te zeggen dat ze, zodra ze klaar waren bij de mestkuil, naar de tent van Jade moesten komen. En om een aantal agenten te bellen die de tent moesten afzetten totdat het team kwam om de boel te onderzoeken.
Berne wees op Jade. 'Ik heb hem gisteravond bij The Players ruzie zien maken met het meisje.'
Landry hield zijn hand op. 'U komt ook nog aan de beurt, meneer.'
Berne, die zichtbaar uit het veld was geslagen door Landry's gebrek aan interesse in hem, stapte achterwaarts de tuigkamer uit en wendde zich tot mij. 'Ze waren samen in de bar,' zei hij luid. 'En ze liep erbij als een hoer.'
Hij keek de tuigkamer weer in.
'Hier kom je echt niet ongestraft vanaf, Jade. Ik heb het meisje horen zeggen dat ze het wist van Stellar. Je hebt haar vermoord om haar het zwijgen op te leggen.'
'Dat is volslagen bespottelijk. Natuurlijk heb ik dat niet gedaan.'
'Komt u nu maar mee, meneer Jade,' zei Landry. 'Het forensisch team wil de dode afvoeren.'
'U wilt toch zeker niet dat ik naar haar kijk, hè?' vroeg Jade. 'Dat is een vorm van theater waar ik niet aan mee wil doen.'

Slecht voor de zaken. Jade die wordt gezien terwijl hij naar zijn dode stalknecht kijkt.

'We kunnen het ook in het lijkenhuis doen.'

'Kan dit niet vanavond? Wanneer mijn werkdag erop zit?'

'Meneer Jade. Het gaat om een dood meisje. Een meisje dat vermoord is. Dat is echt wel belangrijker dan een doorsnee werkdag,' zei Landry. 'U gaat nu met ons mee – vrijwillig of niet. Wat zou het voor uw reputatie betekenen om met handboeien om gezien te worden?'

Jade slaakte een diepe zucht van beproeving. 'Paris, bel alle cliënten en vertel hun wat er aan de hand is. Ik wil niet dat ze het nieuws uit onbetrouwbare bron vernemen,' zei hij, met een venijnige blik op Michael Berne. 'En ga dan even bij de wedstrijdadministratie langs en laat ons voor vandaag van de lijst schrappen.'

'Niet alleen voor vandaag, maar voor de rest van zijn leven,' spotte Berne. 'En dat zou een intens gelukkig mens van mij maken.'

Ik keek hen na terwijl ze de tent verlieten: Landry, Jade en Paris Montgomery. Michael Berne liep er kakelend achteraan. Ik dacht na over wat Berne had gezegd. Ik had hem de vorige dag, met te suggereren dat hij Stellar mogelijk zelf had vermoord om Jade re ruïneren, op een gevoelige plek geraakt. Maar misschien was die gedachte zo gek nog niet. Berne was ervan overtuigd dat Jade, met het weglokken van Trey Hughes, zijn droombestaan had gestolen. Wat zou het hem waard zijn om die droom terug te krijgen, om zich te wreken? Een paardenleven? Een mensenleven? Jaloezie kan een onvoorstelbaar overtuigend motief zijn.

Stellar had op het moment van zijn dood een kalmerend middel in zijn bloed gehad. Het was waar wat Paris had gezegd: dat soort middelen waren in elke tuigkamer op het terrein te vinden – en naar alle waarschijnlijkheid ook in die van Berne.

Het paard was door elektrocutie gestorven – onder paardenmoordenaars een geliefde methode omdat het geen zichtbare sporen nalaat en de indruk geeft dat het paard is bezweken aan een koliek, iets dat veel voorkomt bij paarden en fataal kan zijn. De moord kon door één iemand, met behulp van een onder stroom staand elektrisch snoer worden gepleegd. Het was een koud kunstje. En als je het goed deed, was het uiterst moeilijk te bewijzen dat het paard niet door een natuurlijke oorzaak was overleden.

Als de geruchten ten aanzien van Jades verleden waar waren, dan wist hij dat. Maar om een paard kort voor het plegen van een dergelijke moord een kalmerend middel toe te dienen, was vragen om problemen, en dat wist hij net zo goed. Als hij het paard had vermoord, dan zou hij het van te voren nooit een middel geven dat bij de necropsie in het bloed kon worden aangetroffen.

Het zou in dat geval ook veel logischer zijn geweest als Jade als doodsoorzaak 'koliek' zou hebben opgegeven. Of hij had kunnen zeggen dat hij niet wist wat er was gebeurd. Hoezo dat verhaal over het ongeluk met het elektrische snoer? Er moesten bewijzen van zijn geweest. Het was reuzejammer dat degene die het dode paard had gevonden, er niet langer was om ons te kunnen vertellen wat die bewijzen waren geweest.

'*Ik heb het meisje horen zeggen dat ze het wist van Stellar.*'

Berne had dat duidelijk gezegd om Jade nog schuldiger te laten lijken, maar als Berne Stellar had vermoord en Jill Morone dat wist en het aan Jade had willen vertellen... Motief.

Berne had het meisje in The Players gezien. Misschien had hij haar ook weg zien gaan en was hij haar hier naar toe gevolgd... Gelegenheid.

Ik ging zitten op de stoel waar Paris op had gezeten, en vroeg me af hoe dit alles verband zou kunnen houden met de ontvoering van Erin Seabright.

'Wat een glamour in dit wereldje van jou, zeg,' mompelde Landry toen hij terugkwam. 'Er wordt een meisje vermoord, en het enige waar al die mensen zich druk om maken, is dat het wel heel slecht uitkomt allemaal.'

'Ik zou die Berne maar eens goed onder de loep nemen,' zei ik zacht, toen hij naast mijn stoel was komen staan. 'Als de dood van het meisje verband houdt met de dood van het paard, dan is hij een even belangrijke verdachte als Jade. Hij heeft een gouden kans gemist toen de eigenaar met zijn paarden van zíjn stal, naar die van Jade is overgestapt.'

'Goed, dat kun je me later allemaal uitleggen. Ik ken deze mensen nog geen tien minuten, en ik heb nu al het idee dat ze echt overal toe in staat zouden zijn. En wat is er met die Belg?'

'Ik heb hem nog niet gezien, maar ik verwacht hem elk moment. Er zouden ook weleens bloedsporen hier in de tuigkamer kunnen zijn,' zei ik. 'Vergeet niet om dat tegen de sporendienst te zeggen.'

Hij knikte. 'Goed. Ik neem Jade onderhanden, en Weiss neemt Berne voor zijn rekening. De technische dienst en de inspecteur zijn bij de Seabrights thuis om de telefoons af te tappen.'

'Ik hoop bij god dat het nog niet te laat is.'

De rechterzijde van mijn lichaam werd bekropen door een onaangenaam gevoel, en het volgende moment zag ik vanuit mijn ooghoeken dat Van Zandt was binnengekomen. Ik wist niet hoelang hij daar al had gestaan.

'Ik weet echt niets, meneer,' zei ik. 'Ik heb dat meisje alleen maar een paar keer gezien, maar ik heb haar niet gekend.' Ik wendde me tot Van Zandt. 'Z., heb jij Jill gisteravond gezien?'

Hij keek me aan alsof hij last had van brandend maagzuur en een slecht humeur. 'Jill wie?'

'Jill de stalknecht. Dons stalknecht.'

'Hoezo had ik haar moeten zien?' snauwde hij geïrriteerd. 'Ik snap niet waarom hij haar niet ontslaat. Ze deugt nergens voor.'

'Ze is dood,' zei Landry.

Van Zandt keek geschokt. 'Dood? Waaraan?'

'Dat zal de lijkschouwer moeten uitzoeken. Míjn taak is het om uit te zoeken waarom ze dood is en wie haar heeft vermoord. Heeft u haar de afgelopen avond gezien?'

'Ik let niet op stalknechten,' zei Van Zandt minachtend, waarna hij de tuigkamer binnenging.

'Meneer, ik moet u verzoeken nergens aan te komen,' zei Landry.

Van Zandt had de minikoelkast opengetrokken. Hij deed het deurtje weer dicht en wierp Landry een hooghartige blik toe. 'En wie mag u wel niet zijn om dat tegen mij te zeggen?'

'Rechercheur Landry. Van het kantoor van de sheriff. En wie bent u?'

'Tomas Van Zandt.'

'En wat is uw relatie tot Don Jade?'

'We zijn zakenpartners.'

'En u weet helemaal niets van dat meisje, van Jill? Behalve dan dat ze nergens voor deugde?'

'Nee.'

Op dat moment kwamen de agenten binnen om de boel af te zetten, en moesten wij naar buiten, in de felle zon. Landry stapte met Jade in zijn auto en reed weg.

'Is Jade gearresteerd?' vroeg Van Zandt. In het daglicht zag hij zo bleek dat hij wel ziek leek. Hij droeg een blauw met rood sjaaltje in de boord van zijn blauwe overhemd. Misschien zat het wel zo strak dat het bloed niet goed naar zijn hersens kon stromen.

'Nee. Hij wordt alleen maar ondervraagd,' zei ik. 'Zijn werkneemster is vermoord. Vind je dat niet schokkend?' vroeg ik. 'Ik heb nog nooit iemand gekend die vermoord is.'

Van Zandt haalde zijn schouders op. Hij maakte in het geheel geen geschokte indruk. 'Die griet was een slet, ze had het voortdurend over jongens en ze liep erbij als een hoer. Het verbaast me niets dat ze zo aan haar eind is gekomen.'

'Wil je daarmee zeggen dat ze erom heeft gevraagd?'

'Wat ik daarmee wil zeggen is: soort zoekt soort.'

'Nou, zo zie je dan maar weer. We kunnen er allemaal iets van leren.'

'Wat een rotzon,' klaagde hij, terwijl hij zijn zonnebril opzette en van onderwerp veranderde alsof de gewelddadige dood van een meisje even onbeduidend was als een slecht gereden parcours. Of zelfs nóg onbeduidender.

'En wat is er met jou?' vroeg ik hem. 'Je ziet er zelf uit als een wandelend lijk. Heb je gisteravond zonder mij feestgevierd?'

'Bedorven eten. Ik heb geen last van katers,' verklaarde hij koppig. 'Ik word nooit dronken.'

'Komt dat doordat je het niet probeert, of omdat je beter tegen de drank kunt dan gewone stervelingen?'

Hij produceerde een mager glimlachje. 'Het laatste, Elle Stevens.'

'Echt? En ik dacht nog wel dat de Duitsers het meest superieure ras waren.'

'Dat denken alleen de Duitsers maar.'

'Daar heb je vast heel diep over nagedacht, Z. Kom op,' zei ik, en ik pakte hem bij de arm. 'Ik trakteer je op een Bromo-Seltzer, en dan kun je me alles over de Nieuwe Wereldorde vertellen.'

23

'U hebt haar gisteravond in The Players gezien. U had ruzie met haar.'

'Het was geen ruzie,' zei Jade kalm. 'Ze liep er onfatsoenlijk bij en –'

'Wat heeft u daarmee te maken? Had u met haar afgesproken?'

'Nee, maar ze werkt voor mij. De manier waarop ze zich in het openbaar gedraagt heeft zijn weerslag op mijn reputatie.'

'Maar u had daar niet met haar afgesproken?'

'Nee. Ze was bij me in dienst. Ik had verder geen enkele band met haar.'

Landry trok zijn wenkbrauwen op. 'Echt niet? Dat is vreemd, want gisteren vertelde ze me dat u met haar sliep.'

'Wat? Dat is een leugen!'

Eindelijk, een menselijke reactie. Landry was al bang dat de man volkomen gevoelloos was. Ze zaten in de verhoorkamer tegenover elkaar aan tafel. Jade was tot op dat moment de zelfbeheersing en kalmte in eigen persoon geweest – zijn haar zat keurig in model, en hij droeg een schoon, gestreken wit overhemd dat hem nog bruiner deed lijken dan hij was en dat, op de manchetten, voorzien was van zijn geborduurde monogram.

Michael Berne en Weiss zaten in de kamer ernaast. De blondine zat bij de receptie ongeduldig op haar beurt te wachten. Jill Morone lag bij de patholoog anatoom op een roestvrijstalen tafel – haar lichaam vertoonde meerdere blauwe plekken, maar geen zichtbare fatale verwondingen. Landry vermoedde dat ze gewurgd was, of dat de dader haar had laten stikken. Ze leek verkracht te zijn.

Landry knikte terwijl hij een hap van zijn broodje met tonijn nam. 'Ze heeft me verteld dat ze donderdagnacht bij u was toen iemand Michael Bernes paarden heeft laten ontsnappen.'

Jade wreef zijn handen over zijn gezicht en mompelde: 'Dat stomme kind. Dat heeft ze natuurlijk gezegd omdat ze me wilde helpen.'

'Omdat ze u wilde helpen? Om u een alibi te verschaffen, bedoelt u? Waarom zou ze gemeend hebben dat u dat nodig had? Ze was erbij toen u me vertelde dat u die nacht met iemand samen was geweest. Wist zij dat dat niet zo was?'

'Natuurlijk niet. Jill wist niets. Ze was een dom, pathetisch wicht met een overontwikkelde fantasie.'

'En ze was verliefd op u.'

Jade slaakte een diepe zucht. 'Ja, dat vermoed ik ook. Daarom was ze gisteravond op de club. Ze stond op me te wachten, kennelijk met het idee mij te verleiden.'

'Maar u was niet in haar geïnteresseerd.'

'Ik heb haar gevraagd om weg te gaan. Ze stond voor gek.'

'En u ook.'

'Ja,' gaf Jade toe. 'Mijn cliënten zijn rijke en mondaine mensen, meneer. En die hebben nu eenmaal bepaalde ideeën en verwachtingen.'

'Waar Jill niet aan voldeed.'

'Ik zou ook niet met Javier naar The Players gaan, maar ik heb hem niet vermoord.'

'Hij heeft ook niet beweerd dat hij een seksuele relatie met u zou hebben,' zei Landry, terwijl hij zijn broodje weer naar zijn mond bracht. 'Voor zover ik weet.'

Jade trok een bedenkelijk gezicht. 'Moet u zo grof zijn?'

'Nee.'

Landry leunde naar achteren en kauwde op zijn lunch – meer om de ander te ergeren dan omdat hij honger zou hebben.

'Dus,' zei hij, een opsomming van de feiten gevend, 'ze heeft zich opgedirkt en is naar The Players gegaan om u te ontmoeten... in de hoop dat u interesse in haar zou hebben.'

Jade maakte een onduidelijk gebaar en ging verzitten. Hij had hier genoeg van.

'Vooruit, Don. Ze was in de buurt, ze was beschikbaar en ze was gratis. Je wilt me toch niet zeggen dat je nooit van die omstandigheid gebruik hebt gemaakt?'

'Die suggestie is ronduit weerzinwekkend.'

'Waarom? Ze zou je eerste werkneemster niet zijn die je geneukt hebt.'

Die opmerking trof doel. Jades lichaam maakte een reeks trekkende beweginkjes alsof hij kleine, elektrische schokjes kreeg. 'Ik heb ooit eens een verhouding met een stalknecht gehad. Maar niet met Jill Morone. En afgezien daarvan heb ik daar mijn lesje van geleerd, en heb ik me sindsdien voorgenomen om nooit meer iets met personeel te hebben.'

'Zelfs niet met Erin Seabright? Erin is bepaald geen Jill Morone, als je snapt wat ik bedoel.'

'Erin? Wat heeft zij hiermee te maken?'

'Waarom werkt ze niet meer bij je, Don?'

Het familiaire toontje beviel hem niet. Landry zag hoe hij, telkens wanneer hij hem bij zijn voornaam aansprak, zijn ogen even half dichtkneep.

'Ze is weggegaan. Ze zei me dat ze elders een baan had gevonden.'

'Voor zover ik heb kunnen nagaan, ben jij de enige die ze over deze ingrijpende verandering in haar leven heeft verteld,' zei Landry. 'Het vinden van ander werk en de verhuizing naar een andere stad. Haar familie wist van niets. Dat vind ik vreemd. Jij bent de enige aan wie ze dat heeft verteld. En sindsdien heeft niemand meer iets van haar vernomen.'

Jade keek hem even zonder iets te zeggen aan. Misschien wist hij niet wat hij daarop moest zeggen, of misschien realiseerde hij zich dat hij er maar beter niet op in kon gaan. Het volgende moment stond hij op. 'Dit gesprek bevalt mij niet. Probeert u mij soms ergens van te beschuldigen?'

Landry bleef zitten. Hij leunde naar achteren en zette zijn ellebogen op de armleuningen van zijn stoel. 'Nee.'

'Ik dat geval wil ik nu gaan.'

'O, tja... Ik heb nog een paar vragen voor u.'

'In dat geval wil ik mijn advocaat er graag bij hebben. Het is mij duidelijk dat u mij dingen in de schoenen probeert te schuiven waar ik niets mee te maken heb.'

'Ik probeer alleen maar een helder beeld te krijgen van hoe het toegaat in dat vak van jou, Don. Dat hoort bij mijn werk: om een idee te krijgen van de omgeving waarin het slachtoffer zich bewoog, en om alle puzzelstukjes op zijn plaats te krijgen. Wil je niet dat ik de waarheid achter Jill Morones dood achterhaal?'

'Natuurlijk wel.'

'En vind je het echt nodig om je advocaat erbij te halen wanneer ik niets anders doe dan dat? Je staat niet onder arrest. Je hebt me zelf verteld dat je niets te verbergen hebt.'

'Dat klopt.'

Landry spreidde zijn handen. 'Nou... wat is dan het probleem?'

Jade keek weg, dacht na en vroeg zich af wat zijn opties waren. Landry gaf hem nog vijf minuten – maximaal. In een kamer verderop in de gang zat een collega die het gesprek via een gesloten televisiesysteem volgde, en die de computergegevens van het stem-stressanalyse-apparaat bijhield om te zien welke antwoorden gelogen waren.

'Maar als je wilt, ga dan gerust je gang en bel je advocaat,' zei Landry gul. 'Dan wachten we wel tot hij er is...'

'Ik heb hier geen tijd voor,' mompelde Jade, terwijl hij weer naar de tafel kwam. 'Wat wilt u verder nog weten?'

'Meneer Berne heeft gezegd dat hij gehoord heeft dat Jill je iets over Stellar vertelde, over dat paard dat is gestorven. Wat wist ze daarvan af?'

'Ik heb geen idee waar ze het over had. Dat paard is midden in de nacht gestorven en het was een ongeluk. Er was niets dat ze kon weten.'

'Als het geen ongeluk was, dan kon ze van alles weten.'

'Maar het wás een ongeluk.'

'Was u erbij toen het gebeurde?' Landry besloot het weer over de beleefde boeg te gooien.

'Nee.'

'Dan kunt u niet echt weten wat er is gebeurd. Als het een ongeluk was, waarom had het paard dan een kalmerend middel in zijn bloed?'

Jade staarde hem met grote ogen aan. 'Hoe weet u dat?'

Landry keek hem aan alsof hij niet goed bij z'n hoofd was. 'Ik ben rechercheur.'

'Er was geen enkele misdaad in het spel bij Stellars dood.'

'Maar de eigenaar heeft wel recht op een vette cheque van de verzekering, of niet?'

'Als de verzekering besluit om uit te keren, wat nu helemaal niet meer zo zeker is.'

'Zou u een deel van dat bedrag hebben gekregen?'

Jade stond weer op. 'Ik ga nu weg.'

'Hoe laat bent u gisteravond bij Players weggaan?'

'Rond elf uur.'

'En waar bent u toen naar toe gegaan?'

'Naar huis. Naar bed.'

'U bent niet nog even naar het ruitercentrum gegaan om bij de paarden te kijken?'

'Nee.'

'Zelfs niet na wat er de nacht ervoor was gebeurd? U maakte zich geen zorgen?'

'Paris had gisteravond de beurt om de paarden te controleren.'

'En ze heeft niets verdachts gezien? Zelfs niet dat iemand uw kleren had vernield?'

'Het is duidelijk dat ze langs is gegaan vóórdat dat was gebeurd.'

'Dus u bent naar huis en naar bed gegaan. Alleen?'

'Nee.'

'Met dezelfde vriendin als van donderdagnacht?'

Jade slaakte opnieuw een zucht en keek naar de muur.

'Luister, Don,' zei Landry, nu weer op vertrouwelijke toon. Hij stond op. 'Je moet me helpen. Dit is een ernstige zaak. Het gaat niet alleen om paarden die midden in de nacht zijn vrijgelaten. Er is een meisje vermoord. Ik kan begrijpen dat ze in jouw wereld niet veel waard is geweest, maar in mijn wereld is moord een ernstig misdrijf. Iedereen die haar heeft gekend en die een probleem met haar heeft gehad, zal met een behoorlijk alibi moeten komen. Als jij een getuige hebt, dan kun je dat maar beter meteen zeggen, want anders zal ik nog veel méér van je kostbare tijd in beslag moeten nemen.'

Even dacht hij dat Jade zó verwaand zou zijn dat hij zich gewoon zou omdraaien en weggaan. Maar hij was niet dom. Landry stelde zich voor hoe zijn brein de informatie als een computer sorteerde. Ten slotte zei hij: 'Susannah Atwood. Ze is een cliënt. Ik zou het waarderen wanneer u dit niet tegen mijn andere cliënten zei.'

'Iedereen wil het liefje van de trainer zijn?' vroeg Landry. 'En je hebt het lang niet slecht bekeken, moet ik zeggen. Niet alleen berijd je de paarden, maar hun eigenaars ook.'

Jade liep naar de deur.

'Ik wil haar adres en telefoonnummer hebben, en de namen en telefoonnummers van Jill Morones naaste familie.'

'Dat kunt u aan Paris vragen. Zij houdt mijn administratie bij.'

Zijn administratie, dacht Landry, terwijl hij hem nakeek. Meer stelde het leven van een jong meisje voor Don Jade niet voor: administratie.

'Ik dank u voor uw tijd, meneer Jade.'

'Jade zou zijn zaken anders moeten runnen,' verklaarde Van Zandt.

We stonden langs de reling van een van de wedstrijdvelden en keken naar een kleine amazone die haar pony over een reeks van lage, versierde hindernissen leidde. Het meisje en haar paard maakten allebei een intens geconcentreerde indruk, en de vurige blik in hun ogen getuigde van hun verlangen om te winnen. Ze waren een team: het meisje en haar pony tegen de wereld.

Ik kon me dat gevoel nog heel goed herinneren. Ik en mijn felrode pony die naar de naam van Party Manners luisterde. Mijn grootste vriend en vertrouweling. Zelfs nadat ik te oud voor hem was geworden, bleef ik Party al mijn zorgen toevertrouwen waar hij zonder commentaar of kritiek naar luisterde. Toen hij op de rijpe leeftijd van vijfentwintig overleed, treurde ik dieper om hem dan ik ooit om een levend wezen had gedaan.

'Luister je eigenlijk wel naar me?' vroeg Van Zandt slechtgehumeurd.

'Ja. Ik dacht alleen dat het een retorische opmerking was.' Ik had hem uitgenodigd voor de lunch, maar hij had bedankt. Ik had aangeboden om milkshakes te kopen, en hij had gezegd dat ik daar dik van zou worden. Zak. Ik kocht er lekker toch een.

'Ja,' was ik het met hem eens, 'potentiële klanten laten zich afschrikken door moord.'

Van Zandt keek me nijdig aan. 'Ik ben niet in de stemming voor jouw gevoel voor humor.'

'Dacht je dat ik een grapje maakte? Stalknecht nummer één verdwijnt spoorloos, en nummer twee wordt dood aangetroffen –'

'Verdwijnt?' herhaalde hij. 'Ze heeft ontslag genomen en is weggegaan.'

'Dat geloof ik niet, Z. Die rechercheur heeft naar haar geïnformeerd.'

Hij draaide zich met een ruk naar me toe en keek vanuit de hoogte op me neer. 'En wat heb je hem verteld?'

'Niets. Ik heb dat meisje nooit ontmoet. Ik zeg het alleen maar omdat hij het waarschijnlijk ook aan jou zal vragen.'

'Ik heb niets over haar te zeggen.'

'Dat had je anders eerst wel. Dat ze met cliënten flirtte, dat ze een brutale mond had – eigenlijk min of meer wat je ook van Jill hebt gezegd, realiseer ik me ineens. Weet je, Z., je zou van de doden geen kwaad moeten spreken. En helemaal niet wanneer er iemand van de politie in de buurt is.'

'Ze hebben geen enkel recht om mij te verhoren.'

'Natuurlijk wel. Je hebt alletwee de meisjes gekend. En eerlijk gezegd laat je houding ten aanzien van hen het nodige te wensen over.'

Hij zette een hoge borst op en deed beledigd. 'Probeer je me ergens van te beschuldigen?'

'Toe zeg,' zei ik, en ik rolde met mijn ogen. 'Als je je net zo tegen de politie gedraagt, dan zullen ze je die moord zó in je schoenen schuiven. En als ze die injectienaald dan in je arm steken, bied ik me aan als vrijwilligster om de zuiger in te drukken.'

'Waar heb je het over? Welke injectienaald?'

'We hebben de doodstraf in deze staat. En voor moord kun je de doodstraf krijgen.'

'Dat is barbaars,' zei hij, en hij was nu écht beledigd.

'Dat is een meisje dat in paardenmest begraven is, ook.'

'En jij acht mij tot zo iets verschrikkelijks in staat?' Nu trok hij een gekwetst gezicht, alsof hij zich verraden voelde door een levenslange vriendin.

'Dat heb ik niet gezegd.'

'En dat komt alleen maar doordat die Russische hoer –'

'Let op je woorden, Van Zandt,' zei ik, op mijn beurt een beetje boos. 'Ik ben toevallig erg op Irina gesteld.'

Hij maakte een verongelijkt geluid. 'Zijn jullie geliefden?'

'Nee. Is dat jouw poging om mij te beledigen? Me beschuldigen dat ik lesbienne zou zijn?'

Hij maakte een onverschillige beweging met zijn mond.

'Zielig, hoor,' zei ik. 'Ik wed dat je elke vrouw die niet met je de koffer in wil, uitmaakt voor lesbienne.'

Hij werd lichtelijk rood, maar zei niets. Het gesprek liep niet zoals hij wilde. Alweer niet.

'Niet dat het je iets aan zou gaan,' liet ik hem weten, terwijl het meisje en haar pony de laatste hindernis namen en de toeschouwers begonnen te klappen, 'maar toevallig ben ik wel gelukkig hetero.'

'Dat "gelukkig" zie ik niet zo zitten.'

'Hoezo niet? Omdat ik het genot van het bed met jou te mogen delen tot op dit moment heb moeten ontberen?'

'Omdat je nooit glimlacht, Elle Stevens,' zei hij. 'Volgens mij ben je geen gelukkig mens.'

'Waar ik niet gelukkig mee ben, is het feit dat jij probeert om psychologische spelletjes met me te spelen, en om me in bed te krijgen.'

'Wat je mist, is een doel in je leven,' verklaarde hij. Hij dacht dat hij de situatie weer meester was, en dat ik bereid was om naar hem te luisteren zoals zoveel zwakke, eenzame vrouwen dat deden. 'Je moet een doel hebben. Iets om je best voor te doen. Je bent iemand die van uitdagingen houdt, en je hebt er geen.'

'Dat ben ik toch niet echt met je eens,' mompelde ik. 'Een gesprek met jou is op zich al uitdaging genoeg.'

Hij forceerde een glimlachje.

'Ik weet niet waar je het lef vandaan haalt om zulk soort dingen over mij te beweren,' zei ik kalm. 'Je weet goedbeschouwd helemaal niets van me af.'

'Ik heb een uitstekende mensenkennis,' zei hij. 'Ik zit al heel lang in het vak van mensen inschatten en bepalen wat ze nodig hebben.'

'Misschien zou ik het oplossen van Jills moord tot mijn doel moeten maken,' zei ik, de rollen opnieuw omdraaiend. 'Of het oplossen van de verdwijning van dat andere meisje. Ik zou kunnen beginnen met jou aan de tand te voelen. Wanneer heb je Erin Seabright voor het laatst levend gezien?'

'Ik dacht meer in de lijn van dat je een rijpaard nodig had,' zei hij, met een strak gezicht.

'Kom op, Z., speel nou even mee,' sarde ik hem. 'Misschien help je me zo wel aan een heel nieuwe carrière. Heb je haar horen zeggen dat ze ontslag nam, of heb je dat alleen maar van D.J. gehoord? Er zijn mensen die dat graag willen weten.'

'Ik krijg hoofdpijn van je.'

'Misschien is ze wel ontvoerd,' zei ik, quasi-opgewonden, waarbij ik heel nauwkeurig op zijn reactie lette. 'Misschien wordt ze wel ergens vastgehouden als seksslavin. Wat vind je van dat idee?'

Van Zandt staarde me aan met een volkomen uitdrukkingsloos gezicht. Ik zou er een vermogen voor over hebben gehad om te weten wat er op dat moment in hem om ging. Waar dacht hij aan? Dacht hij aan Erin die ergens voor zijn persoonlijke perverse genoegens verstopt zat tot het moment waarop hij kon incasseren? Dacht hij aan Sasha Kulak? Probeerde hij mij in te schatten als zijn volgende slachtoffer?

Zijn mobiel ging. Hij nam het gesprek aan en begon in vloeiend Frans te spreken. Ik zoog op het rietje van mijn milkshake en luisterde mee.

Europeanen gaan er doorgaans terecht vanuit dat Amerikanen amper in staat zijn hun eigen taal behoorlijk te spreken, laat staan die van een ander. Het was geen moment bij Van Zandt opgekomen dat ik een dure opvoeding had genoten en dat ik een talenknobbel had. Afgaande op zijn kant van het gesprek, concludeerde ik dat hij bezig was om iemand met een deal te beduvelen, en hij ergerde zich aan het feit dat het betreffende slachtoffer niet geheel willoos mee wilde werken. Hij droeg degene aan de andere kant van de lijn op het paardentransport naar de Verenigde Staten te annuleren. Dan zouden ze vanzelf wel begrijpen dat V. geen spelletjes met zich liet spelen.

Vervolgens ging het gesprek over een aantal paarden dat vanuit Florida via New York naar Brussel moest worden overgevlogen, en twee andere die vanuit Brussel met de terugvlucht naar Florida moesten worden vervoerd.

In Europa wordt op grote schaal in paarden gehandeld. Als tiener ben ik ooit eens vanuit Duitsland met een nieuw paard naar huis gevlogen. Dat was in een vrachttoestel met eenentwintig paarden die op weg waren naar hun nieuwe eigenaars in de Verenigde Staten. Dat soort vluchten wordt wekelijks uitgevoerd.

Van Zandt maakte een eind aan het gesprek en stopte de telefoon terug in zijn zak. 'Dat was Philippe, die voor al mijn transporten zorgt,' zei hij. 'Hij is de grootste oplichter.'

'Waarom zeg je dat?'

'Omdat het zo is. Hij wil altijd dat ik hem hier vandaan dingen stuur. Pak het in met de paardenspullen, en stuur het met de dieren mee. Dat doe ik voortdurend,' bekende hij. 'Niemand kijkt ooit naar wat er in die kisten zit.'

'En je windt je op omdat hij de douane beduvelt?'

'Doe niet zo stom. Wie betaalt er nu invoerrechten? Stelletje idioten. Ik ben boos omdat hij me nooit wil betalen. Handdoeken van Ralph Lauren ter waarde van vijfhonderd dollar, en die moet ik nog steeds van hem krijgen. Hoe kun je zo iemand nu vertrouwen?'

Ik wist niet wat ik daarop moest zeggen. Voor hetzelfde geld was hij een serieverkrachter, een ontvoerder of een moordenaar, en hij wond zich op omdat iemand probeerde hem vijfhonderd dollar voor een aantal gesmokkelde handdoeken door de neus te boren.

Ik liep bij hem vandaan toen er een andere paardenhandelaar bij ons kwam staan en zij over zaken begonnen te praten. Ik stak mijn hand op en zei dat ik op zoek ging naar een doel in mijn leven.

Een van de trucs van een psychopaat is zijn vermogen om bij normale mensen te zien waar hun zwakke plekken liggen, om daar dan vervolgens zijn voordeel mee te doen. Er waren heel wat succesvolle zakenlui die over diezelfde gave beschikten, evenals heel wat oplichters en seriemoordenaars...

Van Zandt was niet bijster intelligent, maar hij was sluw. En het was met die sluwheid van hem dat hij Irina's vriendin naar België had gelokt om voor hem te werken. Ik vroeg me af hoe hij zich bij Erin en bij Jill van die aanpak bediend zou kunnen hebben. Zijn opmerking dat ik niet gelukkig was, beviel me niet. Hij werd geacht mij te zien als de zorgeloze dilettante. Dat hij meer kon zien dan dat, stond me niet aan. De gedachte dat iemand zou kunnen zien wat er in mij omging beviel me helemaal niet, want ik schaamde voor het weinige dat er te zien viel.

Maar in één ding vergiste hij zich. Ik had wel degelijk een doel. En als ik hem op weg naar de verwezenlijking van dat doel als dwarsligger zou kunnen ontmaskeren, dan zou ik hem met het grootste plezier door het slijk halen.

Ik ging lopend op weg naar Jades tent. De boxen aan weerszijden van het middenpad waren afgezet met geel lint. Ondanks de waarschuwende woorden die op het lint stonden gedrukt, was Trey Hughes er onderdoor gestapt en zat hij, met zijn benen op een tuigkist, en in de hand een biertje en in de andere een sigaret, onderuitgezakt op een stoel.

Hij kneep zijn ogen dicht en grinnikte. 'Jou ken ik!'

'Niet echt,' bracht ik hem in herinnering. 'Werk je voor de specialisten plaats-delict?'

'Lieverd, ik ben een lopende plaats-delict. Wat is hier eigenlijk aan de hand? Het lijkt wel een lijkenhuis.'

'Ja, nou, dat komt waarschijnlijk door de moord.'
'Maar dat is alweer een paar dagen geleden,' zei hij.
'Wat was dagen geleden?'
Zijn gedachten struikelden over elkaar in zijn van alcohol doordrenkte brein. 'Ik geloof dat ik iets gemist heb.'
'Ik geloof dat *ík* iets gemist heb als hier een paar dagen geleden een moord is gepleegd. Over wie hebben we het? Over Erin?'
'Is Erin dood?'
Ik dook onder het lint door en ging tegenover hem zitten. 'Wie is de eerste?'
'Wat?'
'En wie is de tweede?'
'Geen idee.'
'En nummer drie?'
Hughes liet zijn hoofd naar achteren vallen en lachte. 'God, ik denk dat ik dronken ben.'
'Hoe kun je dat zo zeker weten?'
'Je bent een snelle tante. Ellie, zo heet je toch?'
'Bijna.'
Hij nam een trekje van zijn sigaret en tikte de as op de grond. Ik weet zeker dat het geen moment bij hem opkwam dat hij wel eens brand zou kunnen veroorzaken in een tent vol paarden. 'Wie is er nu dood?' vroeg hij.
'Jill.'
Hij schoot met een ruk overeind en was op slag zo nuchter als maar mogelijk was. 'Dat is toch zeker een grapje, hè?'
'Nee. Ze is dood.'
'Waaraan is ze overleden? Aan valsheid of aan lelijkheid?'
'Je houdt van mensen.'
'Het is duidelijk dat je haar nog nooit van dichtbij hebt meegemaakt. Is ze echt dood?'
'Iemand heeft haar vermoord. Haar lichaam is vanochtend bij tent veertig gevonden.'
'Goeie god,' mompelde hij, terwijl hij zijn hand waarin hij de sigaret hield over zijn haar haalde. Ondanks zijn opmerkingen leek hij flink van streek.
'Tot dusver heeft nog niemand haar gemist,' zei ik. 'Arm kind. Ik heb gehoord dat ze verliefd was op Don. Misschien dat hij haar zal missen.'
'Dat denk ik niet.' Hughes boog zijn hoofd naar achteren en sloot zijn ogen. 'Als hij had geweten dat het zo gemakkelijk was, zou hij haar allang hebben gedumpt.'

'Was ze een probleem?'
'Ze had een grote bek en een beperkt verstand.'
'Geen handige combinatie in dit vak,' zei ik. 'Ik heb gehoord dat ze gisteravond bij The Players was en dat ze daar gezegd heeft dat ze iets van Stellar wist.'
Eén wazig blauw oog probeerde mij scherp te zien. 'Wat zou ze kunnen weten?'
Ik haalde mijn schouders op. 'Wat valt er te weten?'
'Geen idee. Ik ben altijd de laatste die iets hoort.'
'Dat is maar goed ook, want anders had je Jill misschien nog aardig gevonden ook.'
'Iemand heeft haar vermoord,' zei hij zachtjes voor zich heen. Hij boog zich naar voren, drukte zijn sigaret uit op de neus van zijn laars en bleef zo met hangend hoofd zitten terwijl hij zijn handen tussen zijn knieën liet bungelen, alsof hij misselijk was en wachtte tot het gevoel was weggetrokken.
'Don wordt door de politie verhoord,' zei ik. 'Denk je dat hij in staat is om iemand te vermoorden?'
Ik verwachtte een snelle ontkenning, maar hij was zo lang stil dat ik begon te denken dat hij in een catatonische toestand was geraakt. Uiteindelijk zei hij: 'Mensen zijn tot de verschrikkelijkste dingen in staat, Ellie. Je weet het maar nooit. Je weet het maar nooit.'

Paris Montgomery keek hem met grote, stralende ogen aan. Niet als een ree in het licht van de koplampen, dacht Landry. De blik getuigde eerder van concentratie dan van angst. Terwijl hij met Jade in gesprek was geweest, had ze haar haren geborsteld en lippenstift op gedaan.
'Wanneer heeft u Jill gisteren voor het laatst gezien?' vroeg hij.
'Rond een uur of zes. Ze klaagde dat ze tot zo laat moest werken. Ze had de hele dag al duidelijk gemaakt dat ze die avond speciale plannen had.'
'Heeft u haar gevraagd wat die plannen waren?'
'Nee. Ik spreek niet graag kwaad van de doden, maar ik moet zeggen dat ik haar nooit heb gemogen. Haar houding beviel me niet en ze vertelde de ene leugen na de andere.'
'Waar loog ze over?'
'Over van alles en nog wat. Dat ze werk had gedaan dat ze niet had gedaan, dat ze mensen kende die ze niet kende, dat ze voor beroemde trainers had gewerkt, dat alle mannen gek op haar waren –'
'Heeft ze die mannen bij naam genoemd?'
'Het interesseerde me niet. Ik wist dat het toch niet waar was,' zei ze. 'Het was alleen maar eng en zielig. Ik was op zoek naar een plaatsver-

vanger voor haar, maar wanneer het seizoen eenmaal is begonnen is het haast onmogelijk om nog personeel te vinden.'

'Dus dan is ze rond een uur of zes weggegaan. Was u op de hoogte van een eventuele verhouding van haar met uw baas?'

'Don? God, nee. Ik bedoel, ik wist natuurlijk dat ze verliefd op hem was, maar daar bleef het bij. Don zei maar steeds dat ik haar moest ontslaan en iemand anders in dienst moest nemen. Hij vertrouwde haar niet. Ze kwekte altijd met iedereen die maar naar haar wilde luisteren.'

'Waarover?'

Ze knipperde met haar grote ogen en probeerde te bepalen hoeveel ze hem zou vertellen. 'Over alles wat er in de tent gebeurde. Bijvoorbeeld, wanneer een paard een probleem had, of –'

'Of wanneer het dood was?' suggereerde Landry.

'In dit vak wordt verschrikkelijk geroddeld,' zei ze ingetogen. 'Reputaties kunnen zuiver op basis van roddels worden gemaakt of gebroken. De discretie van personeel is van het grootste belang.'

'Dus als ze tegen iedereen die het maar horen wilde van alles over dat dode paard vertelde, dan zou u daar niet blij mee zijn geweest.'

'Precies.'

'En Don?'

'Hij zou woedend zijn geweest. Stellars dood is een nachtmerrie voor hem. Hij zat echt niet te wachten op een stalknecht die nóg meer olie op het vuur gooide.' Ze zweeg en trok een bedenkelijk gezicht. 'Ik zeg niet dat hij haar iets aangedaan zou hebben. Dat geloof ik niet. Nee, dat geloof ik werkelijk niet.'

'Hij is geen opvliegend type?'

'Niet op die manier. Don is uiterst beheerst en verschrikkelijk professioneel. Ik heb een enorm respect voor hem.'

Landry boog zich over zijn aantekeningen en masseerde zijn voorhoofd. 'En gisteravond heeft u Jill niet gezien?'

'Nee.'

'Het was gisteravond uw beurt om bij de paarden te gaan kijken. Om hoe laat –'

'Nee, ik ben niet geweest,' zei ze. 'Don is gegaan. Ik heb het aangeboden, maar hij wilde per se zelf gaan. Na wat er de avond ervoor met de paarden van Michael Berne was gebeurd, zei hij dat hij het niet veilig achtte voor een vrouw om daar bij donker rond te lopen.'

'Hij zei dat u gisterenavond was gaan kijken,' zei Landry.

Paris Montgomery fronste haar mooie voorhoofd. 'Dat klopt niet. Misschien was hij het vergeten. God, als een van ons gisteravond daar was geweest, hadden we dit drama mogelijk kunnen voorkomen.'

Of een van hen tweeën was er wel geweest, en was juist verantwoordelijk voor het drama.

'Hoe laat zou hij bij de paarden zijn gaan kijken – gesteld dat hij het zich herinnerd zou hebben?' vroeg Landry.

'Normaal gesproken gaan we meestal zo rond elf uur.'

Jade had gezegd dat hij in The Players was geweest. Als hij later naar de paarden was gegaan, zou hij de vernielde kleren hebben gezien, en zou hij het meisje mogelijk op heterdaad hebben betrapt. In dat geval was het gemakkelijk voor te stellen dat ze ruzie hadden gemaakt, en dat die ruzie uit de hand was gelopen...

'Waar was u gisteravond?' vroeg hij.

'Thuis. Ik heb mijn nagels gedaan, mijn rekeningen betaald en televisiegekeken. Wanneer we de volgende dag een wedstrijd hebben blijf ik de avond tevoren meestal thuis.'

'Was u alleen?'

'Met Milo, mijn hond. We hebben ruziegemaakt over de afstandsbediening,' zei ze met een flirtend lachje. 'Ik hoop dat we de buren niet uit de slaap hebben gehouden.'

Landry glimlachte niet terug. Hij deed dit werk al zo lang dat charme hem koud liet. Voor hem was het niets anders dan een vorm van oneerlijkheid.

In dat geval zou Estes de ideale vrouw voor hem moeten zijn. Hij kende niemand die zo bot was als Elena.

'Hebt u vreemde mensen zien rondhangen in de buurt van de tent?' vroeg hij.

Paris trok een gezicht. 'Op het centrum wemelt het van de vreemde mensen, maar ik kan niet zeggen dat me iemand in het bijzonder is opgevallen.'

'Dus nu hebt u dringend nieuwe stalknechten nodig,' zei hij. 'Ik heb gehoord dat u er de afgelopen week ook al eentje bent kwijtgeraakt.'

'Ja. Erin. Zomaar. Ze heeft van het ene moment op het andere ontslag genomen omdat ze elders wat had gevonden.'

'Heeft ze ook gezegd waaróm ze weg wilde?'

'Daar heeft ze me niets van gezegd. Ze had me niet eens verteld dat ze erover dacht om ander werk te zoeken. Zondagmiddag vertelde ze Don dat ze ging, en dat was dat.'

'En ze heeft niet gezegd wáár ze naartoe ging?'

Ze schudde haar hoofd. 'Ik moet eerlijk zeggen dat ik me nogal gekwetst voelde over de manier waarop ze ons zomaar heeft laten stikken. Ik mocht Erin. Ik had gedacht dat ze lange tijd bij ons zou blijven. Ze verheugde zich erop dat we naar de nieuwe manege zouden verhuizen, en om van het voorjaar met ons naar Europa te gaan. Ik had echt nooit verwacht dat ze weg zou gaan.'

'Wanneer heeft u haar voor het laatst gezien?'

'Zondagmiddag. Ik had last van migraine en ben om drie uur naar huis gegaan.'

'En u heeft niets vreemds aan haar gemerkt toen u de laatste keer met haar sprak?'

Ze begon automatisch antwoord te geven, maar toen aarzelde ze opeens en dacht na. 'Hm, weet u, de laatste week vond ik haar een beetje afwezig. Liefdesperikelen. Ze had het uitgemaakt met een jongen van haar eigen leeftijd, omdat ze verliefd was op iemand anders. Ik weet niet wie. Een rijpere man, zei ze. Bovendien had iemand een paar dagen eerder een gemene, diepe kras op haar auto gemaakt, en daarover was ze van streek. Ik weet bijna zeker dat Jill dat heeft gedaan. Jill was ontzettend jaloers op Erin.'

Ze zweeg opnieuw en trok een verbaasd gezicht. 'Waarom vraagt u naar Erin?'

'Het schijnt dat ze vermist wordt.'

'Nou, voor zover ik weet is ze naar Ocala –'

'Nee, ze is niet naar Ocala gegaan.'

Ze knipperde met haar grote bruine ogen terwijl ze die informatie op zich liet inwerken. 'O, mijn god,' kwam het even later zacht over haar lippen. 'U denkt toch niet dat – O, mijn god.'

Landry schoof zijn kaartje over de tafel heen naar haar toe en stond op. 'Dank u voor uw tijd, mevrouw Montgomery. Mocht u nog iets te binnen schieten waar we wat aan zouden kunnen hebben, belt u dan.'

'Zijn we klaar?'

'Voorlopig wel,' zei Landry, terwijl hij naar de deur liep. 'Ik heb een telefoonnummer nodig waarop ik iemand van Jill Morones naaste familie kan bereiken. Kunt u mij dat doorbellen?'

'Ja, natuurlijk.'

'O, en het nummer van Susannah Atwood en uw overige cliënten, maar dat van mevrouw Atwood heeft haast.'

'Susannah? Waarom Susannah?'

'Het schijnt dat meneer Jade haar gisteravond belangrijker vond dan de paarden,' zei hij, omdat hij nieuwsgierig was naar haar reactie. Hij had jaloezie verwacht, maar werd teleurgesteld.

Paris trok haar wenkbrauwen op. 'Don en Susannah?' vroeg ze geamuseerd. 'Een mens leert toch elke dag weer nieuwe dingen.'

'Ik kan me voorstellen dat zulk soort dingen in dat beperkte wereldje van u toch moeilijk geheim te houden zijn.'

'O, u moest eens weten,' zei ze. Ze was te dicht bij hem komen staan, en haar hand lag vlak onder de zijne op de open deur. 'In de paardenwereld overheersen twee dingen: geheimen en leugens. En het is de kunst om te bepalen wat wat is.'

24

Mensen zijn tot de verschrikkelijkste dingen in staat.

Wijze woorden van Monte Hughes III. Misschien dat de zelfingenomen, met alcohol doordrenkte narcist dan toch nog een fatsoenlijke kern had. Er was zeker iets dat hem dwarszat, iets dat in voldoende mate door de nevelen in zijn hoofd was gebroken om hem bezig te kunnen houden.

'*... dat komt waarschijnlijk door de moord.*'

'*Maar dat is alweer een paar dagen geleden.*'

Ik kon niet anders dan denken dat hij Stellar bedoelde, en dat hij daarmee toegaf dat het paard inderdaad was vermoord. Maar tegelijkertijd kon ik het beeld van de dode Jill Morone maar niet van me af te zetten. De connectie tussen Jill en Erin zat me niet lekker. Als de één vermoord had kunnen worden, waarom de ander dan niet?

Waar ik vooral grote moeite mee had, was dat dit alles zich afspeelde in de wereld die ooit eens mijn toevluchtsoord was geweest. Maar mensen zijn mensen. De omgeving is niet van invloed op menselijke emoties als jaloezie, hebzucht, wellust en woede. De spelers van dit drama hadden zich net zo goed in een heel ander decor kunnen bevinden. Het verhaal zou hetzelfde zijn geweest.

Ik liet Trey Hughes in de tuigkamer zitten en ging op zoek naar de enige die nog door niemand ondervraagd was van wie ik vermoedde dat hij misschien wel iets interessants te vertellen zou kunnen hebben. De enige die altijd in de stal aanwezig, maar zo goed als onzichtbaar was. Javier.

Het feit dat hij geen Engels sprak maakte hem niet blind of doof of dom, maar voorzag hem slechts van een bepaalde anonimiteit. Wie weet wat hem tussen het personeel en de klanten van Jades stal was opgevallen. Niemand schonk hem enige aandacht, behalve om hem opdrachten te geven.

Maar Javier was die ochtend, toen Landry de tent in was gelopen, verdwenen, en ik kon hem nergens vinden. De Zuid-Amerikaanse stalknechten van de tenten in de buurt hadden niets te vertellen aan een goedgeklede vrouw die vragen stelde, ook al sprak ze dan hun taal.

Ik vroeg me af wat ik verder nog zou kunnen doen. Voor het eerst die dag durfde ik toe te geven dat ik wou dat ik nog steeds officieel bij de politie werkte en verhoren af kon nemen. Ik wilde niets liever dan spelletjes spelen met de mensen die Jill Morone hadden gekend en haar niet hadden gemogen, en met de mensen die Erin Seabright hadden gekend en mogelijk wisten waar ze op dat moment was. Ik kende deze mensen en begreep ze op een manier waarop de rechercheurs die ze verhoorden dat nooit zouden kunnen.

Ik zou al blij zijn geweest als ik naast Landry had kunnen zitten en hem vragen in het oor had kunnen fluisteren. Maar ik wist dat ik nooit openlijk bij een lopend onderzoek zou worden toegelaten. In tegenstelling tot wat ik tegen Bruce Seabright had gezegd, zou ik van nu af aan volledig buiten het onderzoek naar de ontvoering worden gehouden. Ik kon wel zéggen dat ik met de steun van het halve politiekorps van Palm Beach zijn huis binnen kon dringen, maar dat was natuurlijk niet waar. Ik kon zelfs Molly niet meer bellen, omdat alle gesprekken werden afgetapt en opgenomen.

Ik was teruggezet naar de rol van informant, en dat beviel me niets, ook al was ik zelf degene geweest die Landry in de eerste plaats bij het onderzoek had betrokken.

Ik, die niets met deze zaak te maken had willen hebben.

Knarsetandend van frustratie verliet ik het ruitercentrum en ging naar een winkelcentrum, naar een winkel waar ze mobiele telefoons verkochten. Ik kocht een wegwerptelefoon met een van te voren bepaald beltegoed. Ik zou er op de een of andere manier voor zorgen dat Molly hem kreeg zodat we, zonder medeweten van het kantoor van de sheriff, in contact konden blijven.

Ik dacht aan de lijst van telefoonnummers die ik van Bruce Seabrights telefoon had overgenomen, en aan het niet-geregistreerde nummer dat daar twee keer op was voorgekomen. Waren de ontvoerders net zo slim als ik? Hadden ze een telefoon die ze, wanneer het beltegoed op was, of wanneer ze hem niet langer nodig hadden, konden weggooien? Hadden ze er met contant geld voor betaald, en hadden ze een vals identiteitsbewijs getoond?

Ik had de lijst met nummers aan Landry gegeven, die, via het telefoonbedrijf, van alle nummers kon laten nagaan van wie de telefoon was die bij het nummer hoorde. Ik kon me niet voorstellen dat we zoveel geluk zouden hebben dat één van de nummers van Tomas Van Zandt of Don Jade of Michael Berne zou blijken te zijn. Landry zou het op het eind van de dag weten. Ik vroeg me af of hij het me zou vertellen. Nu hij tot over zijn oren in de zaak zat, was ik bang dat hij me helemáál niets meer zou willen vertellen. Die gedachte was voldoende om me een hol gevoel van angst in mijn maag te bezorgen.

Ik reed het erf op, en Sean wenkte me naar de stal. De middag liep op zijn einde. De hemel was oranje, en aan de horizon kringelde een dunne zuil zwarte rook omhoog. Boeren die de stoppels van hun suikerrietvelden verbrandden. Irina was de paarden aan het voeren. Ik snoof de geur van dieren, melasse en gedroogd gras in me op. Dit had ik veel liever dan valium. D'Artagnan keek over het deurtje van zijn box en hinnikte zachtjes om me te begroeten. Ik ging naar hem toe, aaide hem over zijn neus, legde mijn wang tegen de zijne en zei hem dat ik hem miste.

'Je bent precies op tijd voor de cocktails, lieverd. Kom maar mee,' zei Sean, terwijl hij me meetrok naar de zithoek. Hij had zijn rijbroek en laarzen nog aan.

'Het spijt me dat ik de afgelopen paar dagen nauwelijks heb kunnen helpen,' zei ik. 'Wil je me ontslaan en op straat zetten?'

'Doe niet zo mal. Door jou ben ik betrokken geraakt bij een internationaal schandaal. Hier kan ik de komende jaren van leven.' Hij liep naar de bar en schonk een glas rode wijn voor zichzelf in. 'Wil jij ook? Bloedrood. Dat zou je toch moeten aanspreken.'

'Nee, dank je. Daar word ik duizelig van.'

'Dat zou ik weleens willen zien.'

'Geef mij maar tonic met een schijfje limoen.'

Hij maakte mijn drankje klaar en ik hees mijn vermoeide en pijnlijke lichaam op een barkruk.

'Ik heb vandaag met vrienden in Nederland gebeld,' zei hij. 'Ze hadden al gehoord dat Van Zandt bij mij langs was geweest.'

'Dát noem ik nog eens een lopend vuurtje.'

'Het schijnt dat Van Zandt onmiddellijk het bericht de wereld in heeft gestuurd dat ik mogelijk met hem de paardenhandel in ga.'

'Nee, dat denk ik niet. Je bent een rijke vangst, schat. Uitstekende smaak en bergen geld. Volgens mij was het hem er alleen maar om te doen dat jouw agent, die je al jaren trouw bent, het gerucht zo snel mogelijk zou horen.'

'Ja, en godzijdank had ik Toine tijdig gebeld om hem te waarschuwen dat ik op het punt stond mijzelf voor een nobele zaak op te offeren. Hij zou het eerste het beste vliegtuig uit Amsterdam hebben genomen om me uit Van Zandts klauwen te redden.'

'En wat hadden je andere vrienden over de beruchte Z. te vertellen?'

'Dat hij een paria is. De beste stoeterijen in Nederland willen niets meer met hem te maken hebben. Ze weigeren nog zaken met hem te doen.'

'Maar er zijn voldoende mensen die dat nog wel willen.'

Hij haalde zijn schouders op. 'Handelaren zullen altijd klanten vinden, en mensen die paarden te verkopen hebben, hebben klanten nodig. Als niemand zaken deed met louche types als Van Zandt, zou er niet veel verkocht worden.'

'Als we vanavond samen eten, zal ik hem vertellen dat je dat hebt gezegd.'

Hij trok een gezicht. 'Gaan jullie samen eten? Ik zou maar een fles lysol kopen.'

'Om te drinken?'

'Om achteraf een bad in te nemen. Echt hoor, Elle,' zei hij, terwijl hij me bedenkelijk aankeek, 'wees voorzichtig. Die man is een gevaarlijke engerd. Irina heeft me verteld wat hij met haar vriendin heeft gedaan. En nu is er op het ruitercentrum een meisje vermoord. Heeft hij daar iets mee te maken? Daar ben je toch de hele dag mee bezig geweest, niet?'

'Ik weet niet of hij er iets mee te maken heeft. Er zijn ook andere mensen die mogelijk een reden hebben gehad om haar dood te willen.'

'Jezus, Elle.'

'Maak je geen zorgen. En bovendien is de politie er inmiddels bij betrokken.'

'Je bedoelt die man die hier vanmorgen was?' vroeg hij, terwijl er een sluwe blik in zijn ogen kwam. 'Die geweldig knappe man in die zilveren auto?'

'Hij is van de recherche, ja,' zei ik. 'Is hij knap? Dat was me nog niet opgevallen.'

'Lieverd, dan heb je dringend een bril nodig.'

'Zijn persoonlijkheid laat te wensen over.'

'Dat doet de jouwe ook,' zei hij, en hij probeerde niet te grijnzen. 'Jullie zouden uitstekend bij elkaar passen.'

'Je bent niet goed wijs,' zei ik. 'Deze puinhoop waarin ik – dankzij jou, tussen haakjes – verzeild ben geraakt, is echt een heel vieze zaak. Zelfs al zóu ik geïnteresseerd zijn, wat ik niet ben, dan nog is de sfeer niet bepaald bevorderlijk voor romantiek.'

Hij neuriede een paar tonen en dacht iets waarvan ik vermoedde dat ik het niet wilde weten. Ik voelde me slecht op mijn gemak ten aanzien van het idee dat iemand mij als een seksueel wezen beschouwde, want ik was twee jaar geleden opgehouden mijzelf op die manier te zien.

Dat mijn lichaam onder de littekens zat was één ding. Erger was dat er sinds die dag in het landelijke Loxahatchee, toen Hector Ramirez was doodgeschoten en ik onder de wielen van Billy Golams terreinwagen was gekomen, absoluut niets meer over was van mijn gevoel van eigenwaarde.

Afgezien van het feit dat een team van chirurgen de afgelopen twee jaar bezig was geweest met het herstellen van de fysieke schade aan mijn lichaam – het zetten van gebroken botten, het transplanteren van de huid die er door de weg vanaf was geschuurd, het opnieuw opbouwen van de verwoeste kant van mijn gezicht – was het nog maar de vraag of ik mij ooit weer heel zou voelen. Ik was een aantal essentiële onderdelen van mijzelf kwijtgeraakt – delen van mijn ziel, van mijn psychologische zelf. Misschien dat die stukjes langzaam maar zeker weer terug zouden komen. Misschien dat dat proces op gang was gekomen. Maar ik had nog een heel lange weg te gaan, en de meeste dagen betwijfelde ik of ik voldoende kracht en moed had om de reis te vervolgen. Wat ik wél wist, was dat ik niemand in mijn onmiddellijke nabijheid wilde hebben om van het proces getuige te kunnen zijn. En James Landry was wel de laatste die ik daarbij in de buurt zou willen hebben.

'Zeg nooit, nooit, lieverd.' Sean dronk zijn wijn op en ging zich opknappen voor een avondje stappen in Palm Beach. Ik ging naar het gastenverblijf en controleerde mijn e-mail.

Special Agent Armedgian, mijn contact bij de FBI van het kantoor in West Palm, had me de informatie van Interpol gestuurd.

Volgens Armedgian had Van Zandt geen strafblad, maar was Interpol wel in het bezit van een dossier van hem, wat op zich voldoende zei. Hij had met heel wat duistere zakenpraktijken te maken gehad, en had zich vaak op de grens bevonden van wat bij de wet was toegestaan en wat niet. Voor zover bekend had hij die grens nog nooit overschreden.

Van een relatie tot zedenmisdrijven was niets bekend. Ik was teleurgesteld maar niet verbaasd. Als er nog meer slachtoffers van zijn dubieuze charme waren, dan waren ze waarschijnlijk van het type van Irina's vriendin: jong, onervaren, alleen in een vreemd land en bang om het aan iemand te vertellen.

Omdat ik, met het oog op de psychologische spelletjes van die avond, de behoefte had aan een helder hoofd, trok ik mijn badpak aan en ging naar het zwembad om mijn lichaam te ontspannen in het warme, zijdeachtige water.

De zon was onder, maar het zwembad werd van binnenuit verlicht en het water had een donkerblauwe glans. Ik dacht aan niets terwijl ik het ene trage baantje na het andere trok, en aan het einde ervan langzaam onder water keerde. Ik voelde de spanning van me af glijden, en gedurende een poosje was ik alleen maar een lenig, slank waterdier dat bestond uit botten, spieren en instinct. Het voelde heel bevrijdend om even niets meer te hoeven zijn dan dat.

Toen ik vond dat ik genoeg had gezwommen, draaide ik me op mijn rug en ging liggen drijven, terwijl ik opkeek naar de sterren aan de blauwzwarte hemel. En toen verscheen Landry in mijn blikveld. Hij stond op de rand van het zwembad.

Ik dook onder en kwam weer boven, terwijl ik het water uit mijn haren schudde.

'Rechercheur Landry. Je hebt me op heterdaad betrapt,' zei ik, watertrappend.

'Ik weet zeker dat dat een uitzondering is.'

Hij was nog in werktenue, hoewel hij zijn das had losgetrokken en de mouwen van zijn overhemd had opgerold.

'Het is mijn eigen schuld. Had ik je maar niet de code van het hek moeten geven,' zei ik. 'Zware dag met het aandraaien van de duimschroeven?'

'Vooral lang.'

'Het spijt me dat ik het gemist heb. Niemand speelt zo'n goede gemene agent als ik.'

'Daar twijfel ik niet aan,' zei hij, met een halve grijns. 'Nodig je me niet uit? Moet je niet zeggen dat het water heerlijk is?'

'Dat zou een cliché zijn, en ik heb een bloedhekel aan voorspelbaarheid.'

Ik zwom naar het trapje en klom eruit, waarbij ik mezelf dwong om niet haastig naar mijn handdoek te rennen en mijn lichaam te bedekken. Ik wilde hem niet laten weten hoe kwetsbaar ik me voelde. Ik vermoedde dat hij zelfs bij het schaarse licht nog elk litteken en elke onvolkomenheid van mijn lichaam zou kunnen zien. Het maakte me boos dat me dat kon schelen.

Ik droogde me af, wreef mijn haren droog en wikkelde de handdoek vervolgens als een sarong om mijn middel om de geschonden huid van mijn benen te bedekken. Landry sloeg me gade met een ondoorgrondelijk gezicht.

'Voorspelbaarheid is je vreemd, Estes.'

'Dat beschouw ik als een compliment, hoewel ik niet denk dat je onvoorspelbaarheid als een deugd beschouwt. Heb je goed nieuws?' vroeg ik, terwijl ik hem voorging naar mijn huisje.

'Erin Seabrights auto is gevonden,' zei hij. 'Hij stond, bedekt met een dikke laag stof, in een hoek van het eerste parkeerterrein bij de vrachtwageningang van het ruitercentrum.'

Ik hield de deur vast en bleef met ingehouden adem wachten tot hij eraan toe zou voegen dat Erin dood achter in de kofferbak had gelegen.

'De sporendienst heeft de auto in beslag genomen voor onderzoek.'

Ik slaakte een zucht van opluchting. 'Waar stond hij precies?'

'Op het eerste parkeerterrein, achteraan, bij de wasserette.'

'Waarom daar?' vroeg ik, zonder dat ik een antwoord op mijn vraag verwachtte. 'Ze zou bij Jades tent hebben geparkeerd, niet een kilometer er vanaf. Waarom zou ze hem daar hebben neergezet?'

Landry haalde zijn schouders op. 'Misschien moest ze bij de wasserette zijn.'

'Om daarna het hele eind naar Jades tent te lopen? En dan naar de achteruitgang waar ze meende dat ze met iemand had afgesproken? Dat slaat nergens op.'

'Ik kan me ook niet voorstellen dat de ontvoerders hem daar hebben neergezet,' zei Landry. 'Ze hebben haar ontvoerd. Wat zou het hun kunnen schelen waar haar auto staat?'

Daar dacht ik over na terwijl we naar binnen gingen. 'Om tijd te winnen? Maandag zou Erins vrije dag zijn geweest. Als Molly niets had gezegd, zou haar verdwijning pas dinsdagochtend zijn opgemerkt.'

'En dan ook nog niet, want Jade beweerde dat ze ontslag had genomen en naar Ocala was gegaan,' besloot Landry de theorie.

'Hoe reageerde hij op de ondervraging?'

'Hij vond het maar lastig allemaal. Het gesprek en de moord.'

'Zenuwachtig?'

'Nauwelijks.'

'Nou... de man verdient de kost met het springen over hindernissen die hoger zijn dan ik lang ben. Dat is een spelletje waar je stalen zenuwen voor moet hebben.'

'Evenals voor het plegen van een moord.'

Een spelletje. De meeste mensen zouden moeite hebben om het plegen van moord en een ontvoering als een spelletje te beschouwen, maar in zeker macaber opzicht was het dat wel. Een spel met een hoge inzet.

'Is er nog nieuws van de ontvoerders?'

Landry ging, met zijn handen in zijn zakken, op de rugleuning van een stoel zitten. Hij schudde zijn hoofd. 'Nee. Alle telefoons bij de Seabrights thuis worden afgetapt. Ik heb een paar mannetjes de buren laten checken, maar dat heeft niets opgeleverd.'

'Daar, in die kast, onder de v, is een bar,' zei ik, op de zitkamer wijzend. 'Je ziet eruit alsof je wel iets kunt gebruiken. Neem waar je zin in hebt. Ik ga me even verkleden.'

Ik liet hem wachten terwijl ik me snel douchte, en vervolgens vijf minuten voor de spiegel naar mezelf bleef staan kijken in een poging mijn eigen, ondoorgrondelijke gezicht te doorgronden.

Ik had een zenuwachtig gevoel in mijn buik dat me niet beviel. De angst die ik eerder had gevoeld had plaatsgemaakt voor iets dat ik niet herkende: hoop. Ik wilde niet dat het zo belangrijk voor me was dat Landry was teruggekomen, en dat hij me van de vorderingen van het onderzoek vertelde en me erbij betrok.

'Je hebt Seabright verteld dat je privé-detective bent,' zei hij. Zijn stem was luid en duidelijk. Hij moest achter de deur van mijn slaapkamer staan. 'Ben je dat?'

'Niet helemaal.'

'Dat is oplichting.'

'Nee. Het is een leugen,' corrigeerde ik hem. 'Het zou alleen maar oplichting zijn als ik me met een vals bewijs identificeerde en, op grond daarvan, geld van hen aannam. En dat doe ik niet.'

'Je zou een fantastische advocaat zijn.'

Dat had mijn vader ook altijd gezegd, en dat was de reden waarom ik smeris was geworden. Ik had niet willen worden zoals hij, en voelde er niets voor de wet, alsof hij van ijzerdraad was, om te buigen om hem aan te passen aan de behoeften van corrupte lieden en hun corrupte rijkdom. Ik had me indertijd niet gerealiseerd dat ik, als smeris, uiteindelijk precies hetzelfde zou doen, maar dan met de smoes dat ik het alleen maar deed voor een goed doel. Maar dat was iets dat híj niet kon zeggen, en daar ging het uiteindelijk om.

'Ik heb gekeken of dat joch van de Seabrights een strafblad heeft,' zei Landry. 'En dat heeft hij niet. Hij is een goede leerling met een groot aantal buitenschoolse activiteiten.'

'Waaronder het neuken van zijn stiefzus?'

'En de wiskundeclub.'

'Het bevalt me niet dat hij liegt ten aanzien van zijn alibi voor zondag,' zei ik.

'Zo vader, zo zoon.'

Ik trok zwart ondergoed aan en keek achterom over mijn schouder, half en half in de verwachting dat ik Landry op de drempel zou zien staan. Maar hij stond er niet.

'Seabright zal zijn eigen vlees en bloed tot het uiterste verdedigen,' zei ik. Ik trok een wit overhemd en een zwarte broek met smalle pijpen aan. 'Hij zal alles doen om te voorkomen dat er zelfs maar een mogelijkheid zou kunnen zijn dat Chad er op de een of andere manier bij betrokken is.'

'Er van uitgaande dat de vader het alibi verschaft. Vergeet niet dat het ook andersom werkt.'

Ik strikte de voorpanden ter hoogte van mijn middel, en verliet de slaapkamer. Landry stond met een whisky in zijn hand tegen het aanrecht geleund. Hij nam me onopvallend op.

'Je had je voor mij niet mooi hoeven maken,' zei hij.

'Dat heb ik ook niet gedaan. Ik kan me niet voorstellen dat Bruce Seabright rechtstreeks bij de ontvoering betrokken is. Hoe graag hij ook van Erin af wilde zijn, hij zou zijn handen nooit vuil hebben gemaakt. Veel te riskant. Dus waarom zou hij dan een alibi nodig hebben?' vroeg ik. 'Chad was degene die een relatie met Erin had.'

'En Erin is degene met een strafblad,' zei Landry. 'Winkeldiefstal. Bezit van verdovende middelen.'

'Welke?'

'Ecstasy. Opgepakt tijdens een party. Ze heeft een ernstige berisping gekregen. Ik heb iemand op Jeugdzaken die nagaat wie er bij die gelegenheid nog meer in de kraag zijn gevat,' zei Landry. 'En ik heb contact opgenomen met iemand van de narcoticabrigade om uit te zoeken wie de dealer was.'

'Wie van narcotica?'

'Brodie. Ken je hem?'

Ik keek naar mijn voeten en knikte. Ik stond, met mijn armen over elkaar geslagen, tegenover Landry en leunde tegen de andere kant van het aanrecht. De ruimte was zo smal dat mijn blote tenen de neuzen van zijn schoenen bijna raakten. Stevige, bruinleren schoenen. Geen kwastjes.

Matt Brodie was ooit een goede vriend geweest. Of dat had ik in elk geval gemeend. Ik wou dat ik het niet had gevraagd. Nu verwachtte Landry van me dat ik er wat meer over zou zeggen. 'Hij is goed,' zei ik.

'Ik weet zeker dat jouw stempel van goedkeuring hem gelukkig maakt,' zei Landry op een sarcastisch toontje.

Ik vroeg me af wat Brodie over mij gezegd zou kunnen hebben – niet dat het iets uitmaakte. Landry zou toch van me denken wat hij wou.

'Jade is degene die beweert dat het meisje zomaar heeft opgezegd en is vertrokken,' zei hij. 'Hij is de laatste die haar heeft gezien. Volgens mij is het als volgt gegaan: Erin wist iets van het dode paard. Jade wilde van haar af. Hij organiseert de ontvoering om wat extra geld voor de moeite te vangen. Het zou me niets verbazen als het meisje even dood is als dat andere dat in de mestkuil is gevonden.'

'Ik hoop dat je het mis hebt voor wat dat laatste betreft,' zei ik, in de wetenschap dat het niet onwaarschijnlijk was dat hij gelijk had. Zelf had ik dat ook al gedacht.

'Estes, ik ben gekomen om mij te verontschuldigen,' zei hij. 'Misschien dat Jill nog zou leven als ik de eerste keer naar je geluisterd had. En misschien dat Erin Seabright op dit moment alweer boven water zou zijn.'

Ik haalde mijn schouders op. 'Ik weet niet wat ik daarop moet zeggen.'

Het was waar wat hij zei, en dat wisten we alletwee. Ik vertikte het om, als de zogenaamde goede echtgenote die haar man alles vergeeft, met banaliteiten te komen. Maar aan de andere kant vond ik het ook niet nodig om hem de waarheid onder zijn neus te wrijven. Hij had geoordeeld en zich vergist. Ik was wel de laatste om in dat opzicht kritiek op iemand te hebben.

'Je bent niet de enige,' zei ik. 'Ik was er eerder bij dan jij. En ik heb die moord ook niet kunnen voorkomen. En Erin heb ik ook niet gevonden. Soms lopen de dingen zoals ze lopen moeten.'

'Geloof je dat echt?'

'Ik moet wel. Als ik dat niet zou doen, zou ik schuldig zijn aan alle rotzooi die er ooit is gebeurd, en dat terwijl ik heel zeker weet dat slechts twee derde ervan mijn schuld is.'

Hij keek me even aan, en bleef me aankijken. Ik wilde me omdraaien of bewegen, maar verroerde me niet.

'En had Jade een alibi voor gisteravond?' vroeg ik.

'Een vrouw. Een cliënt. Susannah Atwood.'

'Heeft ze het bevestigd?'

Hij knikte.

'En had ze ook iemand die háár verhaal kon bevestigen?'

Hij rolde met zijn ogen. 'Ja, natuurlijk. Jade. Hoezo? Ken je haar?'

'Ik heb van haar gehoord. Sean kent haar. Ze heeft de reputatie van een op sensatie beluste societyvlinder.'

Hij trok zijn wenkbrauwen op.

'Ik ken haar type,' zei ik. 'Het zou me niets verbazen als ze dacht dat het verschaffen van een alibi aan een moordenaar een nieuwe vorm van orale seks is. Ik zou haar niet vertrouwen. Maar ja, ik vertrouw nu eenmaal niemand.'

Ik keek op mijn horloge en zette me af tegen het aanrecht. 'Ik ga je eruit gooien, Landry. Ik ga eten met de duivel.'

'Welke?'

'Van Zandt.'

Terwijl ik op zoek ging naar schoenen, vertelde ik wat ik via Sean, en via Armedgian van Interpol te weten was gekomen. Ik had Van Zandt de vorige avond gezegd dat ik hem om acht uur bij The Players zou zien. Ik was zo verstandig geweest om te bedanken voor zijn aanbod om mij thuis op te pikken.

Landry stond met zijn handen in zijn zij in de kast te kijken. 'Je zegt dat je denkt dat die man een verkrachter is en vrouwen mishandelt, en je gaat gezellig een hapje met hem eten?'

'Ja.'

'En wat als hij Jill Morone heeft vermoord? Wat als hij Erin ergens heeft verstopt?'

'Ik hoop dat ik iets te weten zal komen op grond waarvan hij opgepakt kan worden.'

'Heb je iets gesnoven?' vroeg hij verbaasd. 'Ben je stom?'

'Hij zal met mij niets proberen,' zei ik, terwijl ik met één pump aan mijn voeten en de andere in mijn hand, uit de kast kwam. 'Om te beginnen weet hij dat hij me niet bang kan maken en dat hij me niet de baas kan. En ten tweede, hij denkt dat hij als cliënt aan me kan verdienen, en niet als slachtoffer.'

'En als hij gewoon een perverse griezel is die je alleen maar wil verkrachten en je keel door wil snijden?'

'Dan heb ik hem verschrikkelijk slecht ingeschat – maar dat heb ik niet.'

'Estes, het is niet ondenkbaar dat hij dat meisje gisteravond heeft vermoord. Hij heeft gelogen, over dat hij haar niet gezien zou hebben. Hij was gisteravond bij The Players. De barkeeper en de serveerster hebben gezegd dat ze hem over het meisje hebben zien kwijlen. We zouden hem allang hebben opgepakt, maar we weten niet waar hij is.'

'Hoe laat heeft hij de club verlaten?'

'Dat kan niemand met zekerheid zeggen.'

'Nou, dan pak je hem toch op en leg je hem het vuur aan de schenen,' zei ik. Ik ging de badkamer in en bekeek mijn haar. Er viel niets aan te doen. 'Ik zou veel liever lekker met een boek in bad gaan. Maar als hij Erin ergens heeft verstopt, dan zal hij je dat heus niet vertellen.'

'O, en je denkt dat hij jou dat wel zomaar zal vertellen?' vroeg Landry, terwijl hij in de deuropening ging staan. 'Als verleidelijk argument om je te versieren? Kom lekker met me mee naar huis, en dan zal ik je het meisje laten zien dat ik ontvoerd heb? Jezus nog aan toe!'

'Nou, waarom volg je ons dan niet? Waar maak je je zo druk om?'

Hij schudde zijn hoofd, draaide zich om en liep terug naar de slaapkamer. 'Dit is nu precies de reden waarom ik niet wil dat je je met het onderzoek bemoeit,' zei hij, op me wijzend toen ik uit de badkamer kwam. 'Je doet precies waar je zelf zin in hebt, je gaat als een halve idioot aan de haal –'

'Waarom doe je dan niet gewoon alsof je het niet ziet?' vroeg ik, terwijl ik zijn vinger uit mijn gezicht duwde. 'Ik ben een vrij burger, Landry. Ik heb je toestemming of je goedkeuring niet nodig. Als mijn lijk wordt gevonden, dan weet je wie je moet arresteren. Dankzij mij zul je de zaak tot een oplossing kunnen brengen. Je zult de held van het kantoor van de sheriff zijn – de man dankzij wie ik uit de weg ben geruimd, en die tegelijkertijd de dader heeft ontmaskerd.'

'Het is niet mijn taak om ervoor te zorgen dat je vermoord wordt!' schreeuwde hij.

'Je kunt rustig van me aannemen, Landry, dat ik heus niet van plan ben om me door Van Zandt om zeep te laten helpen. Als ik echt dood wilde, dan zou ik daar intussen zelf al voor hebben gezorgd.'

We stonden zo dicht tegenover elkaar dat onze neuzen elkaar bijna raakten, en ik kon de vonken tussen ons voelen overspringen. Landry wilde iets zeggen, maar hij hield zijn lippen stijf op elkaar geperst. Misschien telde hij wel tot tien. Misschien moest hij zich wel tot het uiterste beheersen om me niet met zijn blote handen te wurgen. Ik wist werkelijk niet wat hij dacht. Wat ík dacht, was dat ik veel te dicht bij hem stond.

'Ik was goed in mijn werk, Landry,' zei ik zacht. 'Ik weet wel dat niemand dat nu nog van me wil weten, maar ik was goed. Je zou stom zijn om daar je voordeel niet mee te doen.'

Opnieuw een eeuwigheid die kwam en ging. We stonden elkaar aan te staren als twee nijdige stekelvarkens – met alle stekels overeind. Landry was de eerste die het oogcontact verbrak en een stapje naar achteren deed. Daar had ik trots op moeten zijn, maar het enige dat ik voelde was teleurstelling.

'Van Zandt wil indruk op me maken,' zei ik. Ik stapte de kast weer in en vond een klein tasje waar mijn microcassetterecorder in paste. 'Hij wil doorgaan voor een succesvolle zakenman, maar zijn mond is groter dan zijn brein. Ik kan hem dingen laten zeggen die hij voor zich zou moeten houden. Ik neem het gesprek op, en ik bel je na afloop.'

'Na afloop van wat?'

'Na de koffie,' zei ik. 'Met hem naar bed gaan, dat gaat me te ver. Maar toch fijn om te weten dat je zo'n hoge dunk van me hebt.'

'Ik ben blij dat je je grenzen hebt,' mompelde hij.

Hij haalde zijn mobiel uit zijn zak, draaide een nummer en keek me aan in afwachting van het moment waarop er aan de andere kant zou worden opgenomen. Ik wist wat hij deed. Aan de ene kant wilde ik, ondanks wat ik eerder had gezegd, hem vragen om het niet te doen. Maar ik hield mijn mond. Ik hield niet van smeken.

'Weiss. Landry. Van Zandt is in The Players. Pak hem op.'

Hij bleef me aankijken terwijl hij zijn telefoon in zijn zak terugstopte. 'Bedankt voor de tip.'

Ik wilde hem zeggen dat hij de pot op kon, maar ik vertrouwde mijn stem niet. Het voelde alsof ik een keiharde, gloeiende steen in mijn keel had. Ik wilde veel liever niets voelen en nergens om geven, terwijl ik van dag tot dag leefde, en zelfs daar niet veel om gaf. Als je geen verwachtingen koestert en geen doel hebt, kun je niet teleurgesteld worden en kan niemand je kwetsen.

Landry draaide zich om en ging weg met de informatie die ik hem had gegeven, met mijn plan voor die avond en mijn hoop op een doorbraak in de zaak. Ik voelde me een idioot. Ik dacht dat hij was gekomen om me bij het onderzoek te betrekken, maar het enige dat hij had gewild, was zijn geweten sussen. De zaak was zijn zaak. Hij was de baas.

'Bedankt voor de tip.'

Ik ijsbeerde door het huis en probeerde een antwoord te vinden op de emoties die zich aan me opdrongen. Ik moest iets doen. Ik moest een nieuw plan maken. Ik weigerde thuis te blijven zitten en over al deze gevoelens te piekeren, en ik had geen goed boek om mee te nemen in bad.

Langzaam maar zeker ontstond er een nieuw plan in mijn hoofd. Nog voor het gerijpt was, had ik me verkleed en was ik het huis al uit.

Mijn leven zou een stuk eenvoudiger zijn geweest als ik naar Barnes & Noble was gegaan.

25

Lorinda Carlton woonde in een rijtjeshuis in Sag Harbour Court, Wellington. Tenzij Van Zandt tijdens het verhoor met Landry een onthulling had gedaan, zou er geen aanleiding zijn tot het verstrekken van een huiszoekingsbevel. Maar als Van Zandt betrokken was bij Erins ontvoering of bij de moord op Jill Morone, en hij er een souvenir van had bewaard, was de kans groot dat hij zich, zodra hij weer thuiskwam, daarvan zou ontdoen.

Ik zette de auto op een bezoekersparkeerplaats aan het eind van het blokje waarin Carlton woonde. In de helft van de huizen brandde licht, maar op straat was het stil. Er zaten geen vriendelijke buren op de stoep te kijken naar het verstrijken van de zaterdagavond.

Omdat Wellington een ruiterparadijs is waar elke winter belangrijke wedstrijden worden gehouden, worden de huurhuizen jaarlijks door meerdere huurders bewoond. Hoewel een deel van het paardenvolk een eigen huis of flat bezat, waren de meesten gedwongen om elk seizoen een onderkomen te huren. Omdat de paardenliefhebber leeft voor zijn paarden, zocht hij altijd éérst naar een onderkomen voor zijn paarden, en pas daarna naar een onderdak voor zichzelf, waarbij hij doorgaans elk seizoen in een andere flat of ander huis terechtkwam. Het is daaraan te wijten dat er onder de bewoners van de woonwijken en flatgebouwen nauwelijks enig gevoel van saamhorigheid bestond.

Carlton woonde in het achterste hoekhuis van de doodlopende straat. Er brandde geen licht. Ik gluurde door het zijraampje bij de voordeur om te zien of ik een paneeltje van een alarmsysteem kon ontdekken. Als er eentje was, dan kon ik dat van waar ik stond niet zien. Als het alarm afging, dan bevond ik mij in een bepaald slechte uitgangspositie om bij de auto terug te komen. Ik zou een manier moeten zien te vinden om te ontsnappen over, of door de hoge heg die achter de huizenrij langs liep, hopend dat niemand mij zou zien, waarna ik dan via een omweg weer terug zou moeten lopen naar de auto.

Met dat plan haalde ik het nodige gereedschap uit de zak van mijn jack om het slot van de voordeur mee open te peuteren. Een toevallige voorbijganger zou iemand die de voordeur probeerde open te krijgen een stuk minder verdacht vinden dan iemand die via de achterdeur naar binnen probeerde te komen. Ik kon altijd zeggen dat ik mijn sleutel was verloren, of een smoes ophangen over dat ik het weekend hier was om mijn vriend Van Zandt te bezoeken, en dat hij mijn komst kennelijk was vergeten.

Ik werkte met ingehouden adem. Het forceren van een slot is niet iets dat je op de politieacademie wordt bijgebracht. Ik had het, toen ik elf was, van een stalknecht geleerd. Bobby Bennet had vele jaren in zuidelijk Florida binnen het racecircuit gewerkt, totdat hij door een onfortuinlijk misverstand ten aanzien van een inbraak een aantal jaren in de gevangenis was beland. Na zijn vrijlating beweerde hij zijn leven te zullen beteren, maar hij had zijn oude trucs niet verleerd, en omdat ik een lastpost was en hij me leuk vond, genoot hij ervan om mij al die dingen bij te brengen.

Toen ik het slot open voelde springen, dankte ik God voor Bobby Bennet. Mijn hart ging nog steeds als een wilde tekeer terwijl ik de deur opendeed en naar binnenging. Een groot aantal beveiligingssystemen laten je gewoon met een sleutel door de voordeur binnenkomen, maar daarna heb je dan nog maar twee minuten of zo de tijd om een pincode op het paneeltje in te toetsen. Doe je dat niet, dan gaat het alarm in het huis zelf af, evenals op het kantoor waarop het systeem is aangesloten, en dat een particuliere organisatie, of het kantoor van de sheriff kon zijn.

Ik vond het controlepaneeltje op de muur aan de andere kant van de deur. Een klein groen lichtje gaf aan dat het systeem niet was ingeschakeld.

Opgelucht ging ik aan het werk. Ik liep de zitkamer in en deed de lamp op tafel aan. Als er buren waren die het licht zagen, zouden ze gewoon aannemen dat degene die binnen was degene was die daar woonde, want zeg nu zelf, welke dief zou het licht aan doen?

De inrichting was nogal sjofel, en er hing een bedompte hondengeur. De vloerbedekking was ooit wit geweest. Datzelfde gold voor de nepleren banken die nu gebarsten en versleten waren. Van Zandt zou toch echt een rijkere cliënt moeten vinden die bereid was om hem gratis onderdak te bieden. Ik nam aan dat hij Sean daarvoor op het oog had. Het zou me niets verbazen als hij nu al plannen smeedde om volgend seizoen in het gastenverblijf te kunnen wonen.

Ik liep door de keuken, waar ik kastjes en laden opentrok. De inhoud leverde niets bijzonders op – de gebruikelijke verzameling niet bij elkaar passende gebruiksvoorwerpen, dozen met muesli en cornflakes en aanverwante artikelen, en wasmiddelen. Hij hield van Heineken en van sinaasappelsap met extra pulp. Ik vond geen geamputeerde lichaamsdelen in de koelkast of in de diepvries. In de droger lag een kleine hoeveelheid schoon, droog en gekreukeld wasgoed. Een broek, sokken en een slip. Alsof hij zich had uitgekleed en alles bij elkaar in de wasmachine had gegooid. Behalve dat er geen overhemd bij was. Ik vroeg me af waarom.

De zitkamer had niets interessants te bieden. Een verzameling video-'s in het tv-kastje. Sciencefiction en romantische films. Ik nam aan dat de collectie het eigendom van Lorinda Carlton was. Ik kon me van Van Zandt niet voorstellen dat hij van begin tot het einde naar de *Titanic* keek en huilde wanneer Leonardo DiCaprio voor de derde keer onderging. Geen spoor van de videocamera waarmee hij naar het huis van Sean was gekomen.

Ik liep de trap op naar boven, waar de slaapkamers waren – een kleine die vol stond met hondenspeelgoed, en een grote met goedkope, gelamineerde meubels. De grote slaapkamer rook naar Van Zandts eau de cologne. Het bed was opgemaakt, en zijn kleren hingen en lagen netjes in de kast. Hij zou, als hij geen vrouwenhater was geweest en niet van die psychopathische neigingen had gehad, een goede echtgenoot zijn geweest.

De videocamera lag, naast een rij schoenen, op de bodem van de kast. Ik ritste de leren tas open en bekeek de banden, die, volgens de namen op de labels, allemaal over paarden voor de verkoop gingen. Van Zandt filmde de paarden, waarna hij de opnamen kopieerde en er de minder geslaagde gedeeltes uitknipte, en de banden naar de geïnteresseerde clienten zond. Ik stopte een van de banden in de camera, spoelde hem terug en drukte op play. Op het scherm verscheen een grijze schimmel die over een aantal hindernissen sprong. Het dier was goed in vorm. De opname vervaagde, werd weer scherp, en een vos kwam in beeld. Ik drukte op stop en ruilde de band voor een andere. Nog meer van hetzelfde. Van Zandt kreeg het voor elkaar om niet alleen het paard in kwestie te filmen, maar ook het een of andere lief glimlachend jong ding dat op enigerlei wijze iets met het paard te maken had. Amazone, stalknecht of eigenaresse. Reden om even met de ogen te rollen, maar zeker niet voor alarm.

Op de derde band die ik bekeek zat Paris Montgomery op de rug van een zwarte ruin met een witte ster op zijn voorhoofd. Stellar.

Het brak mijn hart om hem bezig te zien. Hij was een prachtig dier met een ondeugende fonkeling in zijn ogen en een gewoonte om, telkens wanneer hij sprong, even met zijn staart te zwaaien. Hij ging enthousiast op de hindernissen af, maar er zat niet echt veerkracht in zijn sprong en het lukte hem niet altijd om zijn achterbenen tijdig uit de weg te krijgen zodat het vaak gebeurde dat hij de bovenkant van de hindernis net even raakte. Maar aan goede wil ontbrak het hem zeker niet – het goede hart, waar dokter Dean het over had gehad. Toen Stellar de bovenste legger eraf stootte, legde hij zijn oren in zijn nek en schudde hij zijn hoofd alsof hij het niet kon uitstaan van zichzelf dat hij het niet beter had gedaan. Hij deed zijn best, maar dat was op zich niet voldoende om de betere prijzen te winnen en voor een hoog bedrag verkocht te worden.

Het was duidelijk dat Van Zandt achter de camera genoeg begon te krijgen van het paard. Er waren veel te veel close-ups van Paris en haar modellenglimlach. Ik vroeg me af hoe goed ze elkaar kenden, en of Paris Montgomery verderging dan ik, wanneer ze iets van een man gedaan wilde krijgen.

Toen kwam een meisje in beeld dat Stellar bij de teugel hield en het onbereden paard van de zijkant showde. Erin Seabright in een nauwsluitend T-shirt en een short waar lange, zongebruinde benen uit keken. Net toen ze het paard zó had neergezet dat hij op zijn voordeligst uitkwam, gaf hij haar met zijn hoofd een zetje waardoor ze lachend achteruit wankelde. Mooi meisje, aantrekkelijke glimlach. Ze pakte het paard bij zijn hoofd en drukte een zoen op zijn neus.

Het keiharde, brutale kind. Niet op deze beelden. Ik zag dat Erin een band had met het paard. Ik zag het aan de manier waarop ze tegen hem sprak, de manier waarop ze hem aanraakte, de manier waarop haar hand op zijn hals lag wanneer ze hem liet bewegen. Nu ik wist uit welk nest ze kwam, kon ik me gemakkelijk voorstellen dat ze zich meer verwant voelde met de paarden die ze verzorgde, dan met haar ouders. De paarden hadden geen oordeel over haar, hadden geen kritiek op haar en stelden haar niet teleur. Het kon de paarden niet schelen of ze regels had overtreden. Ze wisten alleen maar of ze lief en geduldig was, of ze hen wel of niet iets lekkers toestopte en of ze wist waar ze graag gekrabbeld wilden worden.

Ik wist die dingen over Erin Seabright omdat ik een leven lang geleden Erin Seabright was geweest. Het meisje dat zo anders was dan haar ouders en dat weigerde aan hun verwachtingen van haar te voldoen. Het meisje dat haar vrienden selecteerde op grond van hun aanstootgevende eigenschappen. Haar enige echt vrienden woonden in de stal.

De opnamen vertelden me meer over Erin dan over Van Zandt. Ik spoelde terug en bekeek Erins opnamen voor de tweede keer. Ik hoopte dat ik haar in het echt op die manier zou kunnen zien glimlachen, hoewel ik wist dat, zelfs als het mij zou lukken om haar uit deze toestand te redden, het nog wel eens heel lang zou kunnen duren voor ze weer behoefte zou hebben aan een lach.

Ik haalde de video eruit en stopte er een andere in, bekeek, snel door spoelend, achter elkaar drie paarden, en toen kwamen Sean en Tino in beeld waar ik even de tijd voor nam. Paard en berijder vormden een aantrekkelijk plaatje. Sean was een uitstekende ruiter. Hij was sterk, elegant, kalm en had een geweldig concentratievermogen. De bruine ruin was slank en had prachtige lange benen, en zijn bewegingen waren soepel en bevallig. De camera volgde hen, even inzoomend op de zich gracieus kruisende paardenbenen, terwijl ze de bak dwars overstaken naar het prieel. En daar verdwenen ze uit beeld.

De camera bleef op het prieel gericht, en zoomde vervolgens in op Irina. Ze keek met een ijzige, van haat vervulde blik in de lens, bracht haar sigaret naar haar lippen en blies de rook rechtstreeks uit naar de glazen lens. Het scheen haar niets te doen dat Van Zandt haar observeerde. Ik zelf kreeg er kippenvel van. Ik wilde naar Irina's flat gaan om haar op het hart te drukken dat ze haar deur 's nachts op slot moest doen.

Elena Estes, de kloek.

Ik legde de camera terug waar ik hem had gevonden, draaide me om en liep naar de televisie en video op het tafeltje tegenover het bed. En zag een verzameling pornovideo's. Meerdere meisjes met één man. Meerdere mannen met één meisje. Lesbische seks. Een heleboel lesbische seks. Homo's. Enkele van de video's leken te duiden op een gewelddadige inhoud, maar de meeste niet.

Meneer Van Zandt vond alles lekker.

Ik doorzocht de laden van de commode en van de nachtkastjes. Ik keek onder het bed en vond stofnesten en versteende hondendrollen. Van Zandts gastvrouw zou op zoek moeten gaan naar een andere werkster.

Ik vond geen video's die verband hielden met Erins ontvoering. Ik wist dat de ontvoerder ze moest hebben. De Seabrights hadden een standaard VHS-video ontvangen. De meeste moderne videocamera's waren of digitaal, of legden de opnamen vast op achtmillimeterfilm, of op kleine VHSC-cassettes, zoals die in de kast. In dat geval zouden de opnamen achteraf met behulp van de videorecorder zijn overgebracht op een grotere band. Bovendien had de ontvoerder gebruikgemaakt van veel modernere apparatuur dan ik hier, in dit huis had gezien. De stem op de video was mechanisch vervormd geweest. Als Van Zandt iets met de ontvoering te maken had, dan had hij de banden en de opnameapparatuur ergens anders staan.

Met een teleurgesteld gevoel deed ik het licht uit en ging weer naar beneden. Mijn inwendige klok zei me dat het tijd was om op te stappen. Ik had veel te veel tijd verspild met het bekijken van de video's van de paarden. Ik wist dat Landry zou proberen om Van Zandt zo lang mogelijk aan de praat te houden, maar er bestond altijd een kans dat Van Zandt gewoon zou opstaan en weg zou gaan. Hij was niet gearresteerd – voor zover ik wist, tenminste. Hij was zelfs van mening dat de Amerikaanse wetgeving niet op hem van toepassing was.

Ik keek naar de voordeur, maar liep er niet heen. Het idee van opgeven had me nooit aangesproken. Ik wilde bezwarender bewijzen vinden dan pornovideo's, iets – het gaf niet wat – dat, ook al bracht het hem niet rechtstreeks in verband met de moord of de ontvoering, in ieder geval gebruikt zou kunnen worden als pressiemiddel in een volgend verhoor.

Via de keuken ging ik de garage in, die juist groot genoeg was voor één auto en een rij kasten langs de rechter zijmuur. De kasten waren voorzien van hangsloten. Ik had geen tijd om ze te forceren. Boven op de kasten bevond zich een grote hoeveelheid troep: een koeltas van piepschuim, speeltjes voor in het zwembad, kratten met frisdrank, een pak met twaalf rollen goedkoop wc-papier. Met andere woorden: niets.

Tegen de achterwand stonden plastic vuilnisemmers en afvalbakken voor gescheiden huisvuil. Ik trok mijn neus op en liep erheen.

De vuilnisbak van een misdadiger kan een ware schat aan bewijsmateriaal opleveren. In de meeste gevallen ging het om stinkend, met eierstruif overdekt bewijsmateriaal, maar bewijsmateriaal was nu eenmaal bewijsmateriaal.

Ik tilde het deksel van de eerste vuilnisbak en keek erin. De enige lichtbron in de garage was een lamp aan de muur naast de keukendeur. Het licht dat het peertje gaf was te weinig om echt behulpzaam te kunnen zijn. Ik wou dat ik mijn zaklantaarn uit de auto had meegebracht, maar nu was er geen tijd meer om hem te gaan halen.

Ik groef door de troep en moest me er ver overheen buigen om te kunnen zien wat ik te pakken had. Reclamepost, verpakkingen van diepvriesmaaltijden voor in de magnetron, eierdozen, eierschalen, eierstruif, verpakkingsmateriaal van een afhaalmaaltijd van de Chinees, pizzadozen. Doodnormaal afval dat je bij elk doodnormaal huishouden zou kunnen aantreffen. Geen bonnetjes van creditcards en geen lijstjes met geheugensteuntjes die op een moord of ontvoering wezen.

Ik vond een lijstje met paardennamen, en daaronder een datum en een vertrektijd vanaf Palm Beach, een aankomsttijd in New York, een vluchtnummer en vluchttijden voor een vlucht naar Brussel. De paarden die hij naar Europa verscheepte. Ik stopte het lijstje in mijn zak. Als Van Zandt paarden naar het buitenland verscheepte, dan kon hij zichzelf mét die paarden naar het buitenland verschepen. Het zou voor hem een koud kunstje zijn om als een dief in de nacht aan Landry's jurisdictie te ontsnappen.

Ik haalde het deksel van de tweede afvalemmer, en ineens voelde ik de adrenaline door mijn aderen stromen.

In de afvalemmer lag maar één ding. Een overhemd. Het overhemd dat niet met de broek en de sokken en de slip in de wasmachine was gegooid, maar dat deel uitmaakte van de set kleren die haastig was uitgetrokken.

Om het hemd van de bodem te kunnen pakken moest ik me over de rand van de emmer heen buigen. De stank van de emmer overviel me, bezorgde me tranen in de ogen en maakte me misselijk. Maar ik kwam overeind met het hemd in mijn handen, en liep ermee naar de lamp om het beter te kunnen bekijken.

Fijne Egyptische katoen in een mooie, Fransblauwe tint. Ik hield het overhemd bij het licht op zoek naar een monogram omdat ik er echt zeker van wilde zijn dat het inderdaad van Van Zandt was. Ik kon niets ontdekken, maar in de linkerkant van de boord zag ik iets dat de eigenaar met even grote zekerheid zou kunnen identificeren: donkere vlekken die eruitzagen als bloed. In het linker voorpand zat een grote scheur met nog meer bloedvlekken.

Mijn hart ging als een razende tekeer.

Van Zandt had zich bij het scheren gesneden, zou zijn advocaat kunnen aanvoeren. Maar had hij zichzelf bij het scheren ook een steekwond toegebracht, zou de officier daarop willen weten, om vervolgens te verklaren dat alles erop leek te wijzen dat de verdachte bij een gevecht betrokken was geweest.

Ik had geen enkele moeite om me voor te stellen hoe Jill Morone haar aanvaller te lijf was gegaan. Ze zou hem, waar ze maar gekund had, gekrabd hebben. Mogelijk had ze zijn hals getroffen en hem tot bloedens toe gekrabd, waardoor die bloedvlekken in de boord waren ontstaan. Als er bij de lijkschouwing huidresten onder haar nagels werden aangetroffen... Als Van Zandt daarmee corresponderende verwondingen in zijn hals had... Ik had niets gezien, maar het kon best zijn dat ze door dat sjaaltje dat hij altijd droeg, bedekt waren geweest. Ik dacht aan de box in Jades tent en aan die vlekken op het houtschaafsel waarvan ik gemeend had dat het mogelijk bloedvlekken waren. Mogelijk afkomstig van die andere verwonding. Misschien had ze hem ergens mee geslagen en hem verwond. Misschien dat Van Zandts bleke gezicht die ochtend dan toch niet het gevolg was geweest van een overdaad aan drank.

Mijn hart ging zo wild tekeer dan mijn handen ervan beefden. Ik had de hoofdprijs te pakken. Vroeger zou ik, na zo'n vondst als deze, de hele afdeling een rondje hebben gegeven. Nu kon ik deze overwinning niet eens opeisen, en zou ik, zelfs al hád ik dat gekund, in geen enkele, door mijn ex-collega's gefrequenteerde bar, welkom zijn. Ik stond in het schaarse licht van de garage en probeerde mijn opwinding te baas te worden, en te bedenken wat mijn volgende stappen zouden moeten zijn.

Landry zou het overhemd moeten vinden. Hoe graag ik het hem ook onder zijn neus zou hebben gedrukt, ik wist dat het, als ik het hem zou geven, nooit als officieel bewijsmateriaal gebruikt zou kunnen worden. Als gewoon burger had ik geen huiszoekingsbevel nodig om iemands huis te doorzoeken. Het Vierde Amendement beschermt ons tegen vertegenwoordigers van de regering, maar niet tegen elkaar. Aan de andere kant had ik evenwel geen enkel recht om mij zonder toestemming van de bewoners in dit huis te bevinden. Het zou een heel ander verhaal zijn geweest als Van Zandt me bij hem thuis had uitgenodigd, en ik dat overhemd tijdens mijn aanwezigheid had gevonden. En zelfs dán nog hadden er complicaties kunnen zijn. Omdat ik ooit smeris was geweest, en omdat ik in verband met deze zaak contact had gehad met het kantoor van de sheriff, zou een goede advocaat kunnen argumenteren dat ik de facto beschouwd zou kunnen worden als een agent van het kantoor van de sheriff, waarbij er van mijn status als onschuldige burger niets zou overblijven, en het belangrijke bewijsstuk dat ik had gevonden als ongeldig van de hand zou worden gewezen.

Nee. Dit moest volgens het boekje gebeuren. Het overhemd zou op officiële wijze in beslag moeten worden genomen. Er zou een officiële huiszoeking moeten plaatsvinden. Misschien dat een anonieme tip, in combinatie met Van Zandts verleden en zijn connectie met Jill Morone, voldoende zou kunnen zijn.

Toch wilde ik het overhemd niet weer gewoon in de afvalemmer terug stoppen. Ik moest er rekening mee houden dat er dingen scheef zouden kunnen lopen. Het was niet ondenkbaar dat Van Zandt bang was geworden na zijn gesprek met Landry, en dat hij zo snel mogelijk naar huis zou gaan om het bewijsmateriaal te vernietigen. Ik moest het ergens verstoppen waar Van Zandt het niet zou kunnen vinden.

Nog terwijl ik dat dacht hoorde ik een auto de oprit op komen en begon de motor van de automatische garagedeur te zoemen.

De deur was al voor een derde open terwijl het licht van de koplampen op de achterwand scheen, toen ik me omdraaide en maakte dat ik naar de keukendeur kwam.

Er werd getoeterd.

Ik vloog de keuken in, smeet de deur dicht en deed het nachtslot erop om enkele kostbare seconden te winnen. Koortsachtig keek ik om me heen naar een plek waar ik het overhemd zou kunnen verstoppen.

Geen tijd. Geen tijd. Stop het nu gewoon maar ergens in en maak dat je weg komt.

Ik propte het overhemd achter in een keukenkastje, deed het deurtje dicht en rende weg, terwijl ik de sleutel in het slot van de garagedeur hoorde draaien.

Jezus nog aan toe, als Van Zandt me zou herkennen...

Langs de eettafel rennend, stootte ik met mijn heup tegen een stoel, struikelde en ging bijna onderuit. Met mijn blik strak op de patiodeuren gericht, lukte het mij overeind te blijven.

Achter me blafte een hond.

Ik was bij de patiodeuren en rukte aan het hendel. Op slot.

Een stem – een vrouw? 'Neem hem te grazen, Cricket!'

De hond gromde. Ik zag hem vanuit mijn ooghoeken naderbij komen: een klein, donker projectiel met tanden.

Mijn duim friemelde met het slot en drukte het omhoog. Ik schoof de deur met een ruk open en stapte naar buiten, terwijl de hond zijn tanden in mijn kuit zette.

Ik rukte mijn been los en de hond jankte terwijl ik zijn kop klem probeerde te zetten met de deur.

Ik vloog de patio over naar de hordeur, liet me er tegenaan vallen en de deur zwaaide open. Ik maakte dat ik er doorheen kwam, en bevond me in de achtertuin.

Lorinda Carltons rijtjeshuis was het laatste hoekhuis. De wijk werd omgeven door een hoge heg. Ik moest maken dat ik aan de andere kant van die heg kwam. Aan de andere kant bevond zich een groot, open veld dat bij de gemeente Wellington hoorde en dat, verderop, aan het Town Square-winkelcentrum grensde.

Ik sprintte naar de heg. De hond zat me nog steeds blaffend en grommend op de hielen. Ik maakte een scherpe hoek naar rechts, en rende, op zoek naar een opening waar ik doorheen zou kunnen glippen, langs de struiken. De hond hapte naar mijn enkels. Zonder vaart te minderen trok ik mijn jack uit, wikkelde een mouw strak om mijn rechterhand, en liet de rest van het jack over de grond slepen.

De hond dook op het jack en zette zijn tanden erin. Ik pakte de ene mouw stevig met beide handen vast, zette me schrap, draaide me met een ruk om en zwaaide de hond aan het andere uiteinde van het jack met kracht in het rond. Eén rondje, twee rondjes en slingerde het dier ten slotte – als een discuswerper op de Olympische Spelen – met kracht van me af.

Ik had geen idee van de afstand van mijn worp, maar het zou me in ieder geval een aantal seconden voorsprong opleveren. Net toen ik een doffe klap en een zielig blafje hoorde, zag ik een manier om over de heg te komen.

Er stond een pick-up naast een ander hoekhuis geparkeerd. Ik klom op de motorkap, op het dak, en over de heg.

Ik landde als een parachutist – met gebogen knieën, er doorheen zakkend en door rollend. De pijnscheut die vanaf mijn voeten naar mijn hoofd door mijn lichaam trok, was onbeschrijfelijk. Even bleef ik roerloos op de grond liggen. Maar ik wist niet of iemand me over de heg had zien klimmen. Ik kon er niet zeker van zijn dat dat kreng van een beest me niet met ontblote kaken door het struikgewas achterna zou komen.

Kreunend van de pijn trok ik mijn voeten onder me, kwam met moeite overeind en liep zo dicht mogelijk langs de heg verder. De pijnscheuten die van mijn stuitje naar mijn knieholten flitsten deden mijn adem stokken, en ik voelde mijn gekneusde ribben bij elke stap. Ik had hardop willen vloeken, maar dat zou alleen maar nóg meer pijn hebben gedaan.

Nog een meter of vijftig, en ik zou bij het winkelcentrum zijn.

Ik probeerde te joggen, maar schakelde toch weer terug naar haastig lopen, en ik moest mijzelf dwingen om niet toe te geven aan de pijn en te gaan zitten. Ik zweette als een rund en dacht dat ik naar vuilnis stonk. In de verte achter mij hoorde ik een sirene. Tegen de tijd dat de politie bij het huis van Lorinda Carlton en Van Zandt zou zijn, zou ik allang veilig zijn. Voorlopig, in ieder geval.

Dit was je reinste botte pech. Als ik twee minuten eerder was weggegaan... Als ik niet zo lang naar die paardenbeelden had gekeken, of me verbaasd had over Van Zandts pornocollectie... Als ik niet naar de garage was gegaan en niet door de vuilnis had gesnuffeld... dan zou ik dat overhemd nooit hebben gevonden.

Ik moest Landry bellen.

Ik liep de verlichte Town Square op. Het was zaterdagavond. Op de stoep voor het Italiaanse restaurant stond een rij mensen te wachten op een tafel. Ik liep met hangend hoofd langs ze heen en probeerde een zo normaal mogelijke, onopvallende indruk te maken en niet te hijgen. Muziek schalde uit de deur van Cobblestones, het restaurant naast de Italiaan. Ik passeerde China-Tokyo en snoof de geur van frituur op – en realiseerde me dat ik nog niets had gegeten.

Normale mensen hadden een gezellige avond en genoten van een maaltijd kung pao chicken of sushi. Ik kon me niet voorstellen dat er in het hele winkelcentrum nog een andere vrouw was die ooit, op zoek naar bewijsmateriaal in een moordzaak, ergens had ingebroken.

Ik ben altijd al een buitenbeentje geweest.

Die gedachte bezorgde me zowel de behoefte om te lachen, als om te huilen.

Ik ging Eckerd's drugstore in en kocht een fles water, een Power Bar, een goedkoop spijkershirt en een honkbalpet, en ik vroeg om wisselgeld voor de telefooncel. Buiten rukte ik de kaartjes van het spijkerhemd, trok het aan over mijn van het zweet drijfnatte T-shirt, boog de klep van de pet een paar keer heen en weer om hem wat minder stijf te maken, en zette hem op.

Ik haalde een aantal papiertjes uit de zak van mijn spijkerbroek – als eerste: het lijstje uit Van Zandts vuilnisemmer, en als tweede: Landry's telefoonnummers. Ik belde het nummer van zijn pieper en hing op. Onder het wachten kwelde ik mijzelf met me af te vragen hoe duidelijk de vrouw bij Van Zandts huis mij had gezien, wie ze was, en of Van Zandt bij haar was geweest.

Ik kon me niet voorstellen dat ze me echt goed had gezien. Ze had tegen de hond gezegd dat hij 'hem' te grazen moest nemen. Ze had mijn korte haar gezien en, zoals de meeste mensen zouden doen, aangenomen dat inbrekers mannen waren. Een simpele inbraak waarbij niets ontvreemd was en geen gewonden waren gevallen. Ik kon me niet voorstellen dat er een diepgaand onderzoek zou worden ingesteld. Dat hoopte ik.

En zelfs al zouden ze de moeite nemen om vingerafdrukken te nemen, dan kwamen die van mij in geen enkele database van misdadigers voor. Andere database werden nooit zomaar nagekeken. Omdat ik bij de politie had gezeten waren mijn afdrukken wel bij Palm Beach County bekend, maar werden ze niet in dezelfde database bewaard als die van wetsovertreders.

Dat neemt niet weg dat ik handschoenen had moeten dragen. Niet alleen vanwege de vingerafdrukken, maar ook voor het graven in de vuilnisemmers.

Ik liet de wikkel om de Power Bar zitten terwijl ik ervan at.

Ze zouden mijn jack hebben – of wat daarvan over was nadat de hond er mee aan de gang was geweest – maar uit niets viel af te leiden dat dat jack van mij was. Het was een doodsimpel en doodnormaal zwart windjack.

Ik probeerde te bedenken of er iets in de zakken had gezeten. Lippenvet van Tropicana, het staartje van een rolletje Breathsavers, een kassabonnetje van de Shell-pomp. Gelukkig had ik niet met mijn creditcard betaald. En verder? Wanneer had ik dat jack voor het laatst gedragen? De ochtend waarop ik naar de EHBO was gegaan.

Ik verstijfde.

Het recept. Het recept voor die pijnstillers die ik niet had willen kopen. Ik had dat recept in mijn zak gepropt.

O, shit.

Had ik het eruit gehaald? Had ik het weggegooid en was ik dat vergeten? Ik wist dat ik het niet had weggegooid.

Ik werd misselijk.

Ik ging met mijn rug tegen de muur staan en probeerde eraan te denken dat ik adem moest blijven halen en dat ik na moest denken. Mijn naam stond op het recept – Elena Estes, niet Elle Stevens. Van Zandt zou niets met die naam kunnen beginnen. Tenzij hij de foto in *Sidelines* had gezien. De foto waarbij stond dat ik op Seans paarden reed. En als hij die foto had gezien, hoe lang zou het dan nog duren voor de puzzelstukjes op hun plaats vielen?

Wat een stomme, totaal onnodige fout.

Als de politie bij me aan de deur kwam, zou ik ontkennen dat ik ooit op Sag Harbor Court was geweest. Ik zou zeggen dat ik dat jack op het ruitercentrum was verloren. Ik zou geen getuige hebben om die leugen voor me te bevestigen en om mijzelf een alibi te verschaffen, maar waarvoor zou ik vredesnaam een alibi nodig hebben, zou ik heel verontwaardigd uitroepen. Ik was geen misdadiger. Ik was een keurig opgevoede burger met meer dan voldoende geld. Ik was niet een of andere drugsverslaafde die inbraken moest plegen om voor geld aan zijn volgende shot te komen.

En dan zouden ze Van Zandt mijn foto laten zien en hem vragen of hij mij herkende, en dan kon ik het verder wel vergeten.

Verdomme, waarom belde Landry niet terug? Ik belde opnieuw naar zijn pieper, toetste het nummer in van de telefooncel met 911 er achteraan, en begon te ijsberen.

Het ergste van deze puinhoop zou niet zijn dat ik een stel leugens moest verkopen om me onder de eventuele beschuldigingen uit te praten. Het ergste zou zijn als Van Zandt dat overhemd vond voordat Landry met een huiszoekingsbevel bij hem was.

Verdomme, verdomme, verdomme. Ik moest me beheersen om niet met mijn hoofd tegen de betonnen muur te beuken.

Ik waagde het niet terug te gaan naar het huis van Van Zandt. Ik had me kunnen douchen, schone kleren kunnen aantrekken en me alsnog, met een excuus dat ik zo laat was, kunnen presenteren, maar ik was bang dat de vrouw mij zou herkennen, of dat Van Zandt, als hij ook in de auto had gezeten, zich zou realiseren dat ik de inbreker in de garage was geweest. Op dit moment durfde ik niet eens de straat meer op om mijn auto te gaan halen.

Wat een toestand. Ik was met de beste bedoelingen dat huis binnengedrongen, maar er was een grote kans dat mijn optreden het verlies van doorslaggevend bewijsmateriaal tot gevolg zou hebben, plus dat Van Zandt, en met hem het hele groepje rond Don Jade, achter mijn ware identiteit zou komen.

Dit was waarom ik nooit aan deze zaak had moeten beginnen, zei een pesterig stemmetje in mijn achterhoofd. Als een moordenaar hierdoor ongestraft zou kunnen ontkomen, was dat mijn schuld. Nóg een last die op mijn geweten drukte. En als dit alles uiteindelijk Erin Seabrights dood tot gevolg zou hebben –

Waarom belde Landry niet, verdomme?

'Hij kan de kolere krijgen,' mompelde ik. Ik pakte de telefoon van de haak en belde 911.

26

De telefoon aan de andere kant van de lijn ging over zonder dat er werd opgenomen. Landry vloekte en hing op. Het nummer zei hem niets. De 911 er achteraan deed hem vermoeden dat het Estes was. Tot over haar oren in de problemen, waarschijnlijk. Hij durfde er zijn hoofd onder te verwedden dat ze niet thuis was gebleven en met een boek in bad was gegaan.

Ze was me er eentje. Maakte een gezellig afspraakje om wat te gaan eten met een verkrachter en moordenaar alsof het de doodnormaalste zaak van de wereld was. Landry nam aan dat zijn reactie op haar plan ietwat overdreven was geweest. Ze was uiteindelijk een agent – of liever, dat was ze geweest. En ze was wel de laatste vrouw voor wie een man het op zou moeten nemen, maar toch had hij het niet kunnen laten om haar in bescherming te nemen. Hij was getroffen door de manier waarop ze zo totaal niet om haar eigen leven leek te geven, waardoor ze júist een heel kwetsbare indruk maakte. Hij moest maar steeds denken aan hoe ze op de treeplank van Billy Golams terreinwagen was gesprongen en geprobeerd had hem het stuur uit handen te rukken... en toen ónder die auto terecht was gekomen... en als een lappenpop over de straat was meegesleurd.

Ze was niet in staat om voor zichzelf te zorgen. Hij wist niet of dat kwam doordat haar kennis niet toereikend was, of doordat ze gewoon niet om zichzelf gaf. En hij twijfelde er geen moment aan dat ze er helemaal niet blij mee was dat hij haar werk voor haar deed. Hij kon die blik in haar ogen nóg voor zich zien, toen hij Weiss had gebeld en hem had opgedragen om Van Zandt te halen en naar het bureau te brengen. Ze was boos geweest, maar ook gekwetst en teleurgesteld, hoewel ze haar uiterste best had gedaan om een zo onverschillig mogelijke indruk te maken.

Hij stond op de gang voor een onderzoekkamer in het gebouw van de forensische dienst. Hij had zich hier na afloop van zijn gesprek met Van Zandt naar toe gehaast omdat hij de patholoog nog even wilde spreken voordat deze na afloop van de autopsie op Jill Morone, naar huis zou gaan.

Het gesprek met Van Zandt had hem niets anders opgeleverd dan pure frustratie. Hij was een kwartier lang tekeergegaan over de ontoereikendheid van het Amerikaanse rechtssysteem, en had vervolgens op zijn recht op een advocaat gestaan. Einde van het gesprek. Ze hadden niets op grond waarvan ze hem zouden kunnen vasthouden. Zoals onlangs iemand nog tegen hem had gezegd: klootzak zijn was niet in strijd met de wet.

Hij had het echt verpest met deze zet. Als hij met het binnenbrengen van Van Zandt tot na de autopsie gewacht zou hebben, zou hij hem met een aantal feiten geconfronteerd kunnen hebben. Hij zou ze verdraaid kunnen hebben en ze tegen hem hebben kunnen gebruiken om hem bang te maken, waardoor hij mogelijk iets gezegd zou hebben wat hij nu zeker níet meer zou zeggen.

Opnieuw hield Landry zich voor dat hij gedwongen was geweest dit te doen om de zaak in de hand te houden, om te voorkomen dat Elena de situatie er nóg gecompliceerder op maakte.

Hij vroeg zich af wat ze op dit moment uitspookte. Niets goeds, dat wist hij wel zeker.

Ze zou alles van de autopsie willen weten. Ze zou willen weten dat Jill Morone voorover op de vloer van een paardenbox was geduwd. Ze had stukjes houtschaafsel en paardenmest in haar keel, mond en neus gehad. De doodsoorzaak was verstikking geweest. Een hand had haar van achteren in de nek gegrepen en haar zo stevig vastgehouden dat zijn vingers blauwe plekken hadden gemaakt. Op een gegeven moment had ze zich tegen haar aanvaller verzet, waarbij ze een paar vingernagels had gebroken. Maar er was geen huid of bloed of wat dan ook onder haar nagels aangetroffen.

Dat snapte Landry niet. Als ze zich met zoveel kracht had verzet dat ze een paar nagels had gebroken, dan zou er toch íets gevonden moeten zijn. Ze was met haar neus in de mest gedrukt gehouden. Er zouden op zijn minst resten houtschaafsel en mest onder haar overige nagels moeten hebben gezeten, die daaronder waren gekomen toen ze getracht had overeind te krabbelen.

En hoewel haar kleren kapot waren gerukt als om te suggereren dat ze verkracht was, was er op haar lichaam geen spoor van semen aangetroffen. Sterker nog, het kon nauwelijks worden aangetoond dat ze inderdaad was verkracht. Een paar schrammen op haar dijen en labia, maar geen vaginale blessures. Het kon zijn dat Jills verkrachter een condoom om had gehad, of dat hij zijn erectie was verloren en hij zijn daad niet had kunnen volbrengen. Of anders was de poging tot verkrachting iets geweest dat hij op het laatste moment had verzonnen, om een zuivere moord een ander tintje te geven.

Landry zou al deze informatie tegen Van Zandt hebben kunnen gebruiken, vóórdat hij om een advocaat had gevraagd. Met name de mislukte poging tot verkrachting. Daarmee had hij een rechtstreekse aanval op diens ego kunnen ondernemen, had hij hem kunnen uitdagen en bespotten. Van Zandt zou geëxplodeerd zijn. De man was zo verwaand dat hij het feit dat iemand aan zijn mannelijkheid twijfelde niet zou kunnen verdragen, en hij zou zijn opvliegende karakter niet de baas hebben gekund. Hij was slim genoeg om een advocaat te verlangen, en van nu af aan zou hij niet meer verhoord kunnen worden zonder een advocaat erbij.

En wie was er eigenlijk te verwaand?

Landry vervloekte zichzelf op het moment waarop Weiss uit de onderzoekkamer kwam. Weiss, die vanuit New York was overgeplaatst, was een kleine man die te veel tijd op de sportschool doorbracht en als gevolg daarvan een bovenlijf had dat eruitzag alsof het zo ver was opgeblazen dat het bepaald ongemakkelijk moest voelen. Het kleine-mannencomplex. Als hij op zijn rug lag, kon hij zijn armen niet plat naast zich neerleggen.

'Wat vind jij?'

'Ik vind het heel vreemd dat haar nagels schoon waren,' zei Landry. 'Welke dader vermoordt een meisje op een nagenoeg openbare plek, en neemt vervolgens de tijd om haar nagels schoon te maken?'

'Een slimme dader.'

'Eentje die er eerder voor gepakt is, of eentje die door ervaring wijzer is geworden,' dacht Landry hardop.

'Eentje die naar Discovery Channel kijkt.'

'Eentje die weet dat hij op huidresten gepakt zou kunnen worden.'

'Waarmee je dus wilt zeggen dat ze hem gekrabd heeft,' zei Weiss. 'Had Van Zandt krabben of schrammen?'

'Niets gezien. Hij droeg een coltrui. En bij Jade heb ik ook niets gezien. En ze zullen ons ook niets laten zien tenzij we met goede bewijzen tegen hen zullen kunnen komen. Is al bekend of die vlekken in de box bloedvlekken waren?'

Weiss schudde zijn hoofd en rolde met zijn ogen. 'Het is zaterdagavond. Als dokter Felnick zijn schoonouders niet te logeren had gehad, zouden we vanavond geen autopsierapport hebben gehad.'

'Ik denk van wel,' zei Landry. 'De leden van het bestuur van het ruitercentrum hebben vrienden in hooggeplaatste functies. Ze willen deze zaak zo snel mogelijk opgelost en de wereld uit hebben. Hoe eerder, hoe beter. Moord heeft geen positieve uitwerking op de klanten.'

'In Wellington worden geen moorden gepleegd.'

'Nee, daarvoor moet je in West Palm Beach zijn.'

'En hoe staat het met het vrijlaten van die paarden de avond ervoor?' vroeg Weiss. 'Denk je dat er een relatie tussen die twee gebeurtenissen bestaat?'

Landry fronste zijn voorhoofd. Hij herinnerde zich de blauwe plekken op Estes' rug, hoewel die blauwe plekken op dat moment amper tot hem waren doorgedrongen. Hij was te zeer onder de indruk geweest van de oude littekens, en de lijnen op die plaatsen waar ze nieuwe huid getransplanteerd had gekregen.

Ze was donderdagnacht in elkaar geslagen, maar ze had niets gezegd over dat de dader geprobeerd zou hebben haar te verkrachten. Ze had iemand verrast die bezig was geweest paarden te laten ontsnappen. Ze was gewoon op het verkeerde moment op de verkeerde plaats geweest. Nu vroeg hij zich af of ze niet gewoon verschrikkelijk veel geluk had gehad. Jill Morone had zich ook op het verkeerde moment op de verkeerde plaats bevonden, en dat slechts twee tenten verderop.

'Ik weet niet,' zei hij. 'Wat zegt de bewakingsdienst ervan?'

'Niets. Volgens hen gebeurt er zo goed als nooit wat. Hooguit dat er zo af en toe eens iets wordt gestolen. Maar geen ernstige dingen.'

'Geen ernstige dingen. Nou, dat kunnen ze nu niet meer zeggen. Estes zei dat ze een raar gevoel had gehad bij de bewaker die haar betrapt had. Ik heb hem de volgende dag aan de tand gevoeld. Mij beviel hij ook niet. Ik had zijn gegevens willen natrekken, maar toen –'

'Estes?' Weiss keek hem aan alsof hij zeker wist dat hij het verkeerd had verstaan.

'Het slachtoffer,' verduidelijkte Landry.

'Wat is haar voornaam?'

'Maakt dat iets uit?' vroeg Landry defensief.

'Toch niet *Elena* Estes?'

'En als ik ja zeg?'

Weiss draaide zijn hoofd, en zijn dikke nek maakte een geluid als van zware laarzen op schelpengrind. 'Die vrouw is een probleem. Ik ken heel wat mensen die blij zouden zijn als zíj degene was die daarbinnen op de tafel lag,' zei hij, met een blik op de onderzoekkamer.

'En behoor jij ook tot die categorie?' vroeg Landry.

'Hector Ramirez was een moordvent. Door haar schuld is zijn kop eraf geknald. Ja, daar heb ik moeite mee,' zei Weiss. Hij zette een hoge borst op en zijn armen kwamen nog een centimeter van zijn lichaam af te staan. 'Wat heeft zij met deze hele toestand te maken? Ik had gehoord dat ze was ondergedoken en haar toevlucht in de fles had gezocht.'

'Daar weet ik niets vanaf,' snauwde Landry. 'Ze is midden in deze toestand verzeild geraakt omdat ze iemand wilde helpen.'

'O ja? Nou, háár soort hulp zou ík niet willen hebben,' zei Weiss. 'Weet de inspecteur dat ze hierbij betrokken is?'

'O, godallemachtig. Wat is dit, Weiss? De kleuterschool? Ga je haar soms verklikken?' vroeg Landry op een sarcastisch toontje. 'Ze heeft donderdag een flink pak slaag gekregen. Daar kun je blij om zijn, en verder raad ik je aan om alleen je verstand maar te gebruiken. We zitten met een dode, én met een ontvoering.'

'Waarom neem je het voor haar op?' wilde Weiss weten. 'Neuk je haar soms, of zo?'

'Ik neem het niet voor haar op. Ik ken haar nauwelijks, en wat ik niet ken, daar hou ik niet van,' zei Landry. 'Ik doe mijn werk. Heb ik soms een briefing gemist, en zijn we nu slachtoffers aan het uitzoeken en selecteren? Kan ik nu elke dag lekker op mijn boot gaan zitten totdat we een slachtoffer vinden dat ik interessant genoeg vind om me voor uit te willen sloven? Niet gek, want al die overuren, daar ben ik nooit zo dol op geweest. Geen heroïnehoeren meer, geen blanke sletten –'

'Het bevalt me niet dat ze hierbij betrokken is,' verklaarde Weiss.

'O nee? Nou, míj bevalt het niet om een dood meisje te moeten zien dat als een biefstuk in plakjes wordt gesneden. Als je werk je niet bevalt, dan word je toch taxichauffeur,' zei Landry, terwijl hij zich omdraaide en de gang af begon te lopen. 'Als je het gevoel hebt dat je niet aan deze zaak kunt werken, zeg dat dan tegen de baas en maak als de sodeju plaats voor iemand die dat wel kan.'

Zijn pieper ging opnieuw. Hij vloekte, bekeek het nummer, liep terug naar een telefoon en belde.

'Landry.'

Hij luisterde terwijl hij op de hoogte werd gebracht van de anonieme tip. Iemand had gebeld en verteld waar belangrijk bewijsmateriaal gevonden kon worden ten aanzien van de moord op Jill Morone. Een keukenkastje in een rijtjeshuis dat werd bewoond door Thomas Van Zandt.

'Je moet het nú zeggen, Weiss,' zei hij, terwijl hij de telefoon neerlegde. 'Ik moet een huiszoekingsbevel gaan halen.'

Ik had geen idee van wat er met mijn gesprek met 911 was gebeurd. De telefonist had het me, kennelijk omdat hij dacht dat het een grap was, bijzonder lastig gemaakt, en had me lang genoeg aan de lijn trachten te houden om een patrouillewagen naar mijn telefooncel te kunnen sturen. Ik hield bij hoog en bij laag vol dat ik wist dat Van Zandt 'mijn vriendin' Jill Morone had vermoord, en dat rechercheur Landry het met bloedvlekken besmeurde overhemd kon vinden in het keukenkastje van het huis in Sag Harbor Court dat het eigendom was van Lorinda Carlton. Ik gaf zoveel mogelijk bijzonderheden van het overhemd, waarna ik ophing, mijn vingerafdrukken van de telefoon veegde en voor het Chinese restaurant op een bankje ging zitten. Niet lang daarna reed er een patrouillewagen langs.

Ik hoopte dat Landry de boodschap had gekregen. Maar zelfs als dat zo was en hij besloten had om er iets aan te doen, dan zou het nóg geruime tijd duren voor hij bij Van Zandt zou zijn.

Een huiszoekingsbevel is niet iets dat een rechercheur zomaar van de computer kan printen. Hij kan ook niet zomaar naar zijn baas gaan en er eentje vragen. Hij moet een officiële verklaring schrijven waarin hij zorgvuldig uiteenzet waaróm hij het huiszoekingsbevel wil hebben, wat de aanleiding tot zijn verzoek is en wat hij hoopt dat de huiszoeking zal opleveren. En als hij een object 's avonds wil doorzoeken, dan moet hij op overtuigende wijze kunnen aanvoeren dat er een grote kans is dat het bewijsmateriaal binnen afzienbare tijd verloren kan gaan, of dat er een volgende misdaad kan plaatsvinden, want anders zou het uitvoeren van een huiszoeking 's avonds aanleiding tot gegronde klachten kunnen geven. Die verklaring moest dan naar een rechter, die dan besliste of hij het bevel zou willen afgeven of niet.

Het is een procedure waar veel tijd in gaat zitten. En in die periode kan de verdachte van alles doen – het bewijsmateriaal vernietigen en vluchten.

Had Van Zandt bij die vrouw in de auto gezeten? Dat wist ik werkelijk niet. Ik wist dat de auto een donkere kleur had, maar ik had niet de tijd genomen om te kijken welk merk en welk type het was. Het zou de Mercedes geweest kunnen zijn die Van Zandt gedurende het seizoen van Trey Hughes in gebruik had gekregen, of niet. Ik nam aan dat de vrouw Lorinda Carlton was.

Ik wist dus niet wíe me had gezien, maar als ze het hemd in mijn handen hadden gezien kon ik alleen maar hopen dat ze aannamen dat ik het had meegenomen.

Ik keek op mijn horloge en vroeg me af of er in de buurt van mijn auto door agenten op huisdeuren werd geklopt. Zou ik verhoord worden als ik achteloos met een autosleuteltje voor een BMW in mijn hand, de straat in kwam lopen? Ik liep naar de Chevron-pomp, ging naar de wc om me wat op te knappen en keek opnieuw op mijn horloge. Er was sinds mijn ontsnapping ruim een uur verstreken.

Ik reed via een omweg terug naar Sag Harbor Court. Van agenten en zoeklichten geen spoor. Van Zandts zwarte Mercedes stond op de oprit van Lorinda Carltons huis.

Hij kwam niet de straat afrennen om me te lijf te gaan. Alles leek hier even stil en rustig als op het moment waarop ik was gekomen. Ik vroeg me af of Carlton wel naar de politie had gebeld om de inbraak te melden, of dat de sirene die ik had gehoord voor iets anders was geweest. Ik vroeg me af op welk moment Van Zandt thuis was gekomen, en of híj haar had overgehaald om niet naar de politie te bellen omdat hij geen smerissen over de vloer wilde hebben.

Omdat ik toch geen antwoord op die vragen zou kunnen krijgen en nog steeds bang was dat ik ontmaskerd zou kunnen worden, startte ik de motor en reed met een omweg via Binks Forest naar huis.

Er stonden een paar auto's in de straat waar de Seabrights woonden, en ik nam aan dat het politie was. In het huis zelf brandde licht.

Ik was graag naar binnen gegaan om te kijken hoe zenuwachtig iedereen was. En ik zou Molly willen zien om haar te laten weten dat ze niet alleen was. Dat ik achter haar stond.

En ik had alles zojuist werkelijk glorieus verknald! Niet alleen kon ik mijn alias nu wel vergeten, maar door mijn schuld was de kans groot dat het enige bewijsstuk op grond waarvan aangetoond kon worden dat Van Zandt iets met de moord te maken had, vernietigd zou worden.

Ja, daar zou Molly echt troost uit kunnen putten. Uit het feit dat ik achter haar stond.

Van streek en gedeprimeerd keerde ik terug naar huis om, in afwachting van het ergste, nieuwe plannen te maken

'Dit is schandalig!' tierde Van Zandt. 'Is dit tegenwoordig een politiestaat?'

'Nee, voor zover ik weet niet,' antwoordde Landry, terwijl hij een kastje opentrok en erin keek. 'Als de dienst hier werd uitgemaakt door de politie, dat zou ik vast aanzienlijk meer verdienen.'

'Ik kan gewoon niet geloven dat iemand Tommy tot zoiets verschrikkelijks in staat zou achten!'

Lorinda Carlton had die uitstraling van iemand die wou dat ze ooit een hippie was geweest, maar in plaats daarvan waarschijnlijk op een dure kostschool had gezeten. Ze was ergens in de veertig, had lange vlechten en droeg een T-shirt met de een of andere onzinnige new-age-tekst erop. Ze zou waarschijnlijk beweren dat ze afstamde van de indiaanse sjamanen of in een vorig leven in het Oude Egypte geïncarneerd was geweest.

Ze stond naast Van Zandt en probeerde zich aan hem vast te klampen. Hij schudde haar van zich af. *Tommy.*

'Dit is niet eens mijn huis,' zei Van Zandt. 'Hoe kunt u zomaar Lorinda's huis komen binnenvallen?'

Weiss toonde hem opnieuw het huiszoekingsbevel, en boog zijn hoofd naar achteren om vanuit de hoogte neer te kunnen kijken op een man die bijna een kop langer was dan hij. 'Kunt u Engels lezen? Haar naam en adres staan erop.'

'Hij woont hier toch?' vroeg Landry aan de vrouw.

'Hij is mijn vriend,' verklaarde ze dramatisch.

'Ja, nou misschien zou je daar nog eens over na willen denken.'

'Ik ken niemand die zo aardig en oprecht is als hij.'

Landry rolde met zijn ogen. Ze zou 'Slachtoffer' op haar voorhoofd moeten laten tatoeëren. Dat gemene valse kreng van een hond van haar draaide grommend en blaffend om haar benen. Hij zag eruit als een kleine torpedo met haren en tanden. Het was duidelijk dat hij zou bijten als hij de kans kreeg.

'Ik vraag me af wat u hier denkt te zullen vinden,' zei Van Zandt.

Weiss keek onder het aanrecht. 'Een overhemd met bloedvlekken. Een gescheurd overhemd met bloedvlekken.'

'Waarom zou ik zo'n overhemd hebben? En waarom zou ik het in een keukenkastje bewaren? Dit is bespottelijk. Denkt u echt dat ik zo stom zou zijn?'

Geen van beide rechercheurs zei iets.

Landry reikte omhoog om een stapel telefoonboeken van de koelkast te pakken, en kreeg een dikke wolk stof over zich heen. Volgens de tip bevond het overhemd zich in een keukenkastje, maar hij had een huiszoekingsbevel voor het hele huis gevraagd vanwege de mogelijkheid dat Van Zandt het ergens anders verstopt zou hebben. En daar zag het inderdaad naar uit. Ze hadden in alle keukenkastjes gekeken. Boven was een collega bezig met het doorzoeken van de laden en kasten.

'Op welke gronden hebt u dit huiszoekingsbevel gekregen?' vroeg Van Zandt. 'Of kunnen jullie dit zomaar bij iedereen doen die geen Amerikaans paspoort heeft?'

'De rechter heeft bepaald dat er voldoende redenen zijn om aan te nemen dat u in het bezit bent van het gezochte voorwerp,' zei Landry. 'We hebben een getuige. Zijn dat voldoende gronden?'

'Dat is gelogen. U hebt geen getuige.'

Landry trok zijn wenkbrauwen op. 'En hoe kunt u dat weten als u niet ter plekke was en dat meisje niet hebt vermoord?'

'Ik heb niemand vermoord. En wie zou kunnen weten wat hier in huis is? De enige die hier binnen is geweest is een inbreker, maar daar hebt ú niets aan.'

'Wanneer is die inbreker hier geweest?' vroeg Landry, quasi-terloops terwijl hij in een kast keek waarin de wasmachine en de droger waren ondergebracht.

'Vanavond,' antwoordde Lorinda. 'Toen ik thuiskwam van het vliegveld. Er was iemand in de garage. Cricket is hem achternagegaan, maar hij is ontkomen.'

De hond, die zijn naam hoorde noemen, begon opnieuw te blaffen.

'Is er iets ontvreemd?'

'Voor zover we hebben kunnen zien, nee. Maar dat verandert niets aan het feit dat er is ingebroken.'

'Zijn er sloten geforceerd of ramen ingeslagen?'

Carlton fronste haar voorhoofd.

'Hebt u 911 gebeld?'

Van Zandt trok een gezicht. 'Waarvoor? Er is niets gestolen. Niets. Het enige dat jullie gezegd zouden hebben, is dat we in het vervolg de boel beter af moeten sluiten. Zonde van de tijd. Ik heb Lorinda gezegd dat opbellen zinloos was, en dat ze het net zo goed kon laten.'

'Had u, na ons eerdere gesprek, uw buik vol van de politie?' vroeg Landry. 'Dat is geweldig. Voor hetzelfde geld heeft die inbreker afgelopen week iemand vermoord, en nu is diegene, dankzij u, nog steeds voortvluchtig.'

'Dan had u diegene moeten oppakken toen hij die moord had gepleegd,' verklaarde Van Zandt.

'Ja, daar wordt aan gewerkt,' zei Weiss, terwijl hij, op weg naar de zitkamer, tegen Van Zandt opbotste.

'Hebt u die inbreker goed kunnen zien, mevrouw Carlton?' vroeg Landry. Hij speelde met de gedachte om Estes gedurende de rest van het onderzoek achter slot en grendel te zetten. En als Lorinda 911 gebeld zou hebben, zou ze daar mogelijk intussen al hebben gezeten.

'Niet echt,' antwoordde ze. Ze hurkte en pakte haar hond vast. 'Het was donker.'

'Man? Vrouw? Blank? Zwart? Zuid-Amerikaan?'

Ze schudde haar hoofd. 'Dat kan ik niet zeggen. Blank, denk ik. Mogelijk van Zuid-Amerikaanse afkomst. Ik weet het niet zeker. Klein en slank. Donkere kleren.'

'Hmm,' zei Landry, op zijn onderlip bijtend. Godallemachtig. Wat had Estes wel niet gedacht?

Dat ze een bebloed overhemd zou vinden. Maar ze was op heterdaad betrapt, en in de tijd die nodig was geweest om aan het huiszoekingsbevel te komen, had Van Zandt zich van het bewijsmateriaal ontdaan.

'Wilt u het aangeven?' vroeg Weiss.

Carlton haalde zo'n beetje half haar schouders op, en schudde zo'n beetje half van nee, terwijl ze ondertussen naar haar hond bleef kijken. 'Nou... er is niets gestolen...'

En Van Zandt wilde niet dat de politie het huis ál te grondig doorzocht. Dat was waarom ze 911 niet hadden gebeld. Hoe stom was die vrouw wel niet? Kwam het dan geen moment bij haar op dat hij, wanneer hij haar na een inbraak afraadde om de politie te bellen, weleens iets te verbergen zou kunnen hebben?

Ik verbaasde me altijd weer opnieuw over de denkwijze van het serieslachtoffer. Hij durfde er wat om te verwedden dat Lorinda minstens met één, zo niet met twee rotkerels getrouwd was geweest, en dat deze lul haar er op de een of andere manier van had weten te overtuigen dat hij een goed mens was – terwijl hij ondertussen wel mooi voor niets in haar huis woonde.

'Voor hetzelfde geld is die inbreker alleen maar hier geweest om bewijzen te verstóppen,' zei ze. En dat was het moment waarop Landry wist wat voor draai Van Zandt aan een bebloed overhemd had gegeven.

'De bewijzen die wij nu niet kunnen vinden?' vroeg Weiss.

'We zouden vingerafdrukken kunnen nemen, om te zien of we met een bekende misdadiger te maken hebben,' zei Landry, met een blik op Van Zandt. 'Maar in dat geval zullen we natuurlijk ook uw beider vingerafdrukken moeten nemen, om u uit te kunnen sluiten. Je weet maar nooit, misschien is die inbreker wel een seriemoordenaar, of zo. Naar wie overal op de wereld wordt gezocht.'

Van Zandt kneep zijn ogen halfdicht en hij keek Landry met een ijzige blik aan. 'Stelletje idioten,' mompelde hij. 'Ik ga nu mijn advocaat bellen.'

'Ja, doet u dat, meneer Van Zandt,' zei Landry, terwijl hij langs hem heen de garage in liep. 'Gooit u uw geld maar weg – of het geld van de stommeling die u zover heeft gekregen om zo'n advocaat als Bert Shapiro voor u te betalen. Hij kan deze huiszoeking niet tegenhouden. En nog wat. Zelfs al heeft u zich van dat overhemd weten te ontdoen, we hebben altijd nog de bloedsporen die zijn aangetroffen in de box waar Jill Morone is vermoord. Niet háár bloed. Maar het uwe. Vroeger of laten krijgen we u echt wel te pakken.'

'Nee, niet het mijne,' verklaarde Van Zandt. 'Ik ben daar niet geweest.'

Landry legde zijn hand op de deurknop en bleef staan. 'In dat geval bent u natuurlijk meteen bereid om een lichamelijk onderzoek te ondergaan aan de hand waarvan uw onschuld vastgesteld kan worden.'

'Dit is intimidatie. Ik bel Shapiro.'

'Zoals ik al zei' – Landry schonk hem een allerakeligst glimlachje – 'het is een vrij land. Maar weet u wat er zo grappig is aan deze moord? Het leek op verkrachting, maar er was geen semen. De patholoog heeft helemaal geen semen kunnen vinden. Hoe komt dat, Van Zandt? Wilde je haar geen beurt meer geven nadat je haar had laten stikken? Heb je ze liever krijsend en schoppend? Of kon je hem gewoon niet overeind krijgen?'

Van Zandt zag eruit alsof zijn hoofd elk moment zou kunnen exploderen. Hij maakte een wild gebaar naar de telefoon aan de muur, en stootte de hoorn er vanaf. Hij beefde van woede.

Landry verdween naar de garage. Hij had tenminste één raak schot afgevuurd.

Ze bleven nog veertig minuten langer zoeken, en tien daarvan waren uitsluitend om Van Zandt te pesten. Als er een overhemd met bloedvlekken was geweest, dan was het weg. Het enige dat ze vonden was een verzameling pornovideo's die nooit door iemand werd afgestoft. Landry kon zweren dat hij de vlooien door zijn sokken heen in zijn enkels kon voelen bijten.

Weiss zei de agent die hen had geholpen dat hij kon gaan, waarna hij Landry aankeek met een blik van: 'Wat nu?'

'Om nog even op die inbreker terug te komen,' zei Landry, toen ze in de hal stonden. 'Heeft u ook gezien welke kant hij uit is gegaan?'

'Over de patio, en toen langs de heg door de tuinen,' zei Lorinda. 'Cricket is hem achterna gegaan. Mijn dappere kleine held. En toen hoorde ik hem heel luid piepen. Die akelige man moet hem geschopt hebben.'

De hond keek op naar Landry en gromde. Landry had ook zin om hem te schoppen. Smerig, vals vlooienbeest.

'We zullen wel even gaan kijken,' zei hij. 'Misschien heeft hij op de vlucht zijn portefeuille wel laten vallen. Dat gebeurt weleens.'

'U vindt toch niets,' zei Van Zandt. 'Ik heb al gekeken.'

'Ja, nou, u zit nu niet bepaald in ons team,' zei Weiss. 'Wij gaan zelf wel even kijken. Maar in ieder geval bedankt.'

Van Zandt maakte een beledigd geluid, draaide zich om en liep het huis weer in.

Weiss en Landry haalden een zaklantaarn uit de auto. Samen liepen ze achterom het huis en schenen op het gras en de struiken. Ze volgden de weg die Lorinda hun had gewezen, en liepen langs de heg tot ze bij het einde van de woonwijk waren gekomen. Ze vonden zelfs nog niet eens een kauwgumpapiertje.

'Wel toevallig dat er juist bij Van Zandt wordt ingebroken als hij voor een verhoor op het bureau zit,' zei Weiss onder het lopen.

'Een gelegenheidsinbraak.'

'Maar er is niets ontvreemd.'

'Inbraak interruptus.'

'En toen kwam net die tip ook binnen.'

Landry haalde zijn schouders op. Ze waren weer bij de auto gekomen, en hij trok het linkerportier open. 'Je moet een gegeven paard niet in de bek kijken, Weiss. Dan bijten ze.'

27

Het telefoontje kwam midden in de nacht, om twaalf minuten over drie.

Molly had de snoerloze telefoon van de zitkamer stiekem mee naar boven genomen, en onder een tijdschrift op haar nachtkastje gelegd. Hoewel bijna alle meisjes in haar klas een eigen telefoon hadden, mocht zij er geen. Bruce zei dat een meisje met een eigen telefoon gelijk stond aan vragen om moeilijkheden.

Chad mocht ook geen telefoon van hem, maar Molly wist dat Chad een eigen mobieltje én een pieper had, zodat hij en die debiele vrienden van hem elkaar sms'jes konden sturen, en elkaar konden oppiepen alsof ze heel belangrijke mensen waren, of zo. Daar wist Bruce niets van. Molly bewaarde het geheim omdat ze een nóg grotere hekel aan Bruce had dan aan Chad. Bruce had bepaald dat iedereen – met uitzondering van hem zelf – de telefoon in de keuken moest gebruiken zodat alle anderen konden meeluisteren naar wat er werd gezegd.

De telefoon ging drie keer over. Molly staarde met ingehouden adem naar het toestel in haar hand, terwijl ze haar minicassetterecorder stevig in haar andere, zwetende hand hield geklemd. Ze was bang dat Bruce door het gerinkel heen zou slapen. Erins lot interesseerde hem niet. Maar net toen ze besloot om dan zélf maar op te nemen, hield het rinkelen op. Ze beet op haar lip, drukte op de toets met 'on' van de telefoon, en drukte vervolgens de opnameknop van de recorder in.

De stem was dezelfde doodenge, griezelige, verdraaide stem van de video. Het klonk net als iets uit een horrorfilm. Elk woord werd opzettelijk extra lang uitgerekt en had een angstaanjagende, metaalachtige klank. Molly's ogen schoten vol tranen.

'Je hebt je niet aan de regels gehouden. Het meisje zal ervoor boeten.'

'Waar heb je het over?' vroeg Bruce.

'Je hebt je niet aan de regels gehouden. Het meisje zal ervoor boeten.'

'Ik kon niet anders. Ik werd ertoe gedwongen.'

'Je hebt je niet aan de regels gehouden. Het meisje zal ervoor boeten.'

'Ik kon er niets aan doen. Ik heb de politie niet gebeld. Wat willen jullie dat ik doe?'

'Breng het geld naar de afgesproken plaats. Zondag. Zes uur 's middags. Geen politie. Geen detective. Je komt alleen.'

'Hoeveel?'

'Breng het geld naar de afgesproken plaats. Zondag. Zes uur 's middags. Geen politie. Geen privé-detective. Je hebt je niet aan de regels gehouden. Het meisje zal ervoor boeten.'

De verbinding werd verbroken.

Molly zette de telefoon en de cassetterecorder uit. Ze beefde zo erg dat ze bang was dat ze zou moeten overgeven. *Je hebt je niet aan de regels gehouden. Het meisje zal ervoor boeten.* De woorden galmden keer op keer door haar hoofd. Ze drukte haar oren dicht, maar het hielp niet. De stem zat in haar hoofd.

Het was allemaal haar schuld. Ze had gedacht dat ze verstandig had gehandeld. Ze had gedacht dat zij de enige was die iets zou willen doen om Erin te redden. Ze was tot actie overgegaan. Ze had hulp gehaald. En nu zouden ze Erin weleens dood kunnen maken. En dat was haar schuld.

Haar schuld, en Elena's schuld.

Je hebt je niet aan de regels gehouden. Het meisje zal ervoor boeten.

28

In het aarzelende uur voor het aanbreken van de ochtend
Wanneer de lange, lange nacht zijn einde nadert

Vreemd, de dingen die we ons soms herinneren, en de redenen waarom ze ons te binnen schieten. Ik herinnerde me die regels uit een gedicht van T.S. Eliot omdat ik, als eerstejaarsstudente van achttien lentes, smoorverliefd was op mijn literatuurdocent, Antony Terrell. Ik herinner me een hartstochtelijke discussie over Eliots werk, terwijl we in een plaatselijk café aan de cappuccino zaten. Terrell was van mening dat het Eliot in 'Four Quartets' om de tijd en spirituele vernieuwing ging, en *míjn* stelling was dat Eliot de oorspronkelijke aanleiding tot de Broadway-musical *Cats* was, en dat hij daarom niet deugde.

Ik zou desnoods nog hebben volgehouden dat de zon blauw was, als ik daarmee langer in zijn gezelschap had kunnen vertoeven. Het debat: mijn manier van flirten.

Maar ik dacht niet aan Antony terwijl ik, met mijn benen opgetrokken, in het hoekje van de bank zat en, op mijn duimnagel kauwend, door het raam naar de nog donkere ochtend keek. Ik dacht aan onzekerheid en aan wat het einde van deze lange nacht met zich mee zou brengen. Ik waagde het niet stil te staan bij onderwerpen als spirituele vernieuwing. Waarschijnlijk omdat ik er zo goed als zeker van was dat ik mijn zaak grondig had verpest.

Er trok een rilling langs mijn ruggengraat, en ik begon heftig te trillen. Ik wist niet hoe ik met mijzelf verder zou moeten leven als het feit dat ik bij Van Zandt thuis op heterdaad betrapt was, geleid had tot het verlies van het bewijs dat hij een moordenaar was. Als hij op de een of andere manier iets te maken had met Erins verdwijning, en hem door mijn toedoen niets ten laste gelegd zou kunnen worden, waardoor hij onder druk gezet zou kunnen worden om Erin vrij te laten...

Grappig. Vóór ik van Erin Seabrights bestaan had gehoord, had ik ook niet geweten hoe ik met mijzelf verder moest leven omdat Hector Ramirez als gevolg van mijn optreden was vermoord. Het verschil was, dat het me nú wel iets kon schelen.

Ergens, op een gegeven moment, was er heel stiekem een gevoel van hoop mijn hart binnengekropen. Zou dat gevoel met veel tamtam hebben aangeklopt, dan zou ik het even resoluut hebben weggestuurd als een van deur tot deur trekkende zendeling. *Nee hoor, bedankt, ik ben niet geïnteresseerd in je waar.*

'Hoop' is dat ding met veertjes
Dat prijkt hoog in de ziel
En daar altijd en onophoudelijk
Een lied zonder woorden zingt

Emily Dickinson

Ik wilde geen hoop voor mijzelf koesteren. Het enige dat ik wilde, was bestaan.

Bestaan is ongecompliceerd. Zet de ene voet voor de andere. Eet, slaap en functioneer. Leven, écht leven, met alle emoties en de bijbehorende risico's, is hard werk. Ik wilde geen van beide. Maar ik had ze alletwee.

Terwijl ik naar buiten zat te staren, zag ik de hemel langzaam maar zeker roze kleuren. Er vloog een witte reiger langs die roze streep tussen de duisternis en de aarde. Voor ik het als een voorteken ergens van kon gaan beschouwen, ging ik naar mijn slaapkamer en trok mijn rijkleren aan.

De politie was in de loop van de nacht niet bij me aan de deur gekomen om vragen te stellen over mijn jack en de inbraak in het huis van Lorinda Carlton en Tomas Van Zandt. Míjn vraag was: als de politie mijn jack niet had, wie had het dan wel? Had de hond het mee naar binnen gesleept? Als bewijs van zijn inspanningen? Had Carlton of Van Zandt mijn spoor gevolgd en het gevonden? En als Van Zandt in het bezit was van het recept met mijn naam erop, wat zou er dan gebeuren?

Het ergste van het werken als infiltrant is altijd de onzekerheid. Ik had een kaartenhuis gebouwd door mijzelf bij de ene groep als een bepaald iemand te introduceren, en me bij de andere groep als een ander iemand voor te stellen. Ik had geen spijt van mijn beslissing om dat te doen. De risico's waren mij bekend. De truc was alleen dat ik de beloning van mijn inspanningen moest zien te incasseren voordat ik door de mand zou vallen en het kaartenhuis in elkaar zou storten. Maar ik had op geen enkele manier het gevoel dat ik ook maar iets was opgeschoten met het vinden van Erin Seabright, en zodra de paardenlui er achter waren wie ik was, kon ik mijn speurwerk op het ruitercentrum wel vergeten en zou ik Molly teleur moeten stellen.

Ik voerde de paarden en vroeg me af of ik Landry moest bellen, of dat ik er beter aan zou doen om te wachten tot hij kwam. Ik wilde weten hoe zijn gesprek met Van Zandt was verlopen, en of de patholoog Jill Morones stoffelijke resten al had onderzocht. Hoe ik erbij kwam te denken dat hij, na alles wat er de vorige avond gebeurd was, bereid zou zijn om me die dingen te vertellen, dat wist ik niet.

Ik stond voor Feliki's box te wachten tot ze klaar was met haar ontbijt. De merrie was klein van stuk en had een nogal flink uitgevallen, onvrouwelijk hoofd, maar haar hart en haar ego waren even groot als die van een olifant, om over haar verwaandheid nog maar te zwijgen. Ze kreeg het regelmatig voor elkaar om het tijdens wedstrijden van veel fraaiere paarden te winnen, en het zou me niets verbaasd hebben als ze, als ze dat gekund had, haar rivalen voor het verlaten van de bak, haar middelvingers zou hebben getoond.

Ze legde haar oren naar achteren, keek me strak aan en schudde haar hoofd alsof ze wilde zeggen: 'Hé, joh, kijk voor je, wil je?'

Ik moest er bijna om lachen, en dat voelde verrassend plezierig te midden van al mijn ellende. In viste een pepermuntje uit mijn zak. Haar oren schoten overeind toen ze het papiertje van de wikkel hoorde ritselen, waarna ze haar liefste gezicht trok en haar hoofd over het deurtje van de box stak.

'Je bent me er eentje,' zei ik. Ze hapte het lekkers voorzichtig van de palm van mijn hand, en kauwde erop. Ik krabbelde haar onder haar kin, en ze gaf zich gewonnen.

'Ja,' vervolgde ik, terwijl ze haar neus in mijn hand drukte in de hoop er nog meer lekkers te zullen vinden. 'Je doet me denken aan mezelf. Alleen dat het enige dat *ík* van de anderen krijg, problemen zijn.'

Ik hoorde autobanden op het grind van de oprit, en keek naar de deur. Er parkeerde een grote zilverkleurige Grand Am bij de ingang van de stal.

'Dat bedoel ik nu,' zei ik tegen de merrie. Ze keek naar Landry's auto en spitste haar oren. Net als alle alfamerries was Feliki voortdurend op haar hoede voor indringers en gevaar. Ze draaide zich om in haar box, maakte een hoog, piepend geluid en schopte tegen de muur.

Ik ging niet naar buiten om Landry te begroeten. Hij kon bij mij komen. In plaats daarvan ging ik naar D'Artagnan, haalde hem uit zijn box en nam hem mee naar de plek waar de paarden verzorgd en geborsteld werden. Vanuit mijn ooghoeken zag ik Landry binnenkomen. Hij was gekleed voor het werk. De ochtendbries deed zijn stropdas over zijn schouder wapperen.

'Jij bent vroeg op voor iemand die gisteravond op het inbrekerspad was,' zei hij.

'Ik weet niet waar je het over hebt.' Ik pakte een borstel uit de kast en begon aan een oppervlakkige borstelbeurt waar Irina, als het haar vrije dag niet was geweest, een bedenkelijk gezicht bij zou hebben getrokken en me in het Russisch een standje voor zou hebben gegeven.

Landry leunde zijwaarts tegen een pilaar en stak zijn handen in zijn zakken. 'Je weet niets van een inbraak in het huis van Lorinda Carlton – het huis waar Tomas Van Zandt logeert?'

'Nee. Wat is daarmee?'

'Gisteravond is er bij 911 een telefoontje binnengekomen van iemand die beweerde dat daar iets te vinden zou zijn waarmee onomstotelijk bewezen zou kunnen worden dat Van Zandt Jill Morone heeft vermoord.'

'Geweldig. En, heb je het gevonden?'

'Nee.'

De moed zonk me in de schoenen. Er was maar één ding dat hij me zou kunnen vertellen dat nóg erger was, en dat zou zijn dat Erins stoffelijk overschot was gevonden. Ik hoopte met heel mijn hart dat me dat bespaard zou blijven.

'Jij bent daar niet geweest,' zei Landry.

'Ik heb je gezegd dat ik met een boek naar bed zou gaan.'

'Je hebt gezegd dat je met een boek in bad zou gaan,' corrigeerde hij mij. 'Dat is geen antwoord.'

'Je hebt me ook niets gevraagd. Je hebt een uitspraak gedaan.'

'Ben je gisteravond in dat huis geweest?'

'Heb je redenen om aan te nemen dat ik daar ben geweest? Heb je mijn vingerafdrukken ergens op gevonden? Is er iets uit mijn zak gevallen? Zijn er video-opnamen van mijn aanwezigheid? Getuigen?' Ik hield mijn adem in en zou niet kunnen zeggen wat ik het meeste vreesde.

'Inbreken is bij de wet verboden.'

'Ja, dat kan ik me nog herinneren uit de tijd dat ik bij de politie was. En er zijn duidelijke bewijzen dat er in dat huis is ingebroken?'

Hij vond mijn lollige reactie niet amusant. 'Van Zandt was eerder thuis dan ik het huiszoekingsbevel kon krijgen. Als het overhemd daar was, dan heeft hij het laten verdwijnen.'

'Welk overhemd?'

'Verdomme, Estes.'

Hij pakte me bij mijn schouder en draaide me met zo'n wilde ruk naar zich toe, dat D'Artagnan ervan schrok. De grote ruin deinsde naar achteren, probeerde zich los te rukken en steigerde.

Ik gaf Landry met de muis van mijn hand een harde stomp tegen zijn borst. Het was alsof ik een blok cement een stomp gaf. 'Kijk uit wat je doet, verdomme!' siste ik hem toe.

Hij liet me los en week achteruit – niet zozeer omdat hij mij niet zou vertrouwen, maar meer uit angst voor het paard. D'Artagnan keek Landry aan en leek zich af te vragen of kalmeren wel de verstandigste keuze was. Hij zou liever op de vlucht zijn geslagen.

'Ik heb geen oog dichtgedaan,' zei Landry, bij wijze van excuus. 'Ik ben niet in de stemming voor woordspelletjes. Je kunt me alles gewoon vertellen. Niets van wat je zegt kan tegen je worden gebruikt. Van Zandt en die getikte vrouw willen de zaak verder niet aanhangig maken omdat er, zoals je weet, niets is gestolen. Ik wil alleen maar van je weten wat je hebt gezien.'

'Als hij het heeft laten verdwijnen, dan doet het er niet meer toe. Hoe dan ook, ik ga er vanuit dat je een nauwkeurige omschrijving had van wat het ook geweest mag zijn, want anders had je dat huiszoekingsbevel nooit gekregen. Of heeft hij tijdens het verhoor dingen gezegd die aanleiding gaven tot het aanvragen van een huiszoekingsbevel? In dat geval had je zo slim moeten zijn om hem vast te houden tot je de officiële toestemming had, en de boel doorzocht had.'

'Er was geen verhoor. Hij heeft een advocaat gebeld.'

'Wie?'

'Bert Shapiro.'

Hoe was het mogelijk. Bert Shapiro en mijn vader waren elkaars directe concurrenten ten aanzien van belangrijke en vermogende cliënten. Ik vroeg me af wie van Van Zandts dankbare klanten die rekening voor hem betaalde.

'Dat is jammer,' zei ik. En dubbel zo jammer voor mij. Shapiro kende me van kinds af aan. Als Van Zandt hem dat recept liet zien, was ik er gloeiend bij. 'Misschien had je beter tot na de autopsie kunnen wachten met je verhoor. Misschien dat je hem dan echt bang had kunnen maken vóórdat hij op het idee was gekomen die advocaat te bellen.'

Mijn woorden raakten een gevoelige plek. Ik zag het aan de manier waarop hij zijn kaakspieren liet werken.

'Heeft de autopsie iets opgeleverd?' vroeg ik.

'Als dat zo was, dan zou ik hier nu niet staan. Dan zou ik nu bezig zijn geweest om die klootzak in te rekenen, advocaat of geen advocaat.'

'Ik kan me nauwelijks voorstellen dat hij slim genoeg is om ongestraft een moord te kunnen plegen.'

'Tenzij hij erin geoefend is.'

'Hij is er nog nooit voor opgepakt,' zei ik.

Ik koos een witte zadeldeken met het Avadonis-logo erop geborduurd, legde hem op de rug van het paard, haalde zijn zadel van het rek en legde het op de deken. Landry observeerde me, en ik meende zijn innerlijke spanning te kunnen voelen. Of misschien was het wel mijn eigen spanning.

Ik liep om het paard heen en trok de singel aan – iets dat bij D'Ar beetje bij beetje, en met heel kleine stukjes gedaan moest worden, want hij was, zoals Irina zei, een tere bloem. Ik trok de singel nog een gaatje aan, en knielde om hem zijn beschermende beenkappen om te doen. Ik zag hoe Landry zijn gewicht ongeduldig van zijn ene, op zijn andere been verplaatste.

'De Seabrights zijn opnieuw gebeld,' zei hij ten slotte. 'De ontvoerder zei dat het meisje moest boeten voor het feit dat Seabright zich niet aan de regels had gehouden.'

'O, god.' Ik ging op mijn hielen zitten. Het nieuws had me al mijn kracht ontnomen. 'Wanneer zijn ze gebeld?'

'Midden in de nacht.'

Nadat ik het verpest had bij Van Zandt. Nadat Landry het huis had doorzocht.

'Laat je Van Zandt schaduwen?'

Landry schudde zijn hoofd. 'Dat wil de baas niet hebben. Shapiro heeft al voldoende stennis gemaakt vanwege de huiszoeking. We hebben echt helemaal niets dat we tegen hem kunnen gebruiken, en we kunnen niet zomaar een mannetje achter hem aan sturen.'

Ik masseerde mijn voorhoofd. 'Geweldig. Gewéldig.'

Van Zandt kon ongehinderd zijn gang gaan. Maar al zou hij dat niet hebben gekund, dan nog wisten we dat er meerdere lieden bij de ontvoering waren betrokken. Eén iemand had de camera gehanteerd, en iemand anders had Erin de auto in getrokken. Zelfs áls Van Zandt vierentwintig uur per etmaal in de gaten werd gehouden, dan nog kon niet worden voorkomen dat zijn partner het meisje iets aandeed.

'Ze zullen haar iets aandoen omdat ik jou erbij heb gehaald,' zei ik.

'Om te beginnen weet jij net zo goed als ik dat het meisje allang dood kan zijn. Ten tweede, je weet dat je beslissing de juiste was. Bruce Seabright zou zelf nóóit iets hebben ondernomen.'

'Daar heb ik op dit moment wat aan.'

Ik kwam overeind, ging met mijn rug tegen de kast aan staan en sloeg mijn armen strak om mij heen. Ik rilde opnieuw bij de gedachte aan wat Erin Seabright als gevolg van mijn beslissing zou moeten doorstaan. Als ze niet allang dood was.

'Er is een nieuwe dropping afgesproken,' zei Landry. 'Met een beetje geluk hebben we de medeplichtige aan het eind van de dag te pakken.'

Met een beetje geluk.

'Waar en wanneer?' vroeg ik.

Hij keek me alleen maar aan. Zijn ogen gingen schuil achter de glazen van zijn zonnebril, en zijn gezicht was een uitdrukkingsloos masker.

'Waar en wanneer?' herhaalde ik, terwijl ik naar hem toe liep.

'Je kunt er niet bij zijn, Elena.'

Ik sloot mijn ogen in het besef van hoe dit gesprek zou eindigen. 'Je kunt me er niet buiten houden.'

'Die beslissing is niet aan mij, maar aan de inspecteur. Dacht je echt dat hij je erbij zou willen hebben? En zelfs als *ík* het voor het zeggen had gehad, dacht je dan dat *ík* je erbij zou willen hebben na die stunt die je gisteravond hebt uitgehaald?'

'Die *stunt* heeft toevallig wel een bebloed en gescheurd overhemd van de verdachte moordenaar opgeleverd.'

'Dat we niet hebben.'

'Daar kan ik niets aan doen.'

'Je bent betrapt.'

'Dat zou niet zijn gebeurd als jij gisteravond niet zo nodig had moeten bewijzen hoe stoer je bent door Van Zandt op dat moment op te pakken,' argumenteerde ik. 'Misschien dat ik onder het eten iets van hem te weten zou zijn gekomen. Je had hem daarna kunnen verhoren, en dat zou dan na de autopsie zijn geweest. Je had hem vast kunnen houden, het huiszoekingsbevel kunnen krijgen, en het overhemd zelf kunnen vinden. Maar nee, zo wilde je het niet spelen, en nu loopt die man vrij rond –'

'O, het is *míjn* schuld dat je daar hebt ingebroken,' zei Landry ongelovig. 'En het was zeker ook Ramirez' schuld dat hij voor die kogel is gaan staan.'

Ik hoorde mijn adem stokken alsof hij me een klap in het gezicht had gegeven. Ik wilde achteruitdeinzen, maar op de een of andere manier lukte het mij te blijven staan.

We stonden elkaar gedurende een enkel, lang en verschrikkelijk moment aan te kijken terwijl zijn woorden tussen ons in bleven hangen. Toen draaide ik me heel nadrukkelijk om en keerde terug naar D'Artagnan om hem zijn andere beenbeschermer om te doen.

'Jezus,' zei Landry zacht. 'Het spijt me. Dat had ik niet moeten zeggen.'

Ik zei niets. Ik concentreerde me op het vastgespen van de beenbeschermers en ervoor te zorgen dat ze precies symmetrisch zaten.

'Het spijt me,' zei hij opnieuw, toen ik overeind kwam. 'Maar je maakt me zo verrekte nijdig –'

'Dat kun je me besparen,' zei ik, me naar hem omdraaiend. 'Ik heb al genoeg schuldgevoelens te torsen zonder die van jou er ook nog eens bij te moeten dragen.'

Hij wendde beschaamd zijn blik af. Die bescheiden overwinning had me gestolen kunnen worden. De prijs die ik ervoor had moeten betalen was veel te hoog geweest.

'Je bent een gemene rotzak, Landry,' zei ik, maar mijn woorden hadden geen emotionele lading. Ik had net zo goed kunnen zeggen: 'Je hebt kort haar.' Het was simpelweg een feit.

Hij knikte. 'Ja, dat ben ik. Dat kan ik zijn.'

'Moet je niet weg om de dropping van het losgeld regelen? Ik moet rijden.'

Ik pakte D'Ars hoofdstel van de haak en deed het om. Landry bleef staan waar hij stond.

'Ik heb een vraag voor je,' zei hij. 'Denk je dat Don Jade en Van Zandt elkaars partner kunnen zijn in deze zaak? Voor wat de ontvoering betreft?'

Daar dacht ik over na. 'Van Zandt en Jade hadden alletwee een band met Stellar – het paard dat vermoord is. Beiden verdienen een smak geld wanneer Trey besluit dit Belgische springpaard te kopen.'

'Dus dan zijn ze in zekere zin partners van elkaar.'

'Ja, in zekere zin. Jade wilde van Jill Morone af – misschien omdat ze lui en dom was, of misschien omdat ze iets van Stellar wist. Erin Seabright was Stellars persoonlijke verzorgster. Het is niet ondenkbaar dat zij ook iets heeft geweten. Hoezo? Weet je iets van Jade?'

Hij vroeg zich af of hij het me zou vertellen of niet. Ten slotte haalde hij diep adem, liet de lucht uit zijn longen ontsnappen, en vertelde me een leugen. Ik voelde het. Ik zag het aan de manier waarop zijn ogen dof en uitdrukkingsloos werden. Smerisogen. 'Ik probeer alleen maar de puntjes met elkaar te verbinden,' zei hij. 'Er zijn zoveel toevalligheden dat het bijna niet anders kan dan dat alles met elkaar te maken heeft.'

Ik schudde mijn hoofd en glimlachte mijn bittere, ironische halve grijns, en dacht aan wat Sean had gezegd over Landry en mij. Ja, ja, Landry en ik. Wát een relatie. Wát een nachtmerrie.

'Wat heeft de autopsie opgeleverd?' vroeg ik opnieuw. 'Of is dat ook een staatsgeheim?'

'Ze is gestikt.'

'Is ze verkracht?'

'Ik persoonlijk denk dat hij dat geprobeerd heeft, maar dat hij het niet voor elkaar heeft gekregen. Hij hield haar met haar gezicht omlaag tegen de vloer van de box gedrukt, en ze is gestikt terwijl hij het probeerde. Ze is gestikt in braaksel en paardenmest.'

'God. Arm kind.' Om zo te moeten sterven, en dat er van alle mensen die ze kende niemand is die om haar treurt.

'Of de poging tot verkrachting is gedaan om ons te misleiden,' zei Landry. 'Er is nergens semen gevonden.'

'En onder haar nagels?'

'Zelfs nog geen miezerig stukje huid.'

Ik gespte de riempjes van het hoofdstel vast, draaide me om en keek hem aan. 'Wil je daarmee zeggen dat hij haar nagels heeft schóóngemaakt?'

Landry haalde zijn schouders op. 'Misschien is hij wel niet zo dom als het lijkt.'

'Dat is aangeleerd gedrag,' zei ik. 'Dat is niet: oei, ik heb dit meisje per ongeluk laten stikken en nu moet ik in paniek raken. Dit is iets dat hij eerder bij de hand heeft gehad. Het is zijn werkwijze.'

'Ja, zo behandel ik het ook. Ik heb het als zodanig in de database gestopt, en ik heb contact opgenomen met Interpol en België om naar overeenkomstige zaken te vragen.'

Ik was met mijn gedachten al bij wat het voor Erin zou kunnen betekenen als ze niet in handen was van een ontvoerder wiens motief geld was, maar in handen van een seriemoordenaar wiens duistere motief alleen hém maar bekend was.

'Daarom hebben ze een dossier over hem,' zei ik, meer tegen mijzelf dan tegen Landry. 'Die onzin over onzuivere zakenpraktijken – ik wist ook wel dat Interpol zich dáár niet mee bezig zou houden. Armedgian, klootzak die je bent,' mompelde ik.

'Wie is Armedgian?'

De informatie van Interpol was door hem gefilterd. Als ik gelijk had, en Van Zandt inderdaad een dossier had waarin hij als pleger van geweldsmisdrijven werd vermeld, dan had mijn goede vriend bij de FBI die gegevens voor mij verzwegen. En ik wist ook waarom. Omdat ik niet langer lid was van de club.

'Heeft de FBI contact met jullie afdeling opgenomen?' vroeg ik.

'Voor zover ik weet niet.'

'Ik hoop dat dat betekent dat ik mij vergis, en niet alleen dat ze een stelletje klootzakken zijn.'

'O, klootzakken, dat zijn ze,' verklaarde Landry. 'En ze moeten niet proberen zich met mijn zaak te bemoeien.'

Hij keek op zijn horloge. 'Ik moet weg. We zijn bezig met het verkrijgen van huiszoekingsbevelen voor de flatjes van Jill Morone en Erin Seabright. Misschien dat we daar iets vinden dat ons op het goede spoor kan zetten.'

'Wat je er zult vinden, is een groot deel van Erins spullen in Jills flat,' zei ik, terwijl ik mijn paard bij de teugel nam.

'Hoe weet jij dat?'

'Omdat Erin, op de foto die ik van haar heb, de blouse draagt die Jill aan had toen ze is gestorven. Daarom leek het alsof Erin verhuisd was. Omdat Jill al haar spullen had ingepikt.'

Ik nam D'Artagnan mee naar buiten, naar het opstapje, en nam niet de moeite om Landry uit te laten. Vanuit mijn ooghoeken zag ik dat hij met zijn handen in zijn zij naar mij bleef staan kijken. Achter hem ging de deur van de zitkamer open, en Irina kwam, in een ijsblauwe zijden pyjama en met een mok met koffie in haar hand, de stal in. Ze wierp Landry een vernietigende blik toe en schreed langs hem heen naar de trap naar haar flat. Hij zag haar niet.

Ik klom op mijn paard en liep in stap naar de bak. Ik weet niet hoelang Landry daar nog is blijven staan. Ik nam de teugels op en zette de herinnering aan onze ontmoeting van me af. Ik snoof de geur van mijn paard diep in me op, voelde de warmte van de zon op mijn huid en luisterde naar de jazzgitaar van Marc Antoine die door de luidsprekers langs de kant klonk. Ik was daar om mijzelf te zuiveren, om mijzelf te centreren, om mijn spieren te laten werken en het zweet langs mijn rug te voelen druipen. Misschien dat ik deze momenten van vrede niet had verdiend, maar ik nam ze gewoon.

Tegen de tijd dat ik klaar was, was Landry verdwenen. Er was een nieuwe bezoeker gekomen.

Tomas Van Zandt.

29

'Dus zij is het meisje dat op het ruitercentrum is vermoord?'

Landry keek de oude vrouw van opzij aan. Ze droeg een roze legging, een trui die één schouder bloot liet en donzige slofjes. In haar armen hield ze een enorm dikke, oranje kat. De kat zag eruit alsof hij elk moment zou kunnen bijten.

'Dat kan ik u echt niet zeggen, mevrouw,' zei Landry, terwijl hij rondkeek in de kleine woonruimte. Het was er een bende. En het was er smerig. En het zag eruit alsof iemand de boel al grondig doorzocht had. 'Is hier sinds vrijdagavond iemand geweest?'

'Nee. Niemand. Ik ben aldoor thuis geweest. En mijn vriend Sid is geweest,' bekende ze met een verlegen blos. 'Toen ik hoorde dat dat andere meisje was verdwenen, dacht ik, je kunt maar niet voorzichtig genoeg zijn.'

Landry gebaarde om zich heen. 'Waarom ziet het er hier zo uit?'

'Omdat ze een varken is, daarom! Van de doden niets dan goeds, maar toch...' Eva Rosen keek naar het plafond dat bruin zag van de nicotine, alsof God haar daar persoonlijk in de gaten hield. 'En gemeen was ze ook. Ze heeft geprobeerd om mijn Cecil te schoppen.'

'Uw wat?'

'Cecil!' Ze hief de kat op. Het dier begon te blazen.

Landry begon in de stapel kleren te zoeken die op het bed lag. De meeste kleren waren te klein voor Jill Morone. En veel kledingstukken waren nog voorzien van een prijskaartje.

'Volgens mij stal ze,' zei Eva. 'Hoe is ze doodgegaan?'

'Dat mag ik u niet vertellen.'

'Maar iemand heeft haar toch vermoord, of niet? Het was op het nieuws.'

'O, ja?'

'Is ze verkracht?' vroeg ze, duidelijk in de hoop dat dat zo was. Mensen waren onvoorstelbaar.

'Weet u of ze een vriend had?' vroeg Landry.

'De dikke?' Ze trok een gezicht. 'Nee. Maar die andere wel.'

'Erin Seabright.'

'Zoals ik al tegen uw vriend in de andere kamer zei. Thad nog iets.'

'Chad?' vroeg Landry. Hij liep naar een lage tafel waarop een overvolle asbak stond, en talloze snoepwikkels lagen. 'Chad Seabright.'

Eva was zichtbaar ontzet. 'Hadden ze dezelfde achternaam? Waren ze getrouwd?'

'Nee, mevrouw.' Hij bekeek een stapel tijdschriften. *People, Playgirl, Hustler.* Jezus.

'*Oy vey*. Onder mijn eigen dak?'

'Heeft u ooit mensen zien komen en gaan?' vroeg Landry. 'Vrienden? Hun baas?'

'De baas.'

'Don Jade?'

'Hem ken ik niet. Paris,' zei ze. 'Blond, knap en heel erg aardig. Ze heeft altijd tijd voor een praatje. Ze vraagt altijd hoe het met mijn schatjes gaat.'

'Schatjes?'

'Cecil en Beanie. Zij was degene die de huur betaalde – Paris. Een heel aardig meisje.'

'Wanneer is ze voor het laatst geweest?'

'Dat is alweer een poosje geleden. Ze heeft het heel erg druk, weet u. Ze rijdt op die paarden. Zoef! Over de hindernissen.' Ze zwaaide met de dikke kat in haar armen alsof ze hem weg wilde gooien. De kat legde zijn oren in zijn nek en maakte een snerpend geluid dat aan een sirene deed denken.

Landry liep naar het nachtkastje naast het bed en trok het laatje open.

Bingo.

Hij haalde een pen uit zijn zak, duwde een knalroze vibrator voorzichtig opzij en tilde zijn prijs eruit. Foto's. Foto's van Don Jade op de rug van een zwart paard met een prijslint om zijn hals. Andere foto's van hem waarop hij, op de rug van een ander paard, over een hoge hindernis sprong. Een andere opname van hem waarop hij naast een meisje stond wier gezicht uit de foto was gekrast.

Landry draaide de foto om en keek achterop. De eerste helft van de opdracht was doorgekrast met een pen waarop zo hard was gedrukt dat er groeven in het papier waren gedrukt. Maar het was zo slordig gedaan, dat de woorden nog steeds te lezen waren.

Voor Erin.

Liefs, Don.

30

'Hij moet ronder zijn, zachter in zijn stappen.'

Van Zandt had zijn auto – niet de Mercedes, maar een donkerblauwe Chevrolet – langs het pad geparkeerd, en stond op de omheining leunend, naar mij te kijken. Mijn maag balde zich samen. Ik had gehoopt hem pas weer op het ruitercentrum, te midden van een hele menigte mensen, terug te zien, zo niet op het nieuws, terwijl hij gearresteerd werd.

Hij klom voorzichtig over de omheining en kwam de bak in gelopen. Zijn ogen gingen schuil achter een gespiegelde zonnebril, en zijn ontspannen gezicht was volkomen uitdrukkingsloos. Ik vond hem er nog steeds ziek uitzien, en vroeg me af of zijn ingewanden van streek waren door het plegen van een moord, of door de kans dat hij opgepakt zou kunnen worden. Of misschien kwam het wel door het idee dat er nog een slordigheidje was waarmee afgerekend moest worden. Mij, dus.

Ik keek naar de parkeerplaats naast de stal. Irina's auto was weg. Ze was weggegaan terwijl ik geconcentreerd aan het rijden was geweest.

Ik had Sean nog niet gezien. Als hij thuis was gekomen na zijn nachtje stappen, dan sliep hij uit.

'Als jij wat losser in je rug bent, dan kan je paard ook wat losser in zijn rug zijn,' zei Van Zandt.

Ik vroeg me af of hij het wist, en in een fatalistisch hoekje van mijn hart was ik ervan overtuigd dat hij het wist. De verschillende mogelijkheden schoten mij door het hoofd, zoals ze dat onophoudelijk hadden gedaan sinds het moment van mijn blunder bij zijn huis. Hij had het recept gevonden, en zich herinnerd dat hij mijn naam in de *Sidelines* had zien staan. Of Lorinda Carlton had mijn naam herkend. Misschien dat ze het blad ergens in huis hadden liggen. Misschien hadden ze samen naar de foto gekeken. Van Zandt had het paard herkend, of mijn profiel, of had, op grond van het feit dat Seans stoeterij was genoemd, de puzzelstukjes in elkaar gepast. Hij had mijn jack met het recept gevonden, aangenomen dat Elena Estes iemand van de politie was die het huis had doorzocht terwijl Landry hem op het bureau aan de tand voelde, waarna hij zijn advocaat had gebeld met het verzoek de naam voor hem na te trekken. Shapiro zou mijn naam onmiddellijk herkend hebben.

Het gaf niet op welke manier hij erachter was gekomen. De vraag was wat hij eraan zou doen. Als hij wist dat ik zaterdagavond in zijn huis was geweest, dan wist hij dat ik het bebloede overhemd had gezien. Ik had er spijt van dat ik het niet gewoon, ongeacht de gevolgen, bij me had gehouden. Dan zou hij op dit moment tenminste in de gevangenis hebben gezeten en zou ik niet alleen zijn geweest met deze man van wie ik zo goed als zeker wist dat hij een moordenaar was.

'Probeer het nog eens,' zei hij. 'Kom maar weer in de korte galop.'

'We waren eigenlijk net klaar voor vandaag.'

'Amerikanen,' zei hij minachtend. Hij stond met zijn handen in zijn zij bij de omheining. 'Hij is nog maar net op temperatuur. Dit is pas het moment om aan het werk te gaan. Kom maar weer in de korte galop.'

Ik zou het liefste niet naar hem geluisterd hebben, maar aan de andere kant zat ik liever op de rug van een paard dan dat ik op de grond tegenover hem stond, waar hij ruim een kop langer, en zeker zestig pond zwaarder was dan ik. Ik zou er, althans voorlopig tot ik een duidelijker idee had van wat hij wel of niet wist, verstandiger aan doen om hem zijn zin te geven.

'Op de grote volte,' zei Van Zandt.

Ik zette het paard op de cirkel met een diameter van twintig meter, en probeerde rustig adem te blijven halen en me te concentreren, hoewel ik de teugels zó stevig vast had dat ik mijn hart in mijn vingers kon voelen kloppen. Ik sloot mijn ogen, liet de ingehouden adem uit mijn longen ontsnappen, en zakte wat onderuit in het zadel.

'Ontspan je handen. Waarom ben je zo gespannen, Elle?' vroeg hij, op een stroperig toontje dat me de rillingen bezorgde. 'Dat kan je paard heel goed voelen. En het maakt hem ook gespannen. Meer zadel, minder hand.'

Ik probeerde te doen wat hij zei.

'Wat kom je zo vroeg doen?'

'Ben je niet blij me te zien?' vroeg hij.

'Ik zou blij zijn geweest als ik je gisteravond voor het eten had gezien. Je bent niet gekomen.'

'Ik werd opgehouden.'

'En naar een onbewoonbaar eiland gebracht? Naar een plek waar ze geen telefoons hebben? Zelfs van de politie mag je bellen.'

'Denk je dat ik daar was, bij de politie?'

'Geen idee, en het kan me niet schelen ook.'

'Ik heb een boodschap achtergelaten bij de maître. Ik kon je niet bellen. Ik heb je nummer niet,' zei hij, om van het ene moment op het andere van toon te veranderen. 'Rustig, rustig, rustig!' zei hij streng. 'Meer energie en minder tempo. Vooruit! Concentreer je op je zit!'

Ik nam de teugel terug en verminderde mijn snelheid zodanig dat mijn paard bijna niet van zijn plaats kwam, terwijl zijn voeten in een walstempo in het zand stapten. 'Probeer je het soms goed te maken met een gratis les?'

'Niets is gratis, Elle,' zei hij. 'Je moet hem als het ware *tillen,* Elle. Alsof je een veertje neerlegt.'

Ik deed wat hij van me vroeg – of liever, dat probeerde ik – maar het lukte me niet omdat ik veel te zenuwachtig was.

'Hou de maat erin!' schreeuwde Van Zandt. 'Moet je op de voorhand rijden?'

'Nee.'

'Waarom doe je dat dan?'

Het geïmpliceerde antwoord was dat ik stom was.

'Opnieuw! Korte galop! En méér energie in de overgang – niet minder!'

We namen de oefening keer op keer door. Elke keer was er wel íets dat hem niet helemaal naar de zin was, en het was natuurlijk altijd mijn schuld. D'Artagnan was drijfnat van het zweet. Mijn T-shirt was doorweekt. Ik begon kramp in mijn rugspieren te krijgen. Mijn armen waren zo moe dat ze beefden.

Ik begon aan mijn wijsheid te twijfelen. Ik zou onmogelijk de hele dag in het zadel kunnen blijven, en tegen de tijd dat ik van het paard zou komen, zou ik even slap en futloos zijn als een aangespoelde kwal. Ik wist dat Van Zandt me een afstraffing gaf en dat hij er plezier aan beleefde.

'... en laat zijn voeten neerkomen alsof het landende sneeuwvlokjes zijn.'

Opnieuw probeerde ik zijn aanwijzingen op te volgen, maar ik hield mijn adem in, in afwachting van de volgende woedeaanval.

'Beter,' gaf hij met tegenzin toe.

'Zo is het echt wel genoeg,' zei ik, terwijl ik de teugel liet vieren. 'Probeer je me soms af te maken?'

'Waarom zou ik jou af willen maken, Elle? We zijn toch vrienden, of niet?'

'Ik dacht van wel.'

'En dat dacht ik ook.'

Verleden tijd. Opzettelijk, dacht ik, en niet een toevallig gekozen tijd in een taal die niet zijn moedertaal was.

'Ik heb later op de avond naar het restaurant gebeld,' zei hij. 'De maître zei dat je helemaal niet was geweest.'

'Ik was er wel, maar jij was er niet, en toen ben ik weer gegaan,' loog ik. 'Ik heb de maître nergens gezien. Hij zal net naar de wc zijn geweest.'

Van Zandt nam mijn woorden in overweging.

'Je bent goed. Heel goed,' zei hij.

'Waarin?' Ik observeerde hem terwijl ik D'Artagnan op de volte liet lopen, en wachtte tot zijn ademhaling weer normaal was.

'In dressuurrijden, natuurlijk.'

'Je hebt anders net een uur lang tegen me staan schreeuwen dat ik niet één behoorlijke overgang heb gemaakt.'

'Je hebt een strenge trainer nodig. Je bent veel te eigenzinnig.'

'Ik hou er niet van als mensen tegen me schreeuwen.'

'Vind je dat ik tegen je schreeuw? Vind je me een rotzak?' vroeg hij op een totaal emotieloze manier die ik verontrustender vond dat zijn gebruikelijke houding. 'Ik hou van discipline.'

'Me op mijn juiste plaats wijzen?'

Hij gaf geen antwoord.

'Wat kom je hier zo vroeg doen?' vroeg ik opnieuw. 'Vast niet om je excuses aan te bieden voor gisteravond.'

'Ik zou niet weten waarvoor ik mij zou moeten excuseren.'

'Nee, dat verbaast me niets, met die dikke huid van je. Kom je voor Sean, in verband met Tino? Is je cliënt uit Virginia er al?'

'Ze is gisteravond gearriveerd. Stel je haar schrik voor toen ze, bij thuiskomst, een inbreker verraste.'

'Heeft er iemand bij jullie ingebroken? Wat erg. Is er veel gestolen?'

'Nee, vreemd genoeg is er helemaal niets gestolen.'

'Gelukkig. Ze is toch niet gewond, hè? Ik heb een paar dagen geleden een reportage op de tv gezien over een ouder echtpaar bij wie was ingebroken door twee Haïtianen met machetes.'

'Nee, ze is niet gewond. De inbreker is gevlucht. Lorinda's hond is hem achternagegaan, maar het enige waar hij mee terugkwam, was een jack.'

Opnieuw balde mijn maag zich samen, en ondanks de hitte kreeg ik kippenvel op mijn armen.

'Waar is jullie stalknecht?' vroeg Van Zandt, met een blik op de stal. 'Waarom komt ze niet om je paard te halen?'

'Ze heeft koffiepauze,' zei ik, wensend dat dat geen leugen was. Ik zag

Van Zandt naar de parkeerplaats kijken, waar alleen mijn BMW maar stond.

'Een goed idee, koffie,' zei hij. 'Zet het paard maar even vast aan de teugel. We kunnen samen een kop koffie drinken en nieuwe plannen maken.'

'Hij moet afgespoten worden.'

'Dat kan die Russische doen. Dat is haar taak, en niet de jouwe.'

Ik overwoog de teugels op te nemen en hem van de sokken te rijden. Dat was gemakkelijker gezegd dan gedaan. Hij zou een bewegend doelwit zijn, en D'Artagnan zou hem niet willen raken. En zelfs áls ik hem van de sokken zou kunnen rijden en hij zou vallen, wat dan? Ik zou over de omheining moeten om uit de bak te komen, en ik wist echt niet of D'Artagnan wel zou willen springen. Voor hetzelfde geld weigerde hij en wierp hij me uit het zadel.

'Schiet op,' beval Van Zandt. Hij draaide zich om en begon in de richting van de stal te lopen.

Ik wist niet of hij gewapend was. Ik wist van mezelf dat ik dat níet was. Als ik met hem de stal in zou gaan, zou hij aanzienlijk in het voordeel zijn.

Ik trok de teugels aan en klemde mijn benen rond D'Artagnans flanken. Hij danste onder me en blies door zijn neusgaten.

Vanuit mijn ooghoeken zag ik iets kleurigs bij de omheining. Molly. Ze had haar fiets er tegenaan gezet en was er doorheen geklommen, en nu kwam ze naar me toe.

Ik drukte mijn wijsvinger tegen mijn lippen, en hoopte dat ze mijn naam niet zou roepen. Alsof dat er nog wat toe deed. Als kind van een advocaat had ik al vroeg geleerd om nooit iets toe te geven. Ook al is het nóg zo duidelijk dat je schuldig bent – blijf ontkennen.

Molly kwam dichterbij, keek naar mij, en keek naar Van Zandt, die haar zojuist had opgemerkt. Ik kwam uit het zadel en ging met uitgestoken hand op Molly toe.

'Daar hebben we Molly de Geweldige!' riep ik uit. 'Wat leuk dat je tante Ellie een bezoekje komt brengen!'

Ik zag de onzekere blik in haar ogen, maar haar gezicht verried niets. Ze had voldoende oefening gehad met ontvlambare situaties tussen Krystal en de mannen in haar leven. Ze kwam naar me toe – ze was buiten adem, en haar voorhoofd was nat van het zweet. Ik sloeg een arm om haar smalle schouders en trok haar even tegen me aan terwijl ik wou dat ik haar onzichtbaar zou kunnen maken. Ze was hier voor mij, en door mij verkeerde ze in gevaar.

Van Zandt keek haar afkeurend aan. 'Tante Ellie? Heb je hier familie in de buurt wonen?'

'Ik ben niet echt haar tante – ze noemt me alleen maar zo,' zei ik, terwijl ik haar in haar arm kneep. Tegen Molly voegde ik er aan toe: 'Molly Avadon, dit is mijn vriend, meneer Van Zandt.'

Ik wilde voorkomen dat Van Zandt zou weten dat ze iets met Erin te maken had. Daarbij dacht ik bovendien dat Van Zandt er veel minder moeite mee zou hebben om *míj* uit de weg te ruimen, dan iemand die familie van Sean was. Het zou me niets verbazen als hij er, met de verwaandheid van een psychopaat, van overtuigd was dat niemand ooit zou ontdekken wat hij tot dusver had gedaan, want anders zou hij intussen allang het land uit zijn gevlucht. Als hij nog steeds dacht dat hij er ongestraft vanaf zou kunnen komen, dacht hij waarschijnlijk ook dat hij hier nog steeds zaken zou kunnen doen en dat hij nog steeds vriendschappelijk om kon gaan met de rijken en de beroemdheden.

Molly keek opnieuw van mij naar Van Zandt, en begroette hem koel en gereserveerd.

Van Zandt schonk haar een onzeker glimlachje. 'Hallo, Molly.'

'Ik heb Molly beloofd dat we vandaag samen naar het ruitercentrum zouden gaan,' zei ik. 'Het spijt me, Z., maar we zullen een andere keer koffie moeten gaan drinken. Ik kan Irina nergens ontdekken, en ik moet dit paard op stal zetten.'

Hij trok een bedenkelijk gezicht en ik zag hem nadenken.

'Laat me je dan helpen,' zei hij, terwijl hij D'Artagnan bij de teugel nam.

Molly keek met een bezorgd gezicht naar me op. Ik overwoog of ik haar weg zou sturen om hulp te halen. Nog voor ik dat had kunnen doen, draaide Van Zandt zich alweer naar ons om.

'Kom, Molly,' zei hij. 'Hou je van paarden? Zoals je oom Sean?'

'Een beetje,' antwoordde Molly.

'Kom dan maar mee, en dan kun je ons helpen met het afdoen van de beenbeschermers van dit paard.'

'Nee,' zei ik. 'Als ze een trap krijgt, dan is dat mijn schuld.' Ik keek naar Molly en hoopte vurig dat ze mijn gedachten zou kunnen lezen. 'Molly, lieverd, waarom ga je niet snel even bij oom Sean kijken om te zien of hij al op is?'

'Hij is niet thuis,' zei Van Zandt. 'Ik heb op weg hierheen gebeld, en zijn antwoordapparaat staat aan.'

'Dat betekent alleen maar dat hij niet opneemt,' zei Molly. Van Zandt fronste zijn voorhoofd, en liep met het paard door naar de stal.

Ik bukte me alsof ik Molly een zoen op haar wang wilde geven, en fluisterde in haar oor: 'Bel 911.'

Ze draaide zich om en rende naar het grote huis. Van Zandt draaide zich half om en keek haar na.

'Is ze geen schatje?' vroeg ik.

Hij zei niets.

We gingen de stal in en hij bracht D'Artagnan naar de borstelplaats, waar hij zijn hoofdstel verruilde voor een halster. Ik liep om het paard heen en hurkte om zijn beenbeschermers af te doen, waarbij ik Van Zandt met één oog in de gaten bleef houden.

'Je bent me een dineetje verschuldigd,' zei ik.

'Jij bent me een les verschuldigd.'

'Staan we dan quitte?'

'Ik geloof van niet,' zei hij. 'Ik geloof dat ik je nog een aantal lesjes te leren heb, Elle Stevens.'

Hij ging voor het paard staan, en ik ging achter hem staan om een andere beenbeschermer af te doen.

'Als jij het zegt.'

'Er zijn een heleboel verschillende soorten lessen,' zei hij raadselachtig.

'Ik zit echt niet op een mentor te wachten, maar in ieder geval bedankt.'

Ik liep naar de kast waarin de borstels en kammen werden bewaard, en haalde er onopvallend een schaar uit. Ik zou niet aarzelen om hem daarmee te verwonden als hij zou proberen om me iets aan te doen.

Maar misschien, dacht ik, zou ik niet moeten wachten tot híj eerst iets deed, maar zou ik rechtstreeks tot de aanval over moeten gaan. De beste verdediging is immers de aanval. Hij was een moordenaar. Waarom zou ik onnodig het risico lopen dat hij mij of Molly iets aandeed? Ik zou dicht bij hem kunnen gaan staan en de schaar ter hoogte van zijn navel in zijn maag stoten. Hij zou doodgebloed zijn voor hij meer had kunnen doen dan beseffen dat ik hem vermoord had.

Ik zou zelfverdediging aanvoeren. Het telefoontje naar 911 zou het bewijs zijn dat ik me bedreigd had gevoeld. Van Zandt was al bij de politie bekend als verdachte van een moord.

Ik zou mijn vader vragen mij te verdedigen. De pers zou ervan smullen. Vader en zijn verloren dochter herenigd terwijl hij doet wat hij kan om te voorkomen dat ze de doodstraf krijgt.

Ik had nog nooit opzettelijk iemand gedood. Ik vroeg me af of ik, wetende wat ik van Van Zandt wist, berouw zou voelen.

'We zouden een uitstekend team zijn geweest, jij en ik,' zei hij.

Hij liep terug om de voorkant van het paard.

Ik hield de schaar in de palm van mijn hand en zag hem naderbij komen.

Mijn armen beefden van vermoeidheid en van de zenuwen. Ik vroeg me af of ik de kracht zou hebben de schaar in zijn lijf te stoten.

'Zoals je dat zegt, lijkt het wel alsof we elkaar nooit meer zullen zien,' zei ik. 'Ga je ergens naar toe? Of ik?'

Hij had nog steeds zijn zonnebril op. Ik kon zijn ogen niet zien. Zijn gezicht was uitdrukkingsloos. Ik kon me niet voorstellen dat hij me hier en nu zou willen vermoorden. Zelfs als hij bereid was Molly ook te vermoorden, kon hij er niet zeker van zijn of Sean echt niet thuis was.

'Ik ga nergens naar toe,' zei hij, en kwam een stapje dichterbij.

'Tomas!' galmde Seans stem over het middenpad. De opluchting overspoelde me als een vloedgolf die me mijn laatste restje kracht ontnam. 'Ik was al bang dat je nooit meer terug zou komen! Ik hoop dat je deze keer niemand bent tegengekomen die je iets aan wilde doen, of wel?'

'Deze keer heeft alleen zijn trots het maar te verduren gehad,' zei ik, tegen de kast leunend. Ik legde de schaar neer. 'Hij wilde mijn trainer worden, maar ik heb voor de eer bedankt.'

'O, mijn god!' Sean lachte. 'Waarom zou je dat willen? De laatste heeft ze van zijn ingewanden ontdaan, waarna ze zijn resten heeft opgediend met spaghettisaus en bonen, en een verrukkelijke chianti.'

'Ze moet getemd worden,' zei Van Zandt, met een zuinig lachje.

'Ja, en ik zou wel weer twintig willen zijn, en dat zal ook nooit gebeuren,' zei Sean, terwijl hij naar me toe kwam. Hij drukte een zoen op mijn wang en gaf me een geruststellend kneepje in mijn arm. 'Lieverd, Molly begint ongeduldig te worden. Ga nu maar gauw. Ik zorg wel voor D'Artagnan.'

'Maar jij moet ook weg,' zei ik. 'Die lunch, dat is toch vandaag?'

'Ja.' Hij schonk Van Zandt een verontschuldigend glimlachje. 'Ruiters tegen Reuma, of iets in die geest. Het spijt me dat ik je eruit moet gooien, Tomas. Bel me morgen. Dan eten we samen, of zo. Of misschien dat we met z'n allen uit eten kunnen gaan zodra je cliënt uit Virginia er is.'

'Ja, natuurlijk,' zei Van Zandt.

Hij kwam naar me toe, legde zijn handen op mijn schouders en kuste me op mijn wangen. Rechts, links, rechts. Op z'n Hollands. Hij keek me aan en ik dacht dat ik, ondanks de spiegelende zonnebril, de haat in zijn blik kon voelen. 'Tot straks, Elle Stevens.'

31

Ik keek Van Zandt na terwijl hij wegreed, en begon heftig te beven. Hij had me kunnen vermoorden. Ik had hem kunnen vermoorden.

Tot straks...

'Wat was er allemaal aan de hand?' vroeg Sean. 'Je vriendinnetje kwam het huis in gerend en riep dat ik 911 moest bellen.'

'Ja, dat had ik haar gezegd. Ik dacht dat je niet thuis was. Heb je gebeld?'

'Nee. Ik ben meteen gekomen om je te redden! Je dacht toch niet echt dat ik binnen zou blijven zitten wachten tot er eindelijk iemand van de politie zou komen, terwijl die engerd je hier in stukken stond te hakken, of wel?'

Ik sloeg mijn armen om hem heen en gaf hem een zoen. 'Mijn held.'

'Ik wil een uitleg,' zei hij.

Ik deed een stapje opzij en keek naar buiten om te zien of Van Zandt niet van gedachten was veranderd en was teruggekomen.

'Ik heb gegronde redenen om aan te nemen dat Van Zandt degene is die dat meisje op het ruitercentrum heeft vermoord.'

'Jezus, Elle! Waarom zit hij dan niet in de gevangenis? Wat doet hij hier?'

'Hij zit niet in de gevangenis omdat hij het bewijs heeft laten verdwijnen. Dat weet ik omdat ik het heb gezien, waarna ik de politie heb gebeld. Maar toen Landry kwam om het op te pikken, was het verdwenen. En ik denk dat Van Zandt weet dat ik het weet.'

Sean keek me geschokt aan en probeerde mijn informatie te verwerken. Arme man. Hij had werkelijk geen idee gehad van wat hij zich op de hals had gehaald toen hij mij in huis had genomen.

Hij keek naar het plafond, keek toen het middenpad af en keek naar D'Artagnan die geduldig op zijn borstelbeurt stond te wachten.

'Dit wordt geacht een nobele sport te zijn,' zei Sean. 'Prachtige dieren, keurige mensen, beschaafde competitie...'

'Elke business heeft zijn schaduwzijde. En ik vertel je niets nieuws.'

Hij schudde verdrietig zijn hoofd. 'Je hebt gelijk. Ik heb gezien hoe mensen zijn bedrogen, hoe mensen bij een paardendeal zijn beduveld. Ik ken mensen die bepaald louche zaken hebben gedaan, en die daar ongestraft vanaf zijn gekomen. Maar, mijn god, Elle. Moord? Ontvoering? Je hebt het over een wereld waar ik niets vanaf weet.'

'En ik zit er tot over mijn oren middenin.' Ik hief mijn hand op en gaf hem een teder tikje op zijn wang. 'Je wou zo graag dat ik iets interessants ging doen.'

'Als ik dit geweten had... Het spijt me, lieverd.'

'Nee, het spijt *míj*,' zei ik. Ik wist niet goed hoe ik me moest verontschuldigen voor het feit dat ik hem, mijn goede vriend, met een moordenaar had opgezadeld. 'Ik had nee kunnen zeggen. Of ik had me terug kunnen trekken toen het kantoor van de sheriff de zaak overnam. Dat heb ik niet gedaan, en dat was een bewuste keuze. Maar ik had jou er niet bij mogen betrekken.'

We bleven staan waar we stonden... geschokt en uitgeput. Sean sloeg zijn armen om me heen, drukte me dicht tegen zich aan en gaf me een zoen op mijn kruin.

'Wees alsjeblieft voorzichtig, El,' zei hij zacht. 'Ik heb je niet gered opdat iemand je zou kunnen vermoorden.'

Ik kon me amper herinneren wanneer iemand me voor het laatst in zijn armen had gehouden. Ik was vergeten hoe fijn het was om de warmte van een ander om je heen te voelen. Ik was vergeten hoe kostbaar en broos de oprechte bezorgdheid van een echte vriend kon zijn. Ik voelde me een geluksvogel – nóg een gevoel dat ik al veel te lang niet had gehad.

Mijn mondhoek kwam omhoog terwijl ik mijn hoofd ophief en hem aankeek. 'Geen enkele goede daad blijft ongestraft,' zei ik.

Vanuit mijn ooghoeken zag ik Molly met grote ogen om het hoekje van de stal gluren.

'Hij is weg, Molly,' zei ik. 'De kust is veilig.'

Ze kwam de stal in gelopen, en ik zag hoe ze zich over haar laatste beetje angst heen zette.

'Wie was dat?' vroeg ze. 'Is hij een van de ontvoerders?'

'Dat kan ik nog niet zeggen. Misschien. Hij is een slechte man, dat weet ik wél heel zeker. Ik bofte dat je kwam, Molly. Dankjewel.'

Ze keek naar Sean en zei: 'Neemt u mij niet kwalijk.' Vervolgens keek ze mij aan met dat zakenvrouwengezicht van haar en voegde er aan toe: 'Ik zou je graag even onder vier ogen spreken, Elena.'

Sean trok zijn wenkbrauwen op. 'Ik ga wel even bij D'Ar kijken,' bood hij aan. 'Ik moet iets doen om mijn zenuwen de baas te worden. En het is nog te vroeg om nu al naar de fles te grijpen.'

Ik bedankte hem en nam Molly mee naar de zitkamer. Het rook er naar de koffie die Irina had gezet. Ik vroeg me afwezig af waarom ze uit haar flat naar beneden was gekomen om hem hier te zetten. Ze had een eigen kookhoek. Het maakte niet uit. Dankbaar voor wat er nog in de pot zat, schonk ik een kop voor mezelf in, nam hem mee naar de bar en deed er een flinke scheut whisky bij.

Te vroeg? Hij kon me wat.

'Wil jij ook iets?' vroeg ik aan Molly. 'Water? Fris? Een dubbele whisky?'

'Nee, dank je,' zei ze beleefd. 'Je bent ontslagen.'

'Pardon?'

'Het spijt me, maar ik moet onze overeenkomst beëindigen,' zei ze. Ik keek haar strak en doordringend aan en probeerde te bepalen wat hier de oorzaak van was. Landry's laatste nieuws drong door de nevel van Van Zandts dreigementen heen.

'Ik weet van het laatste telefoontje, Molly. Landry heeft het me verteld.'

Haar ernstige gezichtje was bleek van angst. Ze kreeg tranen in haar ogen. 'Ze zullen Erin van alles aandoen, en dat is mijn schuld. Omdat ik jou in dienst heb genomen en jij de agenten van de sheriff erbij hebt gehaald.'

Ik had nog nooit iemand zo wanhopig en ellendig gezien. Molly Seabright stond, in haar rode broek en donkerblauwe T-shirt, midden in de kamer, en hield haar handjes stevig in elkaar geslagen terwijl ze dapper haar best deed om niet te huilen. Ik vroeg me af of ik er ook zo troosteloos uit had gezien toen ik eerder vrijwel dezelfde woorden tegen Landry had gezegd.

Terwijl ik achter de bar vandaan kwam, wees ik haar op een van de leren fauteuils, en ging zelf op de andere zitten.

'Molly, je moet jezelf niet de schuld geven van wat ze door de telefoon hebben gezegd. Je hebt er juist heel verstandig aan gedaan om hulp te halen. Waar zou Erin nu zijn als je niet bij me was gekomen? Wat zou Bruce hebben gedaan om haar terug te krijgen?'

Nu rolden de tranen over haar wangen. 'Maar... maar ze hadden gezegd dat... dat de politie erbuiten gehouden moest worden. Misschien als... als jij de enige was geweest –'

Ik pakte haar handen in de mijne en drukte ze. Ze waren ijskoud. 'Molly, deze zaak is veel te ingewikkeld voor één speurneus alleen. Er zijn veel meer mensen nodig als we Erin terug willen krijgen, en we de daders willen pakken. Het kantoor van de sheriff kan dingen doen die ik niet kan doen. Ze hebben toegang tot de gegevens van het telefoonbedrijf, en ze kunnen nagaan welke mensen een strafblad hebben; ze kunnen telefoons aftappen en bewijsmateriaal onderzoeken. Het zou verkeerd zijn geweest om hen er niet bij te betrekken. Je hebt niets verkeerds gedaan, Molly. En ik ook niet. De enigen die hier iets verkeerd doen, zijn de mensen die Erin hebben ontvoerd.'

'M-maar die stem zei maar steeds dat ze zou moeten boe-boeten omdat we ons niet aan de regels hadden ge-gehouden.'

Ze trok haar handen uit de mijne om iets uit het buiktasje te halen dat ze om haar middel had gegespt – een minicassetterecorder.

Ze gaf het me aan. 'Luister zelf maar.'

'Heb je het gesprek opgenomen?'

Ze knikte en zocht in het tasje naar een papiertje dat ze ook aan mij gaf. 'En ik heb het nummer opgeschreven dat op de display stond.'

Ik nam de recorder en het papiertje van haar aan en drukte op de afspeelknop. De metaalachtige, mechanisch vervormde stem klonk uit de kleine luidspreker. *Je hebt je niet aan de regels gehouden. Het meisje zal ervoor boeten.* De boodschap werd keer op keer herhaald, afgewisseld door wat Bruce had gezegd. En toen: *Breng het geld naar de afgesproken plaats. Zondag. Zes uur 's middags. Geen politie. Geen detective. Je hebt je niet aan de regels gehouden. Het meisje zal ervoor boeten.*

Molly drukte haar hand tegen haar mond. De tranen rolden over haar gezicht.

Ik wilde het bandje terugspoelen en er opnieuw naar luisteren, maar niet waar ze bij was. Ze zou die stem nu al in haar nachtmerries horen.

Ik dacht na over wat er was gezegd, en hóe het was gezegd.

Geen politie. Geen detective.

Bedoelden ze daar Landry mee? Of mij? En hoe wisten ze van hem, of van mij af? Er waren geen politieauto's en geen uniformen bij de Seabrights geweest. Er had geen rechtstreeks contact met de ontvoerders plaatsgevonden. Als ze het huis vanaf een afstandje in de gaten hielden, zouden ze op zaterdag een aantal verschillende mannen het huis in en uit hebben zien gaan.

Geen politie. Geen detective.

Landry en Weiss hadden met het grootste gedeelte van Jades entourage gesproken en vragen over Jill Morone en over Erin gesteld. Al die mensen zouden weten dat het kantoor van de sheriff bij het moordonderzoek betrokken was. Maar ik durfde er iets om te verwedden dat het woord ontvoering niet was gevallen, en dat er alleen maar gezegd was dat Erin vermist was om vervolgens te kunnen vragen of iemand misschien wist waar ze was.

Geen politie. Geen detective.

Waarom onderscheid maken als Landry de detective – enkelvoud – was? Wie wist dat we er alletwee bij betrokken waren?

'Wanneer is dit telefoontje binnengekomen?' vroeg ik.

'Vannacht, om twaalf minuten over drie.'

Na mijn fiasco bij Van Zandt thuis.

Wie wist er, afgezien van Van Zandt, nog meer dat ik erbij betrokken was? De Seabrights zelf, Michael Berne en Landry. Molly niet meegeteld. Krystal ook niet. Bruce had het gesprek aangenomen, hetgeen betekende dat hij niet de opbeller was geweest. Dat betekende nog niet dat hij automatisch onschuldig zou zijn, want we wisten dat er minstens twee ontvoerders waren, en dat Bruce had gelogen over zijn alibi ten tijde van de ontvoering.

Ik kon me niet voorstellen dat Van Zandt vanuit zijn huis had gebeld. Hij wist dat de politie hem verdacht van de moord op Jill Morone, en bovendien hadden ze hem vragen over Erin gesteld. Maar misschien was hij het huis uit gegaan om te bellen. Of misschien dat hij vanuit zijn slaapkamer, onder het kijken naar een van die pornovideo's van hem, met zijn mobiel gebeld. En Lorinda Carlton in de kamer ernaast met dat kreng van een hondje van haar.

'Ik had het nummer terug willen bellen, maar ik durfde niet,' zei Molly. 'Ik wist dat de politie meeluisterde, en ik was bang dat ik mezelf problemen op de hals zou halen.'

Ik stond op, liep naar de telefoon op de bar, draaide het nummer en luisterde naar het toestel dat aan de andere kant overging. Ik keek naar Molly's briefje en naar haar kinderlijke handschrift. Wat een kind – ze neemt het gesprek op en schrijft het nummer op. Twaalf jaar jong nog maar, en haar hele familie kon nu al een heleboel van haar leren.

Ik vroeg me af wat Krystal deed terwijl Molly hier was en mijn leven had gered, en probeerde dat van haar zus te redden.

'Kom mee,' zei ik.

Ik nam haar mee naar het gastenverblijf en haalde de lijst met de nummers van Bruce Seabrights telefoon uit mijn mapje met aantekeningen. Het nummer dat Molly had opgeschreven kwam overeen met twee gesprekken die bij Bruce binnen waren gekomen. Het kengetal was dat van Royal Palm Beach.

Ik had de lijst met nummers aan Landry gegeven. Ondertussen wist hij van wie de nummers waren – vooropgesteld tenminste dat aan alle nummers een naam zou zijn gekoppeld.

Landry had me gevraagd of ik dacht dat Don Jade en Van Zandt de ontvoerders waren.

Had Landry dit nummer teruggevoerd op Jade? En had hij besloten om dat niet aan mij te vertellen?

Ik kon me niet voorstellen dat Jade zo dom zou zijn om voor dit soort telefoontjes een opspoorbaar telefoonnummer te gebruiken. Iemand met ook maar een greintje verstand zou daarvoor naar een telefooncel gaan, of er een wegwerpmobiel voor gebruiken.

Als er een wegwerpmobiel voor was gebruikt, van het soort dat ik de vorige dag had aangeschaft, en de politie via het nummer had kunnen nagaan bij welke zaak de telefoon was gekocht, misschien dat de verkopers daar het signalement van Don Jade hadden herkend.

'Wat gaat er nu gebeuren?' wilde Molly weten.

'Als eerste geef ik je dit,' zei ik, terwijl ik haar de telefoon gaf die ik voor haar had gekocht, en een papiertje waar ik mijn nummers op had geschreven. 'Dit is voor jou, zodat je me kunt bellen. Er zit voor een uur gesprekstijd op, en daarna werkt hij niet meer. Dit zijn mijn nummers. Zodra je ook maar iets hoort of ziet dat met Erin te maken heeft, bel je me zo snel mogelijk op.'

Ze bekeek de telefoon alsof het een staafje goud was.

'Weten je ouders dat je niet thuis bent?'

'Ik heb tegen mijn moeder gezegd dat ik ging fietsen.'

'Was ze bij bewustzijn toen je dat zei?'

'Zo goed als.'

'Ik breng je terug met de auto,' zei ik. 'We willen niet dat de politie ook nog naar jou op zoek moet gaan.'

We liepen naar de deur, maar toen bleef Molly opeens staan, en ze keek naar me op.

'Ga jij naar die plaats waar ze het losgeld willen hebben?' vroeg ze.

'Daar willen ze me niet bij hebben, maar ik heb nog een paar andere dingen om te onderzoeken. Werk ik nog voor je?'

Ze keek me onzeker aan. 'Wil je dat nog?'

'Ja,' zei ik, 'dat wil ik nog. En zelfs als je me zou willen ontslaan, dan zou ik aan deze zaak blijven werken tot hij was opgelost. Wanneer ik aan iets begin, dan maak ik het ook af. Ik wil dat Erin levend en wel vrijkomt.'

Molly sloeg, de telefoon nog steeds stevig in haar handje geklemd, haar armen om mijn middel en omhelsde me innig.

'Dank je, Elena,' zei ze, veel te ernstig voor een kind van twaalf.

'Ik dank jou ook, Molly,' zei ik, ernstiger dan zij zich realiseerde. Ik hoopte dat ik haar vertrouwen en dankbaarheid niet zou beschamen.

'Je bent een heel bijzonder mens,' zei ik, terwijl ik een stapje naar achteren deed. 'Ik beschouw het als een grote eer dat ik je ken.'

Ze wist niet wat ze daarop moest zeggen, dit bijzondere mens dat niet werd opgemerkt door de mensen die het meeste van haar hadden moeten houden. Misschien dat het in zeker opzicht ook wel goed was. Molly had zichzelf veel beter opgevoed dat haar moeder ooit gedaan zou kunnen hebben.

'Ik wou dat ik niet zo bijzonder had hoeven zijn,' bekende ze zacht. 'Ik was veel liever normaal geweest, met normale ouders en een normaal leven.'

Haar woorden troffen me diep. Ik had als kind van twaalf ook verlangd naar een normaal gezin, en ik had ook niet het zwarte schaap en het buitenbeentje willen zijn. Ongewenst door de man die mijn vader had moeten zijn. En een last voor de vrouw die mijn moeder had moeten zijn. Op mijn twaalfde had ik mijn belang als waardevol accessoire van haar leven allang verloren.

Ik zei het enige dat ik kon: 'Je bent niet alleen, Molly. Wij, bijzondere meisjes, blijven bij elkaar.'

32

'Dus, grijpen we hem in de kraag?' vroeg Weiss

Ze stonden met z'n allen in de kleine kamer van de inspecteur – Landry, Weiss, en nog twee andere rechercheurs: Michaels en Dwyer; en een onwelkome nieuweling in het team, special agent Wayne Armedgian van de FBI. Inspecteur Roofovervallen/Moordzaken, William Dugan, stond met zijn handen in zijn zij achter zijn bureau. Hij was een lange, zongebruinde man met grijs haar die reikhalzend uitkeek naar zijn pensioen omdat hij wilde gaan reizen.

Dugan keek Landry aan. 'Wat vind jij, James?'

'Ik vind dat we onvoldoende hebben om de arrestatie hard te kunnen maken, tenzij Jades bloedgroep toevallig overeenkomt met wat we hebben uit de box waar Jill Morone is vermoord. En zelfs dát zou nog maar een heel mager bewijs zijn. Als we al wisten wat zijn bloedgroep is, iets wat híj ons wel nooit zal willen vertellen. We hebben een gerechtelijk bevel nodig om zijn bloed te kunnen onderzoeken, maar ondertussen zijn we er wel al zo goed als zeker van dat dat bloed niet van Jade, maar van Van Zandt is.'

'Hou er rekening mee,' zei Weiss, 'dat er getuigen zijn die hebben gezien dat Jade en het meisje bij Players ruzie hebben gemaakt. En hij heeft gelogen toen hij zei dat hij niet naar het ruitercentrum terug was gegaan.'

'Hij heeft gelogen toen hij zei dat hij niet terug hóefde te gaan,' corrigeerde Landry hem. 'Bij de portiersloge hebben ze hem niet binnen zien komen, en hij is evenmin in de buurt van de stallen gesignaleerd.'

'Er is ook niemand die Van Zandt heeft gezien,' zei Weiss.

Landry haalde zijn schouders op. 'Beiden kennen de achteringang. Van Zandt had al met Jill gesproken voordat Jade arriveerde. En we hadden die tip van het bebloede overhemd.'

'Het overhemd dat we niet hebben,' bracht Weiss hem in herinnering. 'We weten niet eens of het wel echt bestaat. Wat we wel weten, is dat Jill Morone voor een paar duizend dollar kleren van Jade heeft vernield. Als hij haar daarbij op heterdaad heeft betrapt... Hij zou haar in een opwelling van pure woede vermoord kunnen hebben, waarna hij de indruk heeft proberen te wekken alsof het een poging tot verkrachting was om Van Zandt erbij te lappen. Misschien heeft hij dat overhemd wel in Van Zandts huis verstopt, en daarna 911 gebeld.'

'En als we nu eens zeggen dat ze het alletwee hebben gedaan,' opperde Landry. 'Dat zou me het allerliefste zijn. Dan zouden ze zij aan zij de doodstraf kunnen krijgen.'

'Wat weten we van 911?' vroeg Dugan.

'Er is opgebeld vanuit de cel voor Publix in het Town Square-winkelcentrum, vlak bij het huis waar Van Zandt logeert,' zei Weiss, met een blik op Landry.

'Van Zandts advocaat schreeuwt samenzwering en intimidatie,' zei Dugan.

Landry haalde zijn schouders op. 'Rechter Bonwitt zei dat we voldoende gronden hadden voor de huiszoeking. Bert Shapiro kan de pot op.'

'Samenzwering met wie?' vroeg Armedgian.

'Terwijl we Van Zandt hier hadden, heeft iemand bij hem thuis ingebroken,' vertelde Weiss. 'En daarna kwam die tip van dat bebloede overhemd binnen.'

'Dan is het maar goed dat jullie het niet gevonden hebben,' zei Armedgian. 'De rechter zou het waarschijnlijk toch niet geaccepteerd hebben, want Shapiro zou natuurlijk beweerd hebben dat iemand het daar had verstopt.'

'Waarom verhuist Van Zandt niet naar Miami? Hij en O.J. zouden golfpartners kunnen worden,' zei Weiss. Iedereen, behalve Landry, grinnikte beleefd om het flauwe grapje.

'Kunnen we hem niet oppakken om te voorkomen dat hij het land verlaat?' vroeg Landry.

'Denk je echt dat Van Zandt en Jade samen bij die ontvoering betrokken zijn?' vroeg Armedgian.

'Dat is niet ondenkbaar. Van Zandt is een geperverteerd type en Jade is een meesterbrein. Of Jade heeft een andere medeplichtige.'

'Motief?'

'Geld en seks.'

'En wat zijn de bewijzen die je tegen hem hebt?'

'Jade is de laatste die Erin Seabright heeft gezien. Hij beweert dat ze haar baan heeft opgezegd en naar elders is vertrokken, maar er is niemand anders aan wie ze dat heeft verteld,' verklaarde Landry.

Dwyer ging verder: 'De ontvoerders gebruiken een wegwerpmobiel om naar het huis van de Seabrights te bellen. Via het telefoonnummer zijn we aan de naam van het bedrijf gekomen dat de telefoon gemaakt heeft, en van hen kregen we het adres van de winkel aan wie de telefoon geleverd was, de Radio Shack in Royal Palm Beach.

'De winkel houdt de verkopen bij op de computer, maar niet de serienummers van de individueel verkochte telefoons. In de week die aan Erin Seabrights ontvoering voorafging, hebben ze zeventien wegwerpmobieltjes van dat type verkocht. Drie kopers hebben met een creditcard betaald, en die hebben we kunnen achterhalen. De andere transacties zijn contant betaald.'

'We hebben Jades foto aan het personeel laten zien,' vertelde Michaels. 'Er was niemand die hem kon identificeren, maar een van de verkoopsters meende dat de naam haar bekend voorkwam.'

'Waarom zou Jade zijn eigen naam gebruiken?' vroeg Armedgian.

'We zouden hem kunnen oppakken en hem die vraag kunnen voorleggen,' zei Landry. 'Maar hij heeft al gedreigd dat hij zijn advocaat zal bellen, en als die van hetzelfde soort is als die van Van Zandt, dan staat hij binnen drie minuten weer op straat en hebben we de dropping van het losgeld voor niets verpest. Met nog maar zo kort te gaan tot het uur der waarheid, zouden ze wel eens in paniek kunnen raken en het meisje vermoorden – of zouden ze haar kunnen vermoorden omdat we ze nijdig hebben gemaakt.'

'Of je zou Jade op kunnen pakken, en proberen of je hem zo ver kunt krijgen dat hij vertelt wie zijn partner is,' opperde Armedgian.

Landry keek hem aan met een blik van: 'Heeft iemand jou iets gevraagd?' 'Ken je deze mensen? Heb je met Don Jade gesproken?'

'Nou, nee –'

'Je hebt nog nooit zo'n ijskouwe gezien. Van hem hoef je geen enkele medewerking te verwachten. Als we te dichtbij komen, stuurt hij de honden op ons af. Het zou zonde zijn van de tijd. We maken de meeste kans door Van Zandt en Jade vanaf een afstandje te volgen, of we kunnen een van beiden, of misschien wel alletwee, oppakken wanneer ze het geld komen oppikken. Dan hebben we duidelijke bewijzen tegen ze, en zullen hun advocaten wel anders piepen.'

Armedgian frunnikte aan de knoop van zijn stropdas. 'Denk je echt dat die dropping doorgaat?'

'Hebben we een keus?' vroeg Landry. 'Wat stel je voor, Armageddon? Zullen we het gewoon maar afzeggen en bij Chuck en Harold's oesters gaan eten?'

'Landry,' zei Dugan op waarschuwende toon.

'Wat? Heb ik iets verkeerds gezegd?'

'Je houding... special agent *Armedgian* is hier om ons te helpen.'

'Ik weet waarvoor hij hier is.'

Armedgian trok zijn wenkbrauwen op. Het leek wel alsof hij er maar één had. Een dikke, zwarte rups die van de ene kant van zijn op een bowlingbal lijkende hoofd naar de andere kant kroop. 'En dat is?'

Landry boog zich naar hem toe. 'Je bent alleen maar hier vanwege die Belg – hoewel je daar zelf niets aan kunt doen. Maar als je meteen, de eerste keer toen je het verzoek kreeg, alles over dat type verteld had, misschien dat Jill Morone dan nog zou leven.'

Armedgian liet zijn oogleden halfstok hangen. 'Ik weet niet wat je bedoelt.'

'Ik ook niet,' zei Dugan. 'Wat bedoel je precies, James?'

'Wat ik bedoel, is dat het de feds alleen maar om een extra pluim op hun hoed gaat. Als Van Zandt een seriemoordenaar blijkt te zijn, willen zíj die arrestatie voor hun rekening kunnen nemen.'

'Het enige dat we van Van Zandt weten,' zei Armedgian, 'is dat hij door de Europese collega's wordt verdacht van speculatie. Meer niet. Er zijn een paar onbeduidende aanklachten tegen hem geweest, die allemaal zijn afgewezen. Daar had je via Interpol zelf ook achter kunnen komen,' besloot hij, Landry strak aankijkend.

Landry wilde hem onder zijn neus wrijven dat hij wel degelijk door iemand benaderd was die hem had gevraagd om contact met Interpol op te nemen, maar hij wist zeker dat de zak de naam van Estes zou noemen, en dan zou het hek van de dam zijn. Weiss wierp hem waarschuwende blikken toe.

'Had je geen contact met hen opgenomen?' vroeg Dugan. 'Ik dacht dat je dat had gedaan.'

'Ja, dat heb ik gedaan,' zei Landry, waarbij hij de fed strak bleef aankijken. 'Goed dan. Ik ben aan slag. Wat doen jullie mensen hier? Ik wel ze er niet bij hebben, want dan loopt de dropping geheid mis.'

Armedgian hield zijn handen op. 'Het is jullie show. Ik ben alleen maar hier in de functie van adviseur.'

Mijn reet, dacht Landry.

'Ik heb ervaring met ontvoeringen,' zei Armedgian. 'Hebben jullie de plaats van de dropping onderzocht?'

Landry zette grote ogen. 'Jee, vind je dat we dat zouden moeten doen?'

'Landry...'

'Ik heb begrepen dat het open terrein is,' zei Armedgian.

'Ik heb daar een mannetje geposteerd die de zaak in de gaten houdt,' zei Dugan. 'Het is een lastige plek om te surveilleren. Hij zit verstopt in een paardentrailer die aan de andere kant van de weg tegenover het ruitercentrum staat.'

'Er loopt maar één weg door de Equestrian Estates,' zei Michaels. 'En een zandpad dat je kunt bereiken via een hek vlak bij de plek van de dropping. Daar kunnen we geen auto's laten rijden.'

Ook hij keek de fed doordringend aan.

'Mijn mensen kunnen Van Zandt volgen,' zei Armedgian tegen Dugan. 'Op die manier kunnen ze jullie geen intimidatie verwijten.'

'Dát noem ik nog eens een gul gebaar,' mompelde Landry.

Dugan keek hem nijdig aan. 'Zo is het wel genoeg, Landry, want anders voer ik je rauw aan Bert Shapiro.'

Landry bleef Armedgian aankijken. 'Advocaten of feds, het is om het even. We worden altijd van alle kanten te grazen genomen.'

Hij hoopte alleen maar dat Erin Seabright er niet voor zou hoeven boeten.

33

Breng het geld naar de afgesproken plaats. Zondag. Zes uur 's middags.

Aangezien er verder geen instructies waren geweest, nam ik aan dat 'de afgesproken plaats' nog steeds de plaats was die de ontvoerders aanvankelijk hadden gekozen.

Het Horse Park, dat een onderdeel vormde van het Equestrian Estates-ruitercentrum, was pas in het wedstrijdseizoen van 2000 in gebruik genomen, toen het Amerikaanse Olympische team er zijn dressuurproeven had gereden. Het was, in tegenstelling tot het ruitercentrum in Wellington, een compacte en eenvoudige plaats met vier bakken die vrijwel uitsluitend voor dressuurrijden werden gebruikt, en nog eens drie opwarmbakken die in een U rond een groot grasveld waren gelegen. Net als de meeste stallen die op het ruitercentrum onderdak hadden gevonden, bestonden de paardenonderkomens hier ook uit een aantal grote tenten met verplaatsbare boxen. Alle tenten stonden vooraan, bij de ingang. Ze waren alleen tijdens wedstrijden in gebruik, en de rest van de tijd stonden ze leeg en was het centrum één groot, verlaten speelterrein ergens in een onbewoond gebied.

Het enige vaste gebouw stond helemaal achteraan: een indrukwekkend uitziend, wit gebouw van twee verdiepingen en enorme witte zuilen aan de voorzijde. De begane grond werd in beslag genomen door het kantoor van het wedstrijdbureau, en de eerste verdieping door het elektronische controlecentrum van de omroeper.

Vanaf de eerste verdieping was het hele terrein te overzien. Het was de ideale plek voor een sluipschutter, of voor degene die de situatie in de gaten wilde houden – vooropgesteld dat hij er ongezien naar binnen kon komen.

Het gebouw stond helemaal achter aan het terrein. Er liep een kanaal achter langs, en de oever van de overzijde was dichtbegroeid met bomen. Achter de bomenrij liep een zandpad dat werd gebruikt door motorrijders en alle mogelijke soorten terreinwagens – dit tot ellende van diegenen die met hun uiterst geconcentreerde paarden een proef moesten afleggen. Als iemand het gebouw ongezien binnen wilde komen, dan zou hij over het kanaal komen, en de trap aan de achterzijde nemen.

Het was logisch dat de ontvoerders al die dingen wisten – ze hadden de plek immers uitgekozen. Ik vond het alleen wel een vreemde keus. Er was maar een beperkt aantal mogelijkheden om er bij, en weg te komen. Ze zouden de vijand van verre zien aankomen, maar tegelijkertijd zou de vijand hen ook kunnen zien. Er zou slechts een aantal manschappen nodig zijn om de toegangswegen af te sluiten en hen in de kraag te vatten. Waarom hadden ze niet gekozen voor een heel drukke plek met veel mensen en talloze ontsnappingsmogelijkheden?

Geen politie. Geen detective. Je hebt je niet aan de regels gehouden. Het meisje zal ervoor boeten.

Dit kon alleen maar fout lopen.

De ontvoerders wisten inmiddels dat het kantoor van de sheriff bij de zaak was betrokken. Ze konden het zich niet veroorloven om Erin mee te nemen naar deze open plek. En vanwege het enorme risico kon ik me ook niet voorstellen dat ze van plan waren om zelf te komen.

Zondagvond zes uur. Precies een week nadat Erin Seabright ontvoerd was. Ik vroeg me af of de keuze van het tijdstip symbolisch was. Ik vroeg me af of de ontvoerder, wanneer de politie zich op volle sterkte in de Equestrian Estates in het landelijke Loxahatchee bevond, van plan was om Erins lijk bij het hek van de achteringang van het ruitercentrum in Wellington te dumpen – de plek waar ze haar hadden meegenomen.

Ik bekeek de video van de ontvoering in de hoop dat ik iets zou zien dat me nog niet eerder was opgevallen, en dat ik een geniale ingeving zou krijgen.

Erin staat voor het hek. Te wachten. Op wie? Een vriend? Een minnaar? Een drugsdealer? Don Jade? Tomas Van Zandt? Ze ziet het witte busje naderen, en maakt totaal geen zenuwachtige indruk. Kent ze dat busje? Denkt ze dat het bestuurd wordt door degene met wie ze heeft afgesproken? *Is* het degene met wie ze heeft afgesproken?

Landry had me verteld dat hij contact had opgenomen met de Narcoticabrigade om te kijken of Erin een drugsverleden had, en om na te gaan of er op dat gebied meer aan de hand was geweest dan die ene keer, toen ze voor bezit van ecstasy was opgepakt. Ik vroeg me af wat dat had opgeleverd. Twee jaar geleden, toen ik zelf nog bij de Narcoticabrigade had gezeten, zou ik precies hebben geweten bij wie ik voor die informatie had moeten aankloppen. Maar twee jaar is een lange tijd in de drugsbusiness. Dingen veranderen snel. Dealers komen in de gevangenis, of ze gaan naar Miami of ze worden vermoord. De vervanging van de wacht gaat met name heel snel wanneer het gaat om het dealen van drugs aan schoolkinderen. De dealers moeten ongeveer even oud zijn als hun afnemers, want oudere dealers worden gewantrouwd.

Ik kon me trouwens toch niet goed voorstellen dat er drugs in het spel waren. Als het om cocaïne ging, of heroïne, dan misschien. Maar er was wel héél veel ecstasy nodig om je schuld tot driehonderdduizend dollar op te laten lopen, iets dat een wanhopige dealer tot ontvoering zou kunnen aanzetten. Erins arrestatie had alleen maar een standje van de kinderrechter tot gevolg gehad. En er was haar geen dealen ten laste gelegd, alleen maar bezit.

Ik vroeg me af wat Chad Seabright, de fantastische leerling, van Erins drugsgebruik afwist. Ik vroeg me af in hoeverre Erin een verderfelijke invloed op hem had gehad. Hij had geen geloofwaardig alibi voor de avond van de kidnapping.

Maar Landry had me niet naar Chad gevraagd. Alleen maar of ik dacht dat Don Jade en Van Zandt samen achter de ontvoering staken.

Landry had die vraag niet zomaar gesteld. Had Erin bij het hek op Don Jade staan wachten? Was Jade de oudere man in haar leven? Ik durfde er bijna iets om te verwedden dat het antwoord daarop ja was. Maar als dat zo was, dan zou Jade voldoende invloed op Erin hebben gehad om niets van haar te hoeven vrezen, zelfs áls ze wist wat er in werkelijkheid met Stellar aan de hand was.

Ik dacht opnieuw aan het paard en aan hoe het was gestorven, en aan het feit dat hij een kalmerend middel in zijn bloed had gehad. Paris had niet gezegd om welk middel het specifiek ging. Ze had een aantal mogelijkheden genoemd: rompun, acepromazine, banamine.

De heersende opvatting was dat Jade eerder paarden had vermoord en dat hij daar ongestraft vanaf was gekomen. Maar als dat zo was, zou hij wel beter hebben geweten dan het paard eerst een kalmerend middel toe te dienen. Hij zou nooit het risico hebben willen lopen dat er bij de necropsie iets aan het licht zou zijn gekomen.

En wat, als de opmerking die ik tegen Michael Berne had gemaakt om hem nijdig te maken, inderdaad waar was? Wat, als Berne Jade zo intens haatte en hem zo graag wilde ruïneren dat hij bereid was een dier te offeren waar hij zelf van had gehouden?

Berne zou net zo goed als ieder ander weten dat de verzekeraar onmiddellijk zou vallen over een kalmerend middel in het bloed van het paard, en dat ze op grond daarvan niet bereid zouden zijn uit te keren. Trey Hughes zou tweehonderdvijftigduizend dollar kwijt zijn, en Jade zou niet alleen zijn reputatie verliezen, maar hij zou bovendien in de gevangenis komen.

Als Erin had geweten dat Berne voor Stellars dood verantwoordelijk was, zou Berne een motief hebben gehad om zich van het meisje te ontdoen. Maar waarom zou hij daartoe een heel ontvoeringsplan hebben bedacht? Zat hij zo in geldnood? De pakkans leek veel te groot – tenzij hij er zeker van was dat Jade ook de schuld van de ontvoering in de schoenen geschoven zou krijgen, maar ik zag niet hoe hij dat ook nog voor elkaar zou kunnen krijgen. En misschien dat Van Zandt bij de ontvoering betrokken was, maar ik had tot op dit moment nog geen connectie tussen hem en Berne kunnen ontdekken.

Ik stond op en begon door het huis te lopen terwijl ik probeerde uit te maken welke van al mijn overwegingen speculatie, en welke waarheid waren.

Waar ik, op grond van mijn intuïtie, voor de volle tweehonderd procent van overtuigd was, was dat Tomas Van Zandt een psychopaat, een misdadiger en een moordenaar was. En met recht: als hij schuldig was aan de dood van één meisje, dan kon hij net zo goed schuldig zijn aan de verdwijning van een ander. Hij was verwaand genoeg om te denken dat hij losgeld zou kunnen verlangen. Maar wie zou hij als partner in vertrouwen durven nemen? En wie zou bereid zijn om hem te vertrouwen?

Al met al leek het me voor Jade een té groot risico. Het was niet ondenkbaar dat hij ook psychopaat was, maar Van Zandt en Jade konden op geen enkele manier met elkaar worden vergeleken. Van Zandt was onvoorspelbaar. Jade was beheerst en methodisch. Waarom zou hij een plan verzinnen dat hem het etiket van misdadiger en moordenaar zou bezorgen? Waarom zou hij Stellar vermoorden op een manier waardoor het voor iedereen meteen duidelijk zou zijn dat hij de dader was? Waarom zou hij Erin willen ontvoeren en losgeld willen eisen, wanneer een dergelijk plan zoveel risico voor hem inhield?

Als hij van haar af had willen zijn, waarom had hij haar dan niet gewoon laten verdwijnen? Als hij wilde beweren dat ze naar elders was vertrokken, waarom had hij zich dan ook niet van haar auto ontdaan? Waarom zou hij die auto dan op het terrein laten staan met de kans dat iemand hem daar zou vinden?

Nee, voor mij klopte dat alles niet. Maar toch dacht Landry dat Jade er iets mee te maken had. Waarom?

Erins connectie met Stellar.

Erin zou Jade hebben verteld dat ze ontslag nam. En dat had ze aan niemand anders verteld.

Jade was de laatste die haar had gezien.

Hij zei dat ze naar Ocala was gegaan. En daar was ze nooit aangekomen.

Waarom zou Jade zoiets verzinnen – een verhaal dat gemakkelijk nagegaan zou kunnen worden, en waarvan al snel zou blijken dat het niet waar was.

Ik was niet overtuigd. Maar op de een of andere manier was Landry dat wel. Wat wist hij dat ik niet wist? Wat was hij te weten gekomen op grond waarvan hij er zeker van was dat Don Jade bij de ontvoering was betrokken?

De telefoonnummers van de gesprekken die bij de Seabrights waren binnengekomen.

Ik kon het niet uitstaan dat Landry de beschikking had over details waar ik niet aan kon komen. Ik was nota bene degene die hem die nummers had gegeven – maar hij was degene die ze kon laten natrekken. En ik was degene die hem de video van de ontvoering had gegeven – maar hij was degene die kon beschikken over technici die de kwaliteit ervan konden verbeteren. Ik was degene die geprobeerd had om via Interpol aan informatie over Van Zandt te komen. Maar ik wist dat als Landry contact met Interpol zou hebben gezocht, hij alle gegevens over Van Zandt intussen ontvangen zou hebben.

Mijn frustratie naderde het explosieve stadium. Het was míjn zaak, maar ik werd er buiten gehouden. Ik was aanvankelijk de enige geweest die naar Molly had willen luisteren. Ik was degene die al het zware werk had gedaan. En tegelijkertijd was ik degene die werd buitengesloten, en die niet over alle informatie kon beschikken. Er was besloten dat het niet nodig was dat ik bepaalde dingen wist.

En wiens schuld was dat?

De mijne.

Het was mijn schuld dat ik niet meer bij de politie was. Het was mijn schuld dat ik Landry bij het onderzoek had betrokken. Ik had juist gehandeld, maar had mijzelf daarbij wel in een marginale positie gemanoeuvreerd.

Mijn zaak. Mijn zaak. De woorden weergalmden bij elke stap die ik deed door mijn hoofd. *Mijn zaak. Mijn zaak.* De zaak die ik niet had willen aannemen. *Mijn zaak. Mijn zaak.* De zaak waardoor ik weer deel was gaan nemen aan de wereld om mij heen. De wereld waaruit ik mij had teruggetrokken. De zaak die me weer bewust had gemaakt van mijn leven. Het leven dat ik had opgegeven.

De tegenstrijdige emoties maakten mijn woede en frustratie er alleen maar nóg groter op. Op een gegeven moment kon in de innerlijke druk niet langer verdragen. Ik pakte een vaas en slingerde hem zo hard als ik kon tegen de muur.

De beweging deed me goed. De klap was bevredigend. Ik pakte een zware houten bal van een schaal vol houten ballen, en slingerde hem de vaas achterna. Een wild, dierlijk geluid welde omhoog uit mijn borst en explodeerde van mijn lippen. Een oorverdovende kreet die zo lang aanhield dat mijn hoofd dreunde van de zuivere inspanning ervan. En toen ik was uitgeschreeuwd voelde ik me totaal leeg en uitgeput, net alsof ik een demonisch wezen uit mijn ziel had verdreven.

Ik leunde hijgend tegen de achterkant van de bank en keek naar de muur. De gipsplaat vertoonde twee diepe butsen op ooghoogte. Het leek me een goede plek om een schilderij op te hangen.

Ik ging zwaar op een stoel zitten en hield mijn hoofd in mijn handen. Zo bleef ik, zonder ook maar een enkele gedachte, zeker tien minuten zitten. Toen stond ik op, pakte mijn sleutels en mijn pistool, en verliet het huis.

Ik vertikte het om me zomaar door James Landry op een zijspoor te laten zetten. Dit was mijn zaak. En dat was hij tot het einde.

Het einde van de zaak, of mijn persoonlijke einde – afhankelijk van wat eerst kwam.

34

De enige, echt betrouwbare manier om te bepalen waar de wind vandaan komt, is door er in te spugen.

Tijdens het seizoen vinden er, op het ruitercentrum van Wellington, op zondagmiddag altijd belangrijke wedstrijden plaats. Belangrijke wedstrijden met vette geldprijzen en veel publiek.

In het ruitercentrum, dat vlak bij het polostadion was gelegen waar tegelijkertijd een belangrijke wedstrijd gespeeld zou worden, vult de tribune rond het grote wedterrein zich met honderden fans, eigenaars, ruiters en stalknechten, die allemaal zijn gekomen om de allerbeste teams het uitgebreide parcours af te zien leggen, aangelokt door een prijzengeld van boven de honderdduizend dollar.

Overal staan cameraploegen van Fox Sports opgesteld. De verkoopkramen langs het pad doen goede zaken – er wordt van alles te koop aangeboden, van ijsjes tot juwelen met diamanten en Jack Russell-pups. En terwijl de Grand Prix aan de gang is, worden er, in een zestal andere kleinere arena's, minder belangrijke wedstrijden en proeven gereden.

Ik ging via de hoofdingang naar binnen, en reed door naar de tenten, waar ik ongeveer drie tenten voor die van Don Jade een parkeerplaatsje vond. Ik had er geen idee van of Van Zandt in het kamp van Jade over mij geroddeld had. Maar als dat zo was, dan vond ik dat ook best. Mijn geduld was bijna op, en ik had geen zin meer in spelletjes.

Ik had me niet gekleed als de dilettante. Ik droeg een spijkerbroek, sportschoenen, een zwart T-shirt en een honkbalpet. Mijn holster met Glock zat, verborgen onder mijn wijde T-shirt, ter hoogte van mijn middel, op mijn rug.

Ik liep Jades tent in, maar nam de gang ernaast, waarvan de ene rij boxen rug aan rug lag met de rechterrij boxen van Jade. Ik passeerde de stallen van een aantal andere trainers waar mensen die ik niet kende met elkaar stonden te praten en te lachen, en elkaar dingen toeschreeuwden terwijl ze zich klaarmaakten voor de wedstrijd. Paarden werden geborsteld en mooi gemaakt, hoofdstellen werden ingevet en er werden laarzen gepoetst.

Wat verder, ter hoogte van Jades gedeelte, stonden een paar andere paarden van een andere trainer verveeld in hun boxen. Twee van hen hadden hun dagtaak er al opzitten – hun manen krulden nog na van de vlechten die erin hadden gezeten, en die er na hun optreden weer uit waren gehaald. De anderen hadden die dag nog geen borstel gezien. Ik kon nergens een stalknecht ontdekken.

Ik trok mijn pet laag op mijn voorhoofd, pakte een hooivork, reed een kruiwagen naar een box, en ging naar binnen. Het paard in de box keurde me amper een blik waardig. Voorovergebogen liep ik, de hooivork door het schaafsel halend, naar de achterkant van de box, waar ik tussen het metalen frame van de box en het canvas dat als wand dienstdeed, door, in de box er achter gluurde.

In de aangrenzende box stond een meisje met rood punkhaar op een trapje de manen van Park Lane te vlechten. Ze werkte snel en kundig. Ze naaide de vlechten vast met dik, zwart garen, zodat alle vlechten keurig tegen de nek van het paard aan lagen. Onder het werken bewoog ze haar hoofd op en neer, op het ritme dat uit de koptelefoon van haar walkman kwam, en dat alleen zij maar kon horen.

Het vlechten van manen en staarten wordt door de plaatselijke bevolking gedaan, en biedt hen tijdens het seizoen een kans op een extra bijverdienste. Met vierduizend paarden, waarvan de meeste voor een wedstrijd gevlochten moesten worden, en een chronisch tekort aan stalknechten, kon een goede vlechter per dag een aardige zakcent opstrijken. Er zijn meisjes die niets anders doen dan, vanaf de vroege ochtend, van stal naar stal gaan en vlechten tot hun vingers niet meer willen. Een goede vlechter kan per dag een paar honderd dollar verdienen – contant, als de klanten bereid zijn om op die manier te betalen.

Het meisje dat voor Jade aan het vlechten was, hield haar blik op haar werk en haar vliegensvlugge vingers gericht. Ze zag me niet.

Paris liep voor de borstelplaats op en neer, en sprak in haar mobiele telefoon. Ze was voor een wedstrijd gekleed – een suède broek en een mosgroene, op maat gemaakt blouse. Jade en Van Zandt waren, zo te zien, niet in de buurt.

Ik kon me niet voorstellen dat Landry een van hen had opgepakt. Dat zou hij, zo kort voor het afgeven van het losgeld, nooit doen. Zolang de ontvoerders dachten dat ze het geld zouden kunnen krijgen, hadden ze een goede reden om Erin in leven te laten – vooropgesteld dat ze haar niet al eerder hadden vermoord. Tenzij Landry echt volkomen zeker was van zijn zaak tegen Jade, was het veel te riskant om hem op dit punt te arresteren. En ten aanzien van Van Zandt had hij nog steeds geen enkel bewijs. Als hij een van de verdachten inrekende, zou de andere nog steeds vrij zijn om met Erin te doen waar hij zin in had. Als hij wist dat zijn partner was opgepakt, zou hij in paniek kunnen raken, het meisje kunnen vermoorden, en de benen kunnen nemen.

Landry zou erop moeten gokken dat de ontvoerders voor het incasseren van het losgeld met Erin naar de afgesproken plaats zouden komen, ook al wist hij heel goed dat die kans gering was.

Ik kon niet goed horen wat Paris zei. Ze maakte een redelijk ontspannen indruk. De klank van haar stem ging, als muziek, omhoog en omlaag. Ze lachte een paar keer en toonde haar prachtige tanden.

Ik schepte een lading mest in de kruiwagen, verhuisde naar de volgende box, en herhaalde de operatie. Toen ik opnieuw tussen het tentdoek en het metalen frame doorkeek, zag ik Javier die met het zadel en het hoofdstel van Park Lane uit de tuigkamer kwam.

'Pardon? Pardon?'

Ik schrok van de stem achter mij, en toen ik me omdraaide zag ik een oudere vrouw naar me kijken. Ze droeg een helm van gesteven abrikooskleurig haar, was te zwaar opgemaakt, droeg te veel juwelen, en had het typische strenge gezicht van een societymatrone.

Ik probeerde een verwarde indruk te maken.

'Kunt u mij ook zeggen waar ik de stal van Jade kan vinden?' vroeg ze.

'De stal van Jade?' herhaalde ik met een zwaar Frans accent.

'De stal van Don Jade,' herhaalde ze luid, en duidelijk articulerend.

Ik wees op de wand achter mij, en ging verder met uitmesten.

De vrouw bedankte me, en liep de tent uit. Even later hoorde ik Paris uitroepen: 'Jane! Wat heerlijk om je te zien!'

Jane Lennox. De eigenaresse van Park Lane. De eigenaresse die na de dood van Stellar had gebeld en had willen weten of ze haar paard niet beter zou kunnen onderbrengen bij een andere trainer.

Ik gluurde door de opening en zag hoe de vrouwen elkaar omhelsden. Paris moest zich bukken om haar armen om de oudere vrouw te kunnen slaan, terwijl ze door de omvang van Jane Lennox' boezem ook niet echt dichtbij kon komen.

'Het spijt me ontzettend, Jane, maar Don is er niet. Hij moest weg in verband met enkele details ten aanzien van de moord op dat arme meisje. Hij heeft gebeld om te zeggen dat hij niet op tijd terug kan zijn om Park Lane te rijden. Hij wil dat ik voor hem inval, en ik kan alleen maar hopen dat dat geen al te grote teleurstelling voor je is. Ik weet dat je helemaal uit New Jersey bent komen vliegen om Don te zien rijden –'

'Paris, je hoeft je niet te excuseren. Je bent een uitstekende amazone, en jij en Park Lane vormen een prachtig team. Ik zal met veel plezier naar jullie kijken.'

Ze liepen naar de tuigkamer en ik kon ze niet meer verstaan. Ik haastte me naar de box recht achter hen om door de wand heen te kunnen luisteren. Aanvankelijk fluisterden ze en kon ik hun gesprek niet volgen, maar naarmate ze emotioneler werden, begonnen ze luider te spreken.

'... Je weet dat ik vind dat je Parkie prachtig berijdt, maar ik moet je toch eerlijk zeggen, Paris, dat deze hele toestand me enigszins zorgen baart. Ik dacht dat hij, toen hij naar Frankrijk ging, zijn verleden had afgesloten...'

'Ik begrijp wat je wilt zeggen, maar ik hoop toch echt, Jane, dat je hem nog een kans zult willen geven. Ze is een geweldig paard, en ze heeft een fantastische toekomst.'

'Ja, lieve, en jij ook. Je zult met deze affaire ook aan je eigen toekomst moeten denken. Ik weet dat je Don door dik en dun trouw bent, maar –'

'Pardon?' hoorde ik een scherpe stem achter me. 'Wie bent u? Wat doet u hier?'

Ik draaide me om naar een vrouw met dik grijs haar en een gerimpeld gezicht.

'Wat doet u hier?' vroeg ze streng, terwijl ze de deur van de box opentrok. 'Ik bel de beveiliging.'

Ik zette opnieuw een verward gezicht, haalde mijn schouders op en vroeg in het Frans of dit dan niet de stal van Michael Berne was. Had ik me soms vergist?

Bernes naam was het enige dat de vrouw verstond. 'Michael Berne?' herhaalde ze, met een zuur gezicht. 'Wat is er met hem?'

'Ik moet voor hem werken,' antwoordde ik in moeizaam Engels.

'Dit zijn zijn paarden niet!' snauwde ze. 'Ben je zo stom dat je niet kunt lezen? Je bent in de verkeerde tent.'

'Verkeerde?' herhaalde ik.

'De verkeerde tent!' zei de vrouw luid. 'Michael Berne. Die kant op!' schreeuwde ze, terwijl ze naar links wees.

'O, dat spijt me verschrikkelijk,' zei ik, terwijl ik de box uit kwam en het deurtje achter me dicht deed. 'Dat spijt me verschrikkelijk.'

Ik zette de hooivork tegen de kant, haalde mijn schouders op, spreidde mijn handen en probeerde onnozel te kijken.

'Michael Berne,' zei de vrouw opnieuw, terwijl ze als een idioot met haar arm fladderde.

Ik knikte en begon weg te lopen. 'Merci, merci.'

Met opgetrokken schouders en met de pet laag op mijn voorhoofd, verliet ik de tent via de voorkant. Ik zag Paris weglopen met Park Lane – zoals ze eruitzag, had ze zó op de cover van *Town and Country* kunnen staan. Ze werd gevolgd door het jadegroene golfkarretje, met de abrikooskleurige suikerspin van Jane Lennox achter het stuur.

Ik glipte de tent weer in, maar nu in Jades helft. Javier, die kennelijk promotie had gemaakt, leidde de schimmel van Trey Hughes naar de verzorgingsplaats. Ik wachtte tot hij met borstelen was begonnen, waarna ik ongezien de tuigkamer binnendook.

De vorige dag had het team van de plaats-delict de hele boel onderzocht. Op de kasten zaten nog resten van de kleverige stof die gebruikt werd om vingerafdrukken te nemen. Aan het metalen frame van de deur hing nog een stuk geel afzettingslint.

Het beviel me niet dat Jade er niet was, en helemaal niet omdat het nog maar een paar uur te gaan was tot het droppen van het losgeld. Wat deed hij precies, dat met de moord op Jill Morone te maken had? Toen haar lijk uit de mestkuil was gegraven, had hij amper vijf minuten van zijn kostbare tijd vrij willen maken om een paar vragen van de politie te beantwoorden. Het interesseerde hem helemaal niet, vooral omdat hij op dat moment op een paard behoorde te zitten. En daarbij, híj was niet degene die zich bezighield met details – voor details moest je bij Paris Montgomery zijn, want dat was haar taak als zijn assistente. De details, de organisatie, de pr, de dagelijkse afwikkelingen. Het werk van de assistent-trainer.

Maar niet vandaag. Vandaag zou Paris een wedstrijdparcours rijden op de rug van de ster van de stal, terwijl de rijke eigenaresse op de tribune zat. Dit moest Paris' geluksdag zijn.

Ik vroeg me af hoe toegewijd Paris Montgomery Don Jade werkelijk was. Ze was gul met het uitdelen van complimentjes aan zijn adres, maar op de een of andere manier zat er altijd een negatieve kant aan. Ze werkte al drie jaar voor Jade. Ze opereerde in zijn schaduw, regelde alles wat er te regelen was, stond zijn cliënten te woord en trainde zijn paarden. Als Jade uit beeld zou verdwijnen, zou dat een enorme kans voor Paris betekenen. Aan de andere kant was er op internationaal gebied nauwelijks iemand die haar kende. Haar talent in de bak moest nog bewezen worden. En daarvoor zou ze de steun nodig hebben van een aantal vermogende cliënten.

En over een paar minuten zou ze onder het toeziend oog van Jane Lennox, die op het punt stond Jades stal te verlaten, op de rug van Park Lane het parcours afwerken.

Ik keek om me heen, waarbij ik tegelijkertijd de deur in de gaten hield in afwachting van het moment waarop ik op heterdaad betrapt zou worden. Paris had de grote kast open laten staan. Schone overhemden en jasjes hingen keurig aan de stang. Spijkerbroeken en T-shirts lagen in een slordige hoop op de grond. Onder in de kast stond een leren handtas, half bedekt met een vuil T-shirt.

Nadat ik nogmaals een blik op de deur had geworpen, hurkte ik voor de kast en doorzocht de tas. Ik kon er niets interessants in vinden. Een borstel, een wedstrijdschema, een make-uptasje. Geen portefeuille, geen mobiel.

In de rechterhelft van de kast, onder aan een ladeblok, bevond zich een kleine, plastic safe die met bouten in de onderkant van de kast was vastgezet. Het slot was dicht, maar de safe was goedkoop en de ondeugdelijke scharnieren bewogen toen ik aan het deurtje voelde. Een gauwdief zou er verder geen tijd aan besteden – er waren voldoende, in open boxen neergezette tassen die gemakkelijker waren mee te nemen.

Ik was geen gauwdief.

Ik wierp opnieuw een blik op de deur, en probeerde vervolgens of ik het deurtje open kon krijgen door aan de scharnieren te trekken. Het bewoog en gaf mee, en ik had het bijna open toen er opeens een mobiele telefoon overging – de ouverture van Wilhelm Tell. Het was de mobiel van Paris Montgomery. En het geluid kwam niet uit de safe, maar uit een van de laden boven mijn hoofd.

Ik gebruikte de onderkant van mijn shirt om mijn vingerafdrukken van het deurtje van de safe te vegen, stond op, en begon de laden erboven open te trekken. Op het schermpje van de mobiel las ik de naam van de opbeller: dokter Ritter. Ik zette de telefoon uit, gespte hem aan de tailleband van mijn spijkerbroek en liet mijn T-shirt er overheen vallen. Ik duwde de la dicht en glipte de box uit.

Javier was nog steeds diep geconcentreerd bezig met het borstelen van de schimmel. Het paard stond ontspannen te dutten en genoot zoals een mens van een aangename massage kon genieten.

Ik stapte op Javier toe, stelde mezelf in het Spaans aan hem voor en vroeg hem beleefd of hij wist waar ik meneer Jade zou kunnen vinden.

Hij keek me vanuit zijn ooghoeken aan en zei dat hij dat niet wist.

Er gebeurden de laatste tijd wel een heleboel vervelende dingen, zei ik.

Ja, inderdaad, erg vervelende dingen.

Verschrikkelijk toch, dat wat Jill was overkomen.

Verschrikkelijk.

Had de politie hem ook gevraagd of hij misschien iets wist, of iets had gezien?

Hij wilde niets met de politie te maken hebben. Hij had niets te vertellen. Hij was die avond bij zijn neef thuis geweest. Hij wist niets.

Het was toch zo jammer dan meneer Jade die avond niet was gekomen om naar de paarden te kijken, want misschien had hij, als hij dat wel had gedaan, de moord kunnen voorkomen.

Of mevrouw Montgomery, zei Javier, rustig verder borstelend.

Er waren natuurlijk mensen die dachten dat meneer Jade de dader was.

De mensen dachten nu eenmaal altijd het slechtste.

Ik wist ook dat de politie met Van Zandt had gesproken. Wat vond hij daarvan?

Hij vond niets. Hij had het zo druk, vooral nu de meisjes er niet meer waren, dat hij nergens anders tijd voor had.

Ja, het andere meisje was ook weg. Had hij Erin Seabright goed gekend?

Nee. Hij had nauwelijks contact gehad met de meisjes omdat hij amper Engels sprak.

Dat maakt het leven er niet gemakkelijker op, zei ik. De mensen hebben geen respect voor je. De mensen staan er nooit bij stil dat jij net zo over hén zou kunnen denken omdat ze geen Spaans spreken.

Jonge meisjes denken alleen maar aan zichzelf en aan de mannen op wie ze een oogje hebben.

Erin had een oogje op meneer Jade, ja toch?

Ja.

Had meneer Jade ook een oogje op haar?

Geen antwoord.

Of was meneer Van Zandt de favoriet?

Javier bemoeide zich alleen maar met zijn werk, en niet met andermans zaken.

Dat was ook verreweg het beste, was ik het met hem eens. Door anderen kom je alleen maar in de problemen. Kijk maar naar Jill. Ze zei dat ze iets afwist van Stellars dood, en moet je kijken hoe het haar was vergaan.

De doden spreken niet.

Hij keek langs me heen. Ik keek om en zag Trey Hughes naar me toe komen.

'Lieve help, Ellie, je bent een vrouw van vele talenten,' zei hij. Hij maakte een ingetogen indruk, en leek niet dronken zoals gewoonlijk. 'Je spreekt zelfs andere talen.'

Ik trok mijn schouders op. 'Ach, een taal hier en een taal daar, heel normaal voor iemand die op kostschool heeft gezeten.'

'Ik heb mijn handen al vol genoeg aan het Engels.'

'Rijd je niet, vandaag?' vroeg ik, met een blik op zijn sportieve kleding: chino's, een polo en bootschoenen.

'Paris neemt hem vandaag voor haar rekening,' zei hij, terwijl hij langs me heen reikte om de schimmel over zijn neus te aaien. 'Ik heb schandalig slecht op hem gereden afgelopen vrijdag, en dat kan Paris vandaag weer goedmaken.'

Hij liet zijn blik over mijn uiterlijk gaan en trok zijn wenkbrauwen op. 'Jij ziet er vandaag anders ook niet uit zoals gewoonlijk.'

Ik spreidde mijn handen. 'Ik ben vermomd als het gewone volk.'

Hij schonk me een slaperig soort glimlachje. Ik vroeg me af of hij zijn stemming had beïnvloed met de een of andere chemische substantie.

'Er doet een gerucht over jou de ronde, jongedame,' zei hij, terwijl hij me vanuit zijn ooghoeken observeerde en zijn paard ondertussen wat hooi voerde.

'Echt? Ik hoop dat het een lekker sappige roddel is. Heb ik een hartstochtelijke affaire met iemand? Met jou?'

'Heb je dat? Dat is nu een van de nadelen van het ouder worden,' zei hij. 'Ik heb nog steeds plezier, maar ik kan me er achteraf niets van herinneren.'

'Op die manier is het altijd weer verfrissend en nieuw.'

'Je moet de zaken altijd van de positieve kant bekijken.'

'Maar wat wordt er dan over mij verteld?' vroeg ik, hoewel het me meer interesseerde van *wíe* hij het had gehoord. Van Zandt? Bruce Seabright? Van Zandt zou het nieuwtje vertellen om de mensen tegen mij op te zetten en om er zelf beter van te worden. Seabright zou het aan Hughes hebben verteld omdat zijn cliënt belangrijker voor hem was dan zijn stiefdochter.

'Dat je niet degene bent die je voorgeeft te zijn,' zei Hughes.

'Wie is dat wel?'

'Daar zeg je een waar woord, m'n kind.'

Hij kwam de box uit en we liepen naar de ingang van de tent waar we bleven staan en naar buiten keken. De hemel was betrokken en het zag eruit alsof het zou gaan regenen. Het water van de vijver aan de overkant van het pad weerspiegelde de zilvergrijze wolken.

'Wat zou ik dan moeten zijn, als ik niet ben wie ik ben?' vroeg ik.

'Een spionne,' zei hij. Hij leek het helemaal niet opwindend of spannend te vinden – hij was volkomen kalm. Misschien had hij ook wel genoeg van de spelletjes. Ik vroeg me af of hij een belangrijke rol in het geheel speelde, of dat hij zich alleen maar had laten meeslepen door iemand anders.

'Een spionne? Dat klinkt spannend,' zei ik. 'Voor een ander land? Voor een terroristische beweging?'

Hughes haalde overdreven zijn schouders op en hield zijn hoofd schuin.

'Ik wist wel dat ik je kende,' zei hij zacht. 'Ik kon alleen je gezicht niet zo snel plaatsen. Mijn oude hersens zijn niet meer zo rap als vroeger.'

'Dat is ontzettend zonde.'

'Ik wil een transplantatie, maar ik vergeet steeds te bellen.'

Het was echt verschrikkelijk verdrietig, dacht ik, terwijl we daar zo naast elkaar stonden. Trey Hughes had alles gehad: een knap uiterlijk, rappe humor, voldoende geld om alles van te kunnen doen en alles te kunnen zijn. En dit was wat hij voor zichzelf had gekozen: een alcoholist die niets in het leven gepresteerd had.

Grappig, dacht ik, mensen die me mijn leven lang hadden gekend, zouden nagenoeg hetzelfde van mij kunnen zeggen: *Ze had echt alles mee. Ze kwam uit een uitstekend gezin, en ze heeft alles de rug toegekeerd. En voor wat? Moet je haar nu zien. Wat ontzettend zonde.*

We kunnen nooit in het hart van een ander kijken om te weten waar ze hun kracht aan ontlenen, wat hen ziek maakt en wat hun persoonlijke opvatting van moed, rebellie of succes is.

'Hoe denk je mij dan te kennen?' vroeg ik.

'Ik ken je vader. Ik heb in de loop der jaren een aantal keren van zijn diensten gebruik moeten maken. Het kwam door de naam. Estes. Elle. Elena Estes. Je had het meest schitterende haar,' herinnerde hij zich. Er lag een dromerige blik in zijn ogen terwijl hij terugdacht aan vervlogen tijden. 'Maar nu hoor ik van een kennis dat je privé-detective bent. Stel je voor.'

'Dat is niet waar. Je kunt het vergunningenbureau bellen en het navragen. Ik kom niet in hun bestanden voor.'

'Uitstekend vak,' zei hij, mijn woorden negerend. 'De hemel weet dat hier nooit een tekort aan geheimen is. Mensen doen nu eenmaal alles voor een paar centen.'

'Zoals een paard vermoorden?' vroeg ik.

'Een paard vermoorden. Iemands reputatie verpesten. Een huwelijk kapotmaken.'

'Iemand vermoorden?'

Hij leek het idee niet schokkend te vinden. 'Het oudste verhaal ter wereld: hebzucht.'

'Ja, en het loopt altijd op dezelfde manier af: slecht.'

'Voor iemand,' zei hij. 'Het is de kunst om niet die iemand te zijn.'

'Welke rol speel jij in deze geschiedenis, Trey?'

Hij forceerde een vermoeid glimlachje. 'De treurige clown. De hele wereld is gek op een verdrietige clown.'

'Ik ben alleen maar geïnteresseerd in de boef,' zei ik. 'Zou je me de goede kant op kunnen sturen?'

Hij probeerde te lachen, maar had er de kracht niet voor. 'Ja hoor. Ga naar het lunapark, naar de lachspiegels, en daar sla je linksaf.'

'Er is een meisje vermoord, Trey. Erin Seabright is ontvoerd. Het is geen spel.'

'Nee, het heeft eerder iets van een film.'

'Als je iets weet, dan is dit het moment om het te vertellen.'

'Lieverd,' zei hij, naar het water turend, 'als ik iets wist, dan zou ik hier vandaag niet zijn.'

Met die woorden liep hij bij me vandaan, stapte in zijn open auto en reed langzaam weg. Ik keek hem na en realiseerde me dat ik me aanvankelijk vergist had, met te zeggen dat alles om Jade draaide. Alles draaide om Trey Hughes – de landdeal met Seabright, Erin Seabright die een baan bij Jade had gekregen, Stellar. Alles draaide om Trey.

De vraag was alleen: bevond hij zich in het oog van de storm omdat hij de storm was, of was de storm om hem heen ontstaan?

Trey hield van de vrouwtjes. Dat was geen geheim. En hij had ik weet niet hoeveel schandalen op zijn naam staan. De hemel wist hoeveel verhoudingen hij in zijn leven had gehad. Hij had een affaire met Stella Berne gehad terwijl Berne zijn trainer was geweest. Hij had de nacht waarop zijn moeder was gestorven met haar doorgebracht. Het kostte me niet veel moeite om me voor te stellen dat hij een oogje op Erin had gehad. Maar haar ontvoeren? En hoe stond het met Jill Morone?

Ik kon het me niet voorstellen. Ik wilde het me niet voorstellen. Monte Hughes III, mijn eerste grote liefde.

Ik ken je vader. Ik heb in de loop der jaren een aantal keren van zijn diensten gebruik moeten maken.

Wat had hij daar in vredesnaam mee bedoeld? Waarom zou hij de diensten nodig hebben gehad van een advocaat die gespecialiseerd was in de verdediging van de allergrootste criminelen? En hoe zou ik daar achter kunnen komen? Moest ik, na al die jaren van bittere stilte, mijn vader bellen om het hem te vragen?

O, hallo, pap, laten we voor het gemak maar even vergeten dat ik nooit naar je wilde luisteren en altijd precies het tegenovergestelde deed als wat je van me wilde, en dat ik mijn studie eraan heb gegeven om bij de politie te gaan. En laten we ook maar even vergeten dat je altijd een waardeloze, ijskoude, afstandelijke vader bent geweest die al van begin af aan in mij teleurgesteld was omdat je me niet zelf had gemaakt. Dat is allemaal verle-

den tijd. Vertel me maar liever waarom Trey Hughes van je waardevolle, deskundige diensten gebruik moest maken.

Mijn vader en ik hadden al tien jaar niet meer met elkaar gesproken. En daar zou nu geen verandering in komen.

Ik vroeg me af of Landry Trey aan de tand had gevoeld. Ik vroeg me af of hij zijn naam, uit zuivere routine, met de database had vergeleken. Maar Landry had me niets over Trey Hughes gevraagd, alleen maar over Jade.

Ik keerde terug naar mijn auto, stapte in en wachtte. Paris zou weldra terugkomen voor Trey's schimmel. Trey zou, wanneer ze het parcours had afgelegd, terugkomen naar de stal om haar rit met haar door te nemen. En wanneer hij na afloop daarvan het ruitercentrum verliet, zou ik hem volgen.

Trey Hughes was zojuist het middelpunt van het universum geworden. Alles draaide om hem. En ik zou er achter komen waarom.

TWEEDE BEDRIJF

Scène twee

Inzoomen

Locatie: buiten, het Horse Park in de Equestrian Estates – zonsondergang

Aan drie kanten open gebied. De achterkant van het terrein wordt begrensd door een kanaal en bomen. Langs de voorzijde loopt een bochtige weg. Er is geen mens te zien, maar de politie is er en houdt zich schuil.

Er nadert een zwarte auto. Hij parkeert bij het hek. Bruce Seabright stapt uit en kijkt om zich heen. Hij maakt een boze en zenuwachtige indruk. Hij vermoedt dat het een val is.

Hij heeft gelijk.

Hij maakt de kofferbak van zijn auto open en haalt er twee grote, blauwe weekendtassen uit. Hij gooit de tassen over het hek, klimt zelf over het hek, pakt de tassen op en kijkt opnieuw om zich heen. Hij hoopt op een teken, een mens. Misschien hoopt hij zelfs wel op Erin, hoewel hij er niet om zal treuren als hij haar nooit meer zal zien.

Hij begint met tegenzin de oprit af te lopen, in de richting van het gebouw. Hij kijkt als iemand die het bij het eerste het beste onverwachte harde geluid in zijn broek zal doen.

Halverwege het gebouw blijft hij staan wachten. Langzaam draait hij zich om in een kringetje. Hij vraagt zich af hoe het verder zal gaan. Hij zet de tassen neer en kijkt op zijn horloge.

Vijf over zes.

Het begint donker te worden. De verlichting springt aan met een luide zoemtoom. De stem, de mechanisch verdraaide stem van de telefoontjes, klinkt door de luidsprekers.

DE STEM
Zet de tassen op de grond.

BRUCE
Waar is het meisje?

DE STEM
Zet de tassen op de grond.

BRUCE
Ik wil Erin zien!

DE STEM
In het hokje. Bij bak nummer één. In het hokje.
Bij bak nummer één.

BRUCE
Welk hokje? Welke bak?

Hij is opgewonden en weet niet welke kant hij op moet. Hij kan er niet tegen wanneer hij de situatie niet zelf in de hand heeft. Hij wil het geld niet achterlaten. Hij kijkt naar de twee bakken die het dichtst bij het gebouw liggen en kiest voor de rechter. Hij neemt de tassen mee en gaat bij de hoek van de bak staan.

BRUCE
Welk hokje? Ik zie geen hokje!

Hij blijft ongeduldig staan. Het begint nu echt donker te worden. Hij kijkt even naar het huisje van de scheidsrechter – een klein houten gebouwtje – aan de andere kant van de bak, en loopt er dan heen

BRUCE
Erin? Erin!

Hij loopt argwanend om het gebouwtje heen. Voor hetzelfde geld springt er iemand naar buiten die op hem wil schieten. Of Erins lijk zou uit de deur naar buiten kunnen vallen.

Er gebeurt niets.

Hij loopt stapje voor stapje naar de deur, rukt hem open, springt achteruit.

Er gebeurt niets.

BRUCE
Erin? Ben je hier binnen?

Geen antwoord.

Langzaam zet hij de tassen op de grond, en loopt opnieuw aarzelend naar het gebouwtje. En stapt naar binnen. Er is niemand in het gebouwtje. Op de vloer ligt een videocassette. Op de hoes van de tape zit een wit etiket geplakt waarop, met zwarte inkt, in blokletters het woord STRAF staat geschreven.

DE STEM
Je hebt je niet aan de regels gehouden. Het meisje heeft ervoor geboet.

Opeens is overal politie. En aantal agenten rent de trap van het gebouw op. Ze rukken het slot van de deur, trappen de deur in en vallen schreeuwend en met hun wapens zwaaiend de ruimte binnen. De lichtbundels van hun zaklantaarns zwiepen in de ruimte op en neer. Er is niemand.

Ze lopen naar de tafel met audioapparatuur onder het venster dat uitkijkt over het terrein. En zien de simpele timer die de apparatuur om klokslag vijf minuten over zes in werking heeft gesteld.

Het bandje speelt nog.

DE STEM
Je hebt je niet aan de regels gehouden. Het meisje heeft ervoor geboet.
Je hebt je niet aan de regels gehouden. Het meisje heeft ervoor geboet.

De stem weergalmt door de lege nacht.

Fade-out

35

Trey Hughes kwam niet terug naar Don Jades stal.

Ik zat in de auto en keek voor mijn gevoel om de drie minuten op mijn horloge, terwijl de kleine wijzer langzaam maar zeker naar de zes kroop. Javier kwam de stal uit met de schimmel – die een deken op zijn rug had die voorzien was van het Lucky Dog-logo – en leidde hem naar de bak waar het springconcours werd gehouden, om even later met Park Lane terug te komen. Paris en Jane Lennox kwamen terug in het golfkarretje, waarna Lennox in een goudkleurige Cadillac stapte en wegreed.

Ik keek opnieuw op mijn horloge. Zeventien minuten voor zes.

In een ander ruitercentrum een paar kilometer verderop, zouden Landry en zijn collega's hun posities hebben ingenomen, en zitten wachten op de komst van de ontvoerders.

Ik had er dolgraag bij willen zijn om te zien hoe de overdracht verliep, maar ik wist dat ze me niet eens in de buurt zouden laten komen. Ik wilde weten waar Jade en Van Zandt waren, wat ze deden en wie hen in de gaten hield. Ik wilde weten waar Trey Hughes naar toe was gegaan. Ik wilde feiten horen. Ik wilde de leiding over de zaak hebben.

Ik voelde de adrenaline door mijn aderen stromen en mijn metabolisme versnellen, en het was alsof ik onder stroom was komen te staan. Ik had me al lang niet meer zo levend gevoeld.

Paris kwam in gewone kleren uit de stal, stapte in een donkergroene Infiniti en reed naar de uitgang. Ik startte mijn auto en volgde haar, met een auto tussen ons in. Ze sloeg linksaf op de Pierson Boulevard, en we reden door de buitenwijken van Wellington, waaronder Binks Forest.

Molly zou thuis zijn. In gedachten zag ik haar, met haar ogen en oren wijd opengesperd, als een muisje weggedoken in een hoekje zitten wachten op nieuws van Erin en van het verloop van de overdracht.

Ik wou dat ik bij haar had kunnen zijn – zowel voor háár, als voor mijzelf.

Ik nam gas terug en bleef op ruime afstand toen Paris stopte voor de voorrangskruising van Southern Avenue, een drukke verkeersader die, naar de ene kant, naar Palm Beach ging, en in tegenovergestelde richting de natuur in voerde. Ze stak over naar de Loxahatchee-kant van de weg, en volgde de B-weg het bos in.

Ik hield de achterlichten van de Infiniti nauwlettend in de gaten, en was me scherp bewust van het feit dat we richting Equestrian Estates reden.

Het was als een soort déjà vu, dacht ik, en huiverde. De laatste keer dat ik bij donker over deze zijweggetjes had gereden, was ik nog bij Narcotica geweest. We waren niet ver van de caravan van de gebroeders Golam.

De Infiniti remde. Geen richtingaanwijzer.

Ik nam gas terug en keek in de achteruitkijkspiegel toen er koplampen achter mij verschenen. Mijn hart begon sneller te slaan.

Ik hield er niet van om iemand achter mij te hebben. Dit was een stille weg met weinig verkeer. Niemand kwam hier tenzij hij hier moest zijn omdat hij hier woonde of omdat hij op een kwekerij werkte.

Ik kreeg weer datzelfde akelige gevoel in mijn maag dat ik gehad had toen Van Zandt die ochtend bij Seans huis was verschenen en ik gemeend had dat ik alleen met hem was.

Tot straks, had hij gezegd, toen hij me een zoen op mijn wang had gegeven.

Paris was ondertussen een oprit in geslagen. Ik reed erlangs en keek snel even naar waar ze naar binnen was gegaan. Net als de meeste huizen in deze buurt, was het een in de jaren zeventig, in ranchstijl gebouwd huis met een half verwilderde tuin. De garagedeur ging omhoog en de Infiniti reed erin.

Ik vroeg me af waarom ze hier woonde. Jade had een goedlopend bedrijf. Paris zou een behoorlijk salaris moeten verdienen. Voldoende om in de buurt van het ruitercentrum in Wellington te kunnen wonen, voldoende om een flat in een van de vele, op de ruitersport georiënteerde complexen van te kunnen betalen.

Dat de stalknechten zo ver woonden, dat kon ik begrijpen. De huren waren er nog relatief betaalbaar. Maar Paris Montgomery met haar dollargroene Infiniti en haar zegelring met diamant?

De auto achter me kwam dichterbij.

Ik trapte plotseling op de rem en sloeg met een scherpe bocht linksaf, een andere weg in. Maar het was geen weg. Het was een doodlopende inrit waaraan meerdere, recentelijk opgeschoonde bouwterreinen lagen. Het licht van mijn koplampen scheen op het skelet van een in aanbouw zijnde woning.

De koplampen volgden me de inrit op.

Ik gaf gas, gebruikte de oprit van het huis om te keren, reed terug naar de weg, trapte op de rem en ging overdwars op de inrit staan om hem te blokkeren.

Die schoft moest niet denken dat hij me kon achtervolgen en kon opjagen als een konijn.

Ik haalde mijn Glock uit het vakje in het portier.

Schopte het portier open toen de andere auto naast me kwam staan en het rechterraampje omlaagging.

Ik bracht het pistool in positie en richtte op het gezicht van de bestuurder: wijd opengesperde ogen, wijd opengesperde mond.

Niet Van Zandt.

'Wie ben je?' riep ik.

'O, mijn god! O, mijn god! Niet schieten!'

'Hou je bek!' schreeuwde ik. 'Je identificatiebewijs. Schiet op!'

'Ik ben alleen maar – ik ben alleen maar –' stotterde hij. Ik schatte hem een jaar of veertig. Mager. Te veel haar.

'Uit de auto! Hou je handen zo dat ik ze kan zien!'

'O, mijn god,' jammerde hij. 'Niet schieten, alstublieft. U kunt mijn geld krijgen –'

'Hou je mond. Ik ben politie.'

'O, jezus.'

Dat was kennelijk erger dan wanneer ik hem had willen beroven en vermoorden.

Hij stapte met zijn handen voor zich uitgestoken uit de auto.

'Ben je rechtshandig of links?'

'Wat?'

'Of je rechts of links bent.'

'Links.'

'Haal met je *rechterhand* je portefeuille uit je zak en leg hem op het dak van de auto.'

Hij gehoorzaamde, legde zijn portefeuille op de auto en schoof hem naar mij toe.

'Hoe heet je?'

'Jimmy Manetti.'

Ik sloeg de portefeuille open en deed alsof ik in het zwakke schijnsel van de achterlichten kon lezen.

'Waarom volg je mij?'

Hij probeerde zijn schouders op te halen. 'Ik dacht dat u ook aan het zoeken was.'

'Naar wat?'

'Naar het feest. Kay en Lisa.'

'Kay en Lisa wie?'

'Weet niet. Kay en Lisa. De serveersters? Van Steamer's?'

'Jezus christus,' mompelde ik, terwijl ik de portefeuille op de motorkap gooide. 'Ben je soms niet goed snik?'

'Dat zou kunnen.'

Ik schudde mijn hoofd en liet het pistool zakken. Ik stond te trillen op mijn benen. De nawerking van de adrenalinestoot in het besef dat het een háár had gescheeld, of ik had een onschuldige idioot in zijn gezicht geschoten.

'Blijf in het vervolg op een afstand,' zei ik, terwijl ik terugliep naar mijn auto. 'De volgende die je op deze manier achtervolgt zou wel eens minder aardig kunnen zijn dan ik.'

Ik reed weg terwijl Jimmy Manetti nog steeds met zijn handen omhoog bij zijn auto stond, sloeg rechtsaf de weg weer op, en reed terug in de richting waar ik vandaan was gekomen. Langzaam. Terwijl ik probeerde mijn op hol geslagen hart weer enigszins onder controle te krijgen. En trachtte mijn verstand terug te vinden.

Er brandde licht in het huis waar Paris Montgomery naar binnen was gegaan. Haar hond rende in de voortuin zijn eigen staart achterna. Er stond een auto op de oprit.

Een klassieke Porsche met open dak en een persoonlijk kenteken.

LKY DOG.

Lucky Dog.

Trey Hughes.

36

'Het is duidelijk dat ze de hele boel, met de timer en alles, klaar hebben gezet vóórdat ze de laatste keer gebeld hebben,' zei Landry.

Ze waren met z'n allen – hijzelf, en Weiss; Dugan en Armedgian – in de vergaderkamer gaan zitten, en hadden gezelschap gekregen van hoofdinspecteur Owen Cathcart, hoofd van de onderzoeksafdeling, die als tussenpersoon naar sheriff Sacks toe zou optreden. De groep werd gecompleteerd door Bruce en Krystal Seabright, en een vrouw van Slachtofferhulp wier naam Landry niet had verstaan.

De vrouw van Slachtofferhulp en Krystal Seabright zaten wat afzijdig van de groep. Krystal zat te rillen als een chihuahua. Ze had donkere kringen onder haar ogen, en haar gebleekte haar stond in onverzorgde pieken overeind. Bruce was helemaal niet blij geweest toen hij haar daar had gezien, en hij had erop aangedrongen dat ze naar huis zou gaan en alles aan hem zou overlaten. Krystal had gedaan alsof ze hem niet hoorde.

'Er heeft gedurende de afgelopen drie weken geen enkele wedstrijd plaatsgevonden op dat centrum,' zei Weiss. 'De boel is afgesloten, maar dan hebben we het over hangsloten. Vanwege de locatie is er nooit een punt van extra bewaking of beveiliging gemaakt, maar het is op zich gemakkelijk om er in te breken.'

'Vingerafdrukken?' vroeg Cathcart.

'Een paar honderd,' antwoordde Landry, 'maar niet één op het cassettebandje, niet één op de videotape, niet één op de timer, niet één op de taperecorder...'

'En is iemand bezig om te proberen die stem op de cassette tot een normale stem te herleiden?'

'Ja, daar wordt aan gewerkt,' zei Dugan.

'En wat staat er op die videotape? Kunnen we die bekijken?'

Landry aarzelde, en wierp een blik op Krystal en de vrouw van Slachtofferhulp. 'Het zijn nogal schokkende beelden, meneer. Ik weet niet of de familie –'

'Ik wil hem zien,' zei Krystal, die nog niet eerder haar mond had opengedaan.

'Krystal, alsjeblieft,' snauwde Bruce, terwijl hij achter haar op en neer liep. 'Waarom zou je die video willen zien? Heb je dan niet gehoord dat –'

'Ik wil hem zien,' zei ze, wat luider. 'Ze is mijn dochter.'

'En je wilt zien hoe ze door een beest wordt aangevallen? Hoe ze verkracht wordt? Dat bedoel je toch, of niet, Landry?' vroeg Bruce.

Landry bewoog zijn kaken. Hij kreeg iets van die Seabright. Het zou een wonder zijn als hij deze zaak af zou kunnen werken zonder die man een dreun voor zijn kop te geven.

'Ik heb gezegd dat het schokkende beelden zijn. Erin wordt niet verkracht, maar ze krijgt er flink van langs. U kunt er maar beter niet naar kijken,' zei hij tegen Krystal.

'Er is geen enkele reden, Krystal –' begon Bruce. Zijn vrouw viel hem in de rede.

'Ze is mijn dochter.'

Krystel Seabright stond op en sloeg haar bevende handen voor zich in elkaar. 'Ik wil het zien,' zei ze tegen Landry. 'Ik wil zien wat mijn man mijn dochter heeft aangedaan.'

'Ik?' Bruce werd knalrood en maakte een vreemd geluid alsof hij een hartaanval had. Hij keek naar de politiemensen in de kamer. 'Ik ben alleen maar een slachtoffer in deze zaak!'

Krystal draaide zich naar hem toe. 'Je bent even schuldig als de mensen die haar ontvoerd hebben.'

'Ik ben niet degene die de politie erbij heeft gehaald! Ze hadden duidelijk gezegd dat de politie erbuiten gelaten moest worden.'

'Als het aan jou lag, zou je helemaal níets hebben gedaan,' zei Krystal bitter. 'Je zou me niet eens verteld hebben dat ze ontvoerd was.'

Seabright keek beschaamd. Zijn mond trilde van woede. Hij deed een stapje in de richting van zijn vrouw en zei zacht: 'Krystal, dit is noch de plaats noch het moment om dit soort dingen te bespreken.'

Ze negeerde hem en keek naar Landry. 'Ik wil de video zien. Ze is mijn dochter.'

'Alsof je je ooit iets van haar hebt aangetrokken,' mompelde Bruce. 'Een kat is nog een betere moeder dan jij.'

'Ik denk dat het een goed idee is dat mevrouw Seabright in ieder geval een gedeelte van de opnamen ziet,' deed de vrouw van Slachtofferhulp een duit in het zakje. 'Je kunt elk moment vragen of ze de band stop willen zetten,' besloot ze, tegen Krystal.

'Ik wil hem zien.'

Krystal liep, wankelend op haar naaldhakken met luipaardmotief, naar voren. Ze maakte een broze, breekbare indruk, net alsof ze, bij het minste of geringste tikje op haar schouder, in duizenden bonte stukjes uiteen zou vallen. Landry maakte aanstalten om haar te ondersteunen. Toen pas kwam de vrouw van Slachtofferhulp van haar stoel, ging naast Krystal staan en pakte haar arm.

'Ik vind dit geen goed idee, mevrouw Seabright,' zei Dugan.

Krystal keek hem met wilde ogen aan. 'Ik wil het zien!' schreeuwde ze. 'Hoe vaak moet ik dat nog zeggen? Moet ik soms schreeuwen? Moet ik er een gerechtelijk bevel voor halen? Ik wil het zien!'

Dugan maakte een gebaar van overgave. 'Goed, we zullen de video afspelen. U zegt maar wanneer u wilt dat we stoppen, mevrouw Seabright.'

Hij knikte naar Weiss, waarop Weiss de band in de recorder stopte die met een televisietoestel op een verrijdbaar tafeltje voor in het vertrek stond.

Iedereen zweeg en keek naar het scherm. De beelden toonden een slaapkamer in, zo te zien, een stacaravan. Dat bleek uit het raam: een goedkoop aluminium frame rond een smerige ruit. Iemand had met zijn vinger HELP op de ruit geschreven – de letters stonden achterstevoren zodat ze van buiten de caravan gelezen konden worden.

Het was avond. De scène werd verlicht door een kaal peertje.

Erin Seabright zat naakt op een smerige, bevuilde matras zonder laken, en was met één pols vastgeketend aan een roestig ijzeren bed. Landry vond haar nog maar nauwelijks lijken op het meisje dat hij alleen maar op de foto had gezien. Haar onderlip was gespleten en er zat een dikke bloedkorst op. Ze had zwarte kringen onder haar ogen van de uitgelopen mascara. Haar armen en benen zaten onder de lelijke rode striemen. Ze zat met opgetrokken knieën en probeerde haar naaktheid zo goed mogelijk te bedekken. Ze keek recht in de camera. De tranen stroomden haar over de wangen, en haar ogen waren glazig van de angst.

'Waarom doe je niets? Waarom help je me niet? Ik heb je om hulp gevraagd, waarom doen je niet gewoon wat ze zeggen?' vroeg ze, met een schrille, hysterische stem. 'Haat je me dan zo erg? Weet je dan niet wat hij met me van plan is? Waarom wil je me niet helpen?'

'O, mijn god,' mompelde Krystal, en ze drukte haar hand tegen haar mond. De tranen sprongen haar in de ogen en rolden over haar wangen. 'O, mijn god, Erin!'

'We hebben je gewaarschuwd,' zei de verdraaide, metaalachtige stem zacht. 'Je hebt je niet aan de regels gehouden. Het meisje zal ervoor boeten.'

Een volledig in het zwart geklede gestalte stapte van achter de camera in beeld – zwart masker, zwarte kleren, zwarte handschoenen – en liep naar het bed. Erin begon zachtjes te huilen. Ze kroop weg in het verste hoekje, maakte zich zo klein mogelijk, probeerde zich te verstoppen en probeerde met haar vrije arm haar hoofd te beschermen.

'Nee! Nee!' schreeuwde ze. 'Ik kan er niets aan doen!'

De gestalte sloeg haar met een rijzweep. Landry kromp bij elke klap ineen. De zweep trof haar keer op keer gemeen hard op haar armen, haar rug, haar benen en haar billen. Het meisje schreeuwde het uit – ijzingwekkende, doordringende kreten die Landry als een mes door het hart sneden.

Dugan stopte de video zonder dat iemand hem daarom had gevraagd.

'Goeie god,' zei Bruce Seabright zacht. Hij wendde zich af en haalde zijn hand over zijn gezicht.

Krystal Seabright liet zich tegen de vrouw van Slachtofferhulp aan vallen. Ze probeerde te huilen, maar er kwam geen enkel geluid uit haar geopende mond. Landry pakte haar bij een arm, en Weiss pakte haar andere arm vast, en samen zetten ze haar op een stoel.

Bruce Seabright bleef staan waar hij stond, de zak. Hij staarde naar de vrouw met wie hij getrouwd was, en keek alsof hij zich afvroeg of hij op dat moment een eind aan zijn huwelijk zou kunnen maken.

'Ik heb je toch gezegd dat het je alleen maar van streek zou maken,' zei hij.

Krystal zat met haar gezicht in haar handen ver voorovergebogen op de stoel. Haar roze rok was tot halverwege haar dijen omhooggeschoven.

Landry ging met zijn rug naar haar toe staan, deed een stap op Bruce toe en zei zacht: 'Als je voor de verandering eens even niet aan jezelf zou kunnen denken, dan lijkt een beetje medeleven mij geen slecht idee.'

Seabright had het lef om beledigd te kijken.

'Jullie doen allemaal alsof ik de slechterik hier zou zijn! Maar ik ben niet degene die jullie erbij heeft gehaald terwijl de ontvoerders heel duidelijk hebben gezegd dat de politie erbuiten gehouden moest worden.'

'Nee,' zei Krystal, opkijkend. 'Jij hebt helemaal niemand erbij gehaald! Jij hebt nog geen pink uitgestoken!'

'Erin zou allang thuis zijn geweest als die detective zich er niet mee had bemoeid,' verklaarde Bruce nijdig. 'Ik was ermee bezig. Ze zouden haar hebben vrijgelaten. Ze zouden al snel begrepen hebben dat ik niet op hun chantage in zou gaan, en dan zouden ze haar hebben vrijgelaten.'

'Je haat haar!' krijste Krystal. 'Je wilt haar dood! Je wilt haar nooit meer zien!'

'O, allemachtig, Krystal. Jij ook niet!' schreeuwde Seabright. 'Ze is een doortrapte, ordinaire slet, net zoals jij was, voor ik je heb gevonden! Maar dat wil nog niet zeggen dat ik haar dood zou willen!'

'Genoeg!' verklaarde Landry, terwijl hij op Seabright toe ging. 'Eruit!'

'Als ik je niet had gevonden, zou je nooit zo'n goed leven hebben gehad,' zei Seabright tegen zijn vrouw. 'En je was doodsbang dat er door Erin een eind aan zou komen. Je hebt haar zelf het huis uit gegooid!'

'Ik was bang!' jammerde Krystal. 'Ik was bang!'

Ze barstte opnieuw in snikken uit, en viel van de stoel op de grond waar ze met opgetrokken benen bleef liggen.

'Eruit!' herhaalde Landry, terwijl hij Seabright naar de deur toe duwde.

Seabright schudde hem af en liep zelfstandig de gang op. Landry ging hem, gevolgd door Dugan, achterna.

'Hier maak ik werk van!' schreeuwde Seabright.

Landry keek hem aan alsof hij zijn verstand had verloren. 'Wat?'

'Ik sleep die vrouw voor het gerecht!'

'Uw vrouw?'

'Estes! Als zij er niet was geweest, zou dit nooit zijn gebeurd!'

Dugan keek Landry aan. 'Waar heeft hij het over?'

Landry negeerde hem en ging Seabright achterna. 'Je stiefdochter is ontvoerd. Daar kon Estes niets aan doen.'

Seabright prikte een vinger in zijn gezicht. 'Ik wil haar vergunning. En ik bel mijn advocaat. Ik wilde jullie er niet bij betrekken, en moet je zien wat er nu is gebeurd. Hier maak ik een zaak van. Ik klaag jullie afdeling aan, en ik klaag Elena Estes aan!'

Landry sloeg zijn hand weg en duwde hem met zijn rug tegen de muur. 'Als ik jou was, vette klootzak die je bent, dan zou ik eerst maar even mijn verstand gebruiken voor ik met dat soort dreigementen kwam!'

'Landry!' schreeuwde Dugan.

'Als ik ook maar íets ontdek waaruit blijkt dat je wat met die ontvoering te maken hebt, berg je dan maar!'

'Landry!'

Dugan greep hem hardhandig bij zijn schouder. Landry schudde hem van zich af en deed een stapje opzij, terwijl hij Seabright ondertussen strak aan bleef kijken.

'Ga een eindje lopen om af te koelen, Landry,' zei Dugan.

'Vraag hem wat ze bedoelde,' zei Landry. 'Vraag hem wat Erin bedoelde toen ze zei dat ze hem om hulp had gevraagd. Wanneer heeft ze hem om hulp gevraagd? Waarom hebben we daar nooit iets van vernomen? Ik wil een huiszoekingsbevel voor die woning, en ook eentje voor het kantoor van deze schoft. Als hij bewijsmateriaal heeft achtergehouden, dan zal ik ervoor zorgen dat hij daarvoor de gevangenis in draait.'

'Ga,' beval Dugan. 'Nu.'

Landry liep de gang af naar de teamkamer en naar zijn bureau, waar hij in het bovenste laatje naar het pakje Marlboro Lights zocht dat hij daar bewaarde. Hij rookte allang niet meer, maar er waren momenten waarop hij een uitzondering op die regel maakte, en dit wás zo'n moment. Hij schudde een sigaret uit het pakje, pakte de aansteker en ging naar buiten om wat heen en weer te lopen en zijn sigaret te roken.

Hij beefde van woede. Hij was het liefste meteen weer naar binnen gegaan om Seabright bewusteloos te slaan. De klootzak. De dochter van zijn vrouw was ontvoerd en zijn antwoord was om daar gewoon niet op in te gaan. Laat haar maar rotten. Laat ze haar maar verkrachten, vermoorden en in een kanaal gooien. Heilige jezus nog aan toe.

Ik heb je om hulp gevraagd! Waarom help je me niet? Haat je me dan zo erg?

Seabright had nooit verteld dat hij rechtstreeks met Erin had gesproken. Landry durfde er zijn pensioen om te verwedden dat Seabright ergens nog een video had liggen. Een video die hij verstopt had en waarop Erin hem om hulp smeekte. En Bruce Seabright had geen barst gedaan.

Maar dat was niet de reden waarom Erin werd gestraft, of wel? Ze zat naakt aan het bed geketend in die smerige caravan en kreeg zweepslagen omdat de regels niet gerespecteerd waren en de politie erbij was gehaald.

Het kon zijn dat Estes de ontvoerders op stang had gejaagd. Ze had met iedereen gesproken die iets met Erin Seabright te maken had gehad. Misschien dat Van Zandt erachter was gekomen dat ze niet was wie ze voorgaf te zijn.

Jades mensen waren in de loop van zaterdag aan de tand gevoeld in verband met de moord op Jill Morone. Erins naam was gevallen. Misschien dat Jade er op die manier lucht van had gekregen.

Het kon zijn dat iemand in de buurt het huis van de Seabrights in de gaten had gehouden, maar dat geloofde Landry niet. Hij had de rapporten van de buurtbewoners erop nagekeken: hun gezinnen, waar ze werkten, en hun relatie met de Seabrights. Niets.

Misschien hadden de ontvoerders het huis van afluisterapparatuur voorzien, maar dat leek vergezocht. Bruce was niet de een of andere multimiljonair die ze probeerden te plukken.

Of anders hadden de ontvoerders over inside information beschikt. Die zoon van Seabright. Of Seabright zelf.

Was er een betere manier om nergens van verdacht te worden dan door met de politie mee te werken, en om hun dan de schuld van alles te geven wanneer de boel scheef liep. Hij zou nooit één poot naar Erin hebben uitgestoken als Estes zich er niet mee had bemoeid.

Hij zou precies datgene hebben gedaan wat Landry aanvankelijk had gezegd: hij zou alle informatie voor zich hebben gehouden tot de stoffelijke resten van het meisje gevonden waren – áls ze al werden gevonden. En dan zou hij tegen zijn vrouw zeggen dat hij álles had gedaan wat hij kon, en dat hij naar beste weten gehandeld had. Jammer dat het verkeerd was afgelopen, maar wat gaf het, Erin was toch maar een doortrapte, ordinaire slet.

En welke rol speelde Don Jade in het geheel?

Estes had hem verteld dat Seabright land aan Trey Hughes had verkocht en dat Don Jade voor Trey Hughes werkte. Bruce had Erin via Hughes aan het baantje bij Jade geholpen. Het meisje zou beter af zijn geweest als ze van huis was weggelopen en in Miami op straat had geleefd.

Alles draait om Jade, had Estes aanvankelijk gezegd. Maar dat klopte niet helemaal. Alles draaide om Trey Hughes.

Landry haalde zijn mobiel uit zijn zak en belde Dwyer, die Jade schaduwde.

'Waar is-ie?'

'Hij zit te eten bij Michael's Pasta. De dagschotel: penne putanesca en risotto met schaaldieren.'

'Wie is er bij hem?'

'Een oud mensje met enorme valse tieten en oranje haar. Kunnen we hem inrekenen?'

'Nee.'

'Wat is er bij de overdracht gebeurd?'

'Niets. Ze wisten dat we erbij zouden zijn.'

'Hoe?'

'Ik heb een flauw vermoeden.'

'Daar hebben ze tegenwoordig een middel tegen.'

'Ja, een arrestatie. Weet je toevallig ook waar de feds zijn?'

'Nog steeds voor het huis van Van Zandt. Ze zeggen dat hij het huis niet uit is geweest. De Mercedes staat op de oprit.'

'En waar is de auto van die vrouw? Van die Carlton?'

'Geen idee. Ik zit híer.'

'Geweldig.'

Landry wou dat hij een tweede sigaret had toen hij Dugan achter Bruce Seabright naar buiten zag komen. Seabright liep over de parkeerplaats naar zijn Jaguar, stapte in en reed weg. Zijn vrouw was niet bij hem. Dugan kwam naar Landry toe.

'Ik moet ophangen,' zei Landry tegen Dwyer, en hij klapte zijn mobiel dicht.

'Wat weet jij van Elena Estes?' vroeg Dugan.

'Dat ze bij Narcotica heeft gezeten.'

'En wat weet je van het feit dat ze privé-detective zou zijn?'

'Ik weet dat ze dat niet is.'

'En hoe komt het dat Seabright denkt dat ze dat wel is?'

Landry haalde zijn schouders op. 'Vraag liever waaróm hij dat denkt. Die man is een vuile klootzak. Hij heeft er niets op tegen dat zijn stiefdochter in handen van een stelletje smeerlappen is gevallen die haar met een zweep te lijf gaan.'

'Wat weet je van Estes in verband met deze zaak?' vroeg Dugan. Zijn gezicht was een strak masker van woede.

'Ik weet dat er geen zaak zou zijn geweest als ze niet bij me was gekomen en verteld had wat er gaande was,' zei Landry.

'Ze is erbij betrokken.'

'Het is een vrij land.'

'Zó vrij nu ook weer niet,' snauwde Dugan. 'Ga haar halen.'

37

Ineens begreep ik waarom het landelijke Loxahatchee zo aantrekkelijk was. Het lag afgelegen, ver uit de buurt van het paardengedoe, en het was de ideale plek voor het hebben van een clandestiene affaire.

Kennelijk was Don Jade niet de enige van zijn stal die via het bed carrière probeerde te maken. Het kon natuurlijk zijn dat Trey Hughes hier was om het verloop van het vandaag door zijn schimmel en Paris gereden parcours te bespreken, maar als dat niet de aanleiding van zijn bezoek was, dan betekende het dat de assistent-trainer het voor elkaar had gekregen Jades rijkste klant voor diens neus weg te kapen. Met voorbedachten rade.

Of misschien wist Jade het wel. Misschien deed ze het met zijn instemming. Misschien was ze Jades verzekeringspolis om Trey's aandacht vast te houden.

Mijn gevoel zei van nee. Ik had Trey en Paris op het ruitercentrum samen gezien, en ze gedroegen zich niet als twee mensen die een verhouding hadden. Ze gedroegen zich veel meer als cliënt en trainer.

Paris was een intelligente en ambitieuze vrouw. Als Paris Trey blij maakte, dan zou Trey niet aarzelen om Paris blij te maken.

Op weg terug naar Wellington vroeg ik me af of Paris wist dat Hughes eerder een relatie met Michael Bernes vrouw had gehad, en dat Michael daar ook geen aanstelling in Trey's mooie nieuwe manege aan had overgehouden – en Stella Berne trouwens evenmin.

Ik vroeg me af hoelang deze affaire al gaande was. Hughes was ongeveer negen maanden geleden van Bernes stal overgestapt naar die van Jade, hetgeen betekende dat zijn paarden gedurende de zomerperiode in Jades manege in de Hamptons hadden gestaan. Ik vermoedde dat Trey daar ook de zomer had doorgebracht en had deelgenomen aan het plaatselijke sociale leven. Het was niet ondenkbaar dat ze elkaar daar hadden gevonden.

Over al die dingen dacht ik na terwijl ik, via een omweg langs Sag Harbor Court, naar huis reed.

De Mercedes die Trey Hughes aan Van Zandt had geleend stond op de oprit. Op de bezoekersparkeerplaatsen verderop in de straat, stond een donkere Ford Taurus waarin twee, in overhemd met stropdas geklede mannen zaten.

De FBI.

Ik parkeerde een eindje verder en liep naar de donkere auto toe. De man die achter het stuur zat, deed zijn raampje open.

'Hallo,' zei ik. 'Ik heb hem vanochtend in een donkerblauwe Chevrolet Malibu zien rijden.'

De chauffeur keek me met grote ogen aan. 'Pardon?'

'Tomas Van Zandt. Daarvoor staan jullie toch hier, niet? Om hem in de gaten te houden?'

Ze keken elkaar aan, en keken toen weer naar mij.

'Mag ik misschien ook even weten wie u bent, mevrouw?' vroeg de bestuurder.

'Ik was ooit eens bevriend met die lul van een Armedgian. Zeg hem maar dat ik dat heb gezegd.'

En daarmee liet ik het stelletje idioten verder naar de Mercedes zitten kijken, die vermoedelijk de hele dag al op dezelfde plaats had gestaan.

Tomas Van Zandt was een vrij man.

Tot straks...

Ik legde mijn revolver naast me op de voorbank en reed naar huis om te wachten.

Zo op het eerste gezicht leek alles normaal bij Sean. Niets wees erop dat er iemand op het terrein was die er niet thuishoorde. Ik wist dat Sean de code van het hek niet aan Van Zandt had gegeven. Dat nam evenwel niet weg dat mijn zintuigen op volle toeren werkten.

Ik parkeerde bij de stal en ging, met mijn pistool in de hand, naar binnen. Ik liep van paard naar paard, bleef bij elke box staan om elk dier even te aaien. Langzaam maar zeker ontspande ik me wat. Oliver probeerde het pistool uit mijn hand te happen. Feliki spitste haar oren toen ik bij haar was – al was het maar om mij eraan te herinneren wie de alfamerrie was – en hoopte op iets lekkers. D'Artagnan wilde alleen maar even op zijn hals worden gekrabbeld.

Terwijl ik dat deed, dacht ik aan Erin Seabright en aan de manier waarop ze, op de video die ik in Van Zandts slaapkamer had gevonden, naar Stellar had gelachen. Ik vroeg me af of ze, waar ze ook zijn mocht en wat ze ook met haar deden, troost putte uit dat soort herinneringen.

Ik wilde Landry bellen om te vragen hoe de overdracht was verlopen, maar ik beheerste me. Hij was niet mijn vriend of vertrouweling. Mijn behoefte aan informatie interesseerde hem niet. Ik hoopte dat Molly had gebeld, maar wist ook dat zij niet de eerste was die eventueel nieuws te horen zou krijgen. Bruce zou met het geld naar de plaats van de overdracht zijn gestuurd. Hoe het ook gegaan mocht zijn, de operatie zou na afloop op het kantoor van de sheriff besproken worden. En gedurende die tijd zou niemand eraan denken om Molly te vertellen wat er aan de hand was.

Er zat niets anders op dan te wachten, dacht ik, maar herinnerde me toen opeens dat ik Paris Montgomery's mobiel in de auto had liggen. Ik haalde hem eruit, liep naar mijn huisje en ging met de telefoon aan mijn bureautje zitten.

De mobiel was een Nokia 3390. Aan het voicemailsymbooltje te zien had ze boodschappen, maar die kon ik niet afluisteren omdat ik haar pincode niet kende. Ik wist echter uit ervaring dat dit type telefoon de laatste tien gebelde nummers in het geheugen opsloeg.

Ik ging naar het laatste nummer. 'Mailbox', luidde het woord dat op de display verscheen. Ik bekeek het daarvóór gedraaide nummer: Jane L – mobiel. Het nummer dáárvoor: Don – mobiel.

Ik zag koplampen de oprit opkomen.

Het was niet Sean. Seans lichten zag ik nooit omdat hij altijd direct de garage in reed, die zich aan de andere kant van het huis bevond.

Het zou Irina kunnen zijn.

Of niet.

Ik legde de telefoon neer, pakte de Glock, deed het licht uit en ging voor het raam staan.

Het schijnsel van de beveiligingslamp op de buitenmuur van de stal reikte net niet ver genoeg om de auto goed te kunnen onderscheiden. Maar toen de bestuurder uitstapte en naar mijn huisje kwam gelopen, zag ik aan de manier van bewegen dat het Landry was.

Mijn hart begon sneller te slaan. Hij zou nieuws hebben. Goed of slecht, hij zou in ieder geval iets kunnen vertellen. Nog voor hij de patio op was gelopen had ik de deur al open. Hij bleef staan, hief zijn handen op en keek naar het pistool dat ik nog in mijn hand had.

'Laat de boodschapper leven,' zei hij.

'Is het slecht nieuws?'

'Ja.'

'Is ze dood?'

'Dat weten we niet.'

Ik leunde tegen de deurstijl en slaakte een diepe zucht. Ik voelde me zowel opgelucht als misselijk. 'Hoe is het gegaan?'

Hij vertelde me over de overdracht, over het bandje en de timer, en over de videobeelden van Erin die zweepslagen kreeg.

'O god,' mompelde ik, terwijl ik mijn handen over mijn gezicht haalde en dat maar aan één kant voelde. Op dat moment was ik het liefste helemaal gevoelloos geweest. 'O god, dat arme kind.'

Je hebt je niet aan de regels gehouden. Het meisje zal ervoor boeten.

Het was mijn idee geweest om de regels aan onze laars te lappen. Ik had mijn hele leven vrijwel niets anders gedaan dan regels overtreden, en daar pas achteraf, wanneer het te laat was, bij stilgestaan. Het leek wel alsof ik die les nooit leerde. En nu moest Erin Seabright daarvoor boeten.

Ik had het anders moeten aanpakken. Als ik Bruce Seabright niet zo geïntimideerd had, en als ik er niet op had gestaan de politie erbij te halen...

Als ik het niet geweest was. Als Molly naar iemand anders was gegaan.

'Je moet jezelf niets verwijten, Estes,' zei Landry zacht.

Ik lachte. 'Maar dat is juist een van de dingen waar ik ontzettend goed in ben.'

'Nee,' mompelde hij.

Hij stond heel dicht bij me. Onze schaduwen, op de flagstones van het terras, vielen over elkaar heen. Als ik een andere vrouw was geweest, zou ik me op dat moment mogelijk naar hem toe hebben gedraaid. Maar het was al zo lang geleden sinds ik me tegenover iemand kwetsbaar had opgesteld, dat ik niet meer wist hoe het moest. En ik was bovendien bang dat Landry mijn gebaar zou weigeren.

'Het is echt niet allemaal jouw schuld,' zei hij. 'Soms lopen de dingen gewoon zoals ze lopen.'

Nog geen vierentwintig uur eerder had ik ongeveer hetzelfde tegen hem gezegd. 'Alles wat ik zeg, kan en zal tegen mij worden gebruikt.'

'Zo lang het maar werkt.'

'Heeft het voor jou gewerkt?'

Hij schudde zijn hoofd. 'Nee, maar ik vond het goed klinken.'

'Bedankt.'

'Niets te danken.'

We keken elkaar net iets te lang aan, waarna Landry zijn nek wreef en langs me heen naar binnen keek.

'Zou ik misschien een borrel voor mezelf mogen inschenken? Het is al met al een behoorlijk zware dag geweest.'

'Natuurlijk.'

Hij liep naar de kast, schonk zichzelf een bodem whisky in die even oud was als ik, en nipte ervan.

Ik zat op de leuning van een stoel en observeerde hem. 'Waar was Jade tijdens de overdracht?'

'In West Palm, voor een ontmoeting met de ouders van Jill Morone. Ze zijn overgevlogen uit Virginia, en wilden hem persoonlijk spreken.'

'En Van Zandt?'

Hij schudde zijn hoofd en klemde zijn kiezen op elkaar. 'Goed telefoontje vanochtend, over dat vriendje van je van de FBI.'

'Armedgian? Hij is geen vriendje van me. En van jou ook niet, denk ik.'

'Hij is opeens hier om ons "terzijde te staan en te adviseren". Zijn mannetjes houden Van Zandt in de gaten.'

'Zijn mannetjes houden een auto op de oprit in de gaten. Van Zandt was vanochtend hier met een Chevrolet.'

Landry keek me doordringend aan. 'Wat kwam hij hier doen?'

'Met me afrekenen, vermoed ik.'

'Weet hij dat jij degene bent die gisteravond bij hem binnen was?'

'Ja, ik geloof van wel.'

'Dat bevalt me niet.'

'Kun je je voorstellen hoe ik me voel?'

Hij nam nog een slokje whisky en dacht na. 'Nou... we weten dat hij niet bij de overdracht was.'

'Dat betekent nog helemaal niet dat hij niets met de ontvoering te maken zou hebben. En datzelfde geldt ook voor Jade. Daarom hebben ze gebruikgemaakt van dat bandje en die timer – zodat de daders op het moment van de overdracht een waterdicht alibi zouden kunnen hebben.'

'En om Seabright een lesje te leren.'

'Ze wisten natuurlijk dat jullie Seabright niet alleen zouden laten gaan. Ze zijn geen moment van plan geweest om er – al dan niet met Erin – te zijn.'

'Dat neemt niet weg dat we er toch naar toe moesten om het spel mee te spelen.'

'Natuurlijk,' zei ik. 'Maar ik moet er niet aan denken wat dit voor Erin zal betekenen. Wat schieten ze ermee op om haar in leven te houden? Niets.'

'Extra tijd voor spelletjes met de rijzweep,' zei Landry. Hij keek naar de vloer en schudde zijn hoofd. 'Jezus. Je had moeten zien hoe hij haar te lijf ging. Als hij zijn paarden zo'n behandeling gaf, zou de dierenbescherming er wel voor zorgen dat hij daarvoor in de gevangenis kwam.'

'Jade?' vroeg ik. 'Het zal best dat jij meer van hem weet dan ik, maar toch twijfel ik eraan dat hij onze dader is.'

'Jij bent anders degene die zei dat alles om hem draaide.'

'Ja, in zekere zin is dat ook wel zo, maar uiteindelijk kom ik daar niet verder mee. In professioneel opzicht zit hij gebeiteld met Trey Hughes – hij wordt trainer van die nieuwe manege en hij koopt dure paarden voor hem in. Waarom zou hij dat alles met het ontvoeren van Erin op het spel willen zetten?'

'Erin wist iets van dat paard dat hij heeft vermoord.'

'In dat geval zou het veel logischer zijn als hij haar gewoon had laten verdwijnen,' zei ik. 'Dit is zuidelijk Florida. Nergens ter wereld is het zo gemakkelijk om je van een lijk te ontdoen. Waarom zou hij zich alle complicaties van een ontvoering op de hals willen halen?'

Landry haalde zijn schouders op. 'De man is een psychopaat. Hij denkt dat hij alles kan.'

'Dat zou ik eerder van Van Zandt willen zeggen. Maar ik kan me van Jade niet voorstellen dat hij alles voor zoiets riskants op het spel zou willen zetten, en ik zie hem evenmin als partner van zo'n onbetrouwbaar type als Van Zandt.'

Landry nam nog een slokje van zijn whisky. Ik vermoedde dat hij probeerde te beslissen of hij het wel of niet met mij eens zou moeten zijn.

'Een van de nummers op het lijstje met ingekomen gesprekken van de Seabrights dat je me hebt gegeven, blijkt afkomstig te zijn van een wegwerpmobiel met een vast saldo die bij de Radio Shack in Royal Palm Beach is gekocht. Geen van de verkopers herkende Jades foto, maar een van hen meent zich te herinneren dat ze een gesprek heeft aangenomen van een zekere Jade die informatie over de verschillende types telefoons wilde hebben, en vroeg om een telefoon voor hem te reserveren.'

'Waarom zou Jade zoiets stoms doen?' vroeg ik. 'Dat zou hij nooit hebben gedaan.'

Landry haalde zijn schouders op. 'Misschien dacht hij wel dat een wegwerptelefoon niet opspoorbaar zou zijn, en in dat geval zou het niet uitmaken met wie hij sprak.'

Ik stond op, begon heen en weer te lopen en schudde mijn hoofd. 'Jade zou het nooit zo ver hebben geschopt als hij stom was geweest. Als hij een telefoon had willen reserveren, dan zou hij een valse naam hebben opgegeven. Of desnoods alleen maar zijn voornaam. Nee, hier geloof ik niets van.'

'Het is het enige spoor dat we op dit moment hebben,' zei Landry defensief. 'En dat kan ik niet zomaar negeren. Jij weet net zo goed als ik dat misdadigers fouten maken. Ze worden slordig, en dan gaat het mis.'

'Ja, nou, het lijkt me veel waarschijnlijker dat iemand anders naar de

Radio Shack heeft gebeld, en dat diegene zich heeft uitgegeven voor Jade.'

'Wil je daarmee zeggen dat iemand hem verdacht probeert te maken?'

'Ja, dat gevoel heb ik inderdaad. Jade heeft een heleboel te verliezen.'

'Maar het is niet de eerste keer dat hij de verzekering probeert op te lichten.'

'Toen lagen de zaken anders.'

'Een vos verleert zijn streken niet.'

'Begrijp me goed,' zei ik. 'Ik probeer hem niet te verdedigen. Ik denk alleen maar dat Jade lang niet de enige rotte appel in deze mand is. Wat heeft Michael Berne ook alweer voor alibi voor de avond waarop Jill is vermoord?'

'Hij was bij Players waar hij met een cliënt had afgesproken, maar die is niet komen opdagen. Toen hij naar de hal was gegaan om de cliënt te bellen, was hij getuige van de scène tussen Jade en het meisje.'

'En daarna?'

'Daarna is hij naar huis gegaan en heeft de avond doorgebracht met zijn vrouw.'

Ik rolde met mijn ogen. 'Ah, ja, de handige mevrouw Alibi.'

'Hou op zeg,' zei Landry, met een geïrriteerde blik. 'Denk je dan dat Berne het meesterbrein achter de hele operatie is? Hoezo?'

'Dat zeg ik niet. Ik kan me alleen maar niet voorstellen dat iemand het risico van een ontvoering zou willen nemen. Aan de andere kant is het wel zo dat Berne Jade haat, en niet zo zuinig ook. Berne heeft zwaar verlies geleden toen Trey Hughes van zijn stal is overgestapt naar die van Jade. Hij is verschrikkelijk bitter. Het zou me niets verbazen als híj dat paard heeft vermoord. Misschien denkt hij wel dat Hughes weer bij hem terug zal komen als Jade een tijdje buiten beeld is. En zelfs als dat niet zo mocht zijn, heeft hij altijd nog de voldoening dat hij Jades leven heeft verpest.'

'En wat is het verband tussen Van Zandt en Berne? Je denkt nog steeds dat hij Jill heeft vermoord, niet?'

'Ja, maar misschien is er wel geen verband. Misschien heeft hij Jill vermoord en ging het alleen maar om de seks en om niets anders,' zei ik. 'Of misschien werkt hij wél samen met Berne, of misschien werkt hij wel samen met Paris Montgomery – die, tussen twee haakjes, een verhouding heeft met Trey Hughes. Ik geloof alleen niet dat hij samenwerkt met Don Jade. En dan hebben we Trey Hughes. Ik begin steeds meer het gevoel te krijgen dat alles om hém draait.'

'Jezus, wat een stinkende puinhoop,' mompelde Landry. Hij dronk zijn glas leeg en zette het op het aanrecht. 'Als ik jou was, zou ik Dugan hier maar niets van vertellen.'

'Waarom zeg je dat?'

Landry's pieper ging. Hij bekeek de display. 'Omdat hij je met spoed wil spreken.'

Landry hield de deur van het gebouw voor me open en ik ging naar binnen. Ik was zo onbeleefd om hem daar niet voor te bedanken. Ik was met mijn gedachten al bij het aanstaande gesprek. Als ik geen strategie zou bepalen, zouden Dugan en Armedgian maatregelen treffen om me op wat voor manier dan ook buiten spel te zetten.

Ze zaten in het kantoor van de inspecteur op me te wachten: Dugan, Armedgian en Weiss. De laatste wierp me de vernietigende, van haat vervulde blik toe. Ik negeerde hem en stapte rechtstreeks op Dugan af, die ik recht aankeek en een hand gaf.

'Inspecteur Dugan. Elena Estes. Normaal gesproken zou ik zeggen dat het me een genoegen is, maar ik weet zeker dat dat niet zo zal zijn.' Ik wendde me tot Armedgian. 'Wayne, bedankt voor de info over Van Zandt. Ik zou veel meer aan de volledige waarheid hebben gehad, maar ach, wat zou het. Er was toch niemand die Jill Morone aardig vond.'

Armedgian werd rood. 'Ik mag burgers geen gevoelige informatie geven.'

'Best hoor. Ik begrijp het volkomen. En daarom heb je maar meteen inspecteur Dugan gebeld, niet? Om hem te waarschuwen, en opdat iemand de man in de gaten zou kunnen houden. Ja toch?'

'We hadden geen enkele reden om aan te nemen dat Van Zandt een onmiddellijk risico voor iemand zou kunnen betekenen,' verdedigde Armedgian zichzelf. 'Ik wist ook niet dat dat meisje van Seabright was ontvoerd.'

'Ik weet zeker dat Jill Morones ouders zich daardoor een stuk beter zullen voelen.'

'Ik vind uw bezorgdheid voor die ouders ontroerend,' zei Dugan tegen mij. 'En verrassend ook, gezien de manier waarop u de Seabrights hebt behandeld.'

'Ik heb de Seabrights even beleefd behandeld als ze verdienden.'

'Daar denkt Bruce Seabright anders over.'

'Hij verdient geen enkele beleefdheid, hetgeen u intussen zelf ook wel beseft zult hebben. En eerlijk gezegd zou het mij niets verbazen als blijkt dat hij bij de ontvoering betrokken is.'

'Uw theorieën interesseren mij niet, mevrouw Estes,' zei Dugan.

'Waarom ben ik dan hier?'

'De Seabrights willen een officiële klacht tegen u indienen. Het schijnt dat u zich op een misleidende manier aan hen hebt voorgesteld.'

'Dat is niet waar.'

'U bent geen privé-detective,' zei Dugan.

'Ik heb nooit gezegd dat ik dat was. De Seabrights hebben onterecht aangenomen dat ik dat zou zijn.'

'Verdraait u mijn woorden niet. U kunt beter advocaat worden.'

'Dank u voor het advies.'

'Jammer dat ze geen advocaat was vóórdat een van ons door haar schuld is vermoord,' mompelde Weiss achter mijn rug.

Ik bleef Dugan strak aankijken. 'Ik ben hierbij betrokken geraakt omdat ik een meisje wilde helpen dat ervan overtuigd was dat er iets ergs met haar grote zus aan de hand was, nadat duidelijk was geworden dat er – met inbegrip van dit bureau – niemand was die haar wilde geloven. Dat is de enige manier waarop ik met de zaak te maken heb. En als Bruce Seabright zich daardoor bedreigd voelt, lijkt het me een goed idee als u probeerde uit te zoeken waaróm dat zo is.'

'Daar zijn we mee bezig,' zei Dugan. 'Ik wil dat u zich met onmiddellijke ingang uit de zaak terugtrekt.'

Ik keek om me heen. 'Hemel, heb ik iets gemist? Werkte ik dan inmiddels weer voor jullie? Want als dat niet zo is, dan weet ik redelijk zeker dat ik kan gaan en staan waar ik wil, en dat ik mag praten met wie ik wil. Ik ben een vrij burger.'

'U hindert een officieel onderzoek.'

'Als ik er niet geweest was, dan zou er helemaal geen onderzoek zijn.'

'Ik kan niet toestaan dat een burger zich met ons werk bemoeit, inbraken pleegt, met bewijsmateriaal knoeit –'

'Inbraak is een misdrijf,' zei ik. 'Als u kunt bewijzen dat ik heb ingebroken, zou u mij moeten arresteren.'

'Zeg het maar, inspecteur,' zei Weiss. 'Er is niets dat ik liever zou doen.'

'Van nu af aan houden wíj ons bezig met Van Zandt, Elena,' zei Armedgian. 'En daarmee bedoel ik het kantoor van de sheriff en de FBI.'

Ik keek hem met een verveeld gezicht aan. 'Ja, hoor. En jullie zijn geweldig. Hij is vanmorgen bij me op bezoek geweest en heeft me bedreigd. Waar waren jullie vanochtend, Wayne? En zal ik je nog eens wat zeggen? Ik durf er honderd dollar om te verwedden dat je er op dit moment geen flauw idee van hebt waar hij is. Of wel?'

Zijn gezicht sprak boekdelen.

'De Seabrights willen u in tijdelijke bewaring laten stellen, mevrouw Estes,' zei Dugan. 'Als u zich in de buurt van hun huis waagt, of in de buurt van meneer Seabrights kantoor, dan zullen we u moeten arresteren.'

Ik haalde mijn schouders op. 'Waarom hebt u geen agent naar mijn huis gestuurd om me dat te vertellen? Ik weet het niet, inspecteur, maar als u het niet over de zaak wilt hebben, dan vind ik dit echt zonde van mijn tijd.'

Dugan trok zijn wenkbrauwen op. 'Moet u soms dringend ergens heen?'

Ik haalde mijn mobiel uit mijn zak, zocht het telefoonnummer dat ik wilde hebben en drukte op het knopje om te bellen. Ik keek Dugan strak aan.

'Van Zandt? Elle. Het spijt me dat ik vanochtend zo haastig weg moest. Helemaal nadat je zo lang tegen me te keer was gegaan en me het gevoel hebt weten te geven dat ik nog niet eens kan fietsen, laat staan paardrijden.'

Het bleef stil aan de andere kant van de lijn. Aan de achtergrondgeluiden hoorde ik dat hij in de auto zat. Ik overwoog het gesprek voort te zetten, ook als hij zou besluiten de verbinding te verbreken. Ik wilde Dugan duidelijk maken dat hij niet over mij kon beslissen en dat hij, of hem dat nu beviel of niet, veel aan mijn bijdrage zou kunnen hebben.

'Vond je mij te streng?' vroeg Van Zandt.

'Nee. Ik hou van een harde aanpak,' zei ik suggestief.

Opnieuw was het stil, en toen grinnikte hij. 'Elle, je bent uniek.'

'Is dat goed, of juist niet?'

'Dat hangt er vanaf. Het verbaast me dat je belt.'

'De mot en de vlam,' zei ik. 'Je geeft mijn hersens de kost, en dat mag ik wel. Sean en ik wilden vanavond laat naar Players voor een hapje en een drankje of wat. Ben je vrij?'

'Op dit moment niet.'

'Later?' vroeg ik.

'Ik weet niet of ik je wel helemaal kan vertrouwen, Elle.'

'Waarom niet? Ik heb geen enkele macht. Ik ben het buitenbeentje.'

'Je vertrouwt me niet,' zei hij. 'Je denkt slechte dingen van me die niet waar zijn.'

'Nou, dan is het aan jou om mij ervan te overtuigen dat je een goed mens bent. Het is nooit te laat om vrienden te maken. En daarbij, het is alleen maar iets eten en drinken. Neem je vriendin Lorinda mee. Dan kun je haar onder het toetje Seans paard verkopen. Tot straks. *Ciao.*'

Ik beëindigde het gesprek en stopte de mobiel weer in mijn zak.

'Ja,' zei ik tegen Dugan, 'ik moet dringend ergens heen. Ik heb een afspraak met Tomas Van Zandt.' Ik wendde me tot Wayne Armedgian. 'Dacht je echt dat je iemand kon volgen door een op de oprit geparkeerde auto in de gaten te laten houden?'

Ik wachtte niet op een antwoord.

'Het was me een genoegen, jongens,' zei ik, waarna ik mijn hand opstak en het kantoor verliet.

Ik voelde me duizelig. Ik voelde me alsof ik op een reus was afgestapt en hem in zijn oog had gespuugd. Ik had het voor elkaar gekregen om, in één klap, het hoofd van de afdeling Roofovervallen/Moordzaken, én een agent van de FBI tegen me in het harnas te jagen.

Wat kon het schelen. Ik was als buitenstaander naar binnen gegaan. Ik was een buitenstaander omdat zíj mij hadden buitengesloten, en niet andersom. Ik zou ze met alle plezier alles wat ik wist over de zaak hebben verteld, maar ze wilden niets van me weten. En nu had ik ze heel duidelijk laten merken dat ze mij niet de wet konden voorschrijven. Ik kende mijn rechten, ik kende de wet. En ik wist dat ik gelijk had: ze zouden geen zaak hebben gehad als ik Landry er niet met de haren bij had gesleept, en als ik Armedgian niet had gebeld om hem om informatie te vragen. Ik was niet bereid om me nu door hen naar de zijlijn te laten sturen.

Ik ijsbeerde over de stoep voor het gebouw en snoof de vochtige avondlucht diep in me op, terwijl ik me afvroeg of ik dit wel goed had gespeeld, en of het wat uithaalde, en of het niet al te laat was.

'Je hebt lef, Estes.'

Landry kwam naar me toe met een sigaret in zijn ene, en een aansteker in zijn andere hand.

'Dank je.'

'Denk je dat Van Zandt naar Players zal komen?' vroeg hij, de sigaret opstekend.

'Ja. Hij houdt van spelletjes. En hij loopt geen enkel direct risico. Hij weet dat je niets tegen hem kunt aanvoeren, want anders had hij al in de gevangenis gezeten. Ik denk dat hij zal komen om je dat onder de neus te wrijven – en mij.'

In een opwelling pakte ik de sigaret uit zijn vingers en nam een haal. Landry observeerde me met een totaal uitdrukkingsloos gezicht.

'Rook je?' vroeg hij.

'Nee,' zei ik, de rook uitblazend. 'Ik ben jaren geleden gestopt.'

'Ik ook.'

'Maar je bewaart een pakje in de bovenste la van je bureau?' vroeg ik.

Hij nam de sigaret terug. 'Het is óf dit, óf de drank. Hier kunnen ze me niet voor schorsen. Nog niet.'

'Weiss heeft het er erg moeilijk mee.'

'Hij is klein van stuk,' zei Landry, bij wijze van verklaring.

'Ik weet dat ik niet welkom ben,' zei ik. 'Maar ik had de zaak als eerste, en ik kan nog steeds van nut zijn.'

'Ja, dat weet ik. Daar heb je mijn baas zojuist flink mee om de oren geslagen.'

Rond zijn mondhoeken speelde een glimlachje. Ik hechtte veel te veel waarde aan zijn waardering.

'Ik heb nooit begrepen wat mensen in subtiliteiten zien,' zei ik. 'En er is geen tijd voor.'

Ik pakte de sigaret voor een laatste trekje – mijn lippen beroerden de plek waar de zijne de sigaret hadden beroerd. Ik weigerde te denken dat daar een erotisch kantje aan zat, maar dat was natuurlijk wel zo, en dat wist Landry net zo goed als ik. We keken elkaar aan en onze blikken hielden elkaar vast terwijl er een vonk tussen ons oversprong.

'Ik moet gaan,' zei ik, achteruit de stoep af lopend.

Landry bleef staan waar hij stond. 'Wat als Dugan wil dat je weer binnenkomt?'

'Hij weet waar ik naar toe ga. Hij kan komen en me een drankje aanbieden.'

Verwonderd schudde hij zijn hoofd. 'Je bent me er eentje, Estes.'

'Ik probeer alleen maar te overleven,' zei ik, terwijl ik me omdraaide en naar mijn auto liep.

Toen ik, op weg naar de uitgang van de parkeerplaats, langs de ingang van het gebouw kwam, zag ik Weiss in de deuropening staan. Vuile etter. Ik verwachtte dat hij het Landry lastig zou maken omdat hij zijn sigaret met mij had gedeeld, maar dat was Landry's zaak. Ik had zelf al problemen genoeg. Ik had afgesproken met een moordenaar.

38

Vrouwen. Stomme, ondankbare krengen. Van Zandt bracht het grootste gedeelte van zijn leven door met hen – ongeacht hun uiterlijk – het hof te maken en hen te complimentjes te maken, reisde stad en land met hen af om hun paarden te laten zien, en gaf hun advies en goede raad. Zonder hem konden ze niet beslissen, hadden ze er geen idee van welk paard ze moesten kopen. En dacht je dat ze hem daar dankbaar voor waren? Nee. De meesten van hen waren egoïstisch en stom, en hadden geen hersens in hun hoofd, maar zaagsel. Ze verdienden dat ze belazerd werden. Ze verdienden alles wat hen overkwam.

Hij dacht aan Elle. Hij dacht nog steeds aan haar met die naam, ook al wist hij intussen dat ze niet echt zo heette. Zij was niet zoals 'de meeste vrouwen'. Ze was slim en doortrapt en brutaal. Ze dacht met de keiharde logica van een man, maar dan wel met de achterbaksheid en de seksualiteit van een vrouw. Dat vond hij opwindend en uitdagend. Een spel dat de moeite van het spelen waard was.

En ze had gelijk: ze kon hem niets doen. Er waren geen bewijzen tegen hem, en op grond daarvan was hij onschuldig.

Daar moest hij om glimlachen. Hij voelde zich gelukkig en intelligent en superieur.

Hij pakte zijn mobiel en draaide het nummer van Lorinda's huis. Er werd niet opgenomen. Zijn stemming zakte vrijwel onmiddellijk naar het nulpunt. Nadat hij nóg een keer was overgegaan zou het antwoordapparaat aanspringen. Hij wilde niet met een apparaat spreken. Waar was Lorinda, verdomme? Vast een eindje lopen met dat vlooienbeest van haar. Onuitstaanbare, kleine etter.

Het antwoordapparaat sprong aan en hij sprak een korte boodschap in – dat hij haar later bij Players verwachtte.

Hij beëindigde het gesprek en smeet de telefoon naast zich op de voorbank van de goedkope rotauto die Lorinda hem had geleend. Hij had de politie niet achter zich aan willen hebben. Ze hadden geen enkele reden om hem te volgen, had hij tegen haar gezegd. Hij werd als onschuldige burger door de politie geïntimideerd. Ze had hem natuurlijk geloofd, en dat ondanks het feit dat ze het bebloede overhemd had gezien. Daar had hij een smoes voor verzonnen, en die had ze ook geloofd.

Stomme trut. Hij snapte werkelijk niet waarom ze geen betere auto huurde wanneer ze op reis was. Lorinda had geld geërfd van haar ouders in Virginia. Tomas had er wat tijd in gestoken om dat uit te zoeken. Maar ze gaf het weg aan verschillende dierenasielen, in plaats van het geld voor zichzelf uit te geven. Ze woonde als een zigeunerin op een groot bezit dat van haar grootmoeder was geweest, en waarvan ze de prachtige plantagewoning verhuurde, terwijl ze zelf – met een horde honden en katten – in een van de houten bijgebouwen woonde dat ze nooit schoonmaakte.

Tomas had haar gezegd dat ze een facelift moest nemen en haar borsten moest laten liften, en dat ze dringend wat aan haar uiterlijk zou moeten doen omdat ze anders nooit een rijke man zou vinden. Ze had gelachen en hem gevraagd waarom ze een andere man zou moeten nemen wanneer ze Tomas had om haar belangen voor haar te behartigen.

Stomme trut.

Vrouwen. De nagel aan zijn doodskist.

Hij reed in zuidelijke richting over Southern Boulevard en dacht aan de vrouw met wie hij had afgesproken. Ze dacht dat ze hem kon chanteren. Ze had gezegd dat ze alles wist van dat vermoorde meisje, terwijl het duidelijk was dat dat niet het geval was. Maar ze was daarvóór al een probleem geweest, vanwege alle leugens die ze over hem had verteld. Ze was een verbitterd, wraakzuchtig kutwijf. Dat had je met die Russen. Hij kende geen ander ras dat even wraakzuchtig was.

Dat dit kreng moest sterven was, natuurlijk, de schuld van Sasha Kulak. Tomas had haar opgenomen, had haar een dak boven het hoofd gegeven, en een baan. Ze had de kans gehad om van alles van hem te leren en haar voordeel te doen met zijn uitgebreide kennis – in de stal en in de slaapkamer.

Ze zou hem aanbeden moeten hebben. Ze zou hem op zijn wenken bediend moeten hebben. Maar in plaats daarvan had ze van hem gestolen en had ze achter zijn rug over hem geroddeld.

Hij had na haar vertrek persoonlijk contact moeten opnemen met alle klanten van wie hij vermoedde dat ze door haar benaderd waren, om hen voor het meisje te waarschuwen. Hij vertelde hun dat ze een dievegge was, en dat het hem niets zou verbazen als bleek dat ze ook aan de drugs was. En hij maakte hun duidelijk dat hij natuurlijk niets had misdaan.

En nu was haar vriendin aan de beurt, die Russin die voor Avadon werkte. Avadon had haar de afgelopen vrijdag, toen ze in zijn stal geprobeerd had hem te vermoorden, op staande voet moeten ontslaan. Het was echt onvoorstelbaar wat die Amerikanen allemaal toelieten.

Hij had zijn buik vol van Florida. Hij stond op het punt om naar België terug te keren. Alles was al geregeld voor zijn vlucht. Een vrachttoestel dat met een lading paarden naar Brussel vloog. Hij reisde altijd mee als verzorger, want dan hoefde hij niet te betalen. Hij zou nog één dag blijven om zaken te doen, en om iedereen duidelijk te maken dat hij niets te verbergen had, en dat hij geen enkele reden had om bang te zijn voor de politie. Dan zou hij voor enige tijd teruggaan naar Europa, en pas weer terugkomen als de mensen interessantere dingen hadden om over te roddelen dan over hem.

Hij nam gas terug om het bord niet te missen. Hij had voorgesteld om elkaar bij de achteringang van het ruitercentrum te treffen, maar het meisje had hem op een openbare plek willen ontmoeten. Dit was de plek die ze had gekozen: Magda's – een armoedige bar in een industriegebied van West Palm Beach. Een haveloos houten gebouw dat eruitzag alsof de houtworm erin zat.

Van Zandt reed naar de achterzijde van het gebouw om een parkeerplaats te zoeken.

Hij zou het meisje binnen treffen en haar iets te drinken aanbieden. Wanneer ze even niet oplette, zou hij het spul in haar glas doen. Het was doodsimpel. Ze zouden een praatje maken, en hij zou haar ervan proberen te overtuigen dat die hele situatie met Sasha een vergissing was geweest. Het middel zou langzaam maar zeker gaan werken. Zodra het juiste moment was aangebroken en ze niet meer in staat was om te protesteren, zou hij haar naar buiten begeleiden.

Het zou lijken alsof ze dronken was. Hij zou haar in de auto zetten en ergens naar toe rijden waar hij haar zou kunnen vermoorden en zich van haar lijk zou kunnen ontdoen.

Hij vond een plaatsje voor de auto – langs een hek dat het erf van de bar scheidde van een autokerkhof. De ideale plek. Half verscholen. Het zou een snelle en cleane klus zijn, en daarna zou hij naar Players gaan waar hij had afgesproken met Elena Estes.

Ik was bij Players en ging alleen naar binnen. Als Van Zandt met Lorinda kwam, zou ik Sean verontschuldigen, want ik wilde hem niet nóg verder bij dit drama betrekken dan ik al had gedaan.

Het was druk in de bar. Mensen die een overwinning te vieren hadden, en anderen die hun verlies wilden verdrinken. De meeste stallen sluiten op maandag om uit te rusten van de tijdens het weekend gereden wedstrijden. Er was geen enkele reden om zondag vroeg naar bed te gaan.

Ik schatte dat er een stuk of honderd gasten waren. Vrouwen pronkten met hun nieuwste creaties en hun meest recente plastische operaties. Donkere Zuid-Amerikaanse polospelers die het probeerden aan te leggen met elke rijke vrouw. Bescheiden beroemdheden die voor het weekend thuis waren. Arabische prinsen. En iedereen keek rond om te bepalen met wie hij of zij vervolgens een praatje zou kunnen maken om daar zelf beter van te worden.

Ik vond een tafeltje in de hoek, en ging met mijn rug naar de muur toe zitten om de boel te kunnen overzien. Ik bestelde tonic met limoen en werd benaderd door een ex-honkbalster die wilde weten of hij me ergens van kende.

'Nee,' zei ik, geamuseerd over het feit dat hij zijn oog op mij had laten vallen. 'En dat zou je ook niet willen.'

'Hoezo niet?'

'Omdat ik van de ene ellende in de ander kom.'

Hij ging tegenover me zitten en boog zich over de tafel heen. Zijn glimlach was bekend van talloze reclameboodschappen voor goedkoop bellen, en voor gekleurd ondergoed. 'Dat had je niet moeten zeggen. Nu ben ik nieuwsgierig.'

'En ik zit op iemand te wachten.'

'Wat een bofkont. Wat heeft die man dat ik niet heb?'

'Geen idee,' zei ik met een halve grijns. 'Ik heb hem nog niet in zijn ondergoed gezien.'

Hij spreidde zijn handen en grinnikte. 'Ik heb niets te verbergen.'

'Je bent onbeschaamd.'

'Dat klopt, maar uiteindelijk zeggen de meisjes altijd ja.'

Ik schudde mijn hoofd. 'Deze keer dus niet.'

'Valt hij je lastig, Elle?'

Ik keek op en zag Don Jade naast me staan. Hij had een glas martini in zijn hand.

'Nee, ik ben bang dat het eerder andersom is,' zei ik.

'Of zoiets,' zei meneer Honkbal, zijn wenkbrauwen op en neer bewegend. 'Je wacht toch zeker niet op deze man, hè?'

'Toevallig wel.'

'Zelfs nadat je mij in mijn ondergoed hebt gezien?'

'Wat zal ik zeggen. Ik laat me graag verrassen.'

'Zeg dat je hem straks naar huis toe stuurt,' zei hij, terwijl hij opstond. 'Ik zit aan het einde van de bar.'

Ik keek hem na, en verbaasde me erover dat ik het zowaar leuk had gevonden om te flirten.

'Ik zie aan je gezicht dat je onder de indruk bent,' zei Jade, terwijl hij op de vrijgekomen plaats ging zitten. 'Veel hoed en geen vee, zouden ze in Texas van hem zeggen.'

'En hoe weet jij dat?'

Zijn doordringende blik leek in strijd met het drankje in zijn hand. Hij was volkomen nuchter. 'Je hebt geen idee van wat ik allemaal weet, Elle.'

Ik nam een slokje van mijn tonic en vroeg me af of hij wist wie ik was, en of Van Zandt het hem had verteld, of Trey, of dat hij met opzet niet geïnformeerd was.

'Ik kan me zo voorstellen dat er niet veel is dat aan je aandacht ontsnapt,' zei ik.

'Dat klopt.'

'Is dat de reden dat ze je gisteren zo lang verhoord hebben?' vroeg ik. 'Omdat je de politie zoveel te vertellen had?'

'Nee. Ik vrees dat de moord op Jill een onderwerp is waar ik helemaal niets vanaf weet. Jij wel?'

'Ik? Nee, ook niet. Zullen we het dan maar aan iemand anders vragen? Van Zandt komt zo. We zouden het aan hem kunnen vragen. Ik heb zo het gevoel dat hij ons wel een paar gruwelijke verhalen zal kunnen vertellen.'

'Het is niet moeilijk om iemand zover te krijgen dat hij je een verhaal vertelt, Elle,' zei Jade.

'Dat klopt. Het is de kunst om iemand zover te krijgen dat hij je de waarheid vertelt.'

'En daar ben jij naar op zoek? Naar de waarheid?'

'Je weet toch wat ze zeggen, dat de waarheid bevrijdend is.'

Hij nipte van zijn martini en tuurde voor zich uit. 'Dat hangt af van wie je bent, is het niet?'

Het meisje stond onder de lamp van de achteringang op hem te wachten. Haar haren vielen als leeuwenmanen om haar hoofd. Ze droeg een nauwsluitende zwarte legging en een spijkerjack, en ze had heel donkere lippenstift op. Ze rookte een sigaret.

Van Zandt dacht tenminste dat het Avadons stalknecht was. Dit soort meisjes zag er, wanneer ze niet aan het werk waren, altijd heel anders uit.

Van Zandt opende het portier van zijn auto en stapte uit terwijl hij zich afvroeg of het niet veel gemakkelijker zou zijn om haar gewoon bij het gebouw vandaan te lokken, haar in de auto te duwen en weg te rijden. Maar het risico dat er iemand uit de bar zou komen en het zou zien, was te groot. Vrijwel op hetzelfde moment kwam er inderdaad een man naar buiten. Hij was lang en stevig gebouwd, en ging wijdbeens, en met zijn handen voor zijn buik over elkaar geslagen, onder de lamp boven de achterdeur staan. Het meisje keek met een verleidelijk glimlachje naar hem op en zei iets in het Russisch.

Halverwege de auto en het gebouw kreeg Van Zandt opeens een akelig voorgevoel. Hij vertraagde zijn stap. De grote Rus had iets in zijn hand. Het zou een vuurwapen kunnen zijn.

Achter zich hoorde hij autoportieren opengaan, en het geluid van schoenzolen die over het gebarsten beton schuurden.

Hij had een grote fout gemaakt, dacht hij. Hij zag het meisje met een boosaardig glimlachje naar hem kijken. Hij draaide zich om en wilde teruggaan naar zijn auto, maar stuitte op een muur van drie mannen: twee enorme, potige kerels die een kleinere man in een mooi donker pak flankeerden.

'Heb u er soms spijt van dat u bent gekomen, meneer Van Zandt?' vroeg de kleinere man.

Van Zandt keek hem vanuit de hoogte aan. 'Ken ik u?'

'Nee,' antwoordde hij, terwijl zijn partners Van Zandt elk bij een arm vastgrepen. 'Maar misschien dat mijn naam u iets zegt. Kulak. Alexi Kulak.'

'Geloof jij in karma, Elle?' vroeg Jade.

'God, nee.'

Jade nipte nog steeds van dezelfde martini. Ik was aan mijn tweede tonic met limoen. En een paar goedkope dadels. We zaten hier nu al een kwartier, en Van Zandt had zich nog niet vertoond.

'Waarom zou ik daarin moeten geloven?' vroeg ik.

'Wat je een ander aandoet, wordt jou aangedaan.'

'Geldt dat voor iedereen? Voor mij? Nee hoor, mij niet gezien.'

'Wat heb je ooit gedaan dat jou aangedaan zou moeten worden?'

'Ik heb ooit eens iemand vermoord,' bekende ik kalm, al was het maar om zijn gezicht te kunnen zien. Ik schatte dat het de eerste keer in pakweg tien jaar was, dat hij verbaasd was. 'En ik kan niet zeggen dat ik erop zit te wachten dat iemand *míj* dat aandoet.'

'Je hebt iemand vermoord?' herhaalde hij, waarbij hij zijn best deed om niet verbaasd te klinken. 'Had hij dat verdiend?'

'Nee. Het was een ongeluk – als je tenminste in ongelukken gelooft. En jij? Reken jij erop dat je voor je in het verleden gepleegde daden moet boeten? Of hoop je dat je je lot zult kunnen ontlopen?'

Hij nam de laatste slok van zijn martini op het moment waarop Susannah Atwood de bar binnen kwam. 'Ik zal je zeggen waar ik in geloof, Elle,' zei hij. 'Ik geloof in mijzelf, ik geloof in het nu en ik geloof in zorgvuldige planning.'

Ik wilde hem vragen of het zijn planning was geweest om Jill Morone door iemand te laten vermoorden, en om Erin Seabright door iemand te laten ontvoeren. Ik wilde hem vragen of het zijn planning was geweest dat Paris Montgomery en Trey Hughes een verhouding hadden, maar hij was met zijn aandacht al ergens anders.

'Mijn afspraakje is er,' zei hij, en hij stond op. Hij keek op me neer met een blik die het midden hield tussen geamuseerdheid en verbazing. 'Bedankt voor het gesprek, Elle. Je bent een fascinerend mens.'

'Sterkte met je karma,' zei ik.

'En jij met het jouwe.'

Ik keek hem na en vroeg me af wat de aanleiding tot deze verrassende filosofische wending was. Als hij onschuldig was, dacht hij dan dat deze onverwachte tegenslagen het gevolg waren van de dingen die hij in het verleden had gedaan en waar hij toen ongestraft vanaf was gekomen? Of dacht hij wat ik dacht? Dat dingen als pech, ongeluk en toeval niet bestonden? Als hij dacht dat iemand probeerde zijn hoofd in een strop te duwen, wie hield hij dan voor de dader?

Vanuit mijn ooghoeken zag ik de honkbalspeler afkomen op de plek die Jade had vrijgemaakt. Ik stond op en ging weg. Ik had geen geduld meer voor flirten. Ik wilde dat Van Zandt zou komen, al was het alleen maar om Dugan en Armedgian te bewijzen dat ik mijn nut had.

Ik was ervan overtuigd dat hij zou komen. Ik kon me niet voorstellen dat hij de verleiding zou kunnen weerstaan om in een openbare gelegenheid heel gezellig en zelfvoldaan te zitten babbelen met iemand die ervan overtuigd was dat hij een moordenaar was, en die daar niets aan kon doen. Hij zou het machtsgevoel dat een dergelijke situatie hem bezorgde, voor geen goud willen missen.

Ik vroeg me af wat hij eerder had moeten doen, en of het iets met de ontvoering te maken had. Ik vroeg me af of hij de man in het zwart was die, volgens Landry's beschrijving, Erin Seabright met een rijzweep te lijf was gegaan. Perverse schoft. Het kostte me weinig moeite om me voor te stellen dat hij daar een kick van zou krijgen. Bij hem draaide alles om controle en macht.

Ik stond voor de ingang van The Players en stelde me voor hoe hij zich zou voelen wanneer hij in de gevangenis zat, waar hij geen greintje controle en macht zou hebben, en zich met niemand anders zou kunnen bezighouden dan met zichzelf.

Karma. Misschien dat ik er toch in wilde geloven.

De aframmeling was nog niet het ergste. Het ergste was de wetenschap dat, wanneer de aframmeling voorbij zou zijn, dat tegelijkertijd het einde van zijn leven zou betekenen. Of misschien was het allerergste nog wel het feit dat hij geen enkele invloed op de situatie kon uitoefenen. Alle macht lag in handen van Alexi Kulak, de neef van die Russische slet die hem letterlijk geruïneerd had.

Terwijl de Rus die uit de achterdeur naar buiten was gekomen daar bleef staan om te voorkomen dat er iemand naar buiten zou kunnen komen en getuige van de handeling zou kunnen zijn, was Kulak persoonlijk op Van Zandt af gestapt, en had een stuk tape over zijn mond geplakt, waarna hij zijn handen met een stuk van dezelfde tape op zijn rug bij elkaar had gebonden. Daarna hadden ze hem op de achterbank van Lorinda's huurauto geduwd, en waren ze ermee door het open hek het autokerkhof naast de bar op gereden. Ze waren een reusachtige, smerige garage in gereden, en hadden hem uit de auto gesleurd.

Hij had natuurlijk geprobeerd te vluchten – onhandig, met zijn handen op zijn rug en de angst in zijn benen. Hij had gerend, maar het gevoel gehad alsof hij geen centimeter van zijn plaats kwam. De mannen waren hem achternagegaan, hadden hem weer beetgegrepen, en hem meegetrokken naar de plek waar een groot zwart zeil op de betonnen vloer lag. Langs de rand van het zeil zag hij, keurig op een rij alsof het om een chirurgische ingreep ging, een verzameling gereedschap liggen: een hamer, een koevoet en een nijptang. De tranen sprongen hem in de ogen, en zijn blaas leegde zich in een warme, natte stroom.

'Breek zijn benen,' beval Kulak kalm. 'Zodat hij, lafaard die hij is, niet kan vluchten.'

De grootste van de twee beulen hield hem in bedwang terwijl de andere een sloophamer pakte. Van Zandt schopte en trapte van zich af. De Rus haalde uit en miste, en vloekte hartgrondig toen de hamer contact maakte met de betonnen vloer. De tweede uithaal was raak, en trof hem op de rand van zijn knieschijf. Het bot versplinterde alsof het een eierschaal was.

Van Zandts geschreeuw bleef gevangen achter de tape. De pijn explodeerde in zijn brein als een witheet gloeiende nova, en verspreidde zich als een tornado door zijn lichaam. Zijn darmen lieten hun inhoud de vrije loop, en hij moest kokhalzen van de stank. De derde klap trof hem op het scheenbeen, vlak onder zijn andere knie, en ook dat bot versplinterde in talloze scherpe punten.

Iemand rukte de tape van zijn mond, en hij wierp zich op zijn zij en begon krampachtig te braken. En nog eens. En nog eens.

'Kinderverkrachter,' zei Kulak. 'Moordenaar. Het Amerikaanse rechtssysteem is veel te goed voor jou. Dit is een geweldig land, maar ze zijn er te lief. Amerikanen zeggen graag en dank u en laten moordenaars ontkomen omdat er te veel regeltjes zijn. Sasha is dood en dat is jouw schuld. En nu heb je een meisje vermoord, en de politie kan je nog niet eens in de gevangenis zetten.'

Van Zandt schudde zijn hoofd en haalde zijn gezicht door het braaksel op het zeil. Hij snikte en hapte naar lucht. 'Nee. Nee. Nee. Ik heb haar niet... ongeluk... niet mijn schuld.' De woorden kwamen hortend en stotend over zijn lippen. De pijn trok in ondraaglijke withete schokken door zijn lichaam.

'Smerige vuile leugenaar die je bent,' snauwde Kulak. 'Ik weet alles van het bebloede hemd. Ik weet dat dat je geprobeerd hebt dat meisje te verkrachten, zoals je Sasha hebt verkracht.'

Kulak vervloekte hem in het Russisch en gaf de beulen een knikje. Hij stapte naar achteren en keek doodkalm toe hoe ze Van Zandt met dunne, ijzeren staven sloegen. De staven troffen hem om de beurt, op zorgvuldig uitgekozen plaatsen. Van tijd tot tijd gaf Kulak een bevel in het Engels opdat Van Zandt hem zou kunnen verstaan.

Ze mochten hem niet op het hoofd slaan. Kulak wilde dat hij bij bewustzijn bleef en alles zou kunnen verstaan, en dat hij de pijn zou kunnen voelen. Ze mochten hem niet vermoorden – hij verdiende geen snelle dood.

De klappen werden strategisch geplaatst.

Van Zandt probeerde te spreken, te smeken, probeerde het uit te leggen en probeerde de schuld van zich af te praten. Het was niet zijn schuld dat Sasha haar leven had beëindigd. Het was niet zijn schuld dat Jill Morone was gestikt. Hij had nog nooit een vrouw verkracht.

Kulak kwam het zeil op gestapt en schopte hem tegen zijn mond. Van Zandt verslikte zich in bloed en tanden, en hoestte en proestte het uit.

'Ik ben je smoezen zat,' zei Kulak. 'Ik jouw wereld kun je je gang gaan zonder dat je ergens verantwoordelijk voor bent. In mijn wereld moet een man voor zijn zonden boeten.'

Kulak rookte een sigaret en wachtte tot Van Zandts mond niet meer bloedde. Toen wikkelde hij de onderkant van zijn hoofd in tape, waarbij hij zijn mond van een paar extra lagen voorzag. Ze tapeten zijn benen bij elkaar en gooiden hem in de achterbak van Lorinda's gehuurde Chevrolet.

Het laatste dat hij van Alexi Kulak zag, was dat hij zich over hem heen boog en op hem spuugde. Het volgende moment werd de kofferbak dichtgeslagen en was het donker in de wereld van Tomas Van Zandt. Het verschrikkelijke wachten was begonnen.

39

Die avond bij Players zag ik de wereld komen en gaan, maar Tomas Van Zandt vertoonde zich niet. Ik hoorde een vrouw aan de bar naar hem vragen, en nam aan dat het Lorinda Carlton was: begin veertig met een goedkope Cher-uitstraling. Als ze het inderdaad was, dan moest Van Zandt haar hebben gebeld met de boodschap dat ze elkaar hier zouden treffen. Maar van Van Zandt zelf geen spoor.

Tegen elven zag ik Irina met een paar vriendinnen binnenkomen. Assepoesters die een avondje gingen stappen. Ze hadden net voldoende geld en tijd voor één drankje en wat flirten met de polospelers, voordat hun rijtuigen in pompoenen zouden veranderen en ze terug moesten naar hun goedkope en vaak sjofele onderkomens.

Rond middernacht waagde meneer Honkbal opnieuw een poging.

'Dit is je laatste kans op een beetje romantiek.' De verleidelijke glimlach, de opgetrokken wenkbrauwen.

'Wat?' vroeg ik, met gespeelde verbazing. 'Je hebt hier de hele avond gezeten en je hebt niets leuks, jongs en blonds kunnen versieren?'

'Ik heb op jou gewacht.'

'Je hebt ook overal een antwoord op.'

'Betekent dat, dat je met me meegaat?' vroeg hij.

'Het betekent dat je op kunt duvelen, slijmbal.' Landry ging vlak voor hem staan en toonde hem zijn identificatie.

Meneer Honkbal keek me aan.

Ik haalde mijn schouders op. 'Ik ben erbij.'

'Ze zou je levend verslinden, makker,' zei Landry, met een glimlach die me aan een haai deed denken. 'En niet in positieve zin.'

Honkbal stak berustend zijn hand op en liep weg.

'Waar was dát nu weer goed voor?' vroeg Landry bezorgd, terwijl hij bij me aan tafel kwam zitten.

'Ach, ik probeerde alleen de avond maar door te komen.'

'Heb je de hoop op Van Zandt opgegeven?'
'Ik denk dat ik met een gerust hart kan stellen dat hij me heeft laten zitten. En ik kan ook stellen dat ik me daardoor behoorlijk voor gek gezet voel. Heeft Dugan die jongens voor zijn huis teruggefloten?'
'Vijf minuten geleden. Hij rekende op jou. En dat wil wat zeggen.'
'Je moet nooit op een onbekend paard wedden,' zei ik. 'In negen van de tien gevallen kost dat alleen maar geld.'
'Ja, maar die ene keer dat zo'n paard wel wint, maakt alle verliezen in één klap weer goed,' merkte hij op.
'Ik heb niet het gevoel dat Dugan een gokker is.'
'Wat kan het je schelen wat hij denkt of doet? Je bent hem geen enkele verantwoording schuldig.'
Ik wilde niet toegeven dat mij er veel aan was gelegen om iets terug te winnen van het respect waar op het einde van mijn carrière niets meer van over was. Ik wilde niet zeggen dat ik Armedgian voor gek had willen zetten. Ik had het akelige gevoel dat ik die dingen ook niet hoefde te zeggen. Landry observeerde me aandachtiger dan me lief was.
'Het was heel moedig van je, om Van Zandt op die manier te bellen,' bracht hij me in herinnering. 'En voor hetzelfde geld had het wel wat opgeleverd. Wat zei hij, toen je hem vroeg of hij vrij was?'
'Hij zei dat hij eerst nog iets te regelen had. Waarschijnlijk het dumpen van Erins lijk, of zo.'
'Ik heb Lorinda Carlton gezien,' zei Landry. 'Ze ging net weg toen ik binnenkwam.'
'Lange vlecht met een veer erin?' vroeg ik. 'Modieus gekleed volgens de smaak van dertig jaar geleden?'
Hij grijnsde. 'Miauw.'
'Ik kan echt geen respect hebben voor een vrouw die gevoelig is voor Van Zandts act.'
'Dat ben ik met je eens,' zei hij. 'En deze tante heeft een dubbele portie stompzinnigheid meegekregen. Ik durf er honderd dollar om te verwedden dat ze dat bebloede overhemd heeft gezien, en dat ze Van Zandt zelfs heeft geholpen om het te laten verdwijnen, en ze denkt nog steeds dat hij de goedheid zelve is.'
'Heb je haar gevraagd waarom ze hier was?'
Hij pufte. 'Ze zou nog niet eens de brandweer bellen als ik in lichterlaaie stond. Ze denkt dat *ík* de verpersoonlijking van de duivel ben. Ze wilde me niets zeggen. Maar ik kan me niet voorstellen dat ze hier was om een man op te pikken. Bij haar heb ik eerder het gevoel dat ze veel meer houdt van een avondje wierook branden en slechte gedichten hardop voorlezen.'

'Ze heeft de barkeeper gevraagd of hij Van Zandt had gezien,' zei ik. 'Dus dan is ze hier gekomen met het idee dat ze hem hier zou treffen. Zie je nu wel? Dan had je toch gelijk.'

De bar was aan het sluiten. Het personeel was bezig om de stoelen op de tafels te zetten en de glazen terug te brengen naar de bar. Ik stond langzaam op. Mijn lichaam was stijf van alle avonturen van de afgelopen paar dagen. Ik legde een briefje van tien dollar op tafel voor de serveerster.

Landry trok zijn wenkbrauwen op. 'Dat is gul.'

Ik haalde mijn schouders op. 'Zij heeft een klotebaan en ik leef van de rente.'

We liepen samen naar buiten. De parkeerjongens waren al naar huis. Ik zag Landry's auto tegenover de mijne op de achterste parkeerplaats staan.

'Ik ken geen enkele agent die van rente leeft,' zei hij.

'Stel je er maar niet al te veel van voor, Landry. En daarbij, zoals je niet kunt nalaten om me voortdurend onder de neus te wrijven, in ben geen agent meer.'

'Je hebt geen schildje meer,' specificeerde hij.

'Is dat bedoeld als een complimentje?' vroeg ik, toen we bij de auto's waren gekomen.

'Misschien, Estes, maar stel je er niet al te veel van voor.' Hij glimlachte.

'Nou, laat me je er, als goed opgevoed mens, toch maar voor bedanken.'

'Waarom ben je bij de politie gegaan?' vroeg hij. 'Je had alles kunnen worden, of gewoon helemaal niets kunnen doen.'

Ik keek om me heen terwijl ik me afvroeg wat ik daarop zou moeten zeggen. Het was een bijna zwoele avond, en de maan scheen wit door de vochtige lucht. Het rook naar groene planten, natte aarde en exotische bloemen.

'Een freudiaan zou geeuwen en zeggen dat mijn keus niets anders was dan een vorm van rebellie tegen mijn vader.'

'En is dat ook zo?'

'Ja, maar dat is niet alles,' bekende ik. 'Ik heb als puber moeten aanzien hoe mijn vader Vrouwe Justitia naar alle kanten wist om te buigen om haar vervolgens aan de hoogste bieder te verkopen. Ik vond dat iemand een poging zou moeten wagen om het evenwicht te herstellen.'

'Waarom ben je dan geen officier van justitie geworden?'

'Dat is mij veel te gestructureerd. En ik hou niet van al dat politieke gedoe. Je wist het misschien nog niet, maar tact en hielenlikken zijn niet mijn beste kwaliteiten. En bovendien, ik vind het veel te leuk als er op me wordt geschoten, of om een aframmeling te krijgen.'

Hij kon er niet om lachen. Hij keek me aan op die manier van hem die me het gevoel gaf alsof ik naakt was.

'Je bent me er eentje, Estes,' mompelde hij.

'Ja, dat klopt.'

Ik bedoelde het niet zoals hij. In de tijd van amper een week was ik het spoor bijster geraakt van wie ik was. Ik voelde me als een wezen dat bezig was uit zijn cocon te kruipen, zonder een duidelijk beeld te hebben van waarin ik gemetamorfoseerd was.

Landry beroerde mijn gezicht, de linkerkant – waar het gevoel eerder een vage herinnering was dan een echte ervaring. Op de een of andere manier leek dat heel toepasselijk, dat hij me niet echt kon raken, dat ik het mijzelf niet kon toestaan om het zo intens en overrompelend te voelen als ik in het verleden mogelijk gedaan zou hebben. Ik had me al zo lang niet meer door iemand laten aanraken, dat dit waarschijnlijk de enige manier was waarop ik het lichamelijke contact kon verdragen.

Ik hief mijn kin op en keek hem aan, waarbij ik me afvroeg wat hij in mijn ogen kon lezen. Dat ik me kwetsbaar voelde en dat me dat niet beviel? Dat ik me aan de ene kant verheugde op wat er zou kunnen gebeuren, maar daar aan de andere kant doodsbang voor was? Dat ik hem niet helemaal vertrouwde, maar me desondanks tot hem voelde aangetrokken?

Landry boog zich naar me toe en bracht zijn mond naar de mijne. Ik liet de kus toe en nam eraan deel, hoewel met een zekere schuchterheid die slecht bij me leek te passen. Maar de waarheid was dat de Elena die daar op dat moment stond nog nooit gekust was. De ervaringen van vóór mijn ballingschap waren zo vaag, dat het leek op iets dat ik ooit eens in een boek had gelezen.

Hij smaakte naar koffie met een vleugje rook. Zijn mond was warm en stevig. Doelbewust, was het woord dat me te binnen schoot. Fijn. Opwindend.

Ik vroeg me af wat hij voelde, of hij me passief vond, of hij zich verbaasde over de manier waarop mijn mond werkte – of dat juist niet deed. Ik was verlegen.

Mijn hand lag vlak op zijn borst. Ik voelde het slaan van zijn hart en vroeg me af of hij het racen van het mijne kon voelen.

Hij hief zijn hoofd op en keek me aan. En wachtte. Wachtte. Wachtte...

Ik kwam niet met een invitatie, hoewel een deel van mij daar zeker naar verlangde. Voor de verandering dacht ik eerst na alvorens me ergens halsoverkop in te storten. Ik was bang dat ik er achteraf spijt van zou krijgen, maar hoewel ik moedig genoeg was om met een moordenaar te durven spelen en de autoriteit van de FBI aan mijn laars te lappen, ontbrak mij de moed voor dit.

Landry's mondhoeken kwamen omhoog, en het leek alsof hij al die dingen, waar ik zelf amper een verklaring voor had, begreep. 'Ik volg je naar huis,' zei hij. 'Om er zeker van te zijn dat Van Zandt je niet staat op te wachten.'

Ik keek weg en knikte. 'Dank je.'

Ik durfde hem niet aan te kijken omdat ik bang was dat ik mijn mond open zou doen en hem zou vragen de nacht bij me door te brengen.

Ik draaide me om en stapte in mijn auto. Ik was banger dan ik die ochtend was geweest, toen ik gevreesd had dat ik een man met een schaar te lijf zou moeten gaan om te voorkomen dat ik vermoord zou worden.

De rit naar huis verliep normaal. Seans huis was donker, en er brandde alleen maar licht in Irina's flat boven de stal. Van Zandt lag nergens op de loer.

Landry kwam met me mee naar binnen en doorzocht het huis. Toen liep hij als een heer terug naar de deur en wachtte opnieuw tot ik iets zou zeggen.

Ik draaide zenuwachtig in het rond, kauwde op de nagel van mijn duim en sloeg mijn armen over elkaar. 'Ik, eh... ik zou je vragen om te blijven, maar ik zit midden in deze ontvoeringszaak en...'

'Ik begrijp het,' zei hij, mij met donkere ogen doordringend aankijkend. 'Een andere keer.'

Als ik daar een reactie op had, dan was die in mijn keel blijven steken. En het volgende moment was hij verdwenen.

Ik sloot af, deed het licht uit, ging naar de slaapkamer en kleedde me uit. Ik nam een douche en waste de sigarettengeur uit mijn haar. Nadat ik me had afgedroogd stond ik lange tijd voor de spiegel en keek naar mijn lichaam en naar mijn gezicht, terwijl ik probeerde vast te stellen wie ik zag, wie ik was geworden.

Voor het eerst in twee jaar was ik me als vrouw van mezelf bewust. Ik bekeek mezelf en zag een vrouw in plaats van een verschijning, in plaats van een masker, in plaats van de huls van mijn zelfhaat.

Ik keek naar de littekens op mijn lichaam waar het asfalt mijn huid had weggeschroeid en de gaten met nieuwe huid waren gevuld. Ik vroeg me af hoe Landry zou reageren als ik hem zou toestaan om er bij het licht van een goede lamp naar te kijken. Het beviel me niet dat hij me zo'n kwetsbaar gevoel gaf. Ik wilde geloven dat hij naar mijn lichaam zou kunnen kijken zonder geschokt te zijn en zonder er iets van te zeggen.

Het feit dat ik me die dingen voorstelde was onvoorstelbaar. Verfrissend. Bemoedigend. Hoopvol.

Hoop. Datgene wat ik niet had willen hebben. Maar ik had het nodig. Ik had het nodig voor Erin, voor Molly... en voor mijzelf.

Misschien, dacht ik. Misschien was ik voldoende gestraft. Misschien dat ik, als ik op diezelfde manier door zou gaan met mezelf te straffen, te ver zou gaan met mijn zelfdestructieve neigingen. Ik had bij de aanpak van deze zaak fouten gemaakt, maar ik had mijn best voor Erin Seabright gedaan, en dat was op zichzelf toch wel wat waard.

Ik ging naar de slaapkamer, trok het laatje van het nachtkastje open en haalde er het potje pijnstillers uit. Met een vreemde mengeling van duizeligheid en angst nam ik het potje mee naar de badkamer en kiepte het om op de wastafel. Precies zoals ik gedurende de afgelopen twee jaar bijna elke avond had gedaan, begon ik ze te tellen. Om ze vervolgens, één voor één in de wc te gooien, en door te trekken.

DERDE BEDRIJF

Scène een

Inzoomen:

Locatie: buiten – laat op de avond, aan de rand van de parkeerplaats van een winkelcentrum

De parkeerplaats ligt er nagenoeg verlaten bij. Er staan een paar auto's vlak voor de supermarkt die vierentwintig uur open is. De overige winkels zijn donker.

Het meisje rent naar de winkel. Haar benen zijn verzwakt en moe. Ze huilt. Haar ongekamde haren staan alle kanten uit. Haar gezicht is opgezet en zit onder de blauwe plekken. Haar armen vertonen talloze rode striemen.

Ze ziet twee politieauto's die naast elkaar geparkeerd staan, verandert van koers en rent eropaf. Ze probeert om hulp te roepen, maar haar keel is totaal uitgedroogd en er komt amper een geluid over haar lippen.

Op enkele meters van de eerste auto struikelt ze, en ze valt op haar handen en knieën.

MEISJE
Help. Help me, alstublieft.

Ze weet dat de agent haar gefluister niet kan horen. De auto is vlakbij, maar ze is te verzwakt om overeind te kunnen komen. Ze ligt snikkend op het beton. De agent ziet haar en stapt uit.

AGENT
Jongedame? Jongedame? Kan ik u helpen?

Het meisje kijkt hem aan en barst in opgeluchte snikken uit.

De agent knielt naast haar op de grond. Hij roept naar zijn collega.

AGENT
Reeger! Bel een ambulance! (En vervolgens, tegen het meisje) Kun je tegen me praten? Kun je me zeggen hoe je heet?

MEISJE
Erin. Erin Seabright.

Fade-out

40

'Hoe is ze eraan toe?' vroeg Landry, terwijl hij de hal van de Eerste Hulp van het Palms West Hospital in liep. De agent die Erin Seabright had binnengebracht, liep op een holletje met hem mee.

'Iemand heeft haar een gemeen pak slaag gegeven, maar ze is bij bewustzijn en ze kan praten.'

'Is ze verkracht?'

'Dat zijn ze nu aan het onderzoeken.'

'Waar heb je haar gevonden?'

'Reeger en ik stonden op de parkeerplaats voor de Publix, verderop. Ze kwam naar ons toe gehold, maar we weten niet waar ze vandaan is gekomen.' Hij wees Landry op de onderzoekkamer waar ze lag.

'Heeft ze verteld hoe ze op de parkeerplaats is gekomen?'

'Nee. Ze was nogal hysterisch en ze moest huilen, en zo.'

'Heb je iemand in de buurt gezien? Auto's?'

'Nee. Er wordt momenteel door de buurt gepatrouilleerd.'

Landry klopte aan en toonde zijn identificatie aan de verpleegster die de deur opendeed.

'We zijn bijna klaar,' zei ze.

'Hoe ziet het eruit? Kunt u al iets zeggen?'

'Op dit moment nog niet.'

Hij knikte, deed een paar stappen achteruit en haalde zijn mobiel uit zijn zak. Dugan was persoonlijk naar de Seabrights gegaan, en Weiss had zich nog niet gemeld.

Hij toetste Elena's nummer in en luisterde naar het overgaan van haar telefoon. Hij probeerde zich haar in bed voor te stellen. De smaak van haar mond lag hem nog vers in het geheugen.

'Hallo?' Ze klonk eerder achterdochtig dan moe.

'Estes? Landry. Ben je wakker?'

'Ja.' Nog steeds achterdochtig.

'Erin Seabright bevindt zich op de Eerste Hulp van het Palms West. De ontvoerders hebben haar laten gaan, of ze is ontsnapt – dat weet ik op dit moment nog niet.'

'O, god. Heb je haar gezien? Heb je haar gesproken?'

'Nee. Ze zijn nog met het onderzoek bezig.'

'Godzijdank, ze leeft nog. Weten haar ouders het al?'

'Inspecteur Dugan is naar ze toe gegaan. Ik verwacht ze elk moment hier. Ik moet ophangen,' zei hij, toen hij Weiss bij de receptie zag staan.

'Oké. Landry?'

'Ja?'

'Bedankt voor het bellen.'

'Ja, nou, het was aanvankelijk jouw zaak,' zei hij. Hij hing op, stopte zijn mobiel weg en liep naar Weiss.

'Was dat Dugan?' vroeg Weiss.

'Hij is bij de ouders.'

'Heb je al met het meisje gesproken?'

Voor Landry antwoord had kunnen geven, kwam de dokter uit de onderzoekkamer naar buiten. Landry toonde haar zijn identificatie.

'Landry en Weiss, recherche,' zei hij. 'Hoe is het met haar?'

'Ze is flink in de war, maar dat is begrijpelijk,' zei ze. Ze was een kleine Pakistaanse met een bril die haar ogen ongeveer drie keer zo groot deed lijken. 'Ze heeft een groot aantal kleine snijwonden, brandwonden en bloeduitstortingen, maar zo te zien is er niets gebroken. Het ziet eruit alsof ze ergens mee is geslagen, met een zweep of zo.'

'Sporen van verkrachting?'

'Vaginale kwetsuren, en blauwe plekken op haar dijen. Geen semen.'

Net als bij Jill Morone, dacht Landry. Ze zouden op een andere DNA-bron van de dader moeten hopen, een schaamhaar, bijvoorbeeld.

'Heeft ze iets gezegd?'

'Dat ze geslagen is. Dat ze bang was. Ze zegt maar steeds dat ze nooit had gedacht dat hij tot zoiets in staat was.'

'Heeft ze een naam genoemd?' vroeg Weiss.

De dokter schudde haar hoofd.

'Kunnen we met haar praten?'

'Ik heb haar een licht kalmerend middel gegeven, maar ze moet in staat zijn uw vragen te beantwoorden.'

'Dank u, dokter.'

Erin Seabright zag eruit alsof ze uit een horrorfilm was ontsnapt. Haar ongekamde, blonde haren stonden alle kanten uit. Haar gezicht zat onder de blauwe plekken en haar lip was gespleten. Ze keek Landry en Weiss met grote, angstige ogen aan.

Landry herkende de gezichtsuitdrukking. Hij had een aantal jaren bij de zedenpolitie gewerkt. Het had niet lang geduurd voor hij tot de conclusie was gekomen dat die tak van het vak hem niet lag. Het kostte hem ongezond veel zelfbeheersing om de verdachten en daders niet te lijf te gaan.

'Erin? Landry, recherche. Dit is mijn collega Weiss,' zei Landry zacht. Hij pakte een stoel, schoof hem bij het bed en ging zitten. 'Ik ben blij je te zien. Er zijn een heleboel mensen die hard hebben gewerkt om je te vinden.'

'Waarom heeft hij ze niet gewoon het geld gegeven?' vroeg ze verward. Ze hield een plastic fles met water in haar hand en draaide hem rond en rond, alsof het herhalen van de beweging een kalmerende uitwerking op haar had. 'Meer hoefde hij niet te doen. Ze hebben hem zo vaak gebeld en ze hebben hem al die video's gestuurd. Waarom kon hij niet gewoon doen wat ze zeiden?'

'Je stiefvader?'

De tranen stroomden haar over de wangen. 'Hij haat me!'

'Erin? We moeten je een paar vragen stellen over wat er met je is gebeurd,' zei Landry. 'Denk je dat je ons daar nu antwoord op kunt geven? We willen de mensen die je dit hebben aangedaan graag vinden. Hoe eerder je ons over hen vertelt, des te sneller we dat kunnen doen. Begrijp je dat?'

Ze gaf geen antwoord. Ze hield haar blik afgewend. Dat was niet ongewoon. Landry wist dat ze geen slachtoffer wilde zijn. Ze probeerde te ontkennen dat haar dit was overkomen. Ze wilde geen vragen beantwoorden die haar terug deden denken aan wat ze had meegemaakt. Ze was boos en ze schaamde zich. En het was Landry's taak om toch alles van haar aan de weet te komen.

'Kun je ons vertellen wie je dit heeft aangedaan, Erin?' vroeg hij.

Ze staarde strak voor zich uit. Haar onderlip trilde. De deur van de onderzoekkamer ging open, en ze begon harder te huilen.

'Hij!' zei ze, Bruce Seabright strak aankijkend. 'Jij hebt me dit aangedaan. Gore, vuile klootzak!'

Ze ging met een ruk rechtop in bed zitten en slingerde hem de fles naar het hoofd. Bruce Seabright hief zijn arm op om het projectiel af te weren, en het water spatte door de kamer.

Krystal schreeuwde en vloog naar het bed. 'Erin! O, god! Lieverd!'

Landry stond op toen de vrouw zich op het bed liet vallen. Erin kroop tegen het hoofdeinde in elkaar en probeerde zo ver mogelijk uit de buurt te blijven van haar moeder die ze aankeek met een mengeling van verdriet, woede en walging.

'Ga weg!' schreeuwde ze. 'Je hebt nooit anders gedaan dan partij voor hem kiezen. Je hebt je nooit iets van mij aangetrokken!'

'Dat is niet waar!' jammerde Krystal.

'Wél waar! Waarom heb je hem niet gedwongen om mij te helpen? Ik durf te wedden dat je dat niet eens geprobéérd hebt!'

Krystal zat snikkend op het bed. Ze stak haar handen uit naar haar dochter maar raakte haar niet aan. Het was alsof ze elk vastzaten in een eigen krachtveld waar ze niet uit weg konden. 'Het spijt me! Het spijt me zo!'

'Ga weg!' schreeuwde Erin. 'De kamer uit! Jullie alletwee!'

Een bewaker kwam vanaf de gang de kamer in. Landry pakte Krystal bij haar armen en duwde haar naar de deur.

Weiss rolde met zijn ogen en mompelde: 'Er gaat toch werkelijk niets boven een familiehereniging.'

41

Molly belde enkele minuten na Landry. Ik was me al aan het aankleden. Ik zei haar dat ik naar het ziekenhuis zou gaan, hoewel ik wist dat ik niet in de buurt van Erins kamer zou kunnen komen. Als Bruce Seabright me zag zou ik onder geleide het gebouw uit worden gezet. Als hij de juiste mensen kende en zondagavond een dwangbevel van de rechter had kunnen bemachtigen, zou me zelfs weleens een rit naar de gevangenis te wachten kunnen staan. Ik had tenslotte een waarschuwing gekregen.

Al met al wilde ik er toch heen.

Toen ik de wachtkamer binnenging, kwam Molly naar me toe gerend. Ze zag bleek van de angst en haar ogen glansden van opwinding. De tegenstrijdigheid was het gevolg van het feit dat ze aan de ene kant opgelucht was dat haar zus nog leefde en veilig was, en aan de andere kant de onzekerheid van wat haar was overkomen waarvoor ze naar het ziekenhuis was gebracht.

'Ik kan gewoon niet geloven dat je mee mocht van Bruce,' zei ik.

'Dat mocht ik ook niet. Ik ben met mam meegereden. Ze hebben ruzie.'

'Dat pleit voor je moeder,' mompelde ik, terwijl ik haar meetrok naar een van de banken. 'Waarover hebben ze ruzie?'

'Mam geeft Bruce er de schuld van dat Erin gewond is. Bruce zegt maar steeds dat hij naar beste weten heeft gehandeld.'

Naar beste weten voor Bruce, dacht ik.

'Denk je dat je met haar zal mogen praten?' vroeg Molly.

'Voorlopig nog niet.'

'En ik?'

Arm kind. Ze was zo hoopvol, maar tegelijkertijd was ze ook zo bang om teleurgesteld te worden. En ik was de enige bij wie ze in deze toestand terechtkon. Voor haar was haar grote zus van wie ze zoveel hield, de enige familie. En wie wist in hoeverre de Erin van nu nog leek op de Erin die Molly nog maar een week geleden aanbeden had. Uitgaande van alles wat ik in de afgelopen paar dagen over Erin te weten was gekomen, kon ik niet anders dan vermoeden dat Molly's beeld van haar zus, zelfs al vóór haar ontvoering, een illusie was geweest.

Ik weet nog hoe ik, die dag dat Molly voor het eerst bij me was gekomen, gedacht had dat Molly Seabright er achter zou komen dat het leven één aaneenschakeling van teleurstellingen is. Ik weet nog hoe ik dacht dat ze die les net zo zou moeten leren als iedereen dat deed: door teleurgesteld te worden door iemand van wie ze hield en in wie ze vertrouwen had.

Ik wou dat ik het vermogen had gehad om haar daarvoor te behoeden. Het enige dat ik kon doen, was ervoor zorgen dat ik haar niet óók teleur zou stellen. Ze was bij me gekomen in een tijd dat ik er in principe voor niemand was geweest, en had gegokt op dat ene, onbekende paard waar ik Landry over had proberen te vertellen.

'Ik weet niet, Molly,' zei ik, terwijl ik mijn hand even op haar hoofd legde. 'Ik denk ook niet dat ze je vanavond nog bij haar naar binnen zullen laten. Misschien over een dag of wat.'

'Denk je dat ze verkracht is?' vroeg ze.

'Dat is een mogelijkheid. De dokter zal haar intussen wel al onderzocht hebben en –'

'Ja, voor het DNA,' viel ze me in de rede. 'Ik weet hoe dat gaat. Ik kijk naar *New Detectives*. Als ze verkracht is, dan gebruiken ze het DNA dat ze vinden om dat te vergelijken met dat van de verdachte. Maar als hij voorzichtig is geweest en een condoom heeft gebruikt, en hij haar na afloop heeft laten douchen, dan zullen ze niets vinden.'

'Maar Erin is terug,' zei ik. 'Dat is op dit moment het belangrijkste. Misschien kan ze ons wel vertellen wie de ontvoerders zijn. En zelfs als ze dat niet kan, Molly, dan zullen we ze toch nog opsporen en gevangennemen. Jij hebt me in dienst genomen om deze zaak voor je op te lossen, en ik zal eraan blijven werken tot hij is afgerond. En het is pas afgerond als ik dat zeg.'

Op het moment zelf had dat goed geklonken. Uiteindelijk zou ik wensen dat ik het niet gemeend had.

'Elena?' vroeg Molly, terwijl ze met dat ernstige gezichtje van haar naar me opkeek. 'Ik ben nog steeds bang. Ook al is Erin nu terug, ik ben nog steeds bang.'

'Dat weet ik.'

Ik sloeg mijn arm om haar schouders en ze leunde met haar hoofd tegen me aan. Het was een van die momenten waarvan ik wist dat ze me mijn leven lang bij zouden blijven. Iemand die bij me kwam om getroost te worden, en ik die in staat was die troost te bieden.

Ergens op de Eerste Hulp klonk een luide klap en geschreeuw. Ik keek de gang achter de wachtruimte af, en zag Bruce Seabright die, met een stomverbaasd gezicht, achteruit een kamer uit liep. Het volgende moment kwam Landry uit diezelfde kamer, terwijl hij een snikkende, hysterische Krystal voor zich uit duwde.

'Ik zal kijken wat ik te weten kan komen,' zei ik, in het besef dat ik moest maken dat ik weg kwam. 'Bel me morgenochtend.'

Ze knikte.

Ik liep langs de receptie naar de wc en dook erin, er op gokkend dat Krystal weldra zou volgen. Nog geen halve minuut later kwam ze huilend binnen. Haar gezicht zat onder de strepen van de uitgelopen mascara.

Ik had medelijden met haar. In bepaalde opzichten was Molly een stuk volwassener dan haar moeder. Krystal had een leven lang gedroomd van een respectabele echtgenoot en een mooi huis met alles erop en eraan. Ze had er nooit bij stilgestaan dat het leven van een barbiepop weleens dezelfde valkuilen zou kunnen hebben als dat van een leven in armoede. Ik weet zeker dat ze er nog nooit bij stil had gestaan dat het kiezen van de verkeerde mannen niets te maken heeft met het wel of niet hebben van geld.

Ze stond over de wastafel gebogen en haar gezicht was een verwrongen masker van intens verdriet.

'Krystal? Kan ik je helpen?' vroeg ik, in de wetenschap dat ik dat niet kon.

Ze keek op en veegde haar tranen weg. 'Wat doe jij hier?'

'Molly heeft me gebeld. Ik weet dat Erin terug is.'

'Ze haat me. Ze haat me, en dat kan ik haar niet kwalijk nemen,' bekende ze. Ze keek zichzelf aan in de spiegel en sprak tegen haar spiegelbeeld. 'Alles is verpest. Voorbij.'

'Je hebt je dochter terug.'

Krystal schudde haar hoofd. 'Nee. Alles is verpest. Wat moet ik beginnen?'

Ik persoonlijk zou van Bruce Seabright gescheiden zijn en het op een vette alimentatie hebben gegooid, maar ik ben het verbitterde, wraakzuchtige type. Ik besloot dat advies voor me te houden. Wat deze vrouw ook zou besluiten, het zou haar eigen beslissing moeten zijn.

'Ze geeft Bruce de schuld,' zei ze.

'En jij niet?'

'Ja,' fluisterde ze. 'Maar eigenlijk is het mijn schuld. Alles is mijn schuld.'

'Krystal, jouw leven gaat mij niets aan,' zei ik. 'En god weet dat je waarschijnlijk toch niet naar me zult luisteren, maar ik zeg het toch. Misschien ís het allemaal jouw schuld. Misschien heb je je hele leven niets anders gedaan dan de verkeerde keuzes gemaakt. Maar je leven is nog niet afgelopen, en Erins leven is nog niet afgelopen, en Molly's leven is nog niet afgelopen. Je hebt nog steeds tijd om iets goed te doen.

'Je kent me niet,' vervolgde ik, 'dus je kunt niet weten dat ik een deskundige ben op het gebied van je eigen leven verpesten. Maar ik ben er onlangs achter gekomen dat elke dag weer nieuwe kansen biedt om het alsnog te proberen. En datzelfde geldt voor jou.'

Wc-psychologie. Ik had het gevoel dat ik haar een linnen handdoekje had moeten geven in de hoop dat ze een fooi in het mandje bij de deur zou achterlaten.

Er kwam een forse vrouw in een paarse Hawaïaanse moemoe binnen. Ze keek Krystal en mij doordringend aan alsof ze dacht dat we lesbiennes waren die hier een potje stonden te vrijen. Ik beantwoordde haar felle blik, waarop ze zijwaarts een hokje in waggelde.

Ik liep de gang op. Bruce Seabright stond bij de uitgang van de wachtruimte ruzie te maken met Weiss en Dugan. Landry was nergens te zien. Ik vroeg me af of iemand Armedgian had verteld dat Erin ontsnapt was. Hij zou bij het verhoor willen zijn in de hoop dat Erin Van Zandt als een van de ontvoerders zou aanwijzen.

Zo te zien zat er voor mij niets anders op dan te wachten tot de vijand was vertrokken. Ik zou naar de parkeerplaats gaan en Landry's auto in de gaten houden. En als ik een minuutje alleen met hem zou kunnen zijn, zou ik die kans onmiddellijk aangrijpen.

Ik draaide me om en liep de gang af op zoek naar een kop slechte koffie.

De dokter bood Erin een sterker kalmerend middel aan. Erin gaf de vrouw een snauw en zei dat ze haar met rust moest laten. De tere bloem bleek doornen te hebben, dacht Landry. Hij bleef in de hoek staan zwijgen en keek naar het meisje dat de dokter de kamer uit joeg. Toen draaide ze zich naar hem toe en keek hem aan.

'Ik heb er genoeg van,' zei ze. 'Ik wil gewoon gaan slapen en ik wil dat het, als ik morgenochtend wakker word, allemaal voorbij is.'

'Zo gemakkelijk zal dat niet zijn, Erin,' zei hij, terwijl hij terugkeerde naar de stoel bij het bed, en weer ging zitten. 'Ik zal eerlijk tegen je zijn. Je hebt deze beproeving nog maar voor de helft achter de rug. Ik weet dat je wilt dat het afgelopen is. Jezus, je wou dat het nooit was begonnen. En ik ook. Maar nu zul je ons moeten helpen om de mensen te vinden die jou dit hebben aangedaan zodat ze niet nóg meer slachtoffers zullen kunnen maken.

Ik weet dat je een zusje hebt. Molly. Ik weet dat je niet zou willen dat haar zou overkomen wat jou is overkomen.'

'Molly.' Ze herhaalde de naam van haar zusje en sloot even haar ogen.

'Molly is een te gek kind,' zei Landry. 'Ze heeft van begin af aan haar best gedaan om je terug te krijgen, Erin.'

Het meisje bette haar gezwollen ogen met een tissue, slaakte een haperende zucht en verzamelde moed voor het vertellen van haar verhaal.

'Weet je wie je dit heeft aangedaan, Erin?' vroeg Landry.

'Ze droegen maskers,' zei ze. 'Ik kon hun gezichten niet zien.'

'Maar ze spraken toch tegen je, of niet? Je moet hun stemmen hebben gehoord. En misschien heb je wel een stem herkend, of mogelijk een gebaar, of zo.'

Ze zei geen ja, maar ze zei ook geen nee. Ze bleef roerloos naar haar gevouwen handen zitten kijken.

Landry wachtte.

'Ik denk dat ik één van hen heb herkend,' zei ze zacht. Nieuwe tranen sprongen in haar ogen bij het omhoogkomen van een nieuwe lading emoties. Teleurstelling, verdriet en pijn.

'Don,' fluisterde ze ten slotte. 'Don Jade.'

42

Weiss was de eerste die het ziekenhuis uit kwam en naar zijn auto rende. Toen hij me vol gas passeerde, zag ik dat hij aan het bellen was. Er was duidelijk iets aan de hand.

Tien minuten later arriveerde Armedgian eindelijk bij het ziekenhuis. Hij ging naar binnen, maar kwam even later weer naar buiten met Dugan. Ze stonden op de stoep, en Armedgian was boos en opgewonden. Ze spraken afwisselend hard en zacht, en door het open raampje van mijn auto lukte het me hier en daar wat van het gesprek op te vangen. Armedgian voelde zich buitengesloten, hij was niet onmiddellijk gebeld, bla, bla, bla. Dugan hield hem kort. Hij was niet de secretaresse van de FBI, stel je niet aan, enzovoort.

Elk stapte in zijn eigen auto en reed in hoog tempo weg.

Ik stapte uit, ging de Eerste Hulp weer binnen en liep de gang af naar de onderzoekkamer waar Erin had gelegen. Landry kwam de kamer uit met een grote zak van bruin papier waar bewijsmateriaal in zat: Erins kleren, die naar het lab gestuurd zouden worden om daar op DNA onderzocht te worden.

'Wat is er aan de hand?' vroeg ik, van richting veranderend, en mijn tempo versnellend om hem bij te kunnen houden.

'Erin zegt dat Jade één van de ontvoerders was.'

'Weet ze dat zeker?' vroeg ik, ongelovig. 'Heeft ze hem gezien?'

'Ze zegt dat ze maskers droegen, maar dat ze denkt dat hij het was.'

'Hoezo? Hoezo denkt ze dat hij het was? Zijn stem? Een tatoeage? Wat?'

'Ik heb hier geen tijd voor, Elena,' zei hij ongeduldig. 'Weiss en een aantal geüniformeerde jongens zijn op weg naar hem toe om hem op te pakken. Ik moet terug naar het bureau.'

'Heeft ze iets over Van Zandt gezegd?'

'Nee.'

'Over wie dan wel?'

'Niemand. We hebben nog maar een deel van het verhaal gehoord. Maar we pakken Jade op voordat hij er vandoor kan gaan. Als hij weet dat ze ontsnapt is, weet hij ook dat hij moet maken dat hij weg komt. En als we hem nu te grazen nemen, zal hij ons vanzelf wel vertellen wie zijn partner is.'

De deuren schoven open en we liepen naar buiten, naar Landry's auto. Ik wou dat ik de tijd tot stilstand kon brengen, want ik wilde rustig kunnen nadenken voor er nog meer gebeurde. De geschiedenis had een scherpe bocht naar links genomen, en het kostte me moeite de hoek om te komen.

'Waar hadden ze haar opgesloten?' vroeg ik. 'Hoe heeft ze kunnen ontsnappen?'

'Later,' zei Landry, terwijl hij in zijn auto stapte.

'Maar –'

Hij startte de motor en ik moest opzij springen toen hij gas gaf en wegreed.

Ik bleef als een idioot op de stoep staan en keek hem na, terwijl ik het gebeurde probeerde te verwerken. Het wilde er bij mij niet in dat Jade alles op het spel zou willen zetten met een ontvoering – en volgens mij had hij er ook het karakter niet voor. Ik kon me niet voorstellen dat hij zoiets als dit samen met een partner zou doen.

Landry had Jade tot zijn verdachte gemaakt, en Erin had gezegd dat ze hem herkend had. Het kwam het uitstekend van pas dat Jade de dader was.

Ik wilde weten wat Erin had gezegd. Ik wilde haar verhaal van haar lippen horen. Ik wilde de vragen stellen en haar antwoorden vanuit mijn optiek, en met mijn persoonlijke kennis van de zaak en van de betrokkenen, interpreteren.

Een ambulance kwam met loeiende sirenes naar het ziekenhuis gereden, en kwam met gierende remmen voor de Eerste Hulp tot stilstand. Het verplegend personeel kwam naar buiten gerend. Op de brancard die eruit werd getild, lag een moord en brand schreeuwende, forse vrouw. Het bloed spoot als een geiser uit haar been dat gebroken leek. Iemand riep iets over dat het slachtoffer van de andere auto eraan kwam.

Ik glipte achter het groepje verpleegkundigen rond de brancard het ziekenhuis weer binnen, en haastte me, van de drukte en chaos gebruikmakend, ongezien naar de kamer waar Erin had gelegen, en dook naar binnen.

Het bed was leeg. Erin was al naar de afdeling overgebracht. De onderzoekkamer was nog niet opgeruimd. Ik zag een roestvrijstalen bakje met hechtingsmateriaal en bloedige watten. In de kleine wastafel lag het speculum dat voor het verkrachtingsonderzoek was gebruikt.

Ik voelde me als na afloop van een feest waarvoor ik niet was uitgenodigd. Landry had Erins kleren en de uitslagen van het onderzoek. Ik had hier verder niets te zoeken.

Ik zuchtte en deed een stapje naar achteren, waarbij mijn blik op de vloer viel. Half onder de onderzoektafel lag een klein, zilveren armbandje. Ik bukte me om het op te rapen. De schakels hadden de vorm van stijgbeugels. Er hingen twee bedeltjes aan – een paardenhoofd en de letter E van Erin.

Echt iets voor een paardengekke tiener. Ik vroeg me af of het een cadeautje was geweest. Ik vroeg me af of de gever een man was geweest, en of die man haar op de meest lage manier verraden had.

De deur ging open, en toen ik me omdraaide stond ik oog en oog met een geüniformeerde agent.

'Waar hebben ze mijn nichtje naar toe gebracht?' vroeg ik. 'Erin Seabright?'

'Vierde verdieping, mevrouw.'

'Wordt ze bewaakt?' vroeg ik. 'Ik bedoel, stel dat een van die mannen die haar ontvoerd hebben naar het ziekenhuis komt en –'

'Ja, er staat een mannetje bij de deur. U hoeft zich geen zorgen te maken, mevrouw. Ze is veilig.'

'Wat een opluchting,' zei ik niet echt enthousiast. 'Dank u.'

Hij ging de kamer uit en hij hield de deur voor me open. Ik liep weg met een teleurgesteld gevoel. Ik had Erin niet kunnen spreken. En ik kon Jade niet spreken. Ik had er geen idee van waar Van Zandt uithing. Het was drie uur 's nachts, en ik stond opnieuw volledig buiten het onderzoek.

Ik liet het armbandje in mijn zak glijden en ging naar huis om te slapen.

De stilte voor de storm.

43

'Wat heeft u hierop te zeggen, meneer Jade?'

Landry legde de foto's naast elkaar voor Don Jade op tafel. Jade die, op de rug van een paard, glimlachend in de camera keek. Jade in rijtenue naast een kleurige hindernis van een wedstrijdparcours, op iets wijzend en met zijn profiel naar de camera. Jade die, op een ander paard, over een hindernis sprong. Jade met zijn arm om Erins schouders, en haar gezicht dat door de jaloerse Jill Morone was doorgekrast.

'Niets. Ik heb hier niets op te zeggen.'

Landry stak zijn arm uit en draaide de laatste foto om, als een blackjackdealer die een aas omdraaide.

'Tot het moment waarop iemand de opdracht achterop heeft doorgestreept, stond er: Voor Erin. Met liefs van Don. Heeft u hier nu wel iets op te zeggen?'

'Dat heb ik niet geschreven.'

'We kunnen dit handschrift en het uwe door een deskundige met elkaar laten vergelijken.'

'Ik stel voor om dat soort deskundigen erbuiten te laten, Landry,' zei Bert Shapiro. Hij klonk alsof hij van verveling zou kunnen sterven. Landry hoopte vurig dat dat inderdaad zou gebeuren. 'Ik heb grotere clubs in mijn tas dan jij.'

Bert Shapiro: een lopende, pratende en merken dragende klootzak.

Landry keek de advocaat achterdochtig aan. 'En wat is jouw relatie met deze mensen, als ik vragen mag?'

'Dat zou toch duidelijk moeten zijn, maar we hebben hier natuurlijk te maken met het kantoor van de sheriff,' zei Shapiro, voldaan grijnzend, tegen de kamer in het algemeen. Ingebeelde zak. 'Ik ben de raadsman van meneer Jade, hier.'

'Ja, ja, dat had ik al begrepen. En je bent ook de raadsman van Van Zandt.'

'Ja.'

'En van wie verder nog, uit dat rattennest? Trey Hughes?'

'Mijn cliëntenlijst is vertrouwelijk.'

'Ik probeer je alleen maar tijd te besparen,' zei Landry. 'De volgende die hier zo komt te zitten, is Trey Hughes, die ons het een en ander over meneer Jade zal vertellen. Dus, voor het geval hij ook van jou mocht zijn, zeg ik je nu maar vast dat je de hele dag met ons idioten van het kantoor van de sheriff opgezadeld zult zitten. Je bent welkom om te genieten van onze gastvrijheid en de slechte koffie.'

Shapiro fronste zijn voorhoofd. 'Heb je een wettige reden om meneer Jades tijd te verspillen?' vroeg hij aan Landry.

Landry keek net zo om zich heen als Shapiro dat had gedaan. 'Dat zou toch duidelijk moeten zijn nadat we meneer Jade zijn rechten hadden voorgelezen. Hij wordt verdacht van de ontvoering van Erin Seabright.'

Jade schoof zijn stoel naar achteren, stond op en begon de kamer op en neer te lopen. 'Dat is bespottelijk. Ik heb niemand ontvoerd.'

'Wat voor bewijzen heb je om die beschuldiging hard te maken?' vroeg Shapiro. 'En laat me je er, voor je antwoord geeft, even op wijzen dat het niet in strijd met de wet is om je door een fan of een werknemer te laten fotograferen.'

Landry keek Jade enkele seconden strak aan alvorens te antwoorden. 'Nee, maar het is wel in strijd met de wet om een jonge vrouw tegen haar wil vast te houden, haar aan een bed te ketenen en haar met een rijzweep af te ranselen.'

Jade explodeerde. 'Dat is absurd!'

Landry genoot. De ijskoude kikker zat in een hoek. Hij was zijn kalmte verloren. 'Erin leek het helemaal niet amusant te vinden. Ze zegt dat u het meesterbrein was.'

'Waarom zou ze dat zeggen?' wilde Jade weten. 'Ik ben altijd alleen maar aardig tegen dat meisje geweest.'

Landry haalde zijn schouders op om hem te irriteren. 'Misschien omdat u haar bedreigd hebt en haar verkracht hebt –'

'Dat heb ik helemaal niet gedaan!'

Shapiro legde zijn hand op de arm van zijn cliënt. 'Ga zitten, Don. Het is duidelijk dat het meisje zich vergist,' zei hij tegen Landry. 'Als ze, zoals je zegt, gemarteld is, wie weet wat voor onzin de ontvoerders haar hebben verteld. Ze kunnen haar van ik weet niet wát hebben overtuigd. Voor hetzelfde geld hebben ze haar drugs gegeven –'

'Waarom zeg je dat?' vroeg Landry.

'Omdat het meisje duidelijk niet helemaal goed bij haar hoofd is als ze denkt dat Don er iets mee te maken heeft gehad.'

'Nou, iemand heeft iets verkeerd begrepen,' zei Landry. 'Tijdens ons laatste gesprek heeft meneer Jade nadrukkelijk verklaard dat hij uitsluitend een werkrelatie met Erin Seabright had. Misschien is de betekenis van de term "werkrelatie" hem niet helemaal duidelijk. Bij een "werkrelatie" is er geen sprake van seksueel verkeer tussen werkgever en werknemer.'

Jade blies de lucht uit zijn longen. 'Ik herhaal: ik en Erin hebben geen seks met elkaar gehad.'

Landry deed alsof hij hem niet hoorde. Hij schoof de foto's die op tafel lagen een beetje heen en weer. 'Deze foto's hebben we vanochtend – zondagochtend – gevonden in het appartement dat Jill Morone – slachtoffer van moord en verkrachting – en Erin Seabright – slachtoffer van ontvoering en verkrachting – met elkaar deelden. De laatste keer dat Jill Morone levend is gezien, was bij Players waar u ruzie met haar had, en u hebt zelf toegegeven dat u de laatste bent die Erin voor haar verdwijning heeft gezien.'

'Ze was naar me toe gekomen om te zeggen dat ze ontslag nam,' zei Jade. 'Ik had er geen idee van dat ze vermist werd tot u mij dat vertelde.'

'De relatie met werknemers is niet echt je beste kant, hè, Jade?' zei Landry. 'Erin wil weg, dus je ketent haar aan een bed. Jill stelt je teleur, dus je drukt haar net zo lang met haar gezicht in de paardenstront tot ze stikt –'

'Goeie god,' zei Jade, die nog steeds door de kamer liep te ijsberen. 'Wie acht mij in vredesnaam tot dit soort dingen in staat?'

'Dezelfde mensen die ervan overtuigd zijn dat je een paard hebt geëlektrocuteerd om het verzekeringsgeld te kunnen opstrijken.'

'Dat heb ik niet gedaan.'

'Erin wist het. Jill wist het. De ene is dood, de andere boft dat ze nog leeft.'

'Dit is zuiver speculatie,' zei Shapiro. 'Je hebt geen enkel bewijs tegen hem.'

Landry negeerde hem. 'Waar was je vorige week zondag, Don? Laat op de middag. Laten we zeggen, een uur of zes.'

Shapiro wierp zijn cliënt een waarschuwende blik toe. 'Geen antwoord geven, Don.'

'Laat me raden,' zei Landry. 'Je was samen met je vriendin, mevrouw Atwood, die het wonderbaarlijke vermogen bezit om tegelijkertijd op twee verschillende plaatsen te kunnen zijn?'

Jade sloeg zijn ogen neer. 'Ik weet niet wat u bedoelt.'

'Je hebt me verteld dat je donderdagavond, toen iemand Michael Bernes paarden heeft laten ontsnappen en er op vijftig meter van je stal een vrouw is overvallen, samen met mevrouw Atwood was.'

Shapiro stak zijn hand op. 'Niets zeggen, Don.'

Landry ging verder. 'Die avond is mevrouw Atwood ook op een liefdadigheidsbal in Palm Beach gezien. Had je soms gedacht dat we je zomaar op je woord zouden geloven, Don? Of de dame in kwestie?'

'We hebben elkaar ná het bal ontmoet.'

'Don, niet –'

'O.' Landry knikte. 'Je bedoelt, op hetzelfde moment als waarop ze met vrienden in de Au Bar iets aan het vieren was?'

Jade ging weer op zijn stoel zitten en masseerde zijn slapen. 'Ik kan me niet meer precies herinneren hoe laat het was –'

'Dan zou je er toch slimmer aan hebben gedaan als je Jill voor je alibi van donderdagavond had gekozen,' zei Landry. 'Ze was bereid om voor je te liegen, en ze zat op het moment waarschijnlijk in haar eentje thuis.'

Shapiro was achter zijn cliënt gaan staan. Hij boog zich naar voren en zei: 'Meneer Jade heeft u niets over dit, of over wat voor onderwerp dan ook, te vertellen. We zijn hier klaar.'

Landry wierp de advocaat een veelzeggende blik toe. 'Je cliënt kan zich er nog steeds uit praten, Shapiro. Begrijp me goed. Hij zit zwaar in nesten, maar misschien dat hij zich er toch nog uit kan werken en een douche kan nemen. Zijn partner loopt nog vrij rond. Misschien was Don wel niet degene die de zweep heeft gehanteerd. Misschien was het wel allemaal het idee van zijn partner. Misschien dat Don zichzelf een dienst kan bewijzen door ons zijn naam te noemen.'

Jade sloot even zijn ogen, ademde diep in en ademde uit, en rechtte zijn schouders. 'Ik probeer zoveel mogelijk mee te werken, Landry,' zei hij. Het kostte hem zichtbaar moeite zijn kalmte te bewaren. 'Ik weet niets van een ontvoering. Waarom zou ik zoiets waanzinnigs riskeren?'

'Voor geld.'

'Ik heb een goedlopend eigen bedrijf. Trey Hughes wil mij, tegen uitstekende voorwaarden, aanstellen als trainer van zijn nieuwe manege. Ik zit niet echt in geldnood.'

Landry haalde zijn schouders op. 'Nou, dan ben je misschien alleen maar een psychopaat. Ik ken een man die een vrouw heeft vermoord, alleen maar om haar tong eruit te kunnen snijden omdat hij wilde weten tot hoe diep hij in haar keel zat.'

'Dat is walgelijk.'

'Inderdaad, maar dat soort dingen kom ik voortdurend tegen,' zei Landry op redelijke toon. 'En nu zie ik dit: één meisje dood, één meisje vermist en een paard dat is vermoord om het geld van de verzekering te krijgen. En alles, meneer Jade, draait om u.'

'Maar het slaat toch helemaal nergens op,' hield Jade vol. 'Ik zou veel geld aan Stellar hebben verdiend als ik hem had verkocht –'

'Vooropgesteld dat u een koper voor hem had kunnen vinden. Ik heb begrepen dat hij een paar probleempjes had.'

'Hij zou uiteindelijk verkocht zijn. En ondertussen kreeg ik als zijn trainer elke maand betaald.'

'En dat krijgt u ook voor het paard dat voor hem in de plaats komt, of niet?'

'Trey Hughes hoeft niet met het kopen van een paard te wachten tot er eentje verkocht is.'

'Dat is waar. Maar ik heb in de loop der jaren geleerd dat er maar weinig mensen zo gierig en zo ongeduldig zijn als de rijken. En als ik het goed begrijp krijgt u een flinke commissie voor dat nieuwe paard. Dat is toch correct?'

Jade zuchtte en sloot zijn ogen even in een poging te kalmeren. 'Ik hoop op een langdurige en goede werkrelatie met Trey Hughes. In die tijd zal hij heel wat paarden kopen en verkopen. Van al die transacties krijg ik een percentage. Zo werkt de paardenbusiness. Dus, waarom zou ik dat, door iemand te ontvoeren, op het spel willen zetten? Het risico is veel groter dan wat ik er eventueel financieel beter van zou worden.

Ik blijf in alle opzichten binnen de wet,' vervolgde hij. 'Over niet al te lange tijd verhuis ik naar een schitterende nieuwe manege om paarden te trainen voor mensen die me daar royaal voor zullen betalen. Het zal u dus duidelijk zijn, rechercheur Landry, dat u mij absoluut niets ten laste kunt leggen.'

'Dat is niet helemaal waar, Don,' zei Landry, en hij trok een gespeeld verdrietig gezicht.

Jade keek Shapiro aan.

'Wat denk je te hebben, Landry?' vroeg Shapiro.

'Ik heb opnamen van telefoongesprekken waarin om het losgeld wordt gevraagd. Die gesprekken zijn gevoerd vanaf een wegwerpmobiel met vooruitbetaald saldo die twee weken geleden door Don Jade is gekocht.'

Jade keek hem met grote ogen aan. 'Daar weet ik niets vanaf.'

'En je hebt een getuige die met zekerheid kan zeggen dat het meneer Jade was die deze mobiel heeft gekocht?' vroeg Shapiro.

'Ik heb nog nooit zo'n telefoon gekocht,' verklaarde Jade, met een geïrriteerde blik op zijn advocaat die de indruk had gewekt alsof hij dat wel had gedaan.

Landry bleef Jade aankijken. 'Ik heb Erin Seabright die me, in elkaar geslagen, onder het bloed en doodsbang, heeft gezegd dat jij de dader bent. En dat lijkt me voorlopig wel genoeg, Don.'

Jade wendde zich hoofdschuddend af. 'Ik heb er niets mee te maken gehad.'

'Je had extra geld nodig,' zei Landry. 'Als je haar uit de buurt wilde hebben omdat ze iets van Stellar wist, had je haar gewoon moeten vermoorden en haar lijk in een kanaal moeten gooien. Als je iemand gijzelt, dan lopen de dingen fout. Mensen zijn onvoorspelbaar. Het kan zijn dat je het script hebt geschreven, maar niet iedereen laat zich zo goed regisseren als een meisje dat aan een bed is geketend.'

Jade zei niets.

'Bezit u onroerend goed in Wellington, meneer Jade?'

'Zoiets kan iedereen in het kadaster nagaan,' zei Shapiro.

'Tenzij hij het met iemand samen bezit, of wanneer het in een fonds is ondergebracht,' zei Landry. 'Vertelt u het ons zelf, of wilt u ons ernaar laten zoeken? Of zal ik het aan mevrouw Montgomery vragen, die alle administratieve details voor u bijhoudt?'

'Ik zie werkelijk niet in waar dit iets mee te maken zou kunnen hebben,' zei Shapiro.

Landry negeerde hem opnieuw. Hij bleef Jade oplettend observeren. 'Hebt u zakelijke betrekkingen met Bruce Seabright, of hebt u belang in Gryphon Development?'

'Ik weet dat Fairfields, waar Trey Hughes' manege wordt gebouwd, een project van Gryphon Development is.'

'Hebt u persoonlijk met hen te maken gehad?'

'Ik heb één of twee keer met iemand van dat kantoor gesproken.'

'Bruce Seabright?'

'Dat weet ik niet meer.'

'Hoe is Erin Seabright voor u komen werken?' vroeg Landry.

'Trey wist dat ik op zoek was naar een stalknecht, en hij vertelde me over Erin.'

'Hoelang werkt u al voor meneer Hughes?'

'Ik ken Trey al jaren. Afgelopen jaar is hij bij me gekomen met zijn paarden.'

'Kort na de dood van zijn moeder?'

'Genoeg,' zei Shapiro. 'Als je behoefte hebt aan vissen, Landry, raad ik je aan een boot te huren. Kom mee, Don.'

Landry liet ze gaan en wachtte tot ze bij de deur waren.

'Ik heb een boot, Shapiro,' zei hij. 'En wanneer ik eenmaal een kanjer aan de haak heb, haal ik hem binnen, fileer hem en gaat hij in de pan. Het kan me niet schelen wie hij is, of wie zijn vrienden zijn of hoe lang het gaat duren.'

'Fijn voor je,' zei Shapiro, terwijl hij de deur opentrok.

Dugan stond aan de andere kant met Armedgian en een substituut-officier van justitie.

'U kunt gaan, meneer Shapiro,' zei Dugan. 'Maar uw cliënt mag gedurende de rest van de nacht gebruikmaken van de gastvrijheid van onze strafinrichting. Morgen vindt de borgzitting plaats.'

44

'Hij had gezegd dat ik naar de achteringang moest gaan, en dat we elkaar daar zouden ontmoeten,' zei ze zacht, met neergeslagen ogen.

Landry was op het bureau blijven slapen, en was in alle vroegte naar het ziekenhuis teruggegaan waar hij vol ongeduld had zitten wachten tot Erin Seabright wakker was geworden. Jade zou later die ochtend officieel in staat van beschuldiging worden gesteld, en Landry hoopte de officier zoveel mogelijk ammunitie te kunnen verschaffen.

'Er wordt veel geroddeld, en met name over Don,' zei Erin. 'Hij zei dat hij niet wilde dat er over ons gekletst zou worden. Dat kon ik volkomen begrijpen. En eigenlijk vond ik het ook wel opwindend. Onze geheime relatie. Zielig, gewoon.'

'Was je daarvoor al met hem naar bed geweest?' vroeg Landry. Hij probeerde zo zakelijk mogelijk te klinken. Geen beschuldiging, geen opwinding.

Ze schudde haar hoofd. 'We hadden geflirt. Ik dacht dat we vrienden waren. Ik bedoel, hij was mijn baas, maar... Maar ik wilde meer dan dat, en hij ook. Of liever, dat zei hij in ieder geval.'

'Dus hij vroeg je naar de achteringang te komen. Wist je dat je daar niet gezien zou worden?'

'Dat weekend waren er geen paarden in de achterste twee tenten. Dat zijn de tenten waar de dressuurpaarden worden gestald wanneer ze voor wedstrijden naar Wellington komen, maar er waren op dat moment geen dressuurwedstrijden. En bovendien was het zaterdagavond. Wie dan niet op het centrum hóeft te zijn, is weg.'

'Je had meneer Jade niet verteld dat je wegging omdat je naar Ocala wilde?'

'Nee? Waarom zou ik? Ik wilde voor hem werken. Ik was verliefd op hem.'

'Vertel verder, Erin. Je bent naar de achteringang gegaan om hem te ontmoeten...'

'Hij was laat. Ik was bang dat hij van gedachten was veranderd. Toen kwam die bestelbus het pad afgereden. Er sprong een gemaskerde man uit en – en – hij greep me vast.'

Ze zweeg toen een nieuwe huilbui het haar onmogelijk maakte om verder te vertellen. Landry gaf haar een doos met tissues aan en wachtte.

'Herkende je die man, Erin?'

Ze schudde haar hoofd.

'Herkende je zijn stem?'

'Ik was zo bang!'

'Dat weet ik. Het is moeilijk om je details te herinneren als je bang bent en je dat soort verschrikkelijke dingen overkomt. Maar je moet proberen om je alles heel langzaam te herinneren. In plaats van alles zo snel te zien gebeuren, moet je proberen om alles in losse, opeenvolgende momenten te zien. Als een diavoorstelling.'

'Dat probeer ik ook.'

'Dat weet ik,' zei hij zacht. 'Neem er gerust alle tijd voor. Als je wilt pauzeren, dan zeg je dat maar, en dat houden we er even mee op. Oké?'

Ze keek hem aan en probeerde te glimlachen. 'Goed.'

'Als je hun gezichten nooit hebt gezien, hoe kom je er dan bij te zeggen dat Jade een van de ontvoerders was?'

'Híj was degene die had gezegd dat ik naar de achteringang moest komen.'

'Ja, dat weet ik, maar heb je aan de ontvoerders iets speciaals kunnen zien op grond waarvan je kon zeggen dat hij het was?'

'Ik ken hem,' zei ze, op gefrustreerde toon. 'Ik ken zijn lichaamsbouw. Ik weet hoe hij zich beweegt. Ik weet zeker dat ik meerdere keren zijn stem heb gehoord.'

'En wat kun je me vertellen over de stem van de andere man? Klonk hij bekend? Had hij een accent?'

Het meisje schudde haar hoofd en haalde, in een vermoeid gebaar, een hand over haar ogen. 'Hij zei niet veel. En wanneer hij wel iets zei, dan deed hij dat fluisterend. Hij heeft nooit rechtstreeks tegen mij gesproken.'

'Weet je waar ze je hebben vastgehouden?' vroeg Landry. 'Zou je ons naar die plek kunnen brengen?'

Erin schudde haar hoofd. 'Het was een caravan. Meer weet ik niet. Het was een verschrikkelijk smerig en oud ding.'

'Kun je zeggen of het in de buurt van een drukke weg was? Waren er specifieke geluiden die je regelmatig hoorde?'

'Ik weet niet. Auto's, ja, in de verte. Ik was de meeste tijd onder invloed van verdovende middelen. Special K.'

'Hoe weet je zo zeker dat ze je dat middel gaven?'

Er gleed een beschaamde uitdrukking over haar gezicht en ze keek weg. 'Ik heb dat spul eerder genomen. Op een feest.'

'Wat is er gisteravond gebeurd? Hoe ben je weg gekomen?'

'Een van hen – de andere – sleurde me uit de caravan en duwde me in het busje. Ik dacht dat hij me ging vermoorden en dat hij mijn lijk ergens wilde dumpen, en ik was bang dat ik nooit gevonden zou worden!'

Ze zweeg, haalde haperend adem en probeerde haar kalmte te bewaren. Landry wachtte.

'Hij reed eindeloos rond. Ik weet niet hoelang. Hij had me een dosis K gegeven. Ik zat voortdurend te wachten tot hij zou stoppen, in de wetenschap dat hij, áls hij dat deed, me zou vermoorden.'

'Je kon niet naar buiten kijken?'

Ze schudde haar hoofd. 'Ik lag op de vloer. Uiteindelijk stopte hij. Ik hád het niet meer! Hij trok het portier open en sleurde me eruit. Ik was duizelig. Ik kon niet staan. Ik viel op de grond – een... een zandpad. En het volgende moment stapte hij weer in en reed weg.'

Als een vuilniszak langs de kant van de weg uit de auto gegooid. Iets dat ze gebruikt hadden en niet meer nodig hadden. Dat nam niet weg, dacht Landry, dat ze verdraaid veel geluk had gehad.

'Ik weet niet hoelang ik daar heb gelegen,' zei Erin. 'Uiteindelijk ben ik opgestaan en gaan lopen. Ik zag lichten. De stad. Ik ben erheen gelopen.'

Landry zei even niets. Hij liet Erins verhaal tot zich doordringen, en bekeek het in gedachten van alle kanten terwijl er nieuwe vragen in hem opkwamen.

Dus Jade en zijn partner hadden beseft dat ze geen losgeld zouden krijgen. Ze hadden het meisje liever gedumpt dan haar te vermoorden. Alleen dat Landry vermoedde dat Van Zandt de partner was, en dat Van Zandt al verdacht werd van een moord. Waarom zouden ze het risico willen lopen dat Erin hen als de daders zou aanwijzen? Omdat ze ervoor hadden gezorgd dat er op geen enkele manier bewezen zou kunnen worden dat zij de daders waren?

Dat stond natuurlijk nog te bezien. De kleren die Erin had gedragen bevonden zich op dat moment in het laboratorium waar ze aan meerdere zorgvuldige tests en onderzoeken werden onderworpen.

Misschien was het vrijlaten van Erin wel een onderdeel van hun spel geweest. Laat het slachtoffer leven, en laat haar leven met de wetenschap dat onze schuld nooit bewezen kan worden. Laat het slachtoffer leven, en laat de politie leven met de wetenschap dat ze schuldig waren, maar dat er niets was waarmee dat op overtuigende wijze bewezen zou kunnen worden. Een machtstrip.

Het probleem met die theorie was dat Landry niet van plan was om iemand ergens ongestraft vanaf te laten komen.

'Erin, hebben ze ooit gesproken over de reden waarom ze hun keuze op jou hadden laten vallen?'

Ze schudde haar hoofd en keek naar Landry's bandrecorder die op het bed stond en hun gesprek opnam. 'Ik was de meeste tijd zwaar verdoofd. Ik weet dat ze geld wilden. Ze wisten dat Bruce geld heeft.'

'Noemden ze hem Bruce? Wanneer ze het over hem hadden, noemden ze hem dan bij zijn voornaam?'

Erin knikte, hoewel hij vermoedde dat het belang van die vraag haar ontging.

'Heb je hun verteld hoe hij heette?'

'Nee. Ze wisten het.'

Landry vond het vreemd dat de daders Seabright bij zijn voornaam noemden. Dat was familiair. Alsof ze met hem bevriend waren.

'Ik had wel dood kunnen zijn door zijn schuld,' zei Erin bitter. 'Ik snap niet dat mijn moeder bij hem blijft. Ze is zo slap.'

'Mensen zijn gecompliceerde wezens,' zei Landry. Hij wist niet goed hoe hij op haar opmerking moest reageren.

Erin schudde haar hoofd.

'Erin, hoeveel videobanden zijn er van je gemaakt toen je in de caravan zat?'

'Ik weet niet. Drie of vier. Het was zo vernederend. Ze lieten me smeken. Ze deden van alles met me. Ze hebben me geslagen.' Ze begon weer te huilen. 'Het was verschrikkelijk.'

De schoft, dacht Landry. Drie of vier video's. Seabright had er, afgezien van de band die hij bij het dumpen van het losgeld had gevonden, maar één aan hen gegeven.

'Erin, heeft een van de daders je verkracht?'

Ze huilde harder. 'Ze... ze gaven me voortdurend spul. Ik kon me niet verweren. Ik... ik kon ze niet tegenhouden. Ik... ik was machteloos.'

'Erin, we gaan onze uiterste best doen om ze te pakken te krijgen. We gaan samen – jij en ik – doen wat we kunnen om ervoor te zorgen dat ze voor lange tijd in de gevangenis komen. Afgesproken?'

Ze keek hem met tranen in de ogen aan en knikte.

'Ga maar een beetje slapen,' zei hij, en hij stond op.

'Meneer Landry?'

'Ja?'

'Dank u.'

Landry verliet de kamer in de hoop dat hij haar liever vroeger dan later iets zou kunnen geven waar ze hem echt dankbaar voor zou kunnen zijn.

Ik stond op de gang te wachten toen Landry uit Erins kamer kwam. Hij zag me en was niet verbaasd. Hij bleef staan, pakte zijn mobiel en voerde een gesprek dat ongeveer drie minuten duurde. Toen hij had opgehangen keek hij in tegenovergestelde richting de gang af naar de verpleegstersbalie, en kwam ten slotte naar mij toe.

'Wat vertelt ze?' vroeg ik, terwijl we naar de nooduitgang liepen.

'Ze zegt dat het Jade was, maar dat de ontvoerders altijd gemaskerd waren en dat ze haar ketamine inspoten. Ze heeft Jade op geen enkel moment echt gezien. Ze heeft geen idee wie die ander is. Ze zegt dat hij nauwelijks zijn mond opendeed.'

'Dat klinkt niet als Van Zandt,' zei ik. 'Ik ken niemand die zo dol is op de klank van zijn eigen stem als Van Zandt.'

'Maar ze zou zijn stem hebben herkend vanwege zijn accent,' zei Landry. 'Misschien is hij wel slimmer dan hij eruitziet.' Hij zuchtte en schudde zijn hoofd. 'We zullen als getuige niet veel aan haar hebben.'

Er lagen diepe rimpels op zijn voorhoofd, en ik besefte dat hij met zijn gedachten niet echt bij mij was. Hij dacht terug aan wat Erin had gezegd en probeerde haar antwoorden te herleiden tot een duidelijke, bruikbare aanwijzing of tot een onweerlegbaar bewijs.

'Ze hoeft ook geen goede getuige te zijn,' bracht ik hem in herinnering. 'Je hebt genoeg tegen Jade om hem officieel in staat van beschuldiging te laten stellen. Misschien dat het lab met concrete bewijzen komt.'

'Ja. Je mag best wat enthousiaster klinken,' zei hij sarcastisch.

Ik haalde mijn schouders op. 'Wat weet je van hem dat ik niet weet? Hebben jullie iets bij hem thuis gevonden?'

Hij zei niets.

'Of in de flat van de meisjes?'

'Een paar foto's van Jade. Eén van hem en Erin samen. Iemand heeft achterop geschreven: "Voor Erin. Liefs, Don." Jill had de foto's verstopt. Ze had Erins gezicht en naam met een balpen doorgekrast.'

'Alle meisjes zijn dol op Donnie.'

'Ik snap werkelijk niet waarom,' mompelde Landry.

'Weet je al of hij, afgezien van de flat, verder nog onroerend goed bezit of huurt?'

‘Hij zou nooit zo stom zijn om Erin vast te houden op grond die op zijn naam staat. Dat zou veel te gemakkelijk voor mij zijn.’

‘Hoe is ze ontkomen?’

‘Ze zegt dat ze haar hebben laten gaan. Ze hadden zich gerealiseerd dat ze geen geld zouden krijgen, en toen hebben ze haar in het busje gezet, eindeloos rondgereden en haar ten slotte als een afgedankt oud kleed langs de kant van de weg gedumpt.’

‘Dus ze kan niet zeggen waar ze haar hebben vastgehouden.’

‘Het enige dat ze weet is dat het een caravan was.’

‘Heeft de laatste video nog iets opgeleverd? Iets van achtergrondgeluiden?’

‘Ja, er was geluid op de achtergrond. De jongens van de technische dienst zijn ermee bezig. Voor mij klinkt het als iets van zware machines.’

‘Wat zei Erin ervan?’

Hij keek naar buiten. ‘Ze wist het niet zeker. Ze zei dat ze voortdurend onder de verdovende middelen zat. Special K, zegt ze. Daar is gemakkelijk aan te komen,’ zei Landry. ‘Helemaal voor mensen die iets met dierenartsen te maken hebben.’

‘Het is geen verdovend middel dat we voor paarden gebruiken,’ zei ik. ‘Het is een middel dat aan kleine huisdieren wordt gegeven.’

‘Dat neemt niet weg dat het gemakkelijk te krijgen is.’

‘En wat weet je van Chad?’

‘Hij is gisteravond het huis niet uit geweest,’ zei Landry, terwijl hij zijn telefoon weer pakte. ‘En daarbij, Erin en Chad hadden een intieme relatie. Dacht je echt dat zij hem niet zou herkennen als hij haar verkrachtte?’

‘Misschien was hij wel dat type dat niets zei. Misschien keek hij alleen maar toe terwijl zijn partner haar een beurt gaf. Misschien hadden ze haar wel zóveel spul gegeven dat ze nog niet in staat zou zijn geweest om de kerstman te herkennen als hij zich over haar heen had gebogen.’

Landry keek me met een bedenkelijk gezicht aan en luisterde ondertussen zijn boodschappen af. ‘Zal ik je eens wat zeggen, Estes? Je bent ontzettend lastig.’

‘Alsof ik dat nog niet wist,’ zei ik. ‘En zal ík je eens wat zeggen? Waarom vermoord je het hele stel niet gewoon, en dan kan God het verder uitzoeken.’

‘Breng me niet in de verleiding. Als je het mij vraagt hoort minstens de helft van de mensen die een rol in het leven van dit meisje spelen, thuis in de gevangenis,’ mompelde hij, terwijl hij naar de telefoon luisterde. ‘Over een paar uur hebben we een officieel huiszoekingsbevel voor de woning van de Seabrights. Ik zal ervoor zorgen dat Dugan ook verdovende middelen op de lijst laat zetten.'

'Waar zoek je verder nog naar?'

'Erin zegt maar steeds dat de ontvoerders meerdere keren naar Bruce Seabright hebben gebeld, en dat ze meer dan één video in de caravan hebben gemaakt. Ze heeft het over een stuk of drie, vier.'

'Goeie god. Wat doet hij met die dingen? Wil hij ze soms aan een pornozender verkopen?'

'Ja, en dan beweert hij natuurlijk dat hij alleen maar probeerde om zoveel mogelijk van het losgeld terug te verdienen,' mompelde Landry. 'Klootzak.'

Ik ging op de brede vensterbank zitten. De vroege ochtendzon voelde warm op mijn rug, en ik vroeg me af in hoeverre het waarschijnlijk was dat Bruce bij de ontvoering betrokken was. 'Laten we zeggen dat Seabright van Erin af wilde. Hij regelt de ontvoering waar hij de politie buiten wil houden. Maar als hij van haar af wilde, waarom heeft hij haar dan niet meteen vermoord? Ze zouden maar een paar uur nodig hebben gehad voor het maken van die video's, en daarna hadden ze haar kunnen vermoorden en ergens kunnen dumpen.

Maar toen haalde Molly mij erbij,' ging ik verder, 'en ik haalde jóu erbij. Nu is Bruce gedwongen om mee te spelen. Maar dan blijft de vraag waarom hij haar niet gewoon door zijn partner heeft laten vermoorden.'

'Omdat we hem nu in de gaten houden en vragen stellen. De partner ziet de politie overal hun neus in steken, en hij wordt bang.'

'Dus dan laten ze Erin vrij zodat ze jou kan helpen hen te ontmaskeren?' Ik schudde mijn hoofd. 'Dat slaat nergens op.'

'Ik speel met de kaarten die ik heb, Estes,' zei Landry ongeduldig. 'Erin zegt dat het Jade was. Daar ga ik mee akkoord. Ik zou wel gek zijn om dat niet te doen. En als straks mocht blijken dat het Bruce Seabright is, dan ga ik daar ook mee akkoord. Zo zit het nu eenmaal.'

Ik zei niets. Er zijn momenten waarop ik weet dat ik beter mijn mond kan houden. Landry had zijn verdachte en zijn bewijzen. Hij had een twijfelend slachtoffer, en hij had zijn eigen twijfels.

'Ik moet gaan,' zei hij, zijn mobiel dichtklappend. 'De officier wil een bespreking voor hij Jade in staat van beschuldiging stelt.'

Ik had gehoopt dat ik na zijn vertrek Erins kamer binnen zou kunnen glippen, maar ik zag dat de agent die de wacht bij haar hield alweer was teruggekomen van zijn koffiepauze.

'Landry?' vroeg ik, toen hij de gang begon af te lopen. Hij keek achterom. 'Weet je al waar Van Zandt is?'

'Nee. Hij is nog steeds niet thuisgekomen.' Hij wilde doorlopen, maar ik hield hem opnieuw staande.

Ik haalde Erins armbandje uit mijn zak en gaf het aan hem. 'Dit heb ik gisteravond gevonden op de vloer van de onderzoekkamer waar Erin had gelegen. Vraag haar er maar naar. Misschien heeft ze het wel van Jade gekregen.'

Hij pakte het van mij aan – zijn vingers streken langs de mijne. Hij knikte.

'Dank je,' zei ik. 'Dat je me op de hoogte houdt.'

Landry tikte tegen de denkbeeldige klep van een denkbeeldige pet. 'Het was oorspronkelijk jouw zaak.'

'Ik dacht dat je geen informatie wilde delen.'

'Er is voor alles een eerste keer.'

Hij keek naar de armband in zijn hand, en liep weg.

Ik verliet het ziekenhuis en reed over de parkeerplaats op zoek naar een donkerblauwe Chevrolet, maar Van Zandt was er niet. Krystal Seabrights witte Lexus of Bruces Jaguar zag ik evenmin. De liefhebbende ouders. Erin had ze weggestuurd, dus ze waren gegaan. Ze waren er vanaf.

Ik heb nooit kunnen begrijpen dat er mensen zijn die kinderen hebben, en ze niet opvoeden, ze geen liefde geven en ze niet helpen om volwaardige mensen te worden. Waarvoor zou je anders kinderen willen hebben? Om de familienaam in stand te houden? Voor de kinderbijslag? Om een relatie zin te geven? Want dat werd iedereen op een bepaald moment in zijn leven geacht te doen: trouwen en kinderen krijgen. Niemand heeft me ooit kunnen uitleggen waarom.

Ik wist niet veel van Erins opvoeding, maar ik wist wel dat ze, als er meer van haar gehouden zou zijn, niet de jonge vrouw was geworden die ze nu was. Haar zusje omschreef haar als boos en verbitterd.

Haar vage verhaal beviel me niet. Ik wist uit ervaring dat boze, verbitterde meisjes wilden dat de mensen die hen het diepste hadden gekwetst voor hun zonden zouden boeten. Ik vroeg me af of ze misschien degenen de schuld gaf die ze de schuld wilde geven. Misschien had Jade wel niet van haar gehouden. Misschien had hij haar hart gebroken. En het was niet ondenkbaar dat ze zijn identiteit in haar doodsangst en onder invloed van verdovende middelen op haar martelaar had geprojecteerd.

Of misschien had haar martelaar haar met dat idee gevoed.

Ik dacht opnieuw aan Michael Berne. Het zou voor hem een koud kunstje zijn geweest om naar de Radio Shack te bellen en de verkoper te vragen die mobiel voor hem te reserveren. Hij kon een willekeurig iemand hebben gestuurd om het ding te halen. Als hij had geweten dat Erin verliefd was op Jade, zou hij dat tijdens Erins gevangenschap uitgebuit kunnen hebben.

Maar wie zou Michaels partner zijn geweest? Voor zover ik wist had hij geen connectie met de Seabrights. Hij en Trey Hughes waren geen maatjes meer.

Trey Hughes, die het telefoonnummer van mijn vader op zak had. Trey die van jonge meisjes hield en die op vrijwel elke manier iets met deze onzuivere geschiedenis te maken had.

Ik wilde niet geloven dat hij deel zou kunnen uitmaken van alles wat Erin Seabright was aangedaan. Ik hield het nog steeds op Van Zandt.

Maar ik begon steeds meer het gevoel te krijgen dat ik de puzzelstukjes van verschillende puzzels met elkaar vergeleek. Waar het om ging was dat het uiteindelijke beeld niet abstract, maar herkenbaar zou zijn.

45

De substituut-officier van justitie leek het totaal onbelangrijk te vinden of Erin Seabright de gezichten van haar ontvoerders wel of niet had gezien. Zoals Elena had gezegd, hadden ze voldoende bewijzen om hem daarop vast te kunnen houden, hem officieel in staat van beschuldiging te stellen en om te bepalen of hij wel of niet op borgtocht vrijgelaten zou mogen worden. Daarna zouden ze, volgens de in Florida geldende wetgeving, honderdvijfenzeventig dagen de tijd hebben om Jade voor de jury te leiden. Tijd genoeg om een zaak op te bouwen, vooropgesteld dat er aanvullende bewijzen te vinden waren.

Het bloed dat was aangetroffen in de box waar Jill Morone was vermoord, was onderzocht. Als kon worden aangetoond dat het bloed van Jade was, zou hem niet alleen ontvoering, maar ook moord ten laste worden gelegd. Jades alibi voor de avond waarop Jill was vermoord werd in twijfel getrokken. Hij had geen alibi voor de nacht waarin het paard was vermoord – het incident dat alle andere gebeurtenissen tot gevolg had gehad.

Bij het verlaten van het kantoor van de officier dacht Landry aan Elena. Het beviel hem niet dat ze aan Jades betrokkenheid twijfelde, en het beviel hem niet dat haar mening hem interesseerde. Ze had hem bij deze puinhoop betrokken, en hij wilde kunnen aantonen dat de zaak even eenvoudig was als haar oorspronkelijke theorie was geweest. De meeste misdrijven waren ook eenvoudig. De doorsnee moord draaide om geld of seks, en er was geen Sherlock Holmes voor nodig om dergelijke gevallen op te lossen. Ontvoeringen om losgeld – idem dito. Goed en zorgvuldig politiewerk leidde tot arrestaties en veroordelingen. Hij wilde niet dat deze zaak anders zou zijn.

En misschien knaagden Estes' twijfels wel zo aan hem omdat hij een aantal ervan heimelijk met haar deelde. Hij probeerde ze van zich af te schudden terwijl hij de gang af liep. Weiss kwam hem vanuit de teamkamer tegemoet.

'Paris Montgomery is hier. Ze vraagt naar je,' voegde hij er, met zijn ogen rollend, aan toe.

'Hebben jullie iets gevonden bij Seabright thuis?'

'De jackpot,' antwoordde Weiss. 'Hij had een video verstopt achter de boeken in zijn werkkamer. Je gelooft het niet. Het zijn opnamen van hoe het meisje wordt verkracht. Seabright zit in de vergaderkamer. Ik ben juist op weg naar hem toe.'

'Wacht op mij,' zei Landry, die de woede in zich voelde oplaaien. 'Ik wil hem ook te grazen nemen, de schoft.'

'Wie niet,' reageerde Weiss.

Toen Landry binnenkwam, liep Paris Montgomery achter de tafel heen en weer. Ze was van streek en zenuwachtig, hoewel haar dat niet had belet zich zorgvuldig op te maken en haar haren te kappen.

'Mevrouw Montgomery, fijn dat u bent gekomen,' zei Landry. 'Gaat u zitten. Kan ik iets voor u halen? Koffie?'

'God, nee,' zei ze, terwijl ze ging zitten. 'Als ik nog meer koffie drink, kan ik helemáál niet meer stilzitten. Ik kan gewoon niet geloven wat er allemaal gebeurt. Don in de gevangenis. Erin *ontvoerd.* Goeie god. Is alles goed met haar? Ik heb geprobeerd het ziekenhuis te bellen, maar ze willen me niets vertellen.'

'Ze heeft het zwaar te verduren gehad,' zei Landry. 'Maar ze komt er wel overheen.'

'Mag ik bij haar?'

'Voorlopig mag ze alleen bezoek van de directe familie. Misschien aan het eind van de middag.'

'Ik vind het verschrikkelijk wat er is gebeurd. Ik bedoel, ze werkte voor me. Ik had beter op haar moeten letten.' Ze kreeg tranen in haar grote, bruine ogen. 'Ik had iets moeten doen. Toen Don zei dat ze ontslag had genomen en weg was gegaan, had ik meer mijn best moeten doen om haar te pakken te krijgen. Ik had kunnen weten dat er iets mis was.'

'Hoezo? Had u redenen om achterdochtig te zijn?'

Ze wendde haar blik af: haar ogen hadden die glazige uitdrukking van iemand die in gedachten een film van herinneringen bekijkt.

'Erin leek heel tevreden met haar werk. Ik bedoel, ik wist dat ze problemen had met haar vriendje, maar welk meisje van haar leeftijd heeft dat niet? Het is alleen dat... dat ik haar plotselinge vertrek nooit zomaar had moeten accepteren. Maar u moet goed begrijpen dat het tijdens het seizoen heel normaal is voor stalknechten om zomaar op te stappen. Er is zoveel werk te krijgen. Iemand hoeft maar een hoger salaris, of een ziektekostenverzekering of een extra vrije dag te bieden, en wég zijn ze.'

Landry zei niets. Wat kón hij ook zeggen? Iemand zou beter op Erin Seabright gelet moeten hebben. Voor hem had iedereen in meer of mindere mate schuld aan wat er met het meisje was gebeurd.

'Wist u dat Erin en Don een relatie hadden?' vroeg hij.

'Erin was verliefd op hem.'

'En weet u of hij daar op in is gegaan?'

'Ik... eh... Don heeft een onmiskenbaar charisma.'

'Is dat ja of nee?'

'Hij heeft een magnetische persoonlijkheid, en vrouwen voelen zich tot hem aangetrokken. Daar geniet hij van. Hij is dol op flirten.'

'Met Erin?'

'Nou... natuurlijk... Maar ik kan me niet voorstellen dat hij daar misbruik van gemaakt zou hebben. Dat weiger ik te geloven.'

'Maar ondenkbaar is het niet.'

Ze maakte een onzekere indruk, hetgeen op zich al voldoende zei.

'Heeft Erin met u gesproken over de dood van het paard?'

'Ze was erg van streek. Dat waren we allemaal.'

'Heeft ze laten doorschemeren dat ze iets wist van wat er gebeurd was?'

Ze wendde haar blik opnieuw af en drukte twee vingers op het rimpeltje tussen haar wenkbrauwen. 'Ze was ervan overtuigd dat het geen ongeluk was.'

'Ze zorgde voor dat paard, ja?'

'Ja. Ze kon heel goed met hem overweg. Met alle paarden. Ze besteedde extra tijd aan hen. Soms ging ze 's avonds nog even naar ze kijken.'

'Had ze dat die avond ook gedaan?'

'Rond een uur of elf, en toen was alles nog normaal.'

'Waarom dacht ze dat het geen ongeluk was?'

Paris Montgomery begon te huilen. Ze keek om zich heen alsof ze zocht naar een plek waar ze door de grond zou kunnen zinken.

'Mevrouw Montgomery, als Don Jade datgene heeft gedaan wat we denken dat hij heeft gedaan, dan bent u hem geen greintje loyaliteit verschuldigd.'

'Ik kon niet geloven dat hij iets slechts had gedaan,' zei ze, met een klein stemmetje. Ze verontschuldigde zich voor zichzelf, níet voor Jade.

'Wat is er gebeurd?'

'Erin vertelde me dat Jade al bij de paarden was toen ze de volgende morgen binnenkwam. Vroeg. Hééł vroeg. Er waren die dag wedstrijden, en Erin moest vroeg beginnen om ervoor te zorgen dat de paarden op tijd klaar zouden zijn. Ze vertelde me dat ze Don in Stellars box zag waar hij iets deed met het snoer van de elektrische ventilator. Ze ging naar hem toe om hem te vragen waarom hij zo vroeg was.'

Ze zweeg en probeerde te kalmeren. Haar adem stokte. Landry wachtte.

'Ze zag Stellar liggen. Don vertelde dat het paard het snoer van de ventilator had doorgebeten, en hij hield het snoer omhoog. Maar Erin zei dat hij ook nog iets in zijn andere hand hield. Iets van gereedschap.'

'U denkt dat hij het snoer heeft doorgesneden om het een ongeluk te laten lijken.'

'Ik weet niet!' snikte ze, terwijl ze haar handen voor haar gezicht sloeg. 'Ik kan gewoon niet geloven dat hij dat arme dier vermoord zou kunnen hebben!'

'En nu zou dat weleens het minst erge kunnen zijn van wat hij heeft gedaan,' zei Landry.

Hij nipte onverschillig van zijn koffie terwijl Paris Montgomery stilletjes zat te huilen. Hij dacht over de nieuwe feiten na. Het zou kunnen zijn dat Erin Jade had verweten dat hij het ongeluk in scène had gezet. Dat zou logischerwijze haar dood tot gevolg kunnen hebben gehad, net zoals het de aanleiding tot de moord op Jill Morone kon zijn geweest. Maar de plannen voor de aanschaf van de mobiele telefoon stamden van vóór de moord op het paard. En daaruit volgde dat het één niets met het ander te maken had.

'Wat heeft u gedaan toen Erin u dit had verteld?' vroeg hij.

Paris bette haar tranen met een tissue. 'Ik werd boos en zei dat het natuurlijk een ongeluk was. Don zou nooit –'

'Ondanks het feit dat Don dat in het verleden al vaker had gedaan.'

'Dat heb ik nooit willen geloven,' verklaarde ze stellig. 'Niemand heeft ooit iets kunnen bewijzen.'

'Afgezien van het feit dat hij bijzonder slim is in het ontlopen van de gevolgen van zijn daden.'

Ze nam het nog steeds voor Jade op. 'In de drie jaar dat ik inmiddels voor Don werk, heb ik hem nog nóóit een paard lelijk zien behandelen.'

'Hoe reageerde Erin toen u haar niet geloofde?'

'In het begin was ze van streek. We spraken er wat uitvoeriger over. Ik vertelde haar wat ik u net heb gezegd. Ik vroeg haar of ze hem in staat achtte iemand iets aan te doen, en uiteindelijk schaamde ze zich voor het feit dat ze dat zelfs maar had gedacht.'

'Dus, toen Jade u vertelde dat ze later die dag ontslag had genomen –'

'Was ik niet echt verbaasd.'

'Maar u heeft niet geprobeerd haar te bellen.'

'Ik heb haar geprobeerd te bellen, maar ze nam niet op. Ik heb een boodschap ingesproken op haar voice-mail. Een paar dagen later ben ik naar haar flat gegaan, maar alles leek erop te wijzen dat ze verhuisd was.'

Ze slaakte een dramatische zucht en keek Landry met grote, om vergiffenis smekende ogen aan. 'Ik zou er alles voor over hebben om de klok terug te draaien naar die dag, en alles te veranderen wat er is gebeurd.'

'Ja,' zei Landry, 'ik wed dat Erin dat ook wel zou willen.'

46

Ik keerde in gedachten terug naar de dag waarop het allemaal was begonnen. De dag waarop Stellar dood in zijn box was gevonden. De dag waarop Erin Seabright bij de achteringang van het Palm Beach Polo Equestrian Center ontvoerd was. Ik tekende er in zwart en ecru een schema van op het dure postpapier dat ik in het bureau had gevonden. Een opeenvolging van de gebeurtenissen. Het moment waarop Jade volgens zeggen de mobiele telefoon had gekocht. Waarop Erin en Chad ruzie hadden gemaakt. Waarop Stellar was gevonden. Waarop Erin was ontvoerd. Ik schreef alles op wat ik van de zaak wist, en legde de vellen in de juiste volgorde in mijn slaapkamer op de vloer.

Ik had aldoor gedacht dat alles was begonnen met Stellars dood, maar nu ik naar het schema keek en nadacht over wat ik wist, realiseerde ik me ineens dat dat niet het geval was. Het plan voor de ontvoering moest zijn ontstaan vóórdat Stellar was gestorven. Iemand had die wegwerpmobiel gekocht. Iemand had de caravan georganiseerd waar Erin was vastgehouden, had de video- en audioapparatuur gekocht, evenals het verdovende middel dat ze aan Erin hadden gegeven, en het bestelbusje dat voor de feitelijke ontvoering was gebruikt. Een uitvoerig plan waar minstens twee mensen bij betrokken waren geweest.

Ik wilde precies weten wat er allemaal was gebeurd op die zondag – de dag van Stellars dood en van Erins ontvoering. Ik wilde weten wat er zich díe dag, en de dag ervoor, tussen Erin en Jade had afgespeeld. Ik wilde weten waar Trey Hughes die dag was geweest, en Van Zandt.

Keer op keer liet ik mijn blik over het schema gaan, en over alle dingen die ik wist. Het maakte niet uit hoe vaak ik dat deed, de meest simpele verklaring was niet de beste. Maar ik wist dat er heel wat mensen waren die bereid waren om het daarbij te laten. Landry incluis.

Ik ben nu eenmaal niet iemand die van de gemakkelijke aanpak houdt.

Ik ging weer naar de zitkamer, pakte de video van de ontvoering en stopte hem in de videorecorder.

Erin stond bij het hek van de achteruitgang te wachten. Ze keek naar het naderbijkomende busje. Ze stond nog steeds bij het hek toen de gemaskerde man eruit stapte. Ze zei: 'Nee!' Toen begon ze weg te rennen. Hij greep haar vast.

Ik spoelde de band terug en bekeek hem opnieuw.

Ik dacht aan wat ze Landry had verteld en aan wat ze voor hem verzwegen had.

Ik dacht aan wie als verdachten werden beschouwd en wie niet.

Don Jade zat in de gevangenis. Bruce Seabright werd onder de microscoop gehouden. Tomas Van Zandt, bekend versierder en vermoedelijke moordenaar, was spoorloos.

Ik keerde terug naar het bureau en zocht in de troep die ik had gemaakt naar het vel papier dat ik uit Van Zandts vuilnisemmer had meegenomen. Het vluchtschema van de paarden die naar Brussel werden verscheept. Het vliegtuig zou die avond om elf uur vertrekken. Ik zou die informatie aan Landry moeten doorspelen. En Landry zou het aan Armedgian moeten doorspelen.

Armedgian kon de pot op. Van mij kreeg hij niets. Als ik een manier zou kunnen vinden om hem voor gek te zetten, dan zou ik dat zeker doen. De hemel wist dat Armedgian en Dugan na mijn afgang bij The Players toch al niets meer met me te maken wilden hebben.

Ik besloot om, wanneer het zo laat was, persoonlijk naar het vliegveld te gaan om op Van Zandt te wachten, en dan zou ik Landry bellen. Als Tomas Van Zandt dacht dat hij in mijn land ongestraft een moord kon plegen, dan vergiste hij zich.

47

Hij had er geen idee van hoelang hij in de kofferbak van de auto had gelegen. De nacht had plaatsgemaakt voor de dag. Dat wist hij door de hitte. De auto stond te bakken in de zon, en de temperatuur in de kofferbak begon ondraaglijk te worden.

Dankzij die Russische trut zou hij hier sterven. Die Russische trutten. Hun gezichten versmolten in zijn brein tot één enkel beeld. Hij ijlde van de pijn en de hitte.

Hij zou geprobeerd hebben om eruit te komen, maar hij kon zich niet bewegen. Hij wist niet hoeveel van zijn botten waren gebroken. Hij zou geprobeerd hebben om te schreeuwen, maar de onderste helft van zijn gezicht zat omwikkeld met tape. In de afgelopen uren had hij meer dan eens gevreesd dat hij zou moeten overgeven en dat hij in zijn braaksel zou stikken.

Zoals die vette stalknecht. Stomme slet. Ze had met Jade naar bed gewild. Ze had met hem naar bed moeten gaan. Deze situatie was voor een deel ook haar schuld. Kulak had geweten dat ze dood was.

Een ongeluk. Geen moord. Als hij zich op de juiste manier van haar lijk ontdaan zou hebben, zou niemand er ooit achter zijn gekomen. Niemand zou ooit naar Jill hebben gevraagd. Wie zou zich ooit voor die vette trut geïnteresseerd hebben?

Als hij zich niet had laten overhalen om haar in de mestkuil te dumpen, zou een groot deel van wat er was gebeurd, níet zijn gebeurd. En misschien dat hij op dit moment dan ook niet naar de dood verlangd zou hebben.

Hij hoorde geluiden bij de auto. Machines. Mannenstemmen. Russen die Russisch spraken. Klote-Russen.

Er stootte iets tegen de auto, en de auto wiegde heen en weer. Toen bewoog de auto naar voren. Het lawaai van de machines werd luider – als een hels monster dat alles verslond dat op zijn pad kwam. Het lawaai werd oorverdovend – het brullen van het monster, het pletten van metaal toen de neus van de auto in de machine kwam.

Hij wist wat er zou komen. Hij wist het en begon te schreeuwen, ook al wist hij dat het geluid vastzat in zijn hoofd. Hij schreeuwde de naam van elke vrouw die zich tegen hem had gekeerd.

Vrouwen. Stomme, ondankbare teven. De nagels aan zijn doodskist. Hoe vaak had hij niet gezegd dat de vrouwen nog eens zijn dood zouden worden. En zoals altijd had hij gelijk gehad.

48

De beelden waren een nachtmerrie van de ergste soort: Erin Seabright, die met de armen en benen gespreid op bed lag vastgebonden, en schreeuwde en huilde terwijl ze door een van de ontvoerders werd verkracht. Landry had nog nooit zoiets verschrikkelijks gezien.

Dugan, Weiss, Dwyer en hijzelf stonden, met de armen over elkaar geslagen en volkomen uitdrukkingsloze gezichten, in een halve cirkel naar de video te kijken. In hun midden zat Bruce Seabright met een lijkbleek gezicht.

Landry zette de video uit en ramde zijn vuist tegen de zijkant van de tv. Hij wendde zich naar Seabright.

'Smerige, vuile schoft.'

'Dit is voor mij de eerste keer dat ik deze video zie!' schreeuwde Seabright, terwijl hij ging staan.

'Landry...' waarschuwde Dugan.

Landry hoorde hem niet, en hij hoorde Weiss' telefoon niet gaan. Hij was zich amper bewust van de anderen in de kamer. Hij had uitsluitend oog voor Bruce Seabright, en hij zou niets liever doen dan de man op dat moment met zijn blote handen tot levenloze pulp slaan.

'Ach? Had je de video voor later willen bewaren?' vroeg Landry. 'Had je je eigen kleine filmfestival willen organiseren?'

Seabright schudde heftig zijn hoofd. 'Ik weet niet hoe die video in mijn werkkamer terecht is gekomen.'

'Je hebt hem er zelf neergelegd,' zei Landry.

'Nee, nee, dat heb ik niet! Dat zweer ik!'

'De ontvoerders hebben je hem gestuurd, net als de eerste.'

'Nee!'

'En als het aan jou had gelegen, zou niemand noch de eerste, noch de tweede video ooit hebben gezien.'

'Dat – dat is niet waar –'

'Je liegt!' brulde Landry in zijn gezicht.

Dugan probeerde tussenbeide te komen, en gaf Landry een zet tegen zijn borst. 'Landry, naar achteren!'

Landry stapte om hem heen. 'Was het al niet erg genoeg dat je haar kwijt wilde? Moest ze ook nog mishandeld worden?'

'Nee! Ik –'

'Hou je bek!' schreeuwde Landry. 'Hou godverdomme je bek!'

Seabright deinsde achteruit, en zijn kleine ogen puilden uit hun kassen van angst. Hij stootte met de achterkant van zijn benen tegen de klapstoel waar hij op had gezeten, en hij plofte erop neer.

'Landry!' schreeuwde Dugan.

Dwyer ging voor hem staan en stak zijn hand op. 'James –'

'Ik wil een advocaat!' zei Seabright. 'Hij kan zich niet beheersen!'

Landry haalde diep adem, riep zichzelf tot de orde en keek Bruce Seabright strak aan.

'Als ik jou was, Seabright, zou ik me maar meteen tot God wenden,' zei Landry zacht. 'Want een advocaat is echt niet voldoende om je nog te kunnen helpen.'

Jades borgzitting nam twintig minuten in beslag. Vijf minuten voor de kwestie zelf, en vijftien minuten voor Shapiro die zichzelf wilde horen praten. Met wat die man per uur vroeg, dacht Landry, wilde hij natuurlijk wel even graag laten zien dat hij wel degelijk meer waard was dan de doorsnee advocaat.

Landry stond achter in de rechtszaal en keek toe. Hij trilde nog na van de enorme woede die bij het bekijken van de video bezit van hem had genomen. Alsof hij schaapjes telde, telde hij de koppen op de tribune. Shapiro's gevolg van assistenten, de assistent van de officier, een aantal journalisten en Trey Hughes. De openbare aanklager, Angela Roca, verklaarde dat ze de zaak voor de jury wilde brengen die moest beslissen of er voldoende gronden voor rechtsvervolging aanwezig waren, en vroeg om een borg van één miljoen dollar.

'Edelachtbare,' jammerde Shapiro. 'Eén miljoen dollar! Meneer Jade is niet zo rijk als zijn cliënten. Met een dergelijk hoge eis kunnen we vrijlating op borg wel vergeten.'

'Daar hebben wij geen enkel bezwaar tegen,' zei Roca. 'Meneer Jade is door zijn slachtoffer geïdentificeerd als ontvoerder en verkrachter. En daarnaast beschouwt het kantoor van de sheriff hem als verdachte in de zaak van de brutale moord op een van zijn werkneemsters.'

'Met alle respect, edelachtbare, meneer Jade is onschuldig zolang het tegendeel niet is bewezen.'

'Ja, dat heb ik indertijd op de school voor rechters geleerd,' reageerde de edelachtbare Ida Green op sarcastische toon. Ida, een klein vrouwtje met rood haar dat uit New York afkomstig was, was een van Landry's favoriete rechters. Ida raakte van niets en niemand onder de indruk, en ook niet van Bert Shapiro.

'Edelachtbare, de zaak –'

'Interesseert mij niet, meneer Shapiro. Deze zitting is uitsluitend voor het vaststellen van de borg. Moet ik u nog uitleggen hoe die procedure in zijn werk gaat?'

'Nee, edelachtbare. Dat kan ik me nog vagelijk van mijn studie herinneren.'

'Mooi, dan is het geld van uw ouders dus goed besteed geweest. De borgsom is vastgesteld op vijfhonderdduizend dollar, contant.'

'Edelachtbare –' begon Shapiro.

Ida wuifde hem weg. 'Meneer Shapiro, de cliënten van uw cliënt geven een dergelijk bedrag – zonder zelfs maar met hun ogen te knipperen – uit aan de aanschaf van een paard. Ik weet zeker dat, als ze hem even toegewijd zijn als u, ze hem graag uit de problemen zullen willen helpen.'

Shapiro was zichtbaar nijdig.

Roca maakte van zijn zwijgen gebruik. 'Edelachtbare, gezien het feit dat meneer Jade in Europa heeft gewoond en daar talloze contacten heeft, is er volgens ons sprake van het risico dat hij zal willen vluchten.'

'Meneer Jade zal zijn paspoort inleveren. Verder nog iets, mevrouw Roca?'

'We willen graag dat meneer Jade verplicht wordt gesteld om mee te werken aan een bloedonderzoek en een haartest, met als doel het kunnen vergelijken daarvan met de bewijzen die reeds in het bezit zijn van de politie.'

'Wilt u daarop toezien, meneer Shapiro.'

'Edelachtbare,' begon Shapiro, 'dit is een ernstige inbreuk op de privacy van –'

'Een colonoscopie is een ernstige inbreuk, meneer Shapiro. Een haartest en een bloedonderzoek zijn dat niet. Ik blijf erbij.'

De rechter sloeg met haar hamer, en daarmee was de zaak gesloten. Trey Hughes stond op, liep naar voren, schreef een cheque uit en Don Jade was een vrij man.

49

Ik spoelde de video nogmaals terug.

Ik dacht aan die andere videobanden waar Erin het over had gehad, en vroeg me af of Landry's mensen ze bij Bruce Seabright thuis hadden gevonden. Als dat zo was, hoopte ik dat hij gearresteerd, en ergens van beschuldigd zou worden – belemmering van het onderzoek, achterhouden van bewijsmateriaal, samenzwering, wat dan ook – het kon me niet schelen wat. Wie ook de schuldige van Erins beproeving zou mogen zijn, en wat ook de oorsprong of het motief van het gebeurde mocht wezen, Bruce Seabright had blijkgegeven van een totale onverschilligheid ten opzichte van het menselijk leven.

Ik moest denken aan de video waarop Erin er van langs had gekregen – ik had die video niet gezien, maar Landry had me hem als uiterst gewelddadig beschreven. Oog om oog, Bruce, dacht ik.

Ik drukte opnieuw op de startknop van de enige video in mijn bezit.

Hoe vaak had ik deze beelden nu al niet bekeken? Geen idee. Vaak genoeg om elk detail gezien te hebben, maar toch voelde ik me gedwongen om er nóg eens naar te kijken, op zoek naar dingen die ik niet had gezien, niet kon zien en niet zou zien. Keer op keer, en nog steeds zat me iets dwars, bleef er iets aan me knagen, een vaag gevoel waar ik vooralsnog geen naam aan kon geven.

Het busje komt eraan. Erin staat bij het hek.

Het busje stopt. Erin staat nog steeds bij het hek.

Er springt een gemaskerde man uit de auto. Erin roept: 'Nee!'

Ze probeert te vluchten.

Ik drukte op de pauzeknop en het beeld kwam tot stilstand. Over de gezichten van Erin en haar achtervolger die naar het hek toe rennen, loopt een brede sneeuwstreep. Haar gezicht en zijn masker waren niet te zien, en op die manier konden het in principe opnamen van heel iets anders zijn. Los van de context hadden het twee geliefden kunnen zijn die elkaar in een speels moment achternazaten. Het hadden twee mensen kunnen zijn die op de vlucht waren voor een ramp, of die naar slachtoffers van een ramp toe renden om ze te redden. Zonder hun gezichtsuitdrukking waren het slechts twee torso's in verschoten spijkerbroek.

Erins bewegingen waren vreemd traag. Kwam dat doordat ze het niet kon geloven? Of doordat ze bang was? Of was het iets anders?

Ik liet de band doorlopen en zag hoe de man haar hardhandig van achteren vastgreep en haar met een ruk omdraaide. Ze gaf hem een gemene schop. Hij sloeg haar zó hard in haar gezicht dat ze bijna omviel.

Verschrikkelijk. Ronduit verschrikkelijk. Realistische gewelddadigheid. Dat viel niet te ontkennen.

Ik keek hoe hij haar van achteren met haar gezicht tegen de grond duwde. Ik zag hoe hij een naald in haar arm stootte. Ketamine. Special K. Een verdovend middel dat werd gebruikt door ravers, verkrachters en dierenartsen voor kleine huisdieren.

Erin had in het verleden partydrugs gebruikt. Ze had Landry zelf verteld dat ze haar met dat middel hadden ingespoten. Hoe had ze dat kunnen weten, tenzij haar ontvoerders zo aardig waren geweest om haar dat te vertellen, en tenzij ze de werking van die drug uit ervaring kende?

Ik dacht aan wat Erin aan Landry had verteld, aan de dingen die ze niet aan Landry had verteld, de stukjes van haar verhaal die niet in dezelfde puzzel pasten.

Ze was ervan overtuigd dat Jade een van de ontvoerders was, maar ze had hem niet één keer echt gezien. Ze wist heel zeker dat hij het was – de man op wie ze verliefd was, en voor wie ze het, zogenaamd, had uitgemaakt met Chad. En hoewel ze zijn gezicht niet één keer had gezien, was ze ervan overtuigd dat hij haar mishandeld had. Waarom? Hoe kwam ze daar zo bij? En waarom zou hij haar iets willen aandoen?

En terwijl ze er voor meer dan honderd procent van overtuigd was dat Jade een van de ontvoerders was, had ze er geen flauw benul van wie zijn partner kon zijn.

En daarna, nadat ze haar verkracht en geslagen hadden, en haar verdovende middelen hadden gegeven, en ze ten slotte niet het losgeld hadden gekregen waar het hen om te doen was geweest, lieten haar ontvoerders haar, na een paar rondjes met haar te hebben gereden, zomaar vrij. En niet alleen lieten ze haar zomaar vrij, ze hadden haar bovendien haar kleren teruggegeven, en haar armband.

Ik geloofde haar niet. Ik geloofde niets van haar verhaal, en ik zou er alles voor over hebben gehad om dat gevoel van mij te veranderen. Ik wilde twijfelen aan mijn eigen intuïtie, zoals ik daar dagelijks, sinds de dag waarop Hector Ramirez was doodgeschoten, aan getwijfeld had. Hoe ironisch dat ik door deze zaak weer in mijzelf was gaan geloven, terwijl ik niets liever wilde dan het mis te hebben.

Ik dacht aan Molly en wou dat ik had kunnen huilen.

Als ik in een hogere macht geloofd zou hebben, zou ik hebben gebeden dat ik het mis had.

Met een misselijk gevoel in mijn maag spoelde ik de band nogmaals terug en dwong mijzelf om er voor de zoveelste keer naar te kijken – deze keer in slowmotion om alles nog beter te kunnen zien – terwijl ik er iets in probeerde te ontdekken waarvan ik vreesde dat ik het niet zou vinden.

Mijn videorecorder was van middelmatige kwaliteit. Landry zou, met de eersteklas apparatuur die ze op het lab hadden, de beelden veel scherper kunnen zien. Maar in vertraagd tempo kon ik toch aardig veel zien. Tijdens het filmen was de camera vrijwel de meeste tijd strak op Erin gericht geweest, en ze leek er hooguit drie meter vandaan te zijn. Ze had haar haren met een clip naar achteren gedaan, en ze droeg een strak rood T-shirt dat haar platte buik optimaal tot zijn recht liet komen. Haar spijkerbroek had een klein wit vlekje op één dij.

Toen haar achtervolger haar bij de arm greep, zag ik dat ze een horloge om had. Maar dat ene, dat ik zo wanhopig graag wilde zien, zag ik niet.

Terwijl ik als een gekooide kat door het huis heen en weer liep, dacht ik aan de mensen die een rol speelden in Erins leven: Bruce, Van Zandt, Michael Berne, Jill Morone, Trey Hughes, Paris Montgomery. Ik wilde dat Bruce schuldig was. Ik wist dat Van Zandt een moordenaar was. Michael Berne had een motief om Don Jade te willen ruïneren, maar ontvoeren sloeg nergens op. Jill Morone was dood. Trey Hughes speelde in ieders leven een centrale rol. En dan hadden we Paris Montgomery nog.

Paris en haar achterbakse loyaliteit aan Don Jade. Jades ondergang was voor haar even interessant als voor Michael Berne – of meer nog. Ze had, met haar fotomodellenglimlach, haar honger naar luxe en roem, drie jaar lang in zijn schaduw gezwoegd. Ze had zijn leven georganiseerd en zijn stal.

Ik dacht aan de kleine, destructieve 'waarheidjes' die Paris me over Stellars dood had toevertrouwd, waarbij ze deed alsof ze Don Jade verdedigde. En als ze dat soort dingen al tegen *míj* zei, wat zou ze Trey Hughes dan wel niet in het oor fluisteren, telkens wanneer ze het bed met hem deelde?

De ochtend waarop Jill Morone was gevonden, had Paris erop toegezien dat Javier de plek waar ze vermoord was een grondige schoonmaakbeurt gaf. Ze had de verzekering gebeld om de schade aan Jades kleren en persoonlijke bezittingen te melden, en ondertussen had ze Javier de troep laten opruimen. Nu kon ik niet anders dan mij afvragen of de moord op Jill echt een verrassing voor haar was geweest.

Ik dacht aan de video van de verkrachting, en Landry's vermoeden dat het in scène was gezet. Ik dacht aan Jills levenloze lichaam dat iemand in de mestkuil bij tent veertig begraven moest hebben in de wetenschap dat ze gevonden zou worden. En wanneer ze gevonden werd, wie zou dan de eerste verdachte zijn? Don Jade.

Zijn cliënten mochten dan bereid zijn een aantal schandalen over het hoofd te zien, maar de moord op een jong meisje? Nee. Een ontvoering? Nee. En wie zou er, met Jade in de gevangenis en een handjevol vermogende cliënten die in hem geloofden, het meeste van de situatie profiteren? Paris Montgomery.

Ik belde Landry en sprak een boodschap in op zijn voice-mail. Toen zette ik de televisie uit en verliet het huis.

Irina lag voor de stal in een bikinitopje en een short op een zonnebed te zonnen. Haar ogen ging schuil achter een dramatische zwarte zonnebril.

'Irina,' riep ik haar, op weg naar mijn auto toe, 'als Tomas Van Zandt langs mocht komen, bel dan meteen 911. Hij wordt gezocht wegens moord.'

Ze tilde haar hand in een lui gebaar omhoog om te kennen te geven dat ze me had gehoord, en draaide zich op haar buik om haar rug een kleurtje te laten krijgen.

Ik ging naar het ruitercentrum, naar Jades stal, om het voor een tweede keer met Javier te proberen. De kans dat iemand hem op een maandagochtend met mij zou zien praten, was klein. De stallen waren gesloten. Trey Hughes had geen enkele reden om naar de stal te komen, en Paris ook niet. Misschien dat Javier me nu zou willen vertellen wat hij wist.

Maar er was niemand in Jades stal. Er was niet uitgemest en de paarden hadden honger. Het leek alsof ze in de steek waren gelaten. Het middenpad was een parcours vol hindernissen van hooivorken, harken, bezems en omgekeerde mestemmers. Het leek alsof iemand er in grote haast doorheen was gerend.

Ik plunderde Jades hooibox, en gaf elk paard een flinke pluk.

'Heb je besloten om vandaag voor stalknecht te spelen?'

Ik keek op en zag Michael Berne in spijkerbroek en poloshirt bij de achteringang van de tent staan. Ik had hem sinds het begin van deze toestand nog niet zo stralend zien kijken. Ontspannen. Zijn rivaal zat in de gevangenis en in zijn wereld scheen de zon.

'Ik ben een mens met vele talenten,' zei ik. 'En welk excuus heb jij om hier te zijn?'

Hij haalde zijn schouders op. Nu pas zag ik dat hij een doosje in zijn hand hield. Iets van de dierenarts.

'Ik kan het me niet veroorloven om vrij te nemen,' zei hij.

Rompun. Een kalmerend middel dat voor paarden wordt gebruikt. Iedereen had dat spul bij de hand, had Paris gezegd toen ze had gesproken over het kalmerende middel dat in Stellars bloed was aangetroffen.

'Ben je op weg naar een feestje?' vroeg ik, met een nadrukkelijke blik op het doosje.

'Ik heb er een die lastig is wanneer hij nieuwe ijzers krijgt,' zei Berne. 'Ik geef hem altijd iets opdat hij wat rustiger wordt.'

'Was Stellar lastig wanneer hij nieuwe ijzers kreeg?'

'Nee. Waarom vraag je dat?'

'Zomaar. Heb je Paris vandaag toevallig gezien?'

'Ja, ze was hier eerder. Nog net op tijd om te zien hoe de vreemdelingenpolitie haar laatste stalknecht afvoerde.'

'Wat?'

'Er was een inval vanochtend,' zei hij. 'Haar Guatemalaan was een van de eerste illegalen die zijn opgepakt.'

'Wie heeft ze die tip gegeven? Jij?' vroeg ik bot.

'Ik niet,' zei hij. 'Ik ben ook een mannetje kwijt.'

De vreemdelingenpolitie doet een verrassingsinval, en een man in stal negentien wordt als een van de eersten opgepakt. De enige van Jades mensen die bereid zou zijn geweest om te vertellen wat hij wist – áls hij iets wist. Opgepakt en afgevoerd, juist op het moment waarop de zaak een doorbraak leek te bereiken.

Trey had me met Javier zien praten. Dat zou hij aan Paris verteld kunnen hebben. Of misschien had Bert Shapiro de Guatemalaan wel het land uit willen hebben voor het geval hij iets over Jade zou kunnen vertellen.

'Ik heb gehoord dat hij in de gevangenis zit,' zei Michael Berne.

'Jade? Ja. Tenzij hij de borg heeft kunnen betalen. Ze hebben hem ontvoering ten laste gelegd. Weet jij daar iets vanaf?'

'Waarom zou ik?'

'Misschien was je wel hier, de avond waarop het gebeurd is. Zondag, een week geleden, laat in de middag, bij de achteringang.'

Berne schudde zijn hoofd en begon weg te lopen. 'Ik niet. Ik was thuis. Met mijn vrouw.'

'Je bent een uiterst toegewijde en vergevingsgezinde echtgenoot, Michael,' zei ik.

'Dat ben ik inderdaad,' zei hij zelfingenomen. 'Ik ben duidelijk niet de misdadiger die je zoekt, Elena.'

'Nee.'

'Dat is Don Jade.'

Nee, dacht ik, toen hij wegliep, ik geloof niet dat Jade het is.

50

Mijn telefoon ging toen ik op weg was naar mijn auto.

'Laten we samen lunchen,' zei Landry.

'Je telefoonmanieren laten ernstig te wensen over,' merkte ik op.

Hij noemde een fastfoodrestaurant op tien minuten rijden, en hing op.

'Erin Seabright heeft Jade in de box bij het dode paard betrapt,' zei Landry. We zaten in zijn auto. Een zak met eten lag onaangeroerd op de voorbank tussen ons in, en verspreidde een geur van gegrild vlees en patat. 'Ze heeft hem zien knoeien aan het snoer van de ventilator.'

'Heeft Erin je dat verteld?'

'Ik ben op weg naar haar toe om haar daarover te ondervragen. We zijn vanochtend niet aan het verhaal over het dode paard toegekomen. Ik heb haar alleen nog maar naar de details over de ontvoering gevraagd. Paris Montgomery is uit eigen vrije wil naar het bureau gekomen en heeft het me verteld. Het nieuws van Erins ontsnapping was vanochtend op de radio, en het schijnt dat mevrouw Montgomery daar een beetje zenuwachtig van is geworden.'

'Volgens mij ruikt ze haar kans,' zei ik. 'Als een gier die rondcirkelt boven een stervend dier. Ze zegt dat Erin Jade heeft betrapt, en op het einde van de dag ontvoert Jade haar? Dat spoort niet, Landry.'

'Dat weet ik. Het plan voor de ontvoering was al eerder in gang gezet.'

'Als het dat was,' zei ik. 'Hebben die techneuten van jullie die eerste video wel echt goed bekeken?'

'Ja, maar zelf heb ik daar nog geen tijd voor gehad. Hoezo?'

'Let op of je die armband ziet die ik je vanochtend heb gegeven.'

'Wat is daarmee?'

'Denk je dat de ontvoerders haar die als afscheidscadeautje gegeven kunnen hebben?' vroeg ik. 'Ik heb zeker vijftig keer naar die video gekeken. Ik kan nergens een armband ontdekken. Maar gisteravond had ze hem om.'

Landry keek me stomverbaasd aan. 'Wil je daarmee zeggen dat het meisje erbij betrokken zou zijn? Je ziet ze vliegen, Estes. Je hebt haar niet gezien. Ze is er verschrikkelijk aan toe. Je hebt niet gezien hoe die griezel haar met die zweep te lijf is gegaan. En vanochtend hebben Weiss en Dwyer nog een video in Seabrights werkkamer gevonden. Het zijn beelden van een brute verkrachting.'

Daar keek ik van op. 'Die video lag bij hem thuis? In zijn werkkamer?'

'Verstopt achter andere spullen in de boekenkast.'

Ik wist niet wat ik daar op moest zeggen. Het was waar ik op gehoopt had – dat Seabright zou moeten boeten. Maar het nieuws van een video van een verkrachting was wel even iets anders.

'En de beelden leken echt?' vroeg ik.

'Mijn nekharen kwamen ervan overeind,' zei Landry. 'Ik had Seabright wel met mijn blote handen kunnen wurgen.'

'En waar is hij nu?'

'Hij wordt vastgehouden. De officier probeert te bepalen waar ze hem van kan beschuldigen.'

'Wat is er op Jades borgzitting gebeurd?'

'Trey Hughes heeft de borgsom betaald.'

'Ik vraag me af of Paris dat weet.'

'En ik wed dat hij ook voor Shapiro betaalt.'

'Heb je al met hen gesproken? Met Trey?'

'Hij heeft het verzoek gehad om naar het Bureau te komen. Shapiro wil het niet hebben.'

'Stop zijn naam in de databank,' zei ik. 'Trey heeft een gekleurd verleden. Hij heeft me gisteren verteld dat hij in het verleden beroepsmatig contact heeft gehad met mijn vader. Er is niemand die de hulp van Edward Estes inroept wanneer het om een verkeersovertreding gaat.'

Landry trok een gezicht van afgrijzen en schudde zijn hoofd. 'Het lijkt wel een slangennest, dit stel.'

'Ja,' zei ik. 'En nu is het aan ons om uit te zoeken hoeveel giftige exemplaren ertussen zitten.'

Niets kan iemand zo wraakzuchtig maken als miskende trouw. Op weg naar Loxahatchee dacht ik aan Paris Montgomery die vrijwillig naar het kantoor van de sheriff was gegaan om te vertellen dat haar baas een paard had vermoord en geprobeerd had de verzekering op te lichten.

Paris was het type dat graag in de schijnwerpers wilde staan, en drie jaar lang gedwongen was geweest om de tweede viool te spelen en in Jades schaduw te werken. Ze had hem geholpen bij het verkrijgen van zijn huidige klantenkring.

Ze had hem met één hand verdedigd, en met de andere de grond onder zijn voeten weggegraven.

Ik vroeg me af of het Paris was geweest die Javier bij de vreemdelingenpolitie had verklikt. Ze was de vorige avond met Trey samen geweest. Het kon zijn dat hij haar verteld had dat hij vermoedde dat ik een privédetective was, en dat hij had gehoord hoe ik in vloeiend Spaans een gesprek had gevoerd met Jades enige werknemer die mogelijk waardevolle informatie had.

Of misschien had Trey ze wel zelf gebeld. Omdat hij daar zelf redenen toe had. Ik probeerde me hem voor te stellen als een van de ontvoerders. Hadden zijn jarenlange uitspattingen zijn hersens zodanig aangetast dat de ontvoering van een meisje hem een goed idee had geleken?

De middag was al half om toen ik de weg naar Paris Montgomery's huis insloeg. In het dichte bos van landelijk Loxahatchee was het grootste deel van het daglicht al ten prooi gevallen aan de lange schaduwen van de enorme pijnbomen.

Ik reed langs Paris' huis naar het doodlopende weggetje waar ik Jimmy Manetti de vorige avond bijna had doodgeschoten. De in aanbouw zijnde huizen lagen er verlaten bij – de werkploegen waren al naar huis. Ik parkeerde, haalde de Glock uit zijn geheime bergplaats, en liep snel, en zoveel mogelijk achter de struiken duikend, terug in de richting waar ik vandaan was gekomen.

Het huis had veel weg van dat van Eva Rosen: een in de jaren zeventig, in pseudo-Spaanse stijl gebouwde bungalow met beschimmelde witte buitenmuren en een met mos begroeid houten dak. Ik liet mijzelf via een zijdeur de garage binnen die vol stond met tuinmeubels, tuingereedschap en kerstdecoraties van de eigenaar. De dollargroene Infiniti was niet thuis.

De deur naar het huis toe was op slot, en aan de lichtjes van het paneel van de alarminstallatie zag ik dat het systeem geactiveerd was. Ik liep buiten om het huis heen op zoek naar een niet afgesloten deur of een raam dat op een kiertje stond. Ik had geen geluk.

Door het raam van de zitkamer zag ik de versleten berbervloerbedekking die allang niet wit meer was, en veel goedkope, 'mediterrane' meubels die iemand uit het mediterrane gebied nooit zou willen hebben. De tv leek bijna even groot als ikzelf, en er was alle denkbare apparatuur op aangesloten – video, dvd, en een Dolby-soundsysteem met een indrukwekkende toren geluidsapparatuur die eruitzag als iets dat van de NASA afkomstig was.

Ik liep verder naar de achterkant van het huis, waar het overdekte terras over een grote, houten jacuzzi beschikte, naast een verzameling terrasmeubilair en een collectie naar zon snakkende planten. De hordeur was niet op slot, maar de glazen schuifdeur naar de eetkamer wel. Ik kon de post op tafel zien liggen: tijdschriften, rekeningen.

Een tweede schuifpui aan de andere kant van het terras, gaf toegang tot een slaapkamer met oranje hoogpolig tapijt. De gordijnen waren open en ik zag een tweepersoonsbed met een roodfluwelen sprei. Boven het bewerkte hoofdeinde van nephout hing een schilderij van een vrouw met drie borsten en twee gezichten. Een televisie stond in een open kast tegen de zijmuur. Ik bekeek de titels van de stapel video's op de onderste plank en vroeg me af of ik de enige in Florida was die geen pornoverzameling had.

Ergens achter de achtertuin sloeg een zware motor aan. Dat zou ík weer hebben – de arbeiders van de in aanbouw zijnde huizen waren teruggekomen, en mijn auto zou elk moment door een bulldozer verpletterd worden.

De achtertuin was al half donker, maar de lucht erboven was nog steeds intens blauw. De herrie kwam bij nader inzien ook niet van de kant van de in aanbouw zijnde huizen verderop, maar van achter deze bomen, van achter Paris Montgomery's achtertuin, in westelijke richting.

Een zware motor bleef aanhoudend doorgrommen en ronken en maakte een geluid van iets dat er doorheen ging en versnipperd werd. Ik vermoedde dat het een houtversnipperaar was. Ik had me bijna omgedraaid om weg te gaan, maar verstijfde.

Landry had gezegd dat er op de video waarop Erin door de ontvoerders geslagen werd, op de achtergrond een geluid van een zware machine te horen was. Een geluid dat Erin zich niet had kunnen herinneren toen hij haar gevraagd had naar de plaats waar ze was vastgehouden.

Ik liep de achtertuin in. De achterborder van de tuin was zo totaal verwilderd met jonge bomen, bamboe en slingerplanten, dat het huis, als er niet snel iets aan de tuin werd gedaan, over niet al te lange tijd volledig overwoekerd zou zijn.

Het lawaai van de machine werd luider. Er startte een vrachtwagen, en ik hoorde het waarschuwende piep-piep-piep toen hij op dat moment achteruit moest rijden.

Ik probeerde door het dichte gordijn van het bos naar het aangrenzende perceel te kijken, en daarbij had ik het ding bijna over het hoofd gezien. Het stond als een oude ruïne in de wildernis. Grijs en geroest, ooit een vreemd voorwerp dat hier niet thuishoorde, maar dat intussen bijna een organisch geheel met het landschap vormde. Een caravan die mogelijk eens het tijdelijke verblijf van een bouwopzichter was geweest. Aan de ene kant zat een raam dat van binnen onder een laag aangekoekt vuil zat. Iemand had met een vinger vier letters in het vuil geschreven. HELP.

51

Het leven kan van de ene op de andere seconde veranderen.

Ik had die caravan bijna over het hoofd gezien. Ik had op het punt gestaan me om te draaien en weg te gaan. En daar stond hij, tussen de bomen: de ware reden waarom Paris Montgomery dit armoedige huis zo ver van het ruitercentrum had gehuurd. Ik had gedacht dat ze hier was gaan wonen om meer privacy te kunnen hebben, en daar had ik gelijk in gehad. Maar haar verhouding met Trey Hughes was niet het enige dat ze voor de buitenwereld verborgen had willen houden.

De caravan stond in het verwilderde bos, en het tafereel zag eruit als iets dat uit een nachtmerrie afkomstig was. De aanblik ervan riep herinneringen bij me op waarvan ik wou dat ik ze niet had.

Adrenaline stroomt als raketbrandstof door mijn aderen. Mijn hart gaat als een gek te keer. Ik ben gereed om tot de aanval over te gaan.

Ik trok mijn wapen en sloop naar de caravan toe. Pas toen ik er vlakbij was, kon ik het pad zien waar iemand om de achterzijde heen was gelopen om bij het verwrongen, verroeste metalen trapje te komen dat aan de achterkant hing.

Ondanks het feit dat de zon al ruim een uur weg was uit de tuin en het koel was, liep het zweet in straaltjes van me me af. Ik dacht dat ik mezelf kon horen ademhalen.

Mijn opdracht was om te blijven staan en te wachten, maar ik weet dat dat niet de juiste beslissing is... Dit is zonde van de tijd... Het is mijn zaak. Ik weet wat ik doe...

Ik voelde dezelfde soort gedrevenheid als toen. Míjn zaak. Míjn ontdekking. Maar ik voelde ook aarzeling. Angst. De laatste keer dat ik een dergelijke beslissing had genomen, was dat een grote vergissing geweest. Een fatale vergissing.

Ik ging met mijn rug tegen de zijkant van de caravan geleund staan en probeerde mijn ademhaling onder controle te krijgen en de emoties buiten te sluiten die meer met posttraumatische stress te maken hadden dan met het heden.

Paris moest dit huis maanden geleden gehuurd hebben, dacht ik. Als ze dit huis vanwege de privacy en de caravan had gekozen, dan betekende dat, dat het plan voor de ontvoering al van vóór het begin van het ruiterseizoen stamde. Ik vroeg me af of Erin de baan had gekregen omdat ze een goede stalknecht, of een goed slachtoffer beloofde te zijn.

Mijn hand beefde toen ik met mijn linkerhand de telefoon uit mijn zak haalde. Ik draaide het nummer van Landry's pieper, en toetste mijn nummer en 911 in. Ik belde zijn voicemail, noemde Paris Montgomery's adres en zei hem dat hij met de grootste spoed moest komen.

En wat nu, vroeg ik me af, terwijl ik de telefoon dichtklapte en hem weer in mijn zak stak. Moest ik wachten? Wachten tot Paris thuis zou komen en me in haar achtertuin zou vinden? Moest ik deze kans en het daglicht laten schieten in afwachting van het moment waarop Landry me terug zou bellen?

Het is mijn zaak. Ik weet wat ik doe...

Ik wist wat Landry zou zeggen. Hij zou zeggen dat ik op hem moest wachten. Ga als een lief en gehoorzaam meisje in je auto zitten wachten.

Ik was van mijn leven nog nooit een lief en gehoorzaam meisje geweest.

Het is mijn zaak. Ik weet wat ik doe.

De laatste keer dat ik die gedachte had gehad, had ik me ernstig vergist.

Ik wilde gelijk hebben.

Langzaam liep ik naar het metalen trapje dat in de loop der tijd van de caravan af in de zanderige grond was gezakt, waardoor er tussen het trapje en de deur een gat van een centimeter of tien was ontstaan. Ik ging naast de deur staan, klopte twee keer aan en riep: 'Politie.'

Er gebeurde niets. Binnen was niets te horen. Er werd niet door de deur geschoten. Ik bedacht dat Van Zandt binnen kon zijn, dat het kon zijn dat hij zich hier schuilhield tot het tijd was om aan boord van zijn vliegtuig naar Brussel te gaan. Het kon zijn dat hij en Paris Montgomery partners waren, en dat hij haar had geholpen om van Jade af te komen en zich een plaatsje in het leven van Trey Hughes te verwerven, terwijl Van Zandt zichzelf met hart en ziel overgaf aan zijn hobby van het domineren van jonge meisjes. Misschien was het losgeld wel het loon dat hij had verdiend met Jade naar zijn ondergang helpen.

En Erins rol in het spel? Daar was ik, in het licht van wat Landry me had verteld over de video's waarop ze verkracht en geslagen werd, nu niet meer zo héél zeker van. De video van haar ontvoering, die ik talloze keren had bekeken, had de vraag bij me opgeroepen of Erin wel een echt slachtoffer was. Misschien had Paris haar wel bij het plan betrokken door haar voor te spiegelen dat dit de ideale kans was om haar ouders een lesje te leren, waarna ze het meisje, nadat het plan eenmaal in werking was getreden, aan Van Zandt had overgedragen. Dat idee bezorgde me op slag een kotsmisselijk gevoel.

Ik bleef naast de deur staan, hield mijn adem in en deed de deur met mijn linkerhand op een kiertje open.

Billy Golam trekt de deur met een ruk open. Zijn ogen staan wild en hij is high van de door hem zelf gebrouwen speed – crystal meth. Hij hijgt. Hij heeft een pistool in zijn hand.

Een zweetdruppel rolde tussen mijn wenkbrauwen door en gleed van mijn neus.

Met mijn Glock voor me uit dook ik de caravan in en zwaaide de loop van mijn wapen van links naar rechts. Er was niemand in de eerste kamer. Ik ving een vlugge glimp op van het meubilair: een oud stalen bureau, een schemerlamp, een stoel. Alles onder het stof en de spinnenwebben. Stapels oude kranten. Afgedankte verfblikken. De verschaalde, muffe geur van stof en sigaretten en schimmel onder het oude zeil drong mijn neusgaten binnen. Het lawaai van de machine buiten leek in het blikken interieur van de caravan nog luider te klinken dan buiten.

Aarzelend liep ik, nog steeds met mijn wapen voor me uit, naar de tweede kamer.

Ik had de video van Erins aframmeling niet gezien, maar afgaande op Landry's beschrijving wist ik dat dit de plek was waar het zich had afgespeeld. Een bed met een metalen hoofdeinde stond tegen de achterste wand. Een smerige matras, zonder laken, die onder de vlekken zat. Bloedvlekken.

Ik probeerde me Erin voor te stellen zoals Landry haar had beschreven: naakt, kwetsbaar, met één hand aan het hoofdeinde geketend, en het uitschreeuwend terwijl de ontvoerder haar met een zweep te lijf gaat. Ik probeerde me haar voor te stellen als slachtoffer.

Op pakweg anderhalve meter van het bed stond een statief met een videocamera erop. Achter het statief stond een tafel vol lege blikjes fris, halfvolle flessen met water, open zakken chips en een asbak vol peuken. Er stonden een paar tuinstoelen – op de ene lag een exemplaar van *Style* op de zitting, en over de arm- en rugleuning van de andere lagen kleren gemikt waarvan er een aantal op de grond waren gevallen.

Een filmset. Het toneel voor een ziekelijk, pervers drama waarvan het laatste bedrijf nog gespeeld moest worden.

Het lawaai van de machines buiten was opgehouden. De stilte voelde als een geestverschijning die zojuist door de deur naar binnen was gekomen. Ik kreeg kippenvel op mijn armen en mijn nekharen kwamen overeind.

Ik ging, met mijn Glock in de aanslag, naast de deur naar de eerste kamer staan.

Ik kon de buitendeur open horen gaan. Ik wachtte.

Beweging in de voorkamer. Het geluid van schuifelende schoenzolen en stappen op het zeil. De oude verfblikken die tegen elkaar aanstootten. De geur van verfverdunner.

Ik vroeg me af wie ik zien zou, als ik door de deur de andere kamer in zou stappen. Paris? Van Zandt? Trey Hughes?

Ik ging in de deuropening staan en richtte mijn wapen op Chad Seabright.

'Hiervoor word je van school gestuurd.'

Hij keek me aan terwijl de verfverdunner rond zijn schoenen een plasje maakte.

'Ik zou je natuurlijk kunnen vragen wat je hier komt doen, Chad, maar het antwoord ligt voor de hand.'

'Nee,' zei hij, hoofdschuddend, terwijl hij me met grote ogen aankeek. 'U begrijpt het niet. Het is niet wat u denkt.'

'O nee? Je bent niet hier gekomen om de boel in brand te steken om het bewijsmateriaal van de ontvoering te vernietigen?'

'Ik heb er niets mee te maken gehad!' zei hij. 'Erin heeft me vanuit het ziekenhuis gebeld, en me om hulp gesmeekt.'

'En jij – volkomen onschuldig – hebt meteen alles laten staan waar je mee bezig was, om voor haar een misdrijf te plegen?'

'Ik hou van haar,' zei hij ernstig. 'Ze heeft er een puinhoop van gemaakt. Ik wil niet dat ze naar de gevangenis gaat.'

'En waarom zou ze dan naar de gevangenis moeten, Chad?' vroeg ik. 'Is ze niet het slachtoffer van deze hele geschiedenis?'

'Ja, dat is ze,' beaamde hij.

'Maar ze heeft je gevraagd om hier naar toe te gaan en de boel in brand te steken? Tegen de politie heeft ze verteld dat ze niet weet waar ze haar gevangen hebben gehouden. Dus hoe wist jij dan waar je zijn moest?'

Ik zag zijn brein op volle toeren werken, op zoek naar een geloofwaardig antwoord.

'Waarom zou Erin ergens bang voor moeten zijn, Chad?' drong ik aan. 'Rechercheur Landry heeft de video's waarop ze geslagen en verkracht wordt.'

'Dat was haar idee.'

'Om geslagen te worden? Om verkracht te worden? Dat was Erins idee?'

'Nee, dat was Paris' idee. Erin had gezegd dat we zouden moeten doen alsof het echt was. Het zou allemaal nep zijn, had Paris gezegd. Alleen maar om Jade uit de weg te ruimen, zodat ze zijn zaak zou kunnen overnemen. Maar alles is uit de hand gelopen. Paris heeft zich tegen haar gekeerd en ze hebben haar bijna vermoord.'

'Wie zijn "zij"?'

Hij keek weg en slaakte een geagiteerde zucht. Het zweet stond op zijn voorhoofd. 'Ik weet het niet. Ze had het alleen maar over Paris. En nu is ze bang dat Paris haar zal verraden.'

'Dus nu ben jij hier om alles te verbranden, en daarna staat iedereen weer quitte. Is dat het?'

Zijn adamsappel ging op en neer terwijl hij heftig slikte. 'Ik snap ook wel hoe het er vanaf de buitenkant uitziet.'

'Het ziet ernaar uit, Junior, dat jij er tot over je oren bij betrokken bent,' zei ik. 'Vooruit, ga tegen de muur staan, en handen en benen wijd.'

'Toe, niet doen, alstublieft,' zei hij, de tranen terug slikkend. 'Ik wil geen problemen met de politie. Ik ga volgend jaar naar de universiteit.'

'Dat had je van te voren moeten bedenken. Vóórdat je je bereid verklaarde om brand te stichten.'

'Dat was alleen maar om Erin te helpen,' zei hij weer. 'Ze is geen slecht mens. Echt niet. Ze is alleen – Het is alleen dat – Ze is altijd overal het slachtoffer van. En ze wilde mijn vader alles betaald zetten.'

'En dat wilde jij niet?'

'Ik ben bijna van school. Het maakt me niet meer uit wat hij denkt. En zodra ik mijn eindexamen heb gedaan, kunnen Erin en ik gaan samenwonen.'

'Tegen de muur,' zei ik opnieuw.

'Kunt u dan helemaal geen greintje medelijden met ons hebben?' vroeg hij, terwijl hij huilend een stapje naar de muur deed.

'Nee, daar ben ik het type niet voor.'

Ik kwam de kamer verder in, terwijl Chad naar de scheidingsmuur tussen de twee wanden liep. Een trage dans van onwillige partners die van plaats veranderen. Ik hield hem onder schot. Mijn blik schoot opzij terwijl ik langs de open deur liep.

Paris Montgomery kwam het trapje op.

Toen ik mijn hoofd opzij draaide, keerde Chad zich met een ruk om en ging me, met een van woede vertrokken gezicht, te lijf.

Mijn pistool ging af toen hij mijn polsen beetgreep en de richting van de loop veranderde. Ik wankelde achteruit onder zijn gewicht en struikelde over de verfblikken en de stapels kranten. We sloegen tegen de grond en ik zag sterretjes toen ik met mijn hoofd ergens keihard tegenaan knalde.

Ik hield de Glock nog steeds in mijn hand, en mijn wijsvinger lag ook nog steeds om de trekker, maar hij was op een onnatuurlijke manier gebogen. Ik kon niet schieten, maar hief het pistool op en sloeg Chad Seabright er zo hard als ik maar kon mee op zijn hoofd. Hij kreunde en het bloed stroomde uit een enorme snee in zijn wang, terwijl hij me bij mijn keel probeerde te grijpen.

Ik haalde uit en sloeg hem opnieuw, waarbij ik hem ditmaal met de loop tegen zijn rechteroog trof. Zijn oogbal explodeerde, en vloeistoef en bloed regende uit het vernielde weefsel. Chad krijste en dook, met zijn handen voor zijn gezicht geslagen, van me af.

Zonder ook maar een moment te aarzelen, rolde ik bij hem vandaan en probeerde overeind te komen, maar ik gleed uit in de verfverdunner en graaide om me heen in een poging iets vast te kunnen grijpen waar ik me aan overeind zou kunnen trekken.

'Vuile teef! Vieze, vuile kutteef!' schreeuwde Chad achter mijn rug.

Ik kreeg een poot van het metalen bureau te pakken, en hees mezelf overeind. Toen ik achterom keek, zag ik Chad, die, met zijn ene hand tegen zijn vernielde oog, met zijn andere hand met een verfblik stond te zwaaien. Het blik trof me tegen mijn linkerwang waardoor ik, mijn hoofd achterna, zijwaarts, over het bureau viel. Ik greep me met één hand vast aan de rand, en trok mezelf naar het andere kant van het bovenblad terwijl Chad me keer op keer met het lege blik sloeg.

Nadat ik aan de andere kant op de vloer was gevallen, probeerde ik het pistool uit mijn gebroken vinger te bevrijden. Dankzij de volop vloeiende adrenaline voelde ik geen pijn. Die zou straks wel komen – als ik geluk had.

Ik verwachtte dat Chad me over het bureau heen achterna zou komen, maar in plaats daarvan zag ik, toen ik opkeek, een oranje en blauwe flits toen de verfverdunner in brand werd gestoken en de dampen naar boven toe explodeerden.

Met mijn linkerwijsvinger rond te trekker pakte ik de Glock stevig vast, hees mezelf overeind en vuurde toen Chad zich de deur uit haastte en hem achter zich dicht sloeg.

De andere kant van de kamer stond in lichterlaaie, en de vlammen deden zich gretig te goed aan de goedkope wandbekleding en de stapels kranten op de vloer. Ze kwamen steeds dichterbij. Ze baanden zich een weg naar de tweede kamer. De caravan zou binnen enkele minuten volledig in brand staan. En voor zover ik kon zien, was er geen mogelijkheid om te ontsnappen.

Landry zag de gloed van het vuur al van verre, maar hij hoopte tegen beter weten in – zelfs toen hij extra gas gaf en zijn sirene en zwaailicht in werking stelde – dat het vuur ergens anders en iets anders zou zijn. Maar naarmate hij dichterbij het adres kwam dat Elena hem had gegeven, wist hij dat het niet zo was. De telefoniste van het bureau riep de code om door de radio.

Landry reed het erf op, sprong uit de auto en rende naar de achterzijde van het huis.

De wanden en de ramen van een bescheiden stacaravan staken af tegen de oranje achtergrond.

'Elena!' Hij schreeuwde haar naam om boven het gebrul van de vlammen uit te kunnen komen. 'Elena!'

God jezus, als ze daar binnen was...

'Elena!'

Hij rende naar de caravan, maar de hitte duwde hem terug.

Als ze binnen was, dan was ze dood.

Hoestend en proestend rende ik, met de vlammen op mijn hielen, de andere kamer in. De deuropening stond al in brand. Ik rook de verfverdunner die mijn shirt had doorweekt. Eén klein vlammetje maar, en ik zou in een fakkel veranderen.

Achter in de verste hoek van de tweede kamer was nog een deur naar buiten toe. De rook was zo dik dat ik hem amper kon zien. Struikelend over stoelen vloog ik eropaf, liet me er met mijn volle gewicht tegenaan vallen, draaide de knop om, en gaf er een harde zet tegen. Op slot. Ik draaide aan het slot en probeerde het opnieuw. De deur was van buiten afgesloten en ging niet open.

Het vuur kwam als een vloedgolf de kamer binnengerold.

Ik stak het pistool in de achterkant van mijn spijkerbroek, rukte de videocamera van het statief, gooide de camera op het bed, en zwaaide het statief als een honkbalknuppel tegen het raam waarop Erin Seabright het woordje HELP in het stof had geschreven. Eén keer. Twee keer. Het glas brak, maar bleef in de sponning zitten.

Ik beukte het uiteinde van het statief tegen het glas in een poging het eruit te slaan, maar was tegelijkertijd bang dat de vlammen, wanneer me dat zou lukken, onmiddellijk op de verse zuurstof af zouden schieten. Mijn huid zou verschroeien en mijn longen zouden smelten, en als ik niet op slag dood was, zou ik wensen dat dat wel was gebeurd.

Ik zag de vlammen aankomen en dacht aan de hel.
Net toen ik dacht dat de verlossing nabij was...
Ik sloeg het statief voor een derde, en laatste maal tegen het glas.

'Elena!' schreeuwde Landry.

Opnieuw probeerde hij dichter bij de caravan te komen, maar hij werd achterover tegen de vlakte geslagen toen er in het interieur iets explodeerde. De vlammen rolden in dikke, oranje golven uit het gebroken raam naar buiten. In de verte hoorde hij sirenes aankomen. Te laat.

Diep geschokt en misselijk krabbelde hij overeind en bleef als lamgeslagen staan waar hij stond – niet in staat om iets te doen, niet in staat om zelfs maar iets te denken.

Mijn eerste gedachte was dat het Chad was, die daar in de achtertuin naar het resultaat van zijn werk stond te kijken, en opgetogen was bij het idee dat hij mij vermoord had. Maar toen hij naar me toe begon te lopen en mijn naam riep, wist ik dat het Landry was.

Met de videocamera dicht tegen me aangedrukt probeerde ik naar hem toe te rennen, maar de opluchting was zo groot dat mijn benen als rubber voelden.

'Elena!'

Hij greep me bij de schouders en trok me met hem mee, wég bij de brandende caravan naar het terras van Paris Montgomery's huis.

'Jezus christus,' kwam het ademloos over zijn lippen, terwijl hij me op een stoel drukte, en zijn blik en zijn handen over mijn gestalte liet gaan. Zijn handen beefden. 'Ik dacht dat je daarbinnen was.'

'Dat was ik ook,' zei ik, hoestend. 'Chad Seabright heeft het aangestoken. Hij is een van de daders, samen met Paris en Erin. Heb je hem opgepakt? Heb je hen opgepakt?'

Hij schudde zijn hoofd. 'De enige die binnen is, is haar hond.' De Jack Russel sprong aan één stuk door keffend tegen de terrasdeuren op en neer.

Aan de voorzijde van het huis loeiden de sirenes. Een agent kwam aan de kant van de garage om het huis heen gerend. Landry ging hem, zijn identificatie omhooghoudend, tegemoet. Terwijl ik daar de rook uit mijn longen zat te hoesten, zag ik hem op het huis wijzen. De agent knikte en trok zijn wapen.

'Ben je gewond?' vroeg hij me, toen hij weer terugkwam en opnieuw voor me knielde. Hij legde zijn hand even op mijn wang waar ik door het verfblik was geraakt. Ik kon het niet voelen en wist niet hoe erg de schade was. Landry zette zijn inspectie voort, en ik nam aan dat het meeviel.

'Ik heb mijn vinger gebroken,' zei ik, mijn rechterhand omhooghoudend. Hij pakte hem voorzichtig vast en bekeek mijn wijsvinger. 'Maar er zijn me wel ergere dingen overkomen.'

'O, eigenwijs mens dat je bent,' mompelde hij. 'Waarom heb je niet op me gewacht?'

'Als ik dat had gedaan, zou Chad de boel in de fik hebben gestoken –'

'Met jou ergens anders in plaats van in die caravan!' zei hij, terwijl hij overeind kwam. Hij begon voor me in een kringetje te lopen. 'Je had daar nooit naar binnen moeten gaan, Elena! De kans dat je bewijsmateriaal beschadigd zou kunnen hebben –'

'Als ik daar niet naar binnen was gegaan, zouden we nu helemáál niets hebben!' schreeuwde ik terug, terwijl ik aanstalten maakte om op te staan.

'We?' zei hij, terwijl hij vlak voor me ging staan en me probeerde te intimideren.

Ik stond op. 'Het is mijn zaak. Ik heb jou erbij gehaald. En dat maakt ons tot "wij". Haal het niet in je hoofd me opnieuw buiten te sluiten, Landry. Ik doe dit voor Molly. En als blijkt dat haar zus hier vrijwillig aan mee heeft gedaan, dan zal ik Erin Seabright persoonlijk met mijn blote handen de nek omdraaien. Dan kun je me achter slot en grendel zetten, en ben je de komende vijfentwintig jaar van me af.'

'Het heeft maar dát gescheeld, of ik was voorgoed van je af!' schreeuwde hij, terwijl hij met een heftig gebaar op de brandende caravan wees. 'Dacht je echt dat ik dat wou?'

'Dat is wat iedereen op het Bureau wil!'

'Nee!' schreeuwde hij. 'Nee! Ik. Kijk me aan. Dat is niet wat ík wil.'

We stonden zo dicht op elkaar dat de neuzen van onze schoenen elkaar raakten. Ik keek hem woedend aan. Hij keek me aanvankelijk even woedend aan, maar even later zag ik zijn gezichtsuitdrukking langzaam maar zeker verzachten.

'Nee,' fluisterde hij. 'Nee, Elena. Ik wil niet van je af zijn.'

Gedurende een zeldzame seconde wist ik niet wat ik moest zeggen.

'Ik ben me te pletter geschrokken,' zei hij zacht.

Ik ook, dacht ik, alleen ik bedoelde het in de tegenwoordige tijd. In plaats daarvan keerde ik terug tot ons eerdere onderwerp van gesprek. 'Je had gezegd dat je de informatie met me zou delen. Je had toegegeven dat het in de eerste plaats mijn zaak was.'

Landry knikte. 'Ja... Ja, dat klopt.'

De brandweer van het korps van Loxahatchee arriveerde, en de eerste wagen kwam de achtertuin in gereden. Ik zag de brandweermannen even onverschillig in actie komen alsof het een filmscène was, en toen ik het volgende moment naar mijn handen keek, zag ik dat ik de videocamera nog vast had. Ik gaf hem aan Landry.

'Ik heb dit meegenomen. Er staan vast vingerafdrukken op.'

'Was dit de caravan waar ze haar vast hebben gehouden?' vroeg hij, achteromkijkend.

'Chad zei dat Erin aanvankelijk bij het plan betrokken was, maar dat Paris zich tegen haar heeft gekeerd. Maar als dat zo is, waarom leeft Erin dan nog?'

'Ik neem aan dat we dat het beste aan Paris kunnen vragen,' zei hij. 'En aan Erin. Weet je wat voor auto Paris heeft?'

'Een donkergroene Infiniti. Chad heeft een zwarte Toyota pick-up. En hij mist een oog. Het lijkt me niet ondenkbaar dat hij zich bij een ziekenhuis zal moeten melden.'

Landry trok zijn wenkbrauwen op. 'Hij mist een oog? Heb je hem een oog uitgestoken?'

Ik haalde mijn schouders op en wendde mijn blik af. Het afgrijselijke beeld stond me nog nog zo helder voor ogen dat mijn maag ervan samenbalde. 'Soms heeft een mens geen andere keus.'

Hij wreef zijn hand over zijn mond en schudde zijn hoofd. 'Allemachtig, Estes, je bent echt keihard.'

Op dat moment voelde ik me allesbehalve keihard. De waarheid achter het hele drama begon zichtbaar te worden, en de implicaties daarvan drukten als een zware last op mijn schouders. De adrenalinestoot van de bijna-doodervaring was voorbij.

'Kom hier,' zei Landry.

Ik keek naar hem op en hij legde zijn hand op mijn gezicht – op de goede kant, de kant waarin ik gevoel had. En ik voelde zijn aanraking helemaal tot in mijn hart.

'Ik ben heel blij dat je niet dood bent,' zei hij zacht. Ik had het gevoel dat hij het niet over nu, over de caravan had.

'Ik ook,' zei ik, terwijl ik mijn hoofd op zijn schouder legde. 'Ik ook.'

52

Landry liet een opsporingsbevel uitgaan voor Paris Montgomery en Chad Seabright. Elke patrouillewagen op de weg zou uitkijken naar een donkergroene Infiniti en Chads zwarte Toyota pick-up. Verder was de kustwacht gealarmeerd, evenals de vliegvelden van West Palm Beach en Fort Lauderdale, en alle kleine vliegvelden in de omgeving.

Een van de redenen waarom Florida zo geliefd was voor de doorvoer van verdovende middelen, was het feit dat er talloze mogelijkheden zijn om er in en uit te komen, en dat je binnen afzienbare tijd in een ander land kunt zijn. Paris Montgomery kende heel veel mensen in de paardenbusiness, een heleboel rijke mensen, mensen met eigen boten en vliegtuigen.

En ze kende iemand die diezelfde avond nog met een lading paarden naar Europa zou vliegen: Tomas Van Zandt.

'Is hij al gevonden?' vroeg ik aan Landry. We zaten in zijn auto in de voortuin van het huis dat Paris Montgomery had gehuurd.

'Nee. Armedgians jongens maken grote kans op de onderscheiding van de afgang van de eeuw.'

Ik vertelde hem van het paardentransport naar Europa. 'Ik durf te wedden dat ze alletwee zullen proberen om vanavond het land uit te komen.'

'We hebben alle vliegmaatschappijen gewaarschuwd,' zei Landry.

'Je begrijpt het niet. Vrachtvluchten zijn een heel ander verhaal. Het is de ideale manier van reizen voor terroristen.'

'Geweldig. Dan stuur ik Weiss en de feds naar de vrachtterminal.'

De commandant van de brandweer kwam naar de auto gelopen toen Landry zijn mobiel tevoorschijn haalde. Hij was een kleine man met een zware snor. Ik nam aan dat hij, onder al die beschermende kleding, een slanke verschijning was.

'Het gaat hier om en misdrijf,' zei Landry tegen hem, nadat hij het raampje had opengedraaid.

'Brandstichting,' zei de man, met een knikje.
'Ja, dat ook. Hebben jullie de eigenaar van het pand al gevonden?'
'Nee, nog niet. Hij is in het buitenland. Ik heb gesproken met de makelaar die voor de verhuur zorgt. Zij hebben gezegd dat ze contact zullen opnemen met de eigenaar.'
'Welke makelaar is het?' vroeg ik.
De brandweercommandant bukte zich om mij aan te kunnen kijken. 'Gryphon Property Management in Wellington, mevrouw.'
Ik keek Landry aan, en op dat moment ging zijn telefoon. 'Dat wordt het zoveelste gesprek met Bruce. Zit hij nog steeds vast?'
'Nee. Ze hebben hem vrijgelaten. Landry,' zei hij in de telefoon. Zijn gezicht verstrakte en hij fronste zijn wenkbrauwen. 'Weg? Hoe bedoel je dat, verdomme! Waar was die agent die de wacht hield?'
Erin, dacht ik.
'Wanneer?' snauwde hij. 'Nou, dat is echt hartstikke geweldig. Zeg maar tegen die lul dat hem dat duur komt te staan!'
Hij klapte de telefoon met een venijnig gebaar dicht en keek me aan. 'Erin is verdwenen. Iemand had een fikkie gestookt in een afvalbalk aan de andere kant van de verpleegstersbalie, en de agent die bij haar kamer de wacht hield, is erheen gegaan. Toen hij terugkwam bij haar kamer, was ze verdwenen.'
'Ze is bij Chad.'
'En ze zijn op de vlucht.' Landry startte de auto. 'Ik breng je naar de EHBO. Ik moet aan het werk.'
'Zet me maar liever af bij mijn auto,' zei ik. 'Ik rij zelf wel.'
'Elena.'
'Het is maar een vinger, Landry. Daar ga je niet dood aan.'
Hij slaakte een diepe zucht en hield zijn mond.

Het was stil op de Eerste Hulp. Er werd een röntgenopname van mijn vinger gemaakt, en hij bleek niet gebroken, maar ontwricht. De dokter spoot mijn hand vol met lidocaïne en manipuleerde mijn vinger terug in een rechte lijn. Ik weigerde een onhandige spalk, en koos ervoor de wijsvinger met pleister aan zijn buurman te laten plakken. Hij gaf me een recept voor pijnstillers. Ik gaf het terug.
Op mijn weg naar buiten ging ik bij de balie langs om te vragen of er iemand was binnengekomen met zwaar oogletsel. Het antwoord was nee.
Terwijl ik het ziekenhuis verliet keek ik op mijn horloge. Nog vijf uur tot Van Zandts vliegtuig naar Kennedy Airport, en van daaruit naar Brussel zou vertrekken.

Elk uniform in Palm Beach County was naar hem op zoek, evenals naar Paris, Chad en Erin. Ondertussen liep Don Jade op borgtocht vrij rond, en had Trey Hughes de cheque voor hem uitgeschreven.

Alles draaide om Trey Hughes – de aankoop van het bouwterrein, Stellar, Erin – en voor zover ik wist was niemand naar hem op zoek. Ik besloot naar hem op zoek te gaan. Als alles om hem draaide, dan was het niet ondenkbaar dat hij de sleutel had.

Trey had indertijd een huis op de Polo Club gehad – een met een hek beveiligde wijk in de buurt van het ruitercentrum, die helemaal is ingericht op paardenvolk met geld. Ik besloot daarheen te rijden, en dat via de achterafroute te doen die langs Fairfields voerde.

Het hek van de Lucky Dog Farm stond open. Ik meende een auto naast de stacaravan van de bouwopziener te onderscheiden. Ik reed het terrein op en het schijnsel van mijn koplampen viel op de achterkant van Trey's klassieke Porsche. Ik zette de motor af en stapte uit – de Glock in mijn linkerhand.

Het enige licht dat ik kon zien was afkomstig van de terreinlamp die voor de beveiliging diende, maar ergens hoorde ik Jimmy Buffett een nummer zingen over de vreugden van onverantwoordelijkheid.

Ik volgde het geluid, en liep langs de enorme, donkere stal tot ik bij het einde van het gebouw was gekomen. Langs de hele eerste verdieping van het gebouw liep een balkon dat uitkeek op het springveld. Het balkon werd van begin tot einde verlicht door kaarsen en lantaarns. Ik zag Trey dansen – het uiteinde van zijn onafscheidelijke sigaret was een oranje punt in het donker.

'Schiet op, schat!' riep hij. 'Ik dacht al dat je nooit zou komen! Ik ben het feest maar vast zonder jou begonnen.'

Ik liep de trap op en bleef hem onafgebroken aankijken. Hij was high. Ik had geen idee waarvan. In de jaren tachtig was hij aan cocaïne verslaafd geweest. Toen ik bij de narcoticabrigade was weggegaan, begon het spul opnieuw populair te worden. Nostalgie onder de tragisch hippe lieden.

'Wat vieren we, Trey?' vroeg ik, toen ik het balkon op stapte.

'Mijn luisterrijke leven,' zei hij, terwijl hij bleef dansen. Hij had een fles tequila in zijn hand. Zijn hawaïhemd hing over een kakibroek. Hij was op blote voeten.

'Mijn luisterrijke leven. Bah!' zei hij, en hij lachte. 'Wat een grap!'

De muziek was afgelopen. Hij liet zich tegen de reling aan vallen en nam een grote slok.

'Verwachtte je mij?' vroeg ik.

'Nou nee, ik verwachtte iemand anders. Maar weet je, het maakt niet echt uit, of wel?'

'Dat weet ik niet, Trey. Ik denk van wel – maar dat hangt van je redenen af. Verwachtte je Paris?'

Hij wreef over zijn gezicht en kleine vonkjes van zijn sigaret dwarrelden als vuurvliegjes om zijn hoofd. 'O ja, je bent privé-detective tegenwoordig. De stille. De privé-lul. Of kun je dat niet zeggen. In jouw geval zou het privé-kut moeten zijn, niet?'

'Ik denk niet dat Paris vanavond zal komen, Trey. Ze is opgehouden.'

'O ja? Hoezo?'

'Ze is op de loop voor de politie,' zei ik. 'Zij en Chad Seabright hebben vandaag geprobeerd me te vermoorden.'

Hij keek me afwachtend aan. 'Lieverd, wat heb je gerookt?'

'Kom zeg, Trey. Je bent zeker honderd keer bij haar thuis geweest. Ik weet van jullie verhouding. Probeer me nu niet wijs te maken dat je niets afweet van de caravan. Van Erin.'

'Erin? Iemand heeft haar ontvoerd. De hele verrekte wereld gaat in ijltempo naar de kloten.'

Ik schudde mijn hoofd. 'Dat was alleen maar toneel. Wist je dat niet? Een toneelstuk speciaal voor jou.'

Ik zag zijn gezicht in het licht van de kaarsen. Hij probeerde zich een weg te banen door zijn nevelige brein. Of hij wist echt niet waar ik het over had, of hij probeerde zichzelf ervan te overtuigen dat hij het niet wist.

'Een toneelstuk in drie bedrijven,' zei ik. 'Bedrog, seks en moord. Shakespeare zou er trots op zijn geweest. Ik ken het script nog niet helemáál, maar het begint met een zoektocht naar het heilige land – de Lucky Dog Farm – en zijn koning – jij.'

Zijn verbaasde glimlachje vervaagde.

'Ik zal je vertellen wat ik tot nu toe te weten ben gekomen. De geschiedenis begint met een meisje dat Paris heet, en dat ervan droomt om koningin te worden. Dat wil ze zo verschrikkelijk graag dat ze plannen smeedt om de enige mens die de verwezenlijking van die droom in de weg staat, uit de weg te ruimen. En dan hebben we het over Don Jade.

Dat kan nooit echt moeilijk zijn, denkt ze, want hij heeft al een slechte reputatie. De mensen zijn al bereid om het slechtste van hem te denken. Ze zullen zó geloven dat hij in staat is een springpaard te vermoorden dat het nooit helemaal zal maken. Het oplichten van de verzekering? Dat heeft hij al eerder gedaan, en met succes.

Zijn stalknecht verdwijnt. Hij is de laatste die haar heeft gezien. Dan blijkt dat ze ontvoerd is. En wanneer ze weet te ontsnappen, wíe noemt ze dan als een van haar ontvoerders? Don Jade.

Nu zal Trey hem wel ontslaan, denkt Paris. Jade verdwijnt toch gauw in de gevangenis. En dan wordt zij de koningin van Lucky Dog Farm.'

'Dat is geen leuk verhaal,' zei Trey. Hij drukte zijn sigaret uit op de reling van gegoten beton en gooide de peuk naar beneden.

'Nee, dat is het inderdaad niet. En het krijgt ook geen happy end,' zei ik. 'Had je dat wel verwacht?'

'Je kent me toch, Ellie. Ik probeer niet te denken. Ik probeer alleen maar rustig mee te kabbelen op de zee van het leven.'

Hij snoof en wreef opnieuw over zijn gezicht. Voor de openstaande terrasdeuren die toegang gaven tot een donkere kamer, stond een ronde terrastafel. De twaalf kaarsen die op de tafel stonden te branden, wierpen hun licht over een glazen blad met drie lijntjes cocaïne. Naast het blad lag een .32 Beretta-pistool.

'Waarvoor is dat pistool, Trey?' vroeg ik, en ik voelde me gerustgesteld door het gewicht van mijn eigen wapen – al hield ik hem dan in de verkeerde hand.

'Misschien voor een potje Russische roulette wat later op de avond,' zei hij. Hij haalde een nieuwe sigaret uit zijn zak, stak hem op en blies de rook omhoog naar de hemel.

'Dat wordt dan wel een heel kort spelletje,' zei ik. 'Dat is een automatisch wapen.'

Hij glimlachte en haalde zijn schouders op. 'Mijn leven is één groot spel waarin valsspelen hoog in het vaandel staat.'

'Ach ja, je hebt het zwaar. Hoeveel heb je bij Sallies dood geërfd? Tachtig miljoen? Honderd?'

'Met aan elke miljoen een voorwaarde.'

'Die weerhouden je er anders niet van om het geld uit te geven.'

'Nee.'

Hij draaide zich om en keek uit over zijn land, waarvan niet meer viel te onderscheiden dan een lapjesdeken in verschillende tinten zwart.

'Waarom heb je Jades borg betaald, Trey? En waarom heb je hem Shapiro bezorgd?' vroeg ik, terwijl ik naast hem tegen de reling ging staan.

Zijn glimlach flitste. 'Omdat je vader geen tijd had.'

'Je bent je leven niet trouwer geweest dan een kater. Waarom doe je zoveel moeite voor Jade?'

'Hij heeft me gemaakt tot wat ik vandaag de dag ben,' zei hij, opnieuw glimlachend.

'Hij heeft Sallie vermoord, klopt dat?' vroeg ik. 'Jij was met de vrouw van Michael Berne om voor je alibi te neuken, en Jade was in het huis... en nu kun je geen kant meer uit.'

'Waarom zou ik hier weg willen?' vroeg hij, en hij spreidde zijn armen. De sigaret wipte op zijn onderlip. 'Ik ben de koning te rijk!'

'Nee, Trey,' zei ik. 'De eerste keer had je het goed. Je bent de trieste clown. Je had alles, en straks heb je niets meer.'

'Daar weet jij iets vanaf, niet, Ellie?' vroeg hij.

'Daar weet ik alles vanaf. Maar ik ben bezig om uit dat gat te klimmen, Trey, maar jíj zult er uiteindelijk in begraven worden.'

Ik haalde mijn telefoon uit de zak van mijn spijkerbroek en probeerde Landry te bellen. Mijn rechterhand wilde niet echt meewerken. De verdoving was nog niet helemaal uitgewerkt terwijl de pijn begon op te zetten. Landry moest weten dat Trey Paris had verwacht. Ze was waarschijnlijk van plan geweest om langs te komen voor een auto waar de politie niet naar uit zou kijken. Of misschien had ze hem wel om geld willen vragen om in Europa van te kunnen leven. Of misschien wilde ze hem wel proberen te overtuigen om met haar mee te gaan. Rijke voortvluchtige misdadigers in Europa's chique hoofdsteden.

Ik deed een paar stapjes bij Trey vandaan, verwisselde de telefoon en het pistool van hand, en bleef hem strak aankijken – de pathetische playboy, Peter Pan, intens gecorrumpeerd door het verstrijken van de tijd en genotzucht.

Landry's telefoon ging over toen Paris vanuit de donkere kamer achter de terrasdeuren het balkon op kwam gestapt. Zonder ook maar een fractie te aarzelen, pakte ze Beretta van de tafel en richtte hem op mijn gezicht.

53

'We beheren heel wat objecten,' antwoordde Bruce Seabright op Landry's vraag. 'Maar met de meeste daarvan heb ik niet rechtstreeks te maken.'

'Het enige object waar ik in geïnteresseerd ben, is dit,' zei Landry.

Ze stonden bij Seabright thuis, in diens werkkamer. Seabright draaide rond in een kringetje en slaakte een zucht hemelwaarts. 'Ik heb er niets mee te maken!'

'We weten alletwee dat dat niet waar is.'

'Ik weet echt niet waar die video vandaan is gekomen,' zei hij. 'Iemand moet hem hier hebben neergelegd.'

'Ja, hoor. Hou dat nu maar gewoon vol. Waar ik het nú over heb, is dat huis in Loxahatchee.'

'Ik heb een advocaat,' zei Seabright. 'Praat u maar met hem.'

'Deze vragen staan los van de zaak.'

'Hoe vaak moet ik nog zeggen dat ik me niet met de huurobjecten bemoei?'

'Moet ik echt geloven dat iemand die betrokken is bij Erins ontvoering dat huis zuiver toevallig via uw bedrijf heeft gehuurd? Net zoals die mensen naar wie u Erin voor werk hebt gestuurd toevallig moordenaars en verkrachters en de hemel weet wat nog blijken te zijn?'

'Het kan me niet schelen wat u denkt,' zei Seabright, terwijl hij zijn telefoon pakte. 'Ik heb hier niets mee te maken gehad, en mijn zoon ook niet. En ik verzoek u om nú weg te gaan, want anders dien ik een aanklacht wegens intimidatie tegen u in.'

'Dat kun je schudden, Seabright,' zei Landry. 'Jij en dat etterige zoontje van je, ik garandeer je dat jullie alletwee de bak in draaien. Daar zal ik persoonlijk voor zorgen.'

Landry ging de kamer uit met de gedachte dat hij dit stel het liefste naar het leeuwensafaripark zou brengen om ze daar aan de hongerige roofdieren te voeren.

Krystal stond op enkele meters van haar mans werkkamer op de gang. Voor de verandering zag ze er verslagen uit, in plaats van stoned. Toen hij haar passeerde stak ze haar hand uit om hem tegen te houden. Ze deed haar mond open om iets te zeggen, maar er kwam geen geluid over haar lippen.

'Kan ik iets voor u doen, mevrouw Seabright?'

'Ik heb het gedaan,' zei ze.

'Pardon?'

'Die vrouw is bij mij gekomen, op mijn kantoor, en ik heb haar geholpen. Ik heb dat huis aan haar verhuurd. Ik heb altijd gedroomd van een reisje naar Parijs.'

Ze wist niet goed hoe ze op het nieuws moest reageren, dacht Landry. Moest ze zich schuldig voelen? Moest ze geschokt zijn, of woedend?

'Hoe is ze bij u terechtgekomen?' vroeg hij.

'Ze zei dat ze gestuurd was door een kennis.' Haar ogen glommen van de tranen. Ze schudde haar hoofd en wierp een blik op de werkkamer van haar man. 'Heeft hij het gedaan? Denkt u dat hij het heeft gedaan?'

'Dat weet ik niet, mevrouw Seabright,' bekende Landry. 'U zult het hem moeten vragen.'

'Ja,' zei ze fluisterend. 'Ik zal iets moeten doen.'

Landry liet haar daar in de gang staan, en was blij dat hij gewoon maar een smeris was. Zodra de puinhopen geruimd waren, was deze zaak voor hem afgelopen. Voor Krystal Seabright lag dat anders.

54

Ik tuurde in de loop van het pistool in Paris Montgomery's handen. Jimmy Buffett zong verder op de achtergrond.

'Leg je mobiel en je wapen neer,' zei Paris tegen mij.

Ik hield de Glock in mijn slechte rechterhand. Ik zou hem op hebben kunnen heffen in een poging haar te overtroeven, maar het gebaar zou nooit overtuigend zijn geweest. Indien noodzakelijk, zou ik niet in staat zijn geweest de trekker over te halen. Ik woog de mogelijkheden tegen elkaar af terwijl Landry's voicemailbericht door de telefoon klonk.

Paris kwam naar me toe. Ze was boos en ze was bang. Haar mooie plannetje bleek niet meer zo fraai als in het begin.

'Het leek zo'n simpel plan, niet, Paris?' zei ik. 'Je haalde Erin over om je te helpen Jade erin te luizen. Zij en Chad kregen tegelijkertijd de kans om Bruce Seabright te ruïneren. Het zou allemaal van een leien dakje zijn gegaan als Molly Seabright niet bij me was gekomen en me om hulp had gevraagd.'

'Leg je mobiel en je wapen neer,' beval ze opnieuw.

Ik hing de mobiel aan de riem van mijn spijkerbroek en keek naar Trey, die ons met een uitdrukkingsloos gezicht stond te observeren.

'Waarom heb je Van Zandt erbij gehaald?' vroeg ik. 'Of heeft hij je gedwongen om hem mee te laten doen?'

'Ik weet niet waar je het over hebt.'

'Waarom hou je me dan onder schot, Paris?'

Ze keek naar Trey. 'Alles is Dons schuld,' zei ze. 'Hij heeft Stellar vermoord. Hij heeft Erin ontvoerd. Hij heeft Jill vermoord. Alles is Dons werk, Trey. Dat moet je geloven.'

'Waarom moet ik dat geloven?' vroeg hij. 'Omdat dat in je plan past?'

'Omdat ik van je hou!' riep ze nadrukkelijk uit, hoewel ze ondertussen weer naar mij keek. 'Erin heeft gezien hoe Don Stellar vermoordde.

Don heeft haar de meest verschrikkelijke dingen aangedaan om haar te straffen. En hij heeft Jill vermoord.'

'Nee, dat heeft hij niet, lieverd,' zei Trey op vermoeide toon. 'Dat weet ik heel zeker.'

'Wat zeg je?'

'Jij had avondcontrole, die avond waarop Jill is vermoord. Je hebt mijn bed verlaten om naar de paarden te gaan kijken. Precies zoals de avond ervoor, toen iemand Bernes paarden had laten ontsnappen.'

'Je bent in de war, Trey,' zei Paris, op gespannen toon.

'Doorgaans ja. Omdat het leven op die manier gemakkelijker is. Maar dit weet ik toevallig heel zeker.'

Haar geduld begon op te raken, en ze deed nog een stapje naar mij toe. 'Leg dat pistool neer, verdomme!'

Ik slaakte een zucht en liet me langzaam door mijn knieën zakken alsof ik het pistool op de grond wilde leggen, maar toen dook ik in elkaar en rolde opzij.

Paris vuurde twee keer achter elkaar – een van de kogels sloeg vlak opnaast me tegen de vloer en liet scherven van de marmeren tegels opspatten.

Ik nam het pistool in mijn linkerhand, probeerde hem stil te houden met mijn andere hand, en richtte het wapen op haar voordat ze voor de derde keer op me zou kunnen schieten.

'Laat vallen, Paris! Laat vallen!'

Ze draaide zich om en rende naar de trap aan het andere uiteinde van het balkon. Ik vloog haar achterna, maar bleef staan toen ze de hoek om ging en op het laatste moment achteruit vuurde.

Voorzichtig keek ik om het hoekje, maar zag een lege trap die vaag werd verlicht door de grote schijnwerper. Ze zou, met haar rug tegen de muur gedrukt, op de overloop kunnen staan wachten tot ik zou besluiten haar achterna te gaan. In gedachten zag ik me de trap af rennen, en op de overloop een kogel in mijn borst krijgen – mijn bloed de enige kleurige noot in de zwartwitscène.

In plaats daarvan liep ik door naar het verste punt van het balkon en keek naar beneden. Ze was weg. Ik rende de trap af. De motor van Trey's Porsche kwam ronkend tot leven toen ik van de laatste tree op de grond sprong. De auto kwam vol gas op me toe gereden, en ik werd verblind door het licht van de koplampen.

Ik bracht mijn pistool in de aanslag, schoot op de voorruit en sprong opzij.

Paris gaf een harde ruk aan het stuur, maar slipte op het zand en het grind. De auto gleed zijwaarts en sloeg met zoveel kracht tegen de zijmuur van het gebouw, dat de claxon en het alarmsysteem geactiveerd werden.

Paris gooide het portier open, viel uit de auto, krabbelde overeind en begon, met haar hand tegen haar linkerschouder gedrukt, de oprit af te rennen. Ze struikelde, kwam overeind, liep nog een paar stappen, struikelde opnieuw en viel echt. Ze lag snikkend op de grond – niet ver van het bord waarop trots de bouw van de Lucky Dog Farm werd aangekondigd.

'Nee, nee, nee, nee!' jammerde ze keer op keer, toen ik bij haar kwam. Het bloed uit haar schouderwond liep tussen haar vingers door.

'Het spel is uit, Paris,' zei ik, op haar neer kijkend. 'Je hebt het gehad, kreng.'

55

Molly zat, met haar knieën opgetrokken onder haar kin, ineengedoken op haar bed. Ze beefde over haar hele lichaam en probeerde niet te huilen.

Ze luisterde naar de ruzie beneden, naar de stemmen die opklonken door de vloer. Bruce schreeuwde. Dingen die kapotvielen. Haar moeder die als een furie uit een nachtmerrie schreeuwde en krijste. Molly had haar nog nooit zo tekeer horen gaan. Het was bijna eng, zoals ze klonk. Ze klonk alsof ze gek was. Bruce maakte haar meer dan eens uit voor gek.

Molly vreesde dat hij weleens gelijk zou kunnen hebben. Dat er iets in Krystal geknapt was waardoor alles wat ze jarenlang maar nét had kunnen onderdrukken, ineens was losgebarsten.

Toen het schreeuwen weer luider werd, sprong Molly van haar bed, deed de deur op slot, en schoof haar nachtkastje ervoor. Ze pakte de telefoon die ze van Elena had gekregen, haastte zich terug naar haar plekje op het bed, en draaide het nummer van Elena's mobiel.

Elena nam niet op. De tranen stroomden over haar wangen.

Beneden was het opeens stil – het kabaal had plaatsgemaakt voor een vreemde, angstaanjagende stilte. Molly luisterde ingespannen of ze iets kon horen, maar het bleef zó lang zó stil dat ze zich afvroeg of ze misschien doof was geworden.

Toen hoorde ze een klein, zacht stemmetje door de airconditioningsbuis naar boven komen, dat klonk alsof het uit een andere dimensie afkomstig was. 'En het enige dat ik ooit wilde... was een fijn leven... niets anders dan... een fijn leven...'

56

Landry arriveerde vrijwel meteen na de ambulance die voor Paris was gebeld. Mijn schot door de voorruit had haar schouder geschampt. Ze had wat bloed verloren, maar ze zou het overleven – maar dan wel in de gevangenis, hoopte ik.

Landry stapte uit en kwam rechtstreeks naar me toe, terwijl hij de agent die de plaats had afgezet gebaarde dat hij zo bij hém zou komen. Agent Saunders, die me die avond waarop Bernes paarden waren vrijgelaten naar het Bureau had gebracht, hield me in de gaten omdat hij weigerde te geloven dat ik onschuldig was.

Landry negeerde hem en keek me strak aan.

'Ben je ongedeerd?'

Ik schonk hem de halve grijns. 'Hoe vaak je me dát al niet hebt gevraagd! Ja, ik ben ongedeerd.'

'Je hebt meer levens dan een kat,' mompelde hij.

Ik vertelde hem wat er gebeurd was, wat er gezegd was en hoe ik het zag.

'Waarom ben je hier eigenlijk naar toe gegaan?' vroeg hij.

'Dat weet ik niet. Ik dacht dat Paris zou proberen om naar Trey te gaan. Alles draaide om hem – om Trey, om zijn geld en om zijn manege.'

Ik keek achterom naar de stal, naar de enorme muren waar de zwaailichten van de ambulance en de patrouillewagens op weerkaatsten. Trey werd geboeid afgevoerd naar een van de politieauto's.

'Volgens mij hadden Trey en Jade een plan verzonnen om Sallie Hughes te vermoorden zodat Trey zijn erfenis zou krijgen en deze manege zou kunnen bouwen. Ik heb Trey erop aangesproken. Hij nam niet eens de moeite het te ontkennen. Daarom is hij Jade aldoor trouw gebleven. Hij kon niet anders. Paris wilde van Jade af omdat zíj alles wilde hebben. En uiteindelijk krijgt niemand iets,' zei ik. 'Al hun bedrog, hun leugens en de pijn die ze hebben veroorzaakt – en alles voor niets. Er is geen winnaar.'

'Ja,' zei Landry, toen de ziekenwagen, gevolgd door een patrouilleauto, van het terrein af reed. 'Bij dit soort zaken heb ik er altijd spijt van dat ik niet naar mijn vader heb geluisterd. Hij wilde dat ik ingenieur zou worden.'

'Wat deed hij voor de kost?' vroeg ik.

Hij trok met zijn mond. 'Hij was smeris. Wat anders? Dertig jaar bij de politie van Baton Rouge.'

'Nog steeds geen nieuws van Van Zandt?' vroeg ik, toen we teruggliepen naar onze auto's.

'Nog niet. Het mannetje dat de vrachthangar in de gaten houdt, heeft gemeld dat Van Zandts paarden een poosje geleden gearriveerd zijn, maar ze hebben de hele dag nog niets van Van Zandt gehoord. Denk je dat hij met Paris onder één hoedje speelde?'

'Ik ben er nog steeds van overtuigd dat hij Jill heeft vermoord. Maar Trey zei dat Paris zijn bed had verlaten om die avond naar de paarden te gaan kijken. Degene die Jill in de mestkuil heeft begraven wist dat ze gevonden zou worden, en ook dat Jade automatisch van de moord zou worden verdacht. Dat kwam Paris' plan alleen maar ten goede.'

'We weten dat Van Zandt die avond bij The Players was,' zei Landry. 'Hij wilde haar versieren, al was het maar om haar te troosten nadat Jade haar zo op het hart had getrapt. Het kan zijn dat ze nee heeft gezegd en dat hij dat niet wilde accepteren. En dat kostte haar haar leven.'

'Paris verschijnt op het toneel en haalt Van Zandt over het lijk in de mestkuil te dumpen,' speculeerde ik. 'Was hij ook bij de rest betrokken? Dat is niet duidelijk. Chad heeft me proberen te vertellen dat Erin daadwerkelijk door iemand verkracht is, dat Paris de boel uit de hand heeft laten lopen. Misschien dat Van Zandt zich erin heeft gemengd en de leiding heeft overgenomen.'

'Als het zo is gegaan, weet ik zeker dat hij ons dat zal willen vertellen,' zei Landry. 'Zij zit vast. Hij niet. Niets maakt zo snel een eind aan vriendschap als de dreiging van gevangenisstraf. Goed werk, Estes.'

'Ik heb alleen mijn burgerplicht maar gedaan.'

'Je zou nog steeds een schildje moeten hebben.'

Ik keek weg. 'Och, wat kun je toch lieve dingen zeggen. Maar als ik jou was, zou ik die mening op het bureau maar voor me houden.'

'Laat ze de kolere krijgen. Maar je hebt wel gelijk.'

Ik schaamde me voor het feit dat zijn compliment zo belangrijk voor me was.

'Nieuws van Chad en Erin?' vroeg ik, toen mijn telefoon ging.

Landry schudde zijn hoofd.
'Elena?'
Het onvaste stemmetje van Molly deed me de angst om het hart slaan. 'Molly? Molly, wat is er?'
Ik duwde Landry al voor me uit naar zijn auto, en zag de bezorgdheid op zijn gezicht.
'Elena, je moet komen. Alsjeblieft!'
'Ik kom eraan! Wat is er aan de hand?'
Op de achtergrond hoorde ik dreunen, als van iemand die op een deur beukte.
'Molly?'
En toen een vreemd, angstaanjagend jammerend geluid dat eindigde met haar naam.
'Snel!' zei Molly.
Het laatste dat ik hoorde voor de verbinding werd verbroken, was een haast onwerkelijke stem: 'Het enige dat ik ooit wilde... was een fijn leven... niets anders dan... een fijn leven...'

57

'Let op,' zei Landry, 'zo gaan we het doen. Ik ga eerst naar binnen met de uniformen.'

Ik liet hem praten. Het kon me niet schelen wat hij zei, wat zijn plan was. Het enige waar ik aan kon denken was Molly.

Als iemand dat kind iets had aangedaan...

Ik dacht aan Chad en Erin die nog vrij rondliepen. Als ze naar het huis van hun ouders waren gegaan –

'Elena, heb je me gehoord?'

Ik gaf geen antwoord.

Hij reed de oprit in en zette de auto op het gras in de voortuin, en de patrouilleauto die achter ons aan kwam, deed hetzelfde. Nog voor de auto goed en wel stilstond, was ik er al uit.

'Verdomme, Estes!'

De voordeur stond open. Ik ging naar binnen zonder stil te staan bij het gevaar dat mij te wachten zou kunnen staan.

'Molly!'

Landry volgde me op de voet. 'Seabright? Landry hier!'

'Molly!'

Ik nam de trap met twee treden tegelijk.

Als iemand dat kind iets had aangedaan...

Landry liep naar Seabrights werkkamer. Het was griezelig stil in huis, afgezien van een zacht, vaag geluid achter de gesloten deur van de werkkamer.

'Seabright?'

Landry schoof met getrokken wapen langs de muur. Vanuit zijn ooghoeken zag hij Elena de trap op rennen.

'Seabright?' riep hij opnieuw.

Het geluid werd luider. Het klonk als zingen, dacht hij nu. Hij schoof langs de deur en maakte zijn arm zo lang mogelijk om bij de deurknop te komen.

Zingen. Als het herhalen van een mantra. 'Het enige dat ik ooit wilde was een fijn leven.'

'Molly!'

Ik wist niet welke van de dichte deuren van haar was. Ik ging naast de eerste deur staan en deed hem open. Chads kamer.

Als iemand dat kind iets had aangedaan...

Ik gooide de volgende deur open. Nog een lege slaapkamer.

'Molly!'

Als iemand dat kind iets had aangedaan...

De derde deur die ik open wilde doen, stootte ergens tegenaan. Ik duwde harder.

'Molly!'

Als iemand dat kind iets had aangedaan...

De deur van de werkkamer zwaaide open en onthulde een gruwelijk tafereel. Krystal Seabright stond achter het bureau van haar man. Ze zat onder het bloed. Haar gebleekte haren zaten onder het bloed, haar gezicht, en het aardige roze jurkje dat ze had gedragen toen Landry haar eerder had gezien. Bruce Seabright lag voorover op zijn keurig opgeruimde bureau. Er stak een slagersmes uit één van de pakweg vijftig steekwonden in zijn rug, nek en hoofd.

'Goeie god,' kwam het fluisterend over Landry's lippen.

Krystal keek hem aan met grote, glazige ogen.

'Ik wilde alleen maar een fijn leven. En hij heeft het verpest. Hij heeft alles verpest.'

Als iemand dat kind iets heeft aangedaan...

Ik deed een stap naar achteren, haalde diep adem en ramde mijn schouder zo hard als ik maar kon tegen de deur.

'Molly!'

Het voorwerp dat in de kamer tegen de deur aan was geschoven week enkele centimeters van zijn plaats, voldoende om mijn voet ertussen te kunnen krijgen en de opening te vergroten. Iemand had meubels tegen de deur geschoven zodat er niemand binnen zou kunnen komen.

'Elena!'

Molly liep in volle vaart tegen me op. Ik liet me op mijn knieën vallen, nam haar in mijn armen en hield haar innig dicht tegen me aangedrukt. Ik sloeg mijn armen om Molly Seabright heen en hield haar vast tot ze was uitgehuild, en tot lang daarna.

Voor haar... en voor mijzelf.

58

Het enige dat ik tegen Molly kon zeggen terwijl ik haar zo in mijn armen hield, was dat het voorbij was. *Het is voorbij. Het is voorbij. Het is voorbij.* Maar dat was de allergrootste leugen aller tijden. Voor Molly was niets voorbij. Met uitzondering dan van de tijd waarin ze ouders had gehad.

Krystal, die onder normale omstandigheden al labiel was, was onder de druk bezweken. Ze gaf haar man de schuld van wat er volgens haar met Erin was gebeurd. De ontvoering, de verkrachting. Landry vertelde me dat ze Bruce ervan verdacht dat hij Paris Montgomery naar haar toe had gestuurd om het huis in Loxahatchee te huren waar het hele drama zich had afgespeeld.

Ze had haar breekpunt bereikt. Je zou er natuurlijk ook een positievere draai aan kunnen geven, en kunnen zeggen dat Krystal haar dochter had verdedigd, en haar had gewroken. Jammer genoeg geloofde ik dat niet. Ik geloofde dat ze Bruce niet had vermoord omdat hij haar dochter had verpest, maar omdat hij haar sprookje had verpest.

Het enige dat ik ooit wilde, was een fijn leven.

Ik vroeg me af of Krystal bij Bruce zou zijn gebleven als ze erachter was gekomen dat wat ze hadden doorstaan minstens voor een deel door haar dochter was verzonnen. Ik vermoedde dat ze Erin overal de schuld van zou hebben gegeven, en verder niemand. Ze zou een manier hebben gevonden om Bruce zijn zonden te vergeven, en daarmee zou ze haar fijne leventje in tact hebben gelaten.

Het menselijk brein is tot de meest fantastische rationaliseringen in staat.

Landry liet Krystal per patrouillewagen naar het kantoor van de sheriff vervoeren, waarna hij mij en Molly naar Seans huis bracht. Er werd met geen woord gerept over het bellen van de kinderbescherming hetgeen, in gevallen zoals dat van Molly, standaardprocedure was.

We legden het grootste gedeelte van de rit zwijgend af. We waren emotioneel en lichamelijk uitgeput, en de omvang van wat er was gebeurd, drukte als een zware last op onze schouders. Het enige geluid in de auto was het gekraak van Landry's radio. Een geluid dat me als oud en vertrouwd in de oren klonk. Even bezorgde het me een intens gevoel van heimwee, zoals alleen bepaalde tophits uit mijn puberteit dat anders maar kunnen.

Toen we door het hek van de Avadonis Farm reden, haalde Landry zijn mobiel tevoorschijn om Weiss op het vliegveld te bellen. Van Zandt had zich nog steeds niet gemeld, en het vliegtuig stond gereed voor vertrek.

Molly was van pure uitputting in slaap gevallen. We zaten naast elkaar op de achterbank, en ze leunde tegen me aan. Landry tilde haar uit de auto en droeg haar het gastenverblijf in. Ik ging hem voor naar de tweede, kleine slaapkamer, en bedacht dat we eruitzagen als een gezinnetje.

'Arm kind,' zei hij, toen hij en ik samen het terras op liepen. 'Ze zal veel te vroeg volwassen zijn.'

'Dat is ze al,' zei ik, terwijl ik overdwars op een gietijzeren zonnebed met een dik kussen erop ging zitten. 'Ze is hooguit anderhalve minuut kind geweest. Heb jij kinderen?'

'Ik? Nee.' Landry ging naast me zitten. 'Jij?'

'Het idee heeft me nooit aangesproken. Ik heb te veel mensen gezien die er een puinhoop van hebben gemaakt. Ik weet hoeveel pijn dat kan doen.'

Ik wist dat hij me observeerde, dat hij bij me naar binnen probeerde te kijken en probeerde te bepalen wat ik precies met mijn woorden bedoelde. Ik keek omhoog naar de sterren en verbaasde me over de kwetsbaarheid die ik hem zojuist had getoond.

'Maar Molly is een geweldig kind,' zei ik. 'Logisch ook. Ze heeft zichzelf opgevoed door naar Discovery Channel en A&E te kijken.'

'Ik ben ooit getrouwd geweest,' bekende Landry. 'En ik heb een tijdje met een vrouw samengewoond. Het is niets geworden. Je weet wel, het werk, de onregelmatige en lange werktijden, ik ben een moeilijk mens, enzovoort.'

'Ik heb het nog nooit geprobeerd. Ga rechtstreeks verder naar "ik ben een moeilijk mens, enzovoort".'

Hij glimlachte vermoeid en haalde een sigaret en aansteker uit zijn zak.

'Het pakje in de auto?' vroeg ik.

'Om van die lijkensmaak af te komen.'

'Ik heb gedronken,' bekende ik. 'Om mijn mond te spoelen.'

'Maar je bent gestopt?'

'Ik ben gestopt met alles dat een pijnstillende werking heeft.'
'Waarom?'
'Omdat ik geloofde dat ik de pijn verdiende. Straf. Boete. Het vagevuur. Je mag het noemen zoals je wilt.'
'Stom,' verklaarde hij. 'Je bent God niet, Estes.'
'Dat moet een hele opluchting zijn voor alle oprechte gelovigen. Misschien dacht ik wel dat ik het beter wist dan Hij.'
'Dat was een vergissing,' zei hij. 'Voor mij is de paus ook niet onfeilbaar.'
'Ketter.'
'Ik zeg alleen maar dat je te veel goeds in je hebt om dat door één grove fout te laten overschaduwen.'
Het halve glimlachje speelde rond mijn mondhoek. 'Dat weet ik,' zei ik. 'Daar ben ik inmiddels achter. Dankzij Molly.'
Landry keek over zijn schouder achterom naar het huis. 'Wat ga je haar over Erin vertellen?'
'De waarheid,' verzuchtte ik. 'Ze zal met minder geen genoegen nemen.'
Het vooruitzicht deed me overeind komen. Ik mocht dan uitgeput zijn, maar ik voelde me nog steeds rusteloos, en gefrustreerd ten aanzien van de onrechtvaardigheden in Molly's leven en het feit dat mijn omgang met mensen te wensen overliet. Ik sloeg mijn armen over elkaar om de vochtige avondlucht af te weren, en liep naar de rand van het terras.
'Op de allereerste dag van dit alles dacht ik dat Molly op het punt stond een levensles te incasseren. Dat ze, net als iedereen, tot de ontdekking zou komen dat er in deze wereld maar één iemand is op wie je kunt rekenen, en dat ben je zelf. En dat ze dat zou leren doordat ze teleurgesteld zou worden door iemand van wie ze hield en die ze vertrouwde. Maar nu wou ik dat ik dat voor haar kon veranderen.'
Landry kwam naast me staan. 'Dat kun je,' zei je. 'En dat heb je ook. Ze vertrouwt je, Elena. Je hebt haar niet teleurgesteld. En dat zul je ook niet doen.'
Ik wou dat ik daar zelf ook zo zeker van kon zijn.
Zijn pieper ging. Hij bekeek het nummer, pakte zijn mobiel en belde terug.
'Landry.'
Ik keek naar zijn gezicht en voelde zijn spanning.
Toen hing hij op, keek me aan en zei: 'Erin en Chad zijn opgepakt op Alligator Alley, halverwege Venice. Ze beweert dat Chad haar ontvoerd had.'

59

'Je bent achttien,' zei Landry. 'Voor de wet ben je volwassen. Je hebt slechte keuzes gemaakt waar enorme gevolgen aan vastzitten, en daar zul je nu voor moeten betalen. De vraag is alleen, ga je het ons allemaal extra lastig maken, of ben je bereid gewoon mee te werken?'

Chad Seabright hield zijn blik strak op de muur gericht. Op de plek waar zijn linkeroog had gezeten, zat nu een dik gaasverband. 'Wat een nachtmerrie,' mompelde hij.

De politie had Chads pick-up gesignaleerd toen hij met grote snelheid over de, als Alligator Alley bekendstaande, snelweg reed die de oostkust van Florida met de Golfkust verbindt. De patrouillewagen had de achtervolging ingezet, en uiteindelijk waren ze vastgelopen op een wegversperring. Het stel was terug vervoerd naar het kantoor van de sheriff van Palm Beach County, waar beiden door een arts onderzocht en behandeld waren.

Nu bevonden ze zich in naast elkaar gelegen verhoorkamers, waar ze zich afvroegen wat de ander zei.

Landry wist zeker dat Chad, als Bruce nog geleefd zou hebben, een advocaat van het kaliber van Bert Shapiro aan zijn zijde gehad zou hebben. Maar Bruce Seabright was dood, en Chad had de pro Deo-advocaat gekregen die aan de beurt was geweest.

Officier van justitie Roca tikte ongeduldig met haar pen op tafel. 'Ik zou maar aan mijn verhaal beginnen, Chad. Je vriendin, die in de kamer hiernaast zit, heeft ons de meest onvoorstelbare dingen verteld. Hoe je haar ontvoerd hebt om je vader geld af te persen. We hebben de video waarop je haar met de zweep een pak slaag geeft.'

'Ik wil die video graag zien,' zei Chads advocaat.

Roca keek hem aan. 'Het zijn uiterst overtuigende beelden. Ze zal een uitstekende getuige zijn.'

'Dat is een leugen,' zei Chad. Hij was bang en liet duidelijk blijken dat hij geen enkele behoefte had om mee te werken. 'Zoiets zou Erin me nooit aandoen.'

'Wat zou ze je niet aandoen?' vroeg Landry. 'Bedoel je dat ze ons nooit zou vertellen hoe je haar uit het ziekenhuis hebt ontvoerd terwijl de agent die bij haar kamer op wacht stond naar de andere kant van de gang was gerend om daar het door jou aangestoken brandje te blussen?'

Chad schudde nadrukkelijk zijn hoofd.

'En dacht je echt dat ze ons niet zou vertellen hoe je haar verkracht hebt en haar voortdurend met ketamine hebt ingespoten?' vroeg Roca.

De advocaat zat volkomen beduusd mee te luisteren. Zo af en toe deed hij zijn mond open om iets te zeggen, maar er kwam geen geluid over zijn lippen.

Landry zuchtte en ging staan. 'Weet je,' zei hij tegen Roca, 'ik begin hier schoon genoeg van te krijgen. Deze etter hier weigert mee te werken. Best. Dan laten we hem toch stikken. Zijn vader was een klootzak. Hij is een klootzak. We hebben hem niet nodig. We sluiten een deal met het meisje. Elke jury zal met haar zakdoeken te kort komen.'

Roca deed alsof ze zijn voorstel in overweging nam, waarna ze de advocaat aankeek. 'Praat met je cliënt. Er zal hem van alles ten laste worden gelegd: ontvoering, verkrachting, poging tot doodslag, brandstichting –'

'Ik heb niemand verkracht,' zei Chad. 'Ik ben gisteren alleen maar naar die caravan gegaan in de hoop dat ik Erin daar zou kunnen vinden.'

'Om alle bewijzen voor haar te vernietigen omdat ze het meesterbrein achter het hele plan was?' vroeg Roca.

Chad sloot zijn oog en richtte zijn blik op het plafond. 'Ik héb u toch al verteld dat Erin me verteld heeft dat ze er aanvankelijk bij betrokken was, maar dat Paris zich op een gegeven moment tegen haar heeft gekeerd. Ik heb er niets mee te maken gehad! Ik kan nergens iets aan doen. Het enige dat ik wilde, was Erin helpen. Waarom zou ik daarvoor gestraft moeten worden?'

Landry boog zich over de tafel heen naar hem toe. 'Er zijn doden gevallen, jongen. Je hebt geprobeerd een vriendin van mij te vermoorden. En daar zul je voor moeten zitten.'

Chad sloeg zijn handen voor zijn gezicht en begon te huilen. 'Het was niet mijn schuld!'

'En hoe staat het met de video die we in de werkkamer van je vader hebben gevonden, Chad? De video van die zogenaamde verkrachting? De video die heel handig in de boekenkast was verstopt? Hoe is die video daar terechtgekomen?'

'Dat weet ik niet!'

'Ik wel,' zei Landry. 'Die heb jij daar neergelegd.'

'Niet waar! Ik heb er niets mee te maken!'

Landry slaakte een zucht van walging. 'Zal ik je eens wat vertellen, Chad? Ik weet toevallig heel zeker dat je er wél iets mee te maken hebt. Je kunt jezelf een gunst bewijzen en bekennen, of je kunt jezelf met elke leugen die je vertelt steeds verder in de nesten praten.'

Hij liep naar de doorkijkspiegel in de muur, trok de luxaflex op en zette de intercom aan.

Roca stond op. 'Het is aan u, heren. Wie het eerste bekent krijgt de beste deal. Degene die er het langste over aarzelt doet zichzelf tekort.'

'Waarom zou Chad je uit het ziekenhuis willen ontvoeren, Erin?' vroeg Landry.

'Hij moet de andere dader zijn geweest,' zei het meisje met een heel zwak stemmetje. Ze hield haar blik neergeslagen alsof ze bang was, of zich schaamde. Tranen rolden als kleine, glazen kralen over haar wangen. 'Hij moet de andere ontvoerder zijn geweest. Dat was natuurlijk de reden waarom hij nooit iets zei. Want dan zou ik hem herkennen.'

'En daarom is hij op klaarlichte dag je ziekenhuiskamer binnengegaan om je voor de tweede keer te ontvoeren, zodat je niemand kon vertellen dat je hem in eerste instantie niet had herkend?' zei Landry.

Ze drukte een bevende hand tegen haar lippen en huilde. Haar advocaat, een mollige, moederlijke vrouw die Maria Onjo heette, gaf haar een bemoedigend klopje op de schouder.

Landry sloeg hen emotieloos gade. 'Chad zegt dat jullie van elkaar houden. Dat je uit eigen vrije wil met hem mee bent gegaan.'

Erins mond viel open. 'Nee! Dat is niet waar! Ik – we – hebben een poosje een relatie gehad. Voor ik het huis uit ben gegaan.' Ze schudde haar hoofd om haar eigen stommiteit. 'We deden het alleen maar om Bruce te pesten. Hij kon niet tegen het idee dat zijn volmaakte zoontje iets met mij had,' zei ze bitter. 'Chad was woedend toen ik het uitmaakte met hem. En toen zei hij ook dat ik nog niet van hem af was.'

Maria Onjo hield haar een doos met tissues voor.

'Erin,' zei Roca, 'Chad beweert dat niet hij bij de ontvoering was betrokken, maar jij zelf. Dat het hele gedoe alleen maar een plan was om Don Jade in diskrediet te brengen, en om je stiefvader te pesten en hem geld afhandig te maken, maar dat de zaak uit de hand is gelopen.'

'Uit de hand?' vroeg Erin, verbaasd en boos. 'Ze hebben me verkracht!'

'En het is je nooit opgevallen dat een van je verkrachters Chad was?'

vroeg Landry. 'De jongen met wie je een relatie had, en met wie je naar bed bent geweest?'

'Ik zat voortdurend onder de drugs! Dat heb ik u al verteld. Waarom gelooft u mij niet?'

'Misschien komt dat wel doordat de dokter die je bij binnenkomst in het ziekenhuis heeft onderzocht, niet met zekerheid heeft kunnen aantonen dat je verkracht was.'

'Wat? Maar... maar... U hebt de video zelf gezien.'

'O ja, ik heb de video gezien,' zei Landry. 'Het waren afschuwelijke wrede beelden. En als het echt was geweest, zou je vagina zware beschadigingen moeten hebben vertoond. Maar dat was niet het geval.'

Haar gezichtsuitdrukking was als die van iemand die vastzit in een nachtmerrie. 'Dit kan niet waar zijn,' mompelde ze bij zichzelf. 'Ze hebben me geslagen. Ze hebben me verkracht. Kijk dan toch zelf hoe ik eruitzie!'

Ze schoof haar mouwen omhoog om de rode striemen van de zweep te tonen.

'Ja,' zei Landry. 'Heel overtuigend. Dus wat je zegt, is dat Don Jade en Chad je, met medeweten van Paris Montgomery, ontvoerd hebben. Hoe kennen Don en Chad elkaar?'

'Dat weet ik niet.'

'En waarom zou hij willen samenwerken met de man die jou van hem had afgepikt?' vroeg Landry. 'Dat snap ik niet helemaal.'

Hij zag haar frustratie groeien. Haar ademhaling versnelde en werd onregelmatig.

De advocaat wierp Landry een nijdige blik toe. 'Rechercheur Landry, u kunt niet van Erin verwachten dat ze al uw vragen voor u beantwoordt. Ze kan onmogelijk weten wat er omgaat in de hoofden van de betrokkenen.'

'Daar ben ik nog niet zo zeker van, mevrouw Onjo. Erin had een intieme relatie met Chad, ze werkte voor Don Jade en ze beweert dat ze verliefd op hem was. Als er iemand is die al onze vragen kan beantwoorden, dat is dat, mijns inziens, Erin.'

Onjo gaf het meisje opnieuw een bemoedigend klopje. 'Erin je hoeft dit helemaal niet te doen –'

'Ik heb helemaal niets verkeerds gedaan!' zei Erin tegen haar. 'Ik heb niets te verbergen. Ik kon er niets aan doen!'

Landry wisselde een blik met Roca en rolde met zijn ogen. 'Vertel op, Erin, hoe hebben Chad en Don Jade elkaar leren kennen? Voor zover ik weet is er maar één ding dat die twee met elkaar gemeen hebben, en dat is dat ze jou kennen. Ik kan me hen niet goed voorstellen als vrienden.'

'Dat moet u maar aan hén vragen!' snauwde ze. 'Misschien zijn ze wel voor elkaar gevallen. Weet ik veel!'

'En ze speelden onder één hoedje met Paris Montgomery, klopt dat? Je zat vast in een stacaravan in haar achtertuin.'

Erin sloeg haar handen voor haar gezicht. 'Dat weet ik niet!'

'Erin is het slachtoffer van de hele geschiedenis,' zei Onjo. 'Ze is wel de laatste die in de gevangenis hoort.'

'Daar denkt Chad heel anders over,' zei Roca. 'En Paris toch wel. Beiden beweren dat de ontvoering Erins idee was. Paris kwam met het plan om het paard te vermoorden zodat Jade daar de schuld van zou krijgen. Erin heeft haar gedwongen om mee te doen met die zogenaamde ontvoering om haar stiefvader geld af te persen en Seabright en haar moeder uit elkaar te drijven, én om Jade op te zadelen met een misdaad die zijn carrière om zeep zou helpen.'

'En zal ik je eens wat zeggen?' zei Landry. 'Dat verhaal klinkt mij een stuk aannemelijker in de oren dan het idee dat Chad en Jade biseksuele psychopaten zouden zijn.'

'Dit is een nachtmerrie!' snikte Erin. 'Ze hebben me verkracht!'

Landry zuchtte, stond op, rekte zijn schouders, wreef zijn gezicht. 'Ik vind het echt ontzettend moeilijk om dat te geloven, Erin.'

Onjo schoof haar stoel naar achteren en stond op. Ze was staand even lang als zittend. 'Dit is barbaars en het is afgelopen.' Ze riep de agent die bij de deur de wacht hield.

'U wilt niet blijven voor de filmvoorstelling?' vroeg Landry, waarbij hij op de televisie en de videorecorder wees die in de hoek van de kamer op een verrijdbaar, metalen tafeltje stonden.

Onjo keek hem onvriendelijk aan. 'Waar hebt u het over? Welke film?'

'Ze hebben video's gemaakt,' zei Erin. 'Ze hebben me dingen laten doen. Het was verschrikkelijk.'

'Ik geloof niet dat deze voor het grote publiek is bestemd,' zei Roca. 'Misschien zou je je strategie moeten herzien, Erin. Ik heb de gewoonte om degene die de minste leugens vertelt, de beste deal te geven.'

Landry drukte op de startknop van de video.

'Je bent een talentvolle actrice, Erin,' zei hij. 'Als je niet in de misdaad verzeild was geraakt, zou je als pornoactrice geen slecht figuur hebben geslagen.'

De video was een kopie van de band die in de camera had gezeten die Elena uit de caravan had meegenomen. Achter de schermen van de zogenaamde ontvoering. Fragmenten. Opnamen van de repeterende acteurs.

Het scherm werd gevuld door een beeld van Erin die op suggestieve wijze op het bed poseerde, en verleidelijk in de camera glimlachte. Hetzelfde bed als waarop ze, op de video die naar Bruce was gezonden, vastgeketend had gezeten. Hetzelfde bed als waarop ze, op die andere video, weggedoken in een hoekje had gezeten en zo hardhandig en wreed met de zweep was geslagen dat zelfs doorgewinterde agenten de beelden schokkend hadden gevonden.

Maria Onjo bekeek de beelden terwijl ze bleek wegtrok en langzaam maar zeker tot het inzicht kwam dat het meisje inderdaad schuldig was.

Erin keek van haar advocaat naar Landry. 'Ze hebben me gedwongen. Ik moest doen wat ze zeiden, anders kreeg ik met de zweep!' riep ze. 'U denkt toch niet écht dat ik dat wilde doen? Op het televisiescherm betastte ze zichzelf tussen haar benen, waarna ze haar vingers aflikte.

'Ja,' zei Landry, 'dat denk ik wel.'

Op de achtergrond hoorden ze een mannenstem iets zeggen, waarop hij en Erin moesten lachen.

Erin schoof haar stoel van tafel en begon op en neer te lopen. Een gekooid, in de hoek gedreven, boos dier. 'Ik moest ze gehoorzamen,' zei ze. 'Ik was doodsbang dat ze me zouden vermoorden! Wat hebben jullie toch? Waarom gelooft niemand mij? Het was Chad. Dat weet ik nu zeker. Hij heeft het gedaan om me te straffen.'

Iets vloog tegen de achterkant van de spiegelruit. Erin en Onjo schrokken. Landry en Roca wisselden een blik.

Op het scherm kwam Chad achter de camera vandaan, en ging bij Erin op bed zitten. Ze knielden tegenover elkaar op de vuile matras.

'Hoe wil je het, baby?' vroeg hij.

Erin keek verleidelijk glimlachend naar hem op. 'Je weet hoe ik het wil. Ik hou van ruw.'

Ze schoten alletwee in de lach. Twee kinderen die een spelletje speelden. Twee acteurs die een scène repeteerden.

Landry keek naar de spiegelruit, knikte naar iemand aan de andere kant, en liep naar de deur met de smoes dat hij even iets tegen de agent op de gang wilde zeggen.

'Vieze, vuile kolereteef!' krijste Chad de kamer in, terwijl een agent hem bij zijn geboeide armen over de gang trok. Seabright rukte zich los en dook de verhoorkamer in. 'Ik hield van je! Ik hield van je!'

Hij probeerde haar vanaf drie meter afstand in het gezicht te spugen. Landry deed een stapje opzij en trok een vies gezicht.

'Je hebt nu eenmaal mensen wier opvoeding te wensen over laat,' zei hij, terwijl hij de deur dichtdeed.

Onjo zette een hoge borst. 'Dit is schandalig! U waagt het mijn cliënt door haar verkrachter te laten intimideren –'

'Och, hou toch op, mens,' verzuchtte Roca vermoeid. 'De jury hoeft deze video maar te zien, en die cliënt van je kan haar toekomst bij de film wel vergeten.'

'Ik wil een deal!' schreeuwde Chad. 'Ik wil een deal!'

Erin sprong van haar stoel. 'Hou je bek! Hou je bek!'

'Ik heb alles voor jou gedaan! Ik hield van je!'

Erin keek hem giftig aan. 'Stomme, achterlijke idioot.'

Landry ging naar buiten om in het namiddagzonnetje even een sigaret te roken. Hij wilde van die smaak van andermans leugens af, evenals van de stank van wat ze hadden gedaan.

Chad Seabright had alles bekend en had zijn bewering dat hij onschuldig was, ingetrokken. Hij had gezegd dat Erin met het plan naar hem toe was gekomen. Ze zouden doen alsof zij ontvoerd werd, en Bruce het losgeld laten betalen. Als hij niet met geld over de brug kwam, dan zou hij op een andere manier moeten betalen – met zijn reputatie of met zijn huwelijk. Tegelijkertijd zou ook Don Jade verdacht worden gemaakt en geruïneerd worden, en Paris Montgomery zou krijgen waar ze altijd van had gedroomd – Jades bedrijf en Trey Hughes' manege.

Een simpel plan.

Ze hadden de koppen bij elkaar gestoken en de scripts voor de video's geschreven alsof het om een eindexamenproject van de filmacademie ging. Volgens Chad was het pak slaag met de zweep Erins idee geweest. Ze had erop gestaan dat hij haar, omwille van het realistische effect, daadwerkelijk met de zweep zou slaan.

Het was Erins idee. Het was Paris Montgomery's idee. Chad kon het allemaal niet helpen.

Niemand kon iets helpen.

Chad was door Erin beduveld en gebruikt. Hij was onschuldig. Erins moeder had haar niet goed opgevoed. Bruce Seabright hield niet van haar. Paris Montgomery had haar gehersenspoeld.

Paris Montgomery moest nog verhoord worden, maar Landry wist nu al hoe ze hem huilend zou vertellen dat haar vader haar tot seksuele spelletjes had gedwongen, hoe ze op de middelbare school het lelijke eendje was geweest en hoe ze geestelijk onder al die dingen had geleden.

Chad had beweerd dat hij niets van Tomas Van Zandt, of van de dood van Jill Morone had geweten. Landry ging er vanuit dat dat ook niemands schuld zou zijn.

Wat Landry wilde weten was: als niets niemands schuld was, hoe kwam het dan dat er mensen vermoord werden, hun ouders verloren en hun leven de vernieling in zagen gaan? Paris Montgomery en Erin Seabright en Chad Seabright hadden beslissingen genomen waardoor mensen waren gestorven, en anderen hun leven voorgoed verpest zagen. Hoe kon dat niemands schuld zijn?

60

In het aarzelende uur voor het aanbreken van de ochtend wanneer de lange, lange nacht zijn einde nadert.

Opnieuw schoten die regels me te binnen terwijl ik, de dag nadat Chad Seabright een deal met de officier van justitie had gesloten, op het zonnebed op mijn terras naar de opkomende zon zat te kijken.

Chad had Erin verraden. Erin had Paris Montgomery verraden. Paris had, in een poging punten bij de officier te scoren, Van Zandt aangewezen als de moordenaar van Jill Morone. Ik hoopte dat het hele stel in de hel zou rotten.

Ik dacht aan Molly en aan hoe de woorden van T.S. Eliot van toepassing waren op wat ze doormaakte, en op haar levensweg. Ik probeerde niet stil te staan bij de ironie dat Molly degene was geweest die, in een poging haar familie bij elkaar te houden, mij in dienst had genomen om haar zus terug te vinden, en dat, op het einde van deze hele geschiedenis, Molly degene was die over was.

Bruce Seabright was dood. Krystals brein had het begeven. Ik betwijfelde of ze ooit een steun voor Molly was geweest, maar wist zeker dat ze dat in de toekomst nooit meer zou kunnen zijn. En Erin, de zus van wie Molly zoveel had gehouden, was voorgoed voor haar verloren – zowel door Erins gevangenisstraf als door de wijze van haar verraad.

Het leven kan in één seconde veranderen, in de tijd die nodig is om een verkeerde... of een juiste beslissing te nemen.

Ik had Molly de vorige avond over Erins medeplichtigheid verteld, waarna ik haar in mijn armen had gehouden tot ze huilend in slaap was gevallen.

Op dat moment kwam ze, met een enorme groene deken om zich heen gewikkeld, naar buiten, en kwam, zonder een woord te zeggen, dicht tegen me aan op het zonnebed zitten. Ik streelde haar over haar haren en wou dat ik het vermogen had om dat moment heel, heel erg lang te laten duren.

Na een poosje vroeg ik: 'En heb je al bedacht wat je met die tante Maxine van je wilt doen?'

Het kantoor van de sheriff had Krystal Seabrights enig levende familielid in de omgeving opgespoord – een weduwe van ergens in de zestig die in West Palm Beach woonde. Ik zou Molly die middag naar haar toe brengen.

'Ze valt wel mee,' zei Molly, zonder veel enthousiasme. 'Ze is... normaal.'

'Nou, zo geweldig is "normaal" nu ook weer niet.'

We zwegen een poosje en keken naar de velden in het licht van de opkomende zon. Ik probeerde te verzinnen wat ik verder nog tegen haar zou kunnen zeggen.

'Weet je, Molly, het spijt me verschrikkelijk zoals het allemaal is afgelopen. Maar aan de andere kant ben ik heel blij dat je die dag bij me bent gekomen en me om hulp hebt gevraagd. Doordat ik jou heb leren kennen, is mijn leven er een stuk rijker op geworden.

'En als ik die Maxine niet aardig vind,' vervolgde ik, 'dan neem ik je meteen weer mee naar huis.'

Molly keek door haar uilenbrilletje naar me op, en glimlachte voor het eerst sinds ik haar had leren kennen.

Oudtante Maxine woonde in een aardig flatgebouw en leek inderdaad een 'normaal' mens. Ik hielp Molly haar spullen naar binnen brengen, en bleef voor een kop koffie en een vers volkorenkoekje. Normaal.

Molly liet me uit, en we namen moeizaam afscheid.

'Je kunt me altijd overal voor bellen, Molly,' zei ik. 'En ook zomaar.'

Ze glimlachte een ingetogen, wijs glimlachje. Haar ogen achter haar brillenglazen glommen van de tranen. Ze gaf me een klein, uit postpapier geknipt, visitekaartje. Ze had, naast een stickertje van een paars viooltje, haar naam en haar nieuwe adres en telefoonnummer geschreven.

'Je moet me je eindafrekening sturen,' zei ze. 'Ik weet zeker dat ik je een heleboel geld schuldig ben. Ik zal je beetje bij beetje moeten afbetalen. We vinden er wel een oplossing voor.'

'Nee,' zei ik zacht, 'je bent me niets schuldig.'

Ik hield haar lange seconden dicht tegen me aangedrukt. Als ik gekund had, zou ik gehuild hebben.

Toen ik weer thuiskwam, was de dag bijna om. De zon overgoot de vlakke westelijke horizon met zijn gouden licht. Ik parkeerde en liep naar de stal.

Irina was bezig met de verzorging van Feliki's benen, die ze met toverhazelaar en alcohol behandelde en vervolgens zwachtelde.

'Hoe staat het leven?' vroeg ik.

'Best,' zei ze, diep geconcentreerd om de zwachtel van het rechterbeen volkomen symmetrisch met die van het linkerbeen te laten zijn.

'Het spijt me dat ik de afgelopen tijd nauwelijks heb geholpen,' zei ik.

Ze keek op en schonk me een warm glimlachje. 'Maak je niet druk, Elena. Dat geeft niet. Ik weet dat andere dingen belangrijker waren.'

Ik stond op het punt haar naar de betekenis van het leven te vragen.

Ze ging bij de achterbenen van het paard zitten, en spoot ze in met de alcoholoplossing.

'Heeft de politie die Belg al gevonden?' vroeg ze.

'Nee. Het schijnt dat hij met Lorinda Carltons huurauto is verdwenen. Maar vroeger of laten vinden ze hem wel.'

'Ik denk dat hij voor zijn misdaden boet,' zei Irina. 'Ik geloof in karma. Jij niet?'

'Ik weet niet. Misschien.'

'Ik weet het zeker.'

Ze zong toen ik de stal uit liep.

Landry had het zich gemakkelijk gemaakt op een zonnebed bij het zwembad. Hij zat met zijn zonnebril op naar de ondergaande zon te kijken. Ik ging bij zijn benen zitten en blokkeerde zijn uitzicht.

'Vertel me eens wat, Landry.'

'Mensen zijn tuig.'

'Niet allemaal.'

'Nee. Jou mag ik, Estes,' zei hij. 'Je bent een fatsoenlijk mens.'

'Ik ben blij dat je dat vindt. Echt,' bekende ik, hoewel ik me niet kon voorstellen dat hij zich realiseerde hoeveel die woorden voor mij betekenden.

Of misschien deed hij dat ook wel.

'Trey Hughes heeft ons vandaag interessante dingen over Jade verteld,' zei hij. 'Hij zegt dat het Jades idee was om de oude dame om zeep te helpen, opdat Trey zijn erfenis zou kunnen incasseren. Het was niet zijn schuld dat de man de daad bij het woord heeft gevoegd.'

'Natuurlijk niet. En wat heeft Jade daarop te zeggen?'

Hij volstond met het schudden van zijn hoofd. 'Heb je Molly naar haar tante gebracht?'

'Ja. Ze redt zich wel. Ik mis haar,' bekende ik.

Landry legde zijn hand op de mijne. 'En jij zult je ook wel redden.'

'Dat weet ik. Ja. Dat is zo. Dat doe ik.'

'Dat doe je,' beaamde hij, terwijl hij mijn hand drukte. 'Wat zou je ervan zeggen als we elkaar wat beter leerden kennen?'

Ik glimlachte mijn halve glimlach en knikte, waarna we hand in hand het huis in liepen.

Het leven kan van de ene op de andere seconde veranderen.